스포츠 속의 담론(談論)을 찾아서(개정판)

'남자 멀리뛰기 김덕현 날다' (한국일보, 2012. 10. 17, 서재훈)

휠체어(wheelchair) 경기(한국일보, 2012. 10. 17, 서재훈)

스포츠 속의 담론(談論)을 찾아서(개정판)

발　행 | 2024년 06월 20일
저　자 | 김용수
펴낸이 | 한건희
펴낸곳 | 주식회사 부크크
출판사등록 | 2014.07.15.(제2014-16호)
주　소 | 서울특별시 금천구 가산디지털1로 119 SK트윈타워 A동 305호
전　화 | (02) 1670-8316
이메일 | info@bookk.co.kr

ISBN | 979-11-410-9042-5

www.bookk.co.kr
ⓒ 김용수 2024

스포츠 속의 담론(談論)을 찾아서

김용수 엮음

오! 아름다운 네 손에

미헬 바우(Michelle Bauer)

네 손에 무엇이 있는가.
가끔 부자도 가난한 이 곁에
자리 잡고 도시를 짓는다.

난 어느 곳
산 위에 서 있다.
독수리가
숲 너머로 날아간다.
오! 한 마리 아름다운 새
푸른 솔 나무에 앉는다.

아름다움이여.
장미도 우릴 찌르지만
난 더 큰 아름다움을 찾아낸다.
내일이면 화가는
꼭 그림을 다 그릴 거야.
오! 아름다운 네 손에
무엇이 있는가.
오! 아름다움, 난 몹시 기쁘다.
오! 아름다움, 난 꿈을 꾼다.
오! 아름다움을

http://blog.naver.com/mouse5022/130003687159470x300

이 책을 쓰면서

오늘날 '스포츠란 우리에게 무엇인가?' 사실 우리가 너무나 가까이 보면서 접하고 있는 스포츠에 대해 이 같은 물음을 던지는 것이 매우 새삼스럽다. 그러나 가만히 따지고 보면 우리가 매일 TV나 신문지상, 혹은 직접 관람하며 익숙하게 접하고 있는 스포츠에 대해 과연 보고 즐기는 것 외에 그다지 심도 있는 물음을 던져본 것 같지 않다. 아마도 스포츠에 대해 갖는 대다수 사람들의 생각은 그저 보고 즐기는 여가활동의 일부 정도일 것이다. 그러나 과연 그러한가?

지난 2002년과 2006년 월드컵 때 길거리로 몰려나온 수백만의 시민들, 그리고 이 같은 호기를 놓치지 않고 끼어드는 자본의 손길, 매스컴의 상술 등 스포츠로서의 월드컵은 그저 현대사회에서 보고 즐길 수 있는 여가활동 정도로 한정시키기에는 너무나 막대한 영향력을 행사하고 있다.

뿐만 아니라 올림픽을 비롯하여 연중 끊임없이 매스컴을 넘나드는 각종 대회의 소식과 스포츠 스타에 대한 뉴스들은 그저 일상적 사건들로만 바라보기 어려울 정도로 우리의 삶과 밀착되어 있다. 물론 일상적인 것에 대해 불필요한 심각한 물음을 던지는 것이라고 반문할 수 있으나, 우리는 너무 익숙해져 있기 때문에 그것의 본질을 보지 못하고 그것에 얽매여 있는 경우를 볼 수 있다. 어쩌면 우리의 삶에 일상적으로 밀착되어 있는 스포츠가 우리의 삶을 자신에게 종속시키고 있는 기재일 수 있다.

미디어와 고도의 정보기술이 지배하는 현대사회는 권력독재에 항거하고 민주화를 열망하는 선구자들의 희생에 힘입어 객관적인 억압기재들이 거의 완전히 해체된 사회이다. 그러나 눈에 보이는 객관적 억압기재들이 사라졌다한들 진정한 자유가 도래한 것이라 할 수 없다. 우리가 자유로운 시민사회의 일원으로서 살아가기 위해서는 이제 우리의 일상을 억압하고 있는 기재에 대해 반성하지 않으면 안 된다. 그러나 일상을 돌아보기 어려운 것은 인간이 지극히 일상적인 것에 안주하기를 원하기 때문이다.[1]

우리의 일상과 밀착되어 있는 스포츠에 대한 사회학적 측면의 반성적 성찰이 요구되는 시점에 와 있다. 바로 그런 점에서 너무나 일상적인 것이었기 때문에 그동안 당연한 것으로 받아들여 왔던 스포츠에 대해 새로운 관점에서 재음미할 수 있는 계기를 마련해야 한다.

60년대와 70년대를 살면서 TV에 비쳐진 스포츠에 대한 흥분과 열정의 반면에 80년대의 암울한 시기를 보내면서 군사 독재 정권의 대표적 우민화 정책의 수단이라는 스포츠에 대한 이미지가 교차되는 이율배반적인 태도를 극복하고 체험을 통해서 스포츠를 일상의 생활처럼 향유할 수 있어야 한다. 아마도 80년대에 민주화 과정을 경험했거나 보아왔던 사람들의 경우에 스포츠에 대한 이미지가 필자의 경우와 크게 다르지 않을 것이다.

　　현대의 삶에서 스포츠란, 현대인들이 스포츠에 열광하는 이유에 대해 캐시모어(Ellis Cashmore)의 '왜 스포츠는 우리를 매혹시키고 사로잡는가(Making sense of sports)'의 이론을 빌어 스포츠의 예측불가능성이 너무나 뻔한 현대 사회의 예측 가능한 삶에 청량제가 된 측면, 지나치게 예의바른 현대사회에 인간의 동물적 본성을 발산할 수 있는 장치로서의 측면, 너무 안전한 현대사회에 모험에 대한 인간의 욕망을 충족시켜 준다는 측면 등이 산재해 있다는 점이다.

　　캐시모어(Eliss Cashmore)의 이론이 스포츠 수요자의 관점에서 설명되고 있다는 점을 비판하면서 스포츠 공급자의 관점에서 살펴보면, 우선 스포츠가 훌륭한 사회 통제의 도구가 될 수 있다는 점이다. 스포츠의 규율은 공정성과 공평성에 대한 신뢰성을 받아들이도록 한다.

　　그러나 대부분의 스포츠 규율은 과학적 원리와 상관없이 자의적으로 만들어진 것들이다. 그리고 이러한 규율이 자의적인 것들이라 하더라도 '스포츠 활동에 참여하려면 먼저 규칙에 절대 복종' 해야 하는 것이다. 이렇게 '규율에 순종하는 태도는 스포츠를 통해 형성되는 신체 속에 각인' 된다. 흔히 특정 스포츠에 적합한 신체 구조를 갖추어야 한다는 것, 즉 '몸을 만든다' 는 말은 특정 스포츠에 참여하기 위한 과정에서 근육의 통증이나 고된 고통의 과정들에 순응할 것을 요구하는 것이다.

　　또한 스포츠는 참여자들에게 즐거움을 부여해줌으로써 '사회 비판의 칼날을 무디게 하는 데도 효과적' 이라고 한다. 즉 매일 쏟아지는 스포츠 소식이나 활동의 즐거움에 빠져 '일희일비(一喜一悲)하다보면 정작 중요한 사회 문제에 관심을 제대로 쏟지 못하게 된다' 는 것이다.

2024년 6월
海東 김용수

차례

I. 들어가는 글/10

Ⅰ. 들어가는 글

스포츠는 현대 자본주의 체제의 상업주의와 밀접한 관련을 맺고 있다. 즉 오늘날 스포츠는 거대한 산업이 되고 있다는 것이다. 현대인이 열광적으로 스포츠를 즐기게 된 데에는 더 많은 스포츠를 끊임없이 제공해줌으로써 그들의 소비를 부치긴 산업의 역할이 적지 않았다. 이 같은 스포츠 공급의 확대는 결국 스포츠 활동의 기회를 증가시켰고, 이에 따라 높아진 수요의 결과로 인한 전문 스포츠 선수들의 몸값이 치솟아 사회적 유명 인사의 반열에 오르게 된다. 이는 결국 스포츠를 통한 사회 이동의 기회라는 인식을 가져와 특히 하층 계급에게 효과적 사회 이동의 길로 인식되게 된다. 이렇듯 스포츠 공급자의 측면에서 보더라도 스포츠는 인기를 구가할 수밖에 없는 것이다.

스포츠는 일종의 사회문화적 현상으로 인간 사회의 다양한 영역들과 복합적으로 관련을 맺고 있다. 즉 스포츠는 인류가 발생하고 진화하는 과정 속에서 시대별로 다양한 관점을 반영하면서 발전하였다. 또한 대중매체의 발달은 대중문화 발전의 중요한 요소가 되었으며 그 중 스포츠는 최근에 가장 주목받는 대중문화 요소 중의 하나가 되었다. 스포츠문화는 사회제도 내에서 대중문화의 특성을 강하게 나타내면서 다양한 형태로 현대사회 속에서 그 영향력을 발휘하고 있으며 대중매체의 발달과 더불어 스포츠 문화는 대중문화로 더욱 발전을 거듭해 나아가고 있다. 그러나 지나친 스포츠 상업화는 승리 지상주의를 발생시켜 도박이나 불법 내기, 승부 조작 등의 사회적인 문제를 일으켜 순수한 아마추어리즘을 위협하고 있다. 따라서 스포츠 상업화의 폐해를 줄이고 건강한 스포츠 산업을 육성하려는 노력이 더욱 중요해지고 있다.

현대사회에서의 스포츠에 의한 세련된 사회 통제 수단으로서의 측면을 헉슬리(ALDOUS HUXLEY)가 그의 소설 『멋진 신세계(Brave New World)』에서 묘사한 "쾌락에 의한 지배" 사회에 모든 인간의 존엄성을 상실한 미래 과학 문명의 세계를 신랄하게 풍자하고 있는 의미와 비유하게 된다.

이것은 한편으로 스포츠의 표준화와 관련되는데 마치 신입 사원의 용모 기준에 맞춰갈 수밖에 없는 입사 지망생의 경우처럼 현대인들은 개인의 특질을 무시한 채 스포츠의 일반화된 표준화에 의해 규정된 신체의 규율에 복종하는 존재로 탈바꿈한다는 것이다.

1. 평화올림픽에 대한 단상(斷想)

올림픽은 과연 평화를 추구하는가? 결론부터 말하면 그것은 신화에 가깝다. 올림픽의 역사에는, 전쟁으로 인해 경기가 취소된 경우도 있었고, 냉전기간에는 보이콧으로 인해 온전한 국제스포츠경기로서 올림픽이 가지는 의미가 퇴색되기도 하였다. 경기도중 테러집단의 공격으로 인해 선수단 및 인원이 살해당하는 비극도 있었고, 군국주의와 인종주의를 앞세운 프로파간다의 장으로 전락한 경우도 종종 있어왔다.

영국의 작가 조지 오웰은 과거 국제스포츠를 'war minus the shooting', 즉, 총성 없는 전쟁이라 칭한바 있다. 비록 축구경기를 두고 한 말이기는 하나, 그의 표현은 올림픽에도 여전히 유효해 보인다.

올림픽 평화를 이야기 할 때, 자주 등장하는 내용이 'Olympic Truce' 바로 올림픽 휴전이다. 이러한 휴전선언은 고대 그리스 시대, 올림픽이 열릴 때면, 전쟁 중이던 도시국가들이 잠시 무기를 내려놓고 경기가 무사히 진행되도록 도왔다는 전통에 그 기원을 두고 있다. 과연 이러한 관습이 오늘날에도 지켜질 수 있을까? 사실 현대사회는 고대사회와 큰 차이가 있다.

고대 그리스 사회에서는 신정정치로 불릴 수 있을 정도로 종교가 가지는 영향력이 상당했다. 그리고 올림픽 스포츠 경기는, 고대 그리스 신화에서 신중의 신인 제우스를 섬기는 제례의식의 일부였다. 때문에, 모든 그리스의 도시국가들은 신들의 노여움을 살까 두려워 올림픽기간 잠시 전쟁을 멈춘 것이다.

지금은 어떠한가? 오늘날의 국제사회에는 국가주의가 만연하다. 정치적 이익을 고려하여, 올림픽을 개최하기도, 참가하기도, 나아가 불참하기도 하는 것 또한 오늘의 현실이다.

올림픽은 표면적으로는 국가 간 우호증진을 말하지만, 실질적인 내용면에선 국가 및 애국주의를 도모하는 측면이 강하다. 아울러 전쟁과 무력시위는 국가가 국익을 지키기 위해 취하는 최후의 정치적 수단이다. 이러한 실정에서, 올림픽 시작과 함께 전쟁 중인 국가가 포성을 멈추기를 기대하는 것은 다소 낭만적이며 나아가 순진하기까지 한 상상력이다.

그렇다면 왜 올림픽 평화론이 대두하는가? 그것은 올림픽 평화론이 다름 아닌 IOC가 21세기 들어 내세운 새로운 의제이자 프로파간다이기 때문이다. 현대올림픽을 치르는 데 있어 개최국가가 지불해야 하는 경제적 그리고 환경적 비용은 어마아마 하다. 그리고 소위 Olympic Legacy 즉, 올림픽 유산이라는 포장아래 종종 등장했던 사회, 문화, 경제, 생활체육 분야의 긍정적 파급효과는 2004년 이후 열린 올림픽의 경우 대부분 과장된 것이거나, 심지어 허구인 것으로 드러났다. 엄청난 금액을 들여 건설한 경기장들은 올림픽 이후 무용지물로 전락하거나 폐허가 되기도 했다. 결국 오늘날 올림픽은 지속가능하지 못한 이벤트인 셈이다.

이러한 위기적 상황에서, 올림픽 평화론은 IOC가 올림픽의 당위성을 주장하기 위한 새로운 돌파구의 성격이 농후하다. 선언적으로 그럴싸하지만, 실질적으로 그 효과를 긍정적으로나 부정적으로 모두 명확히 따져보기 애매하고, 거기에 UN이라는 정부간국제기구의 상징적인 후원도 받고 있으니 IOC에 입장에서는 이것보다 좋은 홍보 전략이 또 있을까? 이러한 점에서 올림픽 평화는 IOC가 새롭게 설정한 Intangible Olympic Legacy, 즉 무형의 올림픽 유산인 것이다. 안개와 같은 PR이 따로 없다.

더욱이 국제적 긴장과 갈등이 지금보다 심각했던 달했던 60-80년대, 반전주의자들의 평화운동을 조롱하듯 무시하고, 월남전에 사용된 고엽제와 폭탄제조를 통해 큰 이익을 얻은 기업이, 오늘날 평화를 부르짖는 올림픽의 공식 후원사이기도 하니 이러한 모순이 또 있을까?

IOC는 평화라는 담론을 이용하여 자신들의 기득권을 유지하고자 할 뿐, 진정한 의미에서의 반전과 평화운동에는 큰 관심이 없어 보인다. 스포츠 시민운동가들은 이러한 사실을 간과해서는 안 될 것이다.[2]

[스포츠를 통한 우정과 평화]

원더진영(2017. 05. 31)

스포츠와 정치에 대한 문제에 대해서 불과 1년 전의 나는 헛소리로 치부(置簿) 해버리고 스포츠(sports)와 정치(政治)를 연관성(聯關性) 있게 생각하는 것은 확대 해석(擴大解釋)이라고 대답했을 것이다. 하지만 전의 글에도 대답했듯이 1년 전의 나 자신과 지금의 나는 생각하는 관점(觀點)이 상당히 달라져 있다. 지금의 나는 이 세상의 모든 것을 움직이는 것의 바탕에는 정치(政治)적 이해관계(利害關係)가 숨어져 있다고 생각한다.

정치(政治)적 이해관계(利害關係)란 각자의 이득(profit)과 손실(loss)을 따져서 가장 득이 되는 것을 찾는 과정이다. 이 과정을 대부분 사람은 이해하지 못하는데, 지금까지 정치(政治)를 단순히 국익(國益)을 위해 최선의 결과를 만들어내는 과정 으로만 인식했기 때문이다. 그러므로 뉴스에서 나오는 정치(政治)인들의 행동이 이해 가지 않을 때도 있고, 정치혐오(politicophobia)에 빠지기도 쉬운데, 이를 단순히 각자의 위치에 있는 사람들이 이득(profit)을 취하기 위한 행위라고 보면 대한 민국에서 일어나는 현상 전반에 이를 적용해볼 수 있다.

스포츠(sports)는 스타가 가진 우상(idol)적 기능과 매스미디어(mass media)의 사회적 시멘트(social cement) 효과를 동시에 가지고 있다. 위기의 상황에서 극적으로 득점해 팀을 승리에 이끈 선수의 모습은 마치 고대 그리스시대의 영웅(hero)처럼 신(god)과 같은 아우라(aura)가 널리 퍼져 보인다. 그것을 지켜보는 관중들도 각자 응원하는 팀의 구성원으로서 그들과 동일시(同一視)를 느끼고, 자신이 소속된 팀이 승리하는 것을 보고 살아오면서 쌓여왔던 삶의 응어리를 해소하고 카타르시스(catharsis)를 느끼게 된다. 이런 일련(一連)의 과정들은 종교적 기능을 일부 가진다고 할 수 있다. 중세시대 국가의 기틀을 굳건히 하기 위해서 종교를 중심으로 온 백성이 똘똘 뭉친 것과 비슷하게, 현대에서 스포츠(sports)는 단순한 체육 활동 행사 외에도 국민을 하나로 뭉쳐 현 정부의 위치를 보다 굳히기 위한 정치(政治)적 의도도 숨어있다고 할 수 있다.

1962년 칠레 정권은 격렬한 파업을 무마하는 데 월드컵(World Cup)을 이용했고, 1966년 영국의 노동당 정부는 월드컵(World Cup) 우승을 틈타 임금을 동결했다. 또한 1936년 독일에서는 올림픽(Olympic)을 유치함으로써 내부적으로는 나치의 정당성을 확립시켰고, 외부적으로는 미국을 중심으로 한 세력을 이기기를 원했다. 베를린을 정돈되고 깨끗한 도시로 보이게 하려고 집시 등 일부 유랑 민족들을 특정한 곳에 격리(隔離)시켰으며, 독일인이 승리한 종목을 통해 게르만 민족의 우수성을 강조하는 등 권력을 유지하기 위한 도구로 스포츠(sports)를 적절히 활용하였다.

　　스포츠(sports)를 정치(政治)에서 떨어뜨려 놓아야 한다는 것은 말뿐인 이상(理想)에 불과하다. 스포츠(sports)에 얽혀있는 경제적, 문화적 요소들은 모두 정치(政治)와 때려야 땔 수 없는 것들이다. 하지만 언제나 거듭 강조하는 것이지만 과유불급(過猶不及)이란 말처럼, 너무 정치(政治)적 요소가 많이 드러나는 행동은 지양(止揚)해야 할 점이다. 정치(政治)인들이 스포츠(sports)를 사용하기 좋은 도구가 아닌 국민이 문화를 향유할 수 있는 매체로 생각한다면 이런 행동들이 조금은 줄어들지 않을까.[3)]

['평화를 염원하며'](연합뉴스, 2018. 02. 09), 임헌정 기자

2. 스포츠맨십(sportsmanship)의 실종

스포츠 각 종목에 공통되는 매너(manners)나 에티켓(etiquette)의 기초, 각 종목의 매너나 에티켓이 유도해 내는 공통의 원칙을 뜻한다. 매너나 에티켓은 스포츠의 각 장면에서 시인되고 있는 구체적인 행동의 양식을 제시하고 있는 셈이고, 그 규범적 기준을 제공하고 있는 것이 스포츠맨십이다.[4]

올해 들어 약물 스캔들이 세계 스포츠계를 강타하고 있다. 단골 종목인 육상은 물론 프로야구, 프로골프까지 정정당당한 승부를 펼쳐야 하는 스포츠계가 약물에 오염되고 있다. 스포츠에서는 인종과 종교, 이념을 떠나 페어플레이를 통해 인간의 한계에 도전하는 것이 최고의 선이다.

스포츠맨십의 실종이다. 사전에 따르면 스포츠맨십은 공정하게 경기에 임하고 비정상적인 이득을 얻기 위해 불의한 일을 행하지 않으며 항상 상대편을 향해 예의를 지키는 것은 물론 승패를 떠나 결과에 승복하는 것을 일컫는다. 대중에게 약물 복용이 크게 회자 된 것은 88서울올림픽 때의 벤 존슨(캐나다)부터다. 벤 존슨은 남자 100m에서 9초79라는 세계신기록으로 금메달을 목에 걸었지만 약물 복용이 드러나 메달을 박탈 당했다.

충격적인 것은 인간 승리의 주인공으로 칭송 받았던 '사이클 황제' 랜스 암스트롱의 몰락이다. 암스트롱은 고환암을 극복하고 투르 드 프랑스에서 7연패를 달성한 전설이다. 그러나 지난 해 미국 반도핑기구(USADA)가 도핑 증거가 담긴 보고서를 발표한 데 이어 국제사이클연맹(UCI)은 영구제명까지 했다. 결국 암스트롱은 지난 달 오프라 윈프리쇼에서 약물 복용 사실을 시인했다.

금지 약물 복용은 지금까지는 주로 메이저리그에서 폭로돼 왔다. 홈런왕 배리 본즈와 새미 소사, 특급 투수였던 로저 클레멘스 등의 약물스캔들은 세상을 떠들썩하게 만들기에 충분했다.

최근에는 연봉 3,000만달러를 받는 뉴욕 양키스의 알렉스 로드리게스마저 금지약물을 복용했다는 보도가 나와 메이저리그를 충격에 빠트렸다. 마이애미 지역 주간지 마이애미 뉴 타임스가 3개월 간의 취재 끝에 불법 약물을 구입한 선수들의 명단을 공개했는데 그 중에 포함된 것. 로드리게스는 노화 방지 클리닉에서 성장호르몬, 테스토스테른, 아나볼릭 스테로이드가 함유된 물질을 구매한 것으로 알려졌다. 하지만 약물로 세운 기록은 수치에 불과할 뿐이다. 메이저리그 최다 홈런 기록 보유자인 배리 본즈(762개)도 아직까지 명예의 전당에 헌액되지 못했다.

급기야 도핑의 무풍지대로 알려진 골프에서도 의혹이 제기됐다. 골프는 단순한 근력보다는 정확한 타이밍과 스피드, 유연성이 좌우한다는 점에서 근육 강화제를 사용하는 선수들은 없을 것이라는 의견이 통설이었다. 하지만 미국의 스포츠 전문매체 스포츠일러스트레이티드(SI)는 PGA 투어에서 통산 34승을 올린 비제이 싱(피지)이 금지약물인 'IGF-1' 성분이 포함된 스프레이 제품을 사용했다고 최근 보도했다. 인슐린과 유사한 성장호르몬인 'IGF-1'은 손상된 근육을 치료하는 효과뿐 아니라 근육을 강화하는 효과도 있는 것으로 알려졌다.

약물 스캔들에 더해 얼마 전에는 최대 규모의 '승부조작 스캔들'이 축구계를 발칵 뒤집어 놓았다. 유로폴이 2008~11년 사이에 유럽에서 380경기, 비유럽(아프리카, 아시아, 중남미)에서 300경기를 포함해 680경기의 승부조작이 이뤄졌다고 밝힌 것. 선수와 심판 등 승부 조작 가담자가 15개국 425명에 달한다. 특히 국제축구연맹(FIFA) 월드컵 예선과 유럽축구연맹(UEFA) 챔피언스 리그의 경기가 포함된 것으로 알려져 충격적이다.

대중이 스포츠에 열광하는 이유는 스포츠맨십에 기반한 페어플레이에 있다. 따라서 스포츠맨십을 저버리고 페어플레이를 하지 않는다면 대중이 스포츠에 등을 돌리는 것은 시간문제다. 우승자에게도 환호하지만 꼴찌에게도 박수를 보내는 이유는 최선을 다해 정정당당한 승부를 펼쳤을 것이라는 전제조건이 있기 때문이다. 이번 기회에 약물 복용과 승부조작이라는 스포츠계의 악의 축을 발본색원해야 한다.[5]

스포츠맨십과 페어플레이 정신을 길러주는 체계적인 교육 프로그램이 필요하다는 것이다. 이러한 교육 프로그램은 스포츠 참가자는 물론 장차 스포츠 참가를 희망하는 청소년, 스포츠를 좋아하는 팬, 그리고 일반 대중들에게 큰 영향을 미칠 수 있을 것이다.

스포츠 윤리는 스포츠맨십과 페어플레이 정신을 강조한다. 승리만을 위한 경쟁 스포츠가 아닌 도덕적인 자세로 임하며, 관용과 배려가 숨 쉬는 경기가 되기 위해서는 스포츠 윤리교육이 보다 더 강화되어야 할 때이다. 소수만 승자가 되고 다수가 패자가 되는 사회를 국민은 원하지 않는다. 이러한 사회적 문제는 스포츠 문화에도 그대로 영향을 미칠 수밖에 없다.

지난 해 말부터 불법 스포츠도박 사이트의 승부조작이나 프로스포츠의 승부조작, 그리고 근자의 태권도 승부조작 등이 문제가 된 바 있어서 정부는 클린스포츠 통합 콜 센터를 오픈하여 운영을 하고 있다. 따라서 건전한 스포츠문화의 조성으로 스포츠를 통한 바람직한 사회를 만들기 위해서는 스포츠 참가자를 대상으로 한 스포츠윤리 교육이 보다 더 필요하다.

3. 청소년 체력 저하 대책이 시급하다

체육활동을 통한 국민체력 증진과 여가시간을 건전하게 활용할 목적으로 10월 15일을 체육의 날로 제정해서 시행해오고 있다. 모든 국민은 건강해야 한다. 하지만 우리 청소년들의 체력저하가 갈수록 심각해지고 있다.

우리나라 청소년들의 체력저하 제1원인은 입시 위주의 주입식 교육에 있다. 육체적으로 성장기인 중·고등학교 시절 내내 학교와 학원에서 국·영·수 과목 위주의 입시교육에만 매달리다 보니 체육활동은 뒷전으로 밀리고 고3이 되면 단 한 차례도 운동장에 나갈 기회가 없어지다 보니 심신은 고갈되고 만다. 교육의 목표가 지(智)·덕(德)·체(體)를 두루 갖춘 완성된 인격체를 지향하고 있지만, 우리 교육 현장에서는 체(體)는 실종 위기를 맞고 있다.

이런 문제를 풀기 위해서는 청소년들에게 운동과 체력단련의 중요성을 강조하는 교육시스템을 마련해주는 일이 시급하다. 체격이 커지는 만큼 체력도 강해질 수 있도록 우리 청소년들을 위해 학교 체육수업을 강화하고 방과 후에도 재미있고 다양한 스포츠 활동을 의무화하는 제도를 적극 도입해야 한다.

대학에서도 체력관리를 위하여 필수과목으로 개설하여 성인 체육활동의 육성에도 적극 나서야 한다. 한편으로는 선진국 수준의 체육 인프라를 구축해야 한다. 학교에도 잔디 운동장과 수영장, 체력단련시설 등을 의무적으로 갖추도록 함으로써 청소년 체력저하 문제를 적극적으로 해결해 나가야 할 것이다. 또한 지역 사회체육시설과도 연계하는 프로그램을 활성화해 부족한 시설을 보완해야 한다. 학교체육이 정상화되어 우리 아이들이 마음껏 뛰어 놀 수 있도록 우리 모두가 힘을 모아 실천해 나가야 한다.

오늘날 세계 각국은 보지국가의 실현을 최우선적인 과제로 삼고 있으며, 이를 실천하기 위해서는 문화·사회·경제·정치 등 모든 부문에서 새로운 역할과 기능이 요구되고 있는 실정이다. 특히 스포츠와 같은 체육활동은 삶의 질 향상을 통한 복지국가 실현의 궁극적인 목표 달성을 위해 필수적인 부문임에 틀림없다.

이러한 체육활동은 인류 역사의 시작부터 인류의 다른 활동과 더불어 전개되어 왔다. 그것은 체육활동이 인간의 신체활동을 기반으로 이루어지기 때문에 인류의 시작과 더불어 체육활동은 전개되었다고 볼 수 있다. 이렇게 인간의 생활 속에 전개된 체육활동이기 때문에 체육활동은 인간이 이룩하여 놓은 역사 속에서 그 구체성을 갖게 되었다.

이와 같이 체육활동이 특정한 시기와 지역의 상황 속에서 구체화된다면 체육활동에 대한 폭넓은 이해를 위해 체육활동이 처해 있는 구체적 상황 속에서, 체육활동과 다른 제반 요소들과 같은 관계 속에서 체육활동을 파악해야 할 것이다. 또한 체육활동은 사회의 변동과 함께 변화를 겪어왔다고 볼 수 있는데, 사회 변동이란 사회와 변동에 관한 두 개의 개념으로 구성된다고 볼 수 있다.[6]

청소년들의 체격은 날로 좋아지고 있으나 체력은 갈수록 떨어져 대책이 시급하다. 반면 50세 이상 남자의 체력은 청소년에 비해 오히려 좋은 것으로 나타났다. 이는 국민체육공단이 전국 7세 이상 국민 5944명을 대상으로 조사한 결과다. 전국 중·고교생 10명 중 4명 이상이 정상 체력에도 못 미치고 있는 것으로 드러나 청소년의 전반적인 체력저하 현상에 대한 대책 마련이 시급한 것으로 지적됐다.[7]

이번 조사에서 우리 청소년들의 체격은 중국 일본을 제치고 동북아시아에서 가장 좋은 것으로 나타났다. 하지만 체력은 이들 나라보다 현격하게 떨어졌다. 한마디로 우리 청소년들이 갈수록 '덩치 큰 약골'이 되어가고 있음을 통계로 보여주고 있다. 정부차원의 적극적인 대책마련이 있어야 할 것이다.

우리 청소년들의 체격향상은 칼로리 높은 식품 섭취에 기인한다. 반면 체력저하는 공부에 짓눌려 운동량이 크게 부족한 때문이다. 무엇보다 초중고 체육교육이 지나치게 형식적이라는데 큰 원인이 있다. 게다가 지난 2000년부터 중고교 체육시간이 크게 줄어들었고, 특히 고교 2·3학년에 오르면 체육이 선택과목이 되면서 아예 체육과목이 없어진 학교도 많다. 이 같은 상황은 지난 94년 학생체력장제도가 폐지되면서 결정적인 전기가 됐다. 최근 들어 컴퓨터게임에 중독되다시피 몰두하는 청소년들이 많은 것도 체력저하의 원인이 되고 있다.

학생들의 체력저하는 전반적 현상이지만 특히 수도권과 대도시에서 심각하다. 일선 학교의 체육교육을 더 활성화하고 도시를 중심으로 운동장 등 체육시설을 확충할 필요가 있다.

요즘 한창 붐을 타고 있는 '몸짱' '웰빙' 바람의 영향으로, 성인들의 체력이 좋아졌음은 건강에 대한 인식 확산이라는 측면에서 볼 때 바람직하다. 그러나 문제는 우리의 미래를 짊어질 청소년이다. 이런 약골로 대학에 진학하고 사회에 나가서 어떻게 제 몫을 해낼지 걱정이다. 학교체육의 새로운 모색 없이는 청소년들의 체력향상을 기대하기 어렵다. 학교체육의 부활 없이는 청소년들의 체력향상을 기하기 어렵다. 그러자면 무엇보다 "학생체력장제도를 다시 살리는 길밖에 없다."고 제언해 본다.[8]

4. 신뢰까지 휩쓸 가리왕산

☞ **전해 들은 비공식 에피소드 하나.**

2014년 인천 아시안게임 이후 당연히 텅텅 빌 신축 경기장을 어떻게 활용하면 좋을지 논의하는 자리였다. 인천보다 먼저 아시안게임을 치른 부산의 공무원은 뭐라 말할까? 차라리 "헐어 내는 편"이 경제적이고 속 시원하다고 조언했다는 게 아닌가. 시설을 보완으로 충분히 활용할 수 있는 문학경기장을 두고 거액의 예산을 다시 퍼부으며 인천시 서구에 추가한 주경기장은 시방 을씨년스럽게 방치돼 있다. 결혼식장과 양판점을 유치해도 외진 곳이라 소용없다고 한다.

인천시가 올림픽을 유치하자는 목소리가 나온 적 있다. 경기장을 더 신축하지 않아도 충분하다는 논리를 앞세웠지만, 그게 어디 쉬운가? 그 공허한 소리는 사라졌는데, 인천시의 숱한 경기장은 4년 넘게 사용할 일 없이 방치되었고, 인천시는 관리예산을 퍼붓는다. 부산도 인천도 비어 있는 경기장 관리로 골머리 썩는데, 가리왕산을 뜯어 낸 정선 알파인스키장은 황폐한 모습을 드러내고 있다. 장마가 목전인데, 어찌해야 하나?

동계아시안게임을 유치해 활용하자는 제안이 나오는 모양인데, 그게 가능할까? 유치 가능성이 문제가 아니다. 경쟁이 얼마나 치열한지 모르지만, 지금처럼 방치하면 산사태에 취약할 수밖에 없다는 지적이 나온다. 동계올림픽 이후 일반인에게 개방할 요량으로 슬로프를 조성하지 않았기에 겨울철 다시 사용하려면 상당한 시설보완이 필요한데, 시간이 없다고 한다. 올 장마에 별일 없어야 할 텐데, 산림 전문가들은 방치한다면 2011년 우면산처럼 산사태가 일어날 수 있다고 경고한다.

☞ **전해 들은 비공식 에피소드 둘.**

2011년 7월 27일, 시간 당 100밀리미터가 넘는 집중호우가 서울을 비롯한 중부지방에 300밀리미터 가까이 쏟아졌다. 당시 초등학생에게 과학체험 자원 활동하려던 인하대 학생 10명이 강원도 춘천시 신북면에서 산사태로 매몰돼 희생되었고, 서울 서초구의 우면산에 사태가 발생해 아래 고급아파트를 휩쓸었다.

신세계그룹 회장의 부인이 사망했을 때, 친구의 친척도 큰 피해를 입었다고 전했다. 가족여행에서 돌아오니 모든 가구가 사라진 집 안에 토석이 가득이었다는 게 아닌가. 부자인 친척은 그 기회에 가구와 가전제품을 몽땅 바꿨다고 한다.

가리왕산 (사진, koreasanha.net)

　이 글을 쓰는 순간, 인천 연수구 인근에 천둥 번개를 동반한 호우가 무섭다. 내일까지 120밀리미터 이상의 호우를 예보하는 캐스터는 대비하라는데, 개인이 할 수단이 뭘까? 집 안에서 꼼짝하지 말라는 겐가? 이런 비가 가리왕산 쏟아지면 어찌 될까? 강원도 담당자의 장담처럼, 알파인 경기장 부지에서 산사태가 발생할 리 없을까? 표고 800미터 차이가 있는 슬로프는 경사가 매우 급하고 풍부했던 기존 산림은 파헤쳐졌다.　가리왕산은 거의 정상부터 급경사로 산림을 잃었다. 산사태는 그 고속도로 같은 기슭으로 토석을 밀며 내려올 텐데, 바로 아래 현대산업개발이 지은 지상 12층 지하 2층 규모의 고급 리조트 '파크로쉬'가 자태를 뽐내고 있다. 평창　동계올림픽 폐막식 때 백악관 선임고문인 이방카 트럼프가 묵었다는 파크로쉬는 견뎌 낼까? 맹렬하게 내리는 집 주변의 빗소리를　들으며 가리왕산의 슬로프를 컴퓨터 모니터로 보니 2011년 7월 27일의 우면산이 저절로 연상된다.

　환경전문가들은 여름철마다 반복적으로 내릴 수 있는 강우량, 시간당 75밀리미터의 호우를 가정해 시뮬레이션을 했고, 현재 빼어난 경관을 자랑하는 파크로쉬는 직격탄에서 피할 수 없다고 단정했다. 한데 복원에 책임이 있는 강원도는 복원예산을 거의 편성하지 않는 배짱을 보인다. 복원을 염두에 두지 않고 슬로프를 만들지 않았다는 의혹이 인다. 그렇다면 약속위반이자 만행이다. 이제와 동계아시안게임 유치를 운운하는 무모함을 연출한다. 지역 상공인을 앞세우며 복원하지 않는 게 낫다는 논리를 내민다.

동계아시안게임을 유치했다고 치자. 물론 운 좋게 산사태가 없다고 치자. 정선군 가리왕산 주변에서 상공인이 만족할 정도의 돈벌이는 과연 가능할까? 우리나라에 알파인 활강 선수는 그리 많지 않다. 그런 과격한 스키를 즐기는 인구는 앞으로 크게 늘어날 것 같지 않다, 가리왕산 슬로프를 찾을 단골손님이 세계적으로 증가하리라는 상상은 불가한데 가리왕산 슬로프를 활용하겠노라고? 복원에 들어갈 돈이 없다고? 산사태 이후 발생한 비용과 비교해 보라! 지진과 해일에 끄떡없다던 후쿠시마 원전의 말로를 생각해 보라! 무주에 대신할 스키장이 버젓이 있어도 가리왕산 파괴를 고집한 이들은 복원을 철석같이 약속했다. 이제 그 약속을 버릴 참인가?

정부는 신뢰를 기반으로 정책을 펼쳐야 한다. 신뢰를 버린 정부의 참한 말로를 숱한 역사에서 우리는 분명히 보았고 우리나라도 예외가 아니었다. 강원도는 약속을 짓밟겠다는 것인가? 가리왕산의 산사태는 정부, 그리고 강원도 지방정부의 신뢰를 휩쓸게 틀림없다.[9]

1960년대 도시 외곽의 과수원은 때까치가 많았다. 꾸둑꾸둑 말린 개구리 뒷다리를 주는 일꾼이 등장할 때 모여들었는데 숲이 건강한 녹지와 가까운 곳에 산다면 비슷한 감동을 느낄 수 있다. 적당한 크기로 쪼갠 땅콩이나 잣을 내놓으면 산새들이 모여든다. 가까운 산에 오를 때마다 땅콩을 내놓는다면 새들이 그 사람 주변에 모인다고 한다. 낯선 이가 없다면 어깨에 내려앉는다니 그럴 때 느끼는 감미로운 감동은 근근이 살아가는 자연 이웃에 대한 연민으로 이어진다고 경험자는 이야기한다. '생태정의'를 배우는 순간이겠지.

자연을 이해하면 마을의 이웃을 따뜻하게 바라보는 시선을 갖게 된다. 바로 생태정의로 이어지게 돕는 생명평화다. 생태정의는 미래세대의 행복을 염려하는 마음으로 키울 것이다.

역대 어느 황제보다 풍족한 삶을 구가하는 만큼, 현세대 인간은 탐욕을 멈춰야 한다. 자연과 후손을 위해 과시보다 이웃과 따뜻하게 나누던 시절로 돌아가야 한다. 과시와 질시가 주목받지 않는 세상, 혼쾌히 가난해지는 마을이다. 반성을 토대로 자연과 후손에 선물을 주면서 행복해지는 내일을 늦지 않게 만들어야 한다.[10]

5. 은인(恩人) 통해 쓰는 편지

'한마디 말로 '단체' '대학' '재벌' '정부'를 움직이는 사람'. 대부분의 사람은 상상조차 하기 힘든 일이다. 2016년 불가능할 것만 같은 일을 해온 사람이 등장했다. '최순실'이다.

그녀의 이름은 '비리'란 단어와 함께 대한민국의 사회·문화·경제를 가로지르는 핵심어가 됐다. 특히 체육계와 관련된 각종 비리는 일일이 나열조차 힘들다. 'K스포츠재단' '미르재단' '평창동계올림픽' 등 그녀가 정치, 사회, 경제적으로 사용한 체육관련 '흔적(痕迹)'은 체육교육의 긍정적 변화를 위해 노력하는 체육인들에게 아물지 않은 상처와 같다.

이러한 측면에서 필자는 최순실씨를 체육계의 '은인(恩人)'이라 칭한다. 곪아 터져 더 이상 아물 것 같지 않은 체육계의 치부(恥部)를 음(陰)에서 양(陽)으로 이끌어낸 장본인이기 때문이다.

영원히 사장될 것만 같던 최순실의 '흔적'은 그녀의 딸 정유라의 이화여자대학교 '부정입학' '특별학사관리'를 통해 세상에 알려졌다. 최씨가 사용한 체육관련 흔적은 '체육특기생제도'다. 1972년 전문체육지도자, 엘리트체육인 양성을 위해 도입된 제도의 핵심은 학업과는 상관없이 학생선수가 상급학교 진학이 가능하다는 것이다. 이후 1973년 병역특례법, 1984년 국군체육부대, 2000년 체육계 대학 진학조치 등 제도와 환경이 도입 구축됐다.

2017년 대한민국 학생선수는 운동만 잘하면 상급학교진학, 군 혜택, 경제력, 명예획득이 가능해졌다. 결과적으로 '운동만' 해야 하는 학생선수들의 일상은 당연한 것이 됐다.

☞ '운동만 해'
체육특기생제도가 시행 된지 45년. 그동안 시행 보충된 제도 및 혜택의 요지다. 오직 운동만의 외길(single line)을 걸어온 결과는 참담하다. 운동부와 관련된 학습권 결여, 폭력, 성폭력 사건은 일일이 나열조차 힘들다. 더 큰 문제는 운동을 그만두게 되는 시점부터 발생한다. 운동부만의 제한된 삶과 관계형성은 은퇴 이후 삶을 살아가는데 제약으로 작용한다. '국위선양'이란 명목아래 선택해야만 했던 외길에 대한 책임은 모두 학생선수 본인이다.

☞ '공부도 해'

앞서 제시한 다양한 문제를 방지하기위해 교육부는 새로운 대책을 제시했다. 핵심은 '최저학력제'와 그에 따른 '출전제한'이다. 정규수업 의무화, 철저한 출결관리로 학생선수의 학업정상화를 도모하겠다는 취지다. 학업기준 미달에 따른 출전제한은 덤이다. 이를 통해 운동부 이외의 삶을 살아가는데 필요한 최소한의 학력(學力)을 보장하겠다는 취지다.

하지만 현장의 반발은 거세다. '왜' 공부를 해야 하는 지에 대한 반발이다. 상급학교 진학에서 그들에게 필요한 것은 학업이 아닌 운동 성적이기 때문이다.

지난 45년간 우리 사회는 '육성'의 관점에서 학생선수와 관련된 제도를 운영해왔다. 운동과 공부를 병행하기에 특별한 '관리'의 대상으로 학생선수를 인지한 결과다. '운동만'에서 '공부도' 하도록 '통제'하겠다는 논리다. 운동만 해온 학생선수들의 입장에선 공부도 해야 하는 현실은 또 다른 부담이다. 현장의 목소리가 적절히 반영될 필요가 있다.

이들의 교육에서 지녀야할 중요한 관점은 '특별한 관리의 대상'이 아닌 학생과 선수의 두 가지 업을 병행하기에 지원과 도움이 필요한 '특별한 존재'란 인식의 전환이다. 특히 학생선수 교육은 학력(學力)으로 한정할 수 없다. 수업을 통해 운동부 이외의 관계를 형성하고 교류하는 법을 배운다. 이들에서 수업은 나와 타인의 권리를 알고 소통하는 법을 알아가는 과정이다. 학업능력향상은 필수적으로 동반한다.

따라서 이들의 교육은 자력(自力)의 관점으로 접근할 필요가 있다. 스스로 자신의 미래를 결정하고 계획하고 실행할 수 있는 힘(empowerment)을 의미한다.

은인의 흔적은 우리 체육계에 많은 시사점을 제공한다. 도구로써 사용돼온 체육계의 가슴 아픈 역사는 현재 진행형이다. 체육계 기반을 크게 흔들 위기임은 부정할 수 없다. 하지만 위기 속에는 항상 기회가 숨어있다는 것을 인지해야한다. 현재의 위 '기(機)'는 '기(機)'회이자 변화를 위한 '기(基)'반이기 때문이다.

1953년 노벨문학상수상자이자 열정적 연설가인 윈스턴 처칠(Winston Leonard Spencer Churchill)의 말처럼 "비관론자는 기회에서 어려움을 보지만, 낙관론자는 고난에서 기회를 찾아낸다."

시대에 따른 의미차이는 있지만 학교운동부는 대한민국체육의 터전이었다. 학교운동부의 성장은 한국스포츠 발전 자체였다. 21세기. 학교운동부를 둘러싼 제도와 환경은 달라졌다. 학생선수를 양성하기 위한 제도와 전문기관이 생겼다. 프로스포츠의 활성화도 안정기에 접어들었다. 이에 학교운동부 존재의 의미와 역할도 달라져야할 시기다.

　기로에 있는 2017년 대한민국 체육계. 스스로를 옭아맨 '정체'를 통해 슬픈 45년을 반복할 것인가? 자성적 '변화'를 통해 밝은 미래를 구축할 것인가? 긍정적 변화는 시도되어야 한다.[11]

6. 한국 테니스에 제 2의 정현이 나올 수 없는 이유

지난 11일 대전 유성호텔에서 열린 대한테니스협회 정기 대의원총회. 테니스협회 현 집행부와 행정감사, 시도 대의원들 사이에서 격론이 오갔다. 그 가운데 가장 뜨거운 사안은 테니스협회의 '주니어 육성 기금' 전용 논란이었다.

한국 테니스는 최근 정현의 프로투어에서의 맹활약으로 제2의 중흥기를 맞고 있다. 하지만 최근 테니스계의 움직임은 이와는 거꾸로 흘러가고 있어 테니스인들의 고민이 커지고 있다.

테니스협회는 지난해 12월 서울시가 진행한 장충테니스장 공개 입찰에 응찰했다. 2억 원이 넘는 연간 입찰가를 써내 앞으로 3년간 운영권을 획득했다. 협회의 수익 사업을 위한 투자였다.

☞ **한국 테니스는 과연 제2의 정현을 키울 수 있을까.**

하지만 입찰액의 출처가 문제였다. 협회는 삼성증권이 주니어 선수 육성 기금으로 내놓은 돈 가운데 2억 1천5백만 원의 돈을 빼내 장충테니스장 입찰권을 따냈다. 이는 전임 집행부와 삼성증권 간에 맺었던 계약 내용을 명백히 위반한 것이다. 계약에 따르면 삼성 측이 지난 2015년부터 매년 협회에 제공한 3억 원의 지원금은 오직 선수 육성을 위해서만 사용하게 돼 있다.

이 사실을 뒤늦게 알게 된 삼성 측은 발끈했다. 선수 육성 기금을 다른 용도로 사용한 데 대한 책임을 협회 측에 물었다. 앞으로 2천만 원 이상 기금을 사용할 때는 반드시 사전 협조를 구할 것과 전용한 2억 1천5백만 원을 다시 반납할 때까지 삼성은 테니스협회에 대한 추가 지원을 중지하겠다는 방침을 통보했다.

대한테니스협회가 서울시의 공개 입찰에 응모해 운영권을 따낸 서울 장충테니스 코트.

☞ 협회의 찜찜한 해명

'선수 육성 기금 전용' 사태에 대해 협회 측도 해명을 내놨다. 테니스협회 곽용운 회장은 "주니어 선수들의 훈련 장소 확보를 위해 장충테니스장 운영권을 샀고, 앞으로 수익금을 육성 기금에 반납하는 것으로 정해 삼성 측에 지난해 11월 유선 통보 협의했다"고 밝혔다.

즉 장충테니스장 입찰 역시 '주니어 육성' 이라는 큰 틀에서 벌인 협회의 공식 사업이며, 또 돈을 준 삼성 측에도 이 사실을 사전에 전달해 문제가 없었다는 입장이다. 하지만 삼성 측 복수의 관계자는 이 사실을 사전에 통보받아 양측간 합의한 적이 없다고 KBS 취재진에게 밝혔다. 곽 회장도 대의원총회장에서 이사진의 질문이 거듭되자 "부하 직원에게 삼성 쪽에 이 사실을 알려주라고 했는데, 잘 전달이 되지 않았다" 는 이해하기 어려운 답변을 내놨다.

☞ 알고보면 결국 재정난

이번 사태의 근본 원인은 현 집행부의 재정난에 있다. 새 집행부를 꾸린 곽용운 회장은 이전 협회장들과 달리 막대한 금액의 출연금을 내놓지 못했다. 이러다 보니 협회 살림이 녹록지 않았고 외부의 돈을 끌어들이는 것이 아닌, 협회 자체 내의 수익 사업을 강화해야 하는 절박한 상황이 됐다. 결국, 재정난을 해결하기 위해 임시방편으로 주니어 육성 지원금까지 건드렸고, 대의원총회장에서 행정 감사 지적을 받게 돼 테니스인들 사이에서 "신임 협회가 주니어 육성에 소홀하다"
는 비판까지 직면해야 하는 상황이 됐다.

설상가상으로 전임 집행부와 법정 소송까지 벌이고 있는 점은 사태를 더욱 악
화시키고 있다. 육군사관학교 테니스장 운영권을 놓고 현 집행부는 전임 주원홍
회장 측과 내용 증명이 오가는 소송전을 벌이고 있고, 협회 재산을 가압류당하는
위기에까지 봉착했다. 한마디로 사면초가에 빠진 것이다.

지난 2015년 해체한 삼성증권 테니스단은 이형택 등 한국 테니스 제1의 전성기를 이끈 추억의
역사를 간직한 팀이다.

☞ 한국 테니스의 미래는 어디로?

테니스협회와 삼성 측이 주고받은 주니어 육성 기금은 한국 테니스의 미래를
좌우할 중요한 사안이다. 지난 2015년 이형택, 윤용일, 조윤정 등 한국 테니스의
간판스타를 키워낸 삼성증권 팀이 해체되면서, 삼성 측이 테니스 발전 기금 형식
으로 내놓은 돈이다. 프로 테니스의 특성상, 전 세계를 돌아다니며 투어 대회에
출전하기 위해서는 재정 지원이 필수적인데, 주니어들이 마음껏 도전할 기회의
장을 마련해 주기 위해서라도 다른 용도로 대체 불가한 돈이라는 게 테니스인들
의 시각이다.

익명을 요구한 한 시도 테니스협회장은 "주니어 선수 육성은 국내 테니스 동호
인과 팬들의 큰 관심을 받는 협회의 가장 중요한 핵심 사업이다. 협회가 이 기금
까지 건드린 건 잘못됐다" 면서 "제2의 정현을 키워내기 위해서는 협회가 유망주
들의 투어 비용을 잘 후원하는 것이 급선무인데, 이를 너무 가볍게 여기는 것 아
닌가" 라고 비판했다.[12]

7. 평창경기장 활용 방안이 없다

☞ **강원도가 2018년도 정부예산안 국회 심의 결과**

대회 끝나면 경기장은…알토란 될까, 애물단지 될까.

2018평창동계올림픽 시설물 사후활용 관련 예산이 빠지면서 대책 마련이 시급해졌다. 올림픽플라자 유산조성사업, 가리왕산 산림생태복원사업 등이 최종 예산안에서 제외됐다. 도는 이들 사업에 각 74억원, 44억원을 요청했지만, 올림픽 개최지 사업이라며 받아들이지 않았다.

다만 올림픽시설 효율적인 유지관리 및 활성화 사업을 위한 연구용역비 명목으로 2억5천만원을 반영, 올림픽시설 활용과 사후관리를 국가 차원에서 추진할 수 있는 근거는 마련했다.

[2018평창동계올림픽 경기장 시설]

[강원연구원, 연합뉴스]

☞ **도 예산 8개월이 한계, 법안 개정·지원 없을 땐…**

6일 확정된 내년 정부예산에 평창올림픽 사후관리 국가 예산이 한 푼도 편성되지 않으면서 도가 도비로 경기장 8곳에 대해 유지 관리에 나서야 할 처지에 놓였다.

그러나 도의 예산 적용기간은 내년 말까지 8개월로 사후관리를 뒷받침 할 법안 개정과 문화체육관광부의 기금 지원이 없을 경우 도의 재정부담은 더욱 커질 전망이다.

6일 강원도에 따르면 도는 사후관리 관련 내년도 예산으로 경기장 유지관리비 24억원, 올림픽 레거시 창출을 위한 기념관 건립 용역비 2억원을 편성, 도의회에서 심의·의결됐다.

경기장 유지관리비는 빙상 경기장 5곳(스피드 스케이팅·강릉 하키센터·관동 하키센터·아이스아레나·쇼트트랙 보조경기장)과 설상 경기장 3곳(슬라이딩센터·정선 알파인센터·보광 스노보드)등 8곳에 투입된다. 패럴림픽까지 끝난 후 각 경기장의 소유권은 내년 4월 중순 강원도로 이관된다.

도는 경기장 8곳에 대한 유지관리 예산 소진 시점을 내년 말까지로 보고 있다. 사실상 8개월 간 시한부 사후관리다. 이로 인해 정부 차원의 사후관리안이 확정되지 않고 시설물 사후관리를 국가가 관리할 수 있도록 하는 국민체육진흥법 개정안이 처리되지 않을 경우, 연간 101억원 3100만원의 적자 발생 등 도의 재정부담 가중이 불가피해졌다. 이와 관련, 문화체육관광부 사후관리 TF팀은 이달 말까지 사후관리 방안을 확정하겠다고 밝혔다.

도는 문체부 TF팀과 매주 정기 회의를 갖고 있지만 문체부는 국민체육진흥법 개정에 기획재정부의 반대 의사 등을 들며 구체적인 안을 밝히지 않고 있다.

☞ 대회가 끝나면 경기장은

인천시는 전국에서 부채 비율이 가장 높아 지금은 '빚더미 도시'라는 오명을 안고 있다. 하지만 오래 전부터 재정 여건이 열악했던 건 아니다. 2000년대 초반까지만 해도 재정자립도가 전국 톱 수준이었다. 지방재정 운영 평가에서도 전국 최우수 기관을 차지하는 등 '곳간'이 넉넉한 편이었다.

그러나 2014년 인천아시안게임을 준비하면서 인천시 살림살이는 팍팍해지기 시작했다. 인천시는 서구 아시아드주경기장 등 17개 경기장 신설에 1조7천224억원을 쏟아부었다. 이 중 4천677억원(27%)은 국비 지원을 받았지만, 나머지 1조2천523억원(73%, 기타 24억원 제외)은 시비로 마련해야 했다. 없는 살림에 큰 돈을 갑자기 마련하기 어려운 시는 급한대로 이리저리 지방채를 끌어다 썼다.

대회가 끝난 2014년 말 인천아시안게임 관련 채무 잔액은 1조180억원. 인천시 총 채무의 31.6%에 달했다. 인천시의 경기장 신설이 과도하다는 경고는 대회 전부터 제기됐다.

정부는 남구 문학경기장을 리모델링해 아시안게임 주경기장으로 활용할 것을 권고했지만, 서구 주민들의 강력한 요구에 따라 결국 4천900억원을 들여 서구에 아시아드주경기장을 건설했다. 이렇게 만들어진 경기장들은 대회 폐막 후 3년이 지난 현재까지도 인천시 재정을 옥죄는 부메랑으로 작용하고 있다. 신설 경기장의 운영 적자 합계는 최근 3년 간 334억원에 달했다. 올해도 어김없이 약 100억원에 이를 것으로 추산된다.

인천시는 이들 경기장의 사후 활용을 위해 외부 전문기관에 분석을 의뢰, 공공체육시설 활성화 계획을 세웠다. 그러나 올해 10월 국정감사에서 16개 경기장의 264개 수익시설 중 60개가 여전히 비어있다는 지적이 나왔다.

[인천 아시아드 주경기장]

[연합뉴스, 자료사진]

신설 경기장들이 국제대회 폐막 후 모두 애물단지 신세로 전락하는 건 아니다. 2002년 한일월드컵을 위해 건립한 대구스타디움은 2003 대구유니버시아드에 이어 2011년에는 개보수작업을 거쳐 대구세계육상선수권대회 주경기장으로 활용됐다. 또 월드컵 이후 시민구단으로 창단한 대구FC가 15년째 홈구장으로 사용하는 등 하나의 경기장을 알토란처럼 활용하고 있다.

2002년 아시안게임을 치른 부산 아시아드주경기장도 프로축구 등 각종 체육행사와 한류 가수 공연 등 문화행사들이 열려 활용도가 높은 편이다. 사이클 경기장과 승마경기장, 볼링 경기장, 골프 경기장은 대회 직후 각각 경륜장과 마사회 경마장, 일반 볼링장과 골프장으로 전환돼 지금까지 잘 활용되고 있다. 그렇다면 과연 평창은 어떨까. 특히 애물단지로 전락한 국내 역대 국제대회 개최지의 시행착오를 피해갈 수 있을까.

강원도는 2018평창동계올림픽의 14개 올림픽 시설 가운데 스피드스케이팅, 강릉하키센터, 슬라이딩센터, 스키점프 등 전문 체육시설 4곳의 경우 국가 차원에서 관리해 주기를 바란다. 이들 시설이 관리·운영상 고도의 전문성을 요구하고 동계스포츠 인프라가 열악한 국내 여건을 고려할 때 국가 차원에서 관리를 맡아 올림픽의 소중한 유산으로 활용해야 한다고 강조한다. 이를 위해 강원도 국회의원들이 앞장서 국민체육진흥법 개정도 추진하고 있다.

올림픽 경기장 시설을 국가 주도로 운영하는 사례는 국내외에서 어렵지 않게 찾을 수 있다. 서울올림픽 시설은 올림픽 잉여금과 기금 마련으로 국민체육진흥공단을 설립, 경기장 유산을 창출했다.

1980 레이크플레시드, 1988 캘거리, 2002 솔트레이크, 2010 밴쿠버 동계올림픽도 그 나라의 연방정부와 조직위원회 기금, 올림픽 수익금 등을 활용해 시설 유산을 관리, 경기장시설 유산창출 기반을 마련했다.

김태동 강원연구원 부연구위원은 "올림픽 경기장 시설은 사후활용 측면이 아니라 유산창출 및 활용이라는 시각에서 접근해야 한다" 며 "유산창출의 모든 비용을 재정자립도와 재정자주도가 낮은 강원도가 부담하기에는 무리가 있다" 고 주장했다. 그러나 한편에서는 지방자치단체가 무리하게 경기장과 시설물을 건립하고 운영 책임을 국가에 전가한다는 지적도 있다.

정부는 다른 지역과의 형평성을 고려할 때 예산 지원 근거가 약하다며 올림픽 직간접 지원 개정안에 부정적인 견해를 밝히고 있다. 대회 폐막 후 운영 주체를 둘러싼 논란이 이어지자 문화체육관광부·강원도·국민체육공단은 연말까지 사후활용 태스크포스(TF) 회의를 거쳐 최종 활용 방안을 내놓을 계획이다.

☞ 평창올림픽에 쏟은 혈세 14조, 경제효과는?

열리지 말았어야 했다. 동계올림픽이 열리기에 척박한 환경인 나라가 온갖 억지를 부려 개최를 하다 보니 재정낭비, 환경파괴, 경기장 사후활용 문제가 심각하다. 그간 시민단체에서는 올림픽 유치과정과 유치 후 준비과정에서 꾸준히 비판과 대안의 목소리를 냈었다. 그러나 눈으로 바위치기였다. 조선시대부터 500년간 보호된 극상림(極相林)인 가리왕산을 중심으로 환경보호와 재정낭비를 막기 위해 대안을 제시했던 분산개최 운동이 대표적이다.

결국 가리왕산은 처참히 파괴됐다. 올림픽이 끝나면 가리왕산 자연 복원 전제 하에 공사가 승인된 스키장이지만 현재 강원도는 복원에 소극적인 태도를 일관한다. 가장 큰 논란이었던 가리왕산 사안도 이 지경인데 이니 다른 사안들은 오죽하겠는가.

강원도는 올림픽 적자 해결방안과 사후활용 비용을 모두 국가가 책임지게 하는 국민체육진흥법 개정을 호시탐탐 노린다.

이에 들어가는 재원은 스피드스케이팅과 쇼트트랙 경기를 관객들이 베팅 거는 경빙사업과 스포츠토토에 아이스하키를 신설해, 여기서 나오는 수익으로 충당하겠다는 속셈이다.

평창동계올림픽의 대안은 '대안이 없다는 게 대안' 이라는 말이 위로가 될 정도다. 정말 올림픽은 유치하지 말았어야 했고 열리면 안 되는 것이었다.

☞ 민주적 의사소통 부족한 올림픽 유치

한국은 동계스포츠 저변이 취약한 국가다. 생활체육 참여율의 중요한 척도인 생활체육동호회가 이를 증명한다.

2016년 『체육백서』를 보면 스키, 스케이팅, 빙상, 컬링 동호회를 합한 인원은 2만4313명이다. 반면 가장 많은 종목인 축구는 동계스포츠에 20배가 넘는 59만6939명이다. 생활체조 38만8735명, 게이트볼 36만7006명, 배드민턴 33만8155명으로 그 뒤를 잇는다. 동호회가 아니어도 겨울 레저스포츠로 스키를 즐기는 인원도 점점 줄어든다.

한국스키장경영협회에 따르면 스키장 이용객이 11~12년 시즌 686만 명으로 정점을 찍었지만 12~13년 시즌 630만 명(-8%), 13~14년 시즌 558만 명(-12%), 14~15년 시즌 511만 명(-8%)으로 3년 연속 10% 가까운 감소를 나타냈다.

외국 사례와 비교해보면 문제가 더욱 선명해진다. 2012년 강원도연구원에서 발간한 연구서를 보면 독일은 동계스포츠클럽 회원수가 66만8000명에 달한다. 피겨

스케이팅만 해도 19만 명, 봅슬레이 루지가 7000명이 넘는다. 독일 인구가 8267만 명이고 우리나라가 5125만 명인걸 감안해도 독일은 한국의 배드민턴 동호회보다 많은 인원이 동계스포츠동호회에 참가 한다.

독일은 1936년 나치올림픽의 예고편인 가르미슈파르텐키르헨 동계올림픽을 한 번 개최했을 뿐 2013년에는 되려 주민투표로 2022뮌헨올림픽 유치신청을 철회했다. 올림픽 신청 반대의 가장 큰 이유는 산더미처럼 쌓이게 될 부채 문제였다.

2002년 솔트레이크 동계올림픽 종합 2위, 2006토리 동계올림픽 1위, 2010밴쿠버 동계올림픽 2위, 2014소치동계올림픽 6위를 차지한 명실상부 동계스포츠 세계최강국 독일조차도 올림픽은 열리면 안 되는 메가스포츠이벤트였다. 이에 반해 2000년 2월 당시 김진선 강원도지사의 올림픽 유치표명으로 시작된 평창동계올림픽 유치과정에서 시민사회와 민주적 의사소통은 철저하게 배제됐다. 일례로 2008년 강원도의회에서 세 번째 올림픽 유치동의안 통과 안건을 다룬 강원도의사회록이 인상적이다.

어느 의원이 강원도 국제스포츠정책관에게 동계올림픽 유치에 대해 도민들 의견수렴 과정을 거쳤는지 질의하자 정책관은 여태껏 단 한 번도 주민참여 공청회나 토론회를 개최하지 않았다고 답변했다.

☞ 그 많다던 경제효과는 어디 가고

올림픽 유치의 절대적 논리였던 경제효과부터 '눈 가리고 아웅' '거짓말의 결과는 빈곤' 뿐이라는 속담의 전형을 낱낱이 증명했다.

2011년 올림픽 세 번째 도전할 시기 강원도는 평창동계올림픽 경제효과 65조 원을 공익 캠페인처럼 외쳐댔다. 사실 경제효과가 아닌 경제영향이었지만 강원도를 비롯하여 정부, 언론 등 여기저기에서 이를 숭배하고 찬양했다. 최면술이었다. 2011년 평창동계올림픽 유치 확정 후 갤럽에서 실시한 여론조사 '평창동계올림픽 유치로 인한 기대 효과' 항목에서도 '경제발전' 이 42.2%로 가장 높은 비율을 차지했다.

평창올림픽, 그런데 요즘은 강원도마저 최상의 경영으로 운영을 해도 스피드스케이팅, 강릉하키 센터, 슬라이딩 센터, 스키점프경기장에서만 연간 58억 원 가량의 적자가 발생한다는 분석 자료를 내놓는다.

강원도와 강원도 지역구 국회의원, 조직위원회가 국민을 향해 더치페이하자고 내민 계산서다. 여론조사에서 올림픽이 다가올수록 낮아지는 '올림픽 직접 관람 문항' 결과와 저조한 입장권 판매율을 오히려 기회로 여기는 모양새다. 그러니까 지난 12월 21일 문화체육관광부에서 발표한 '제5차 평창동계올림픽 및 동계패럴림픽 국민 여론조사 결과'에서 직접 참가 의향이 고작 5.2%로 나타났고, 정부와 관주도로 거의 강매 수준에 가까운 단체 구입에 이제야 입장권 판매율이 60%를 넘는 실정이다.

평창동계올림픽 유치에 대한 인식 조사

구분	경제발전	국가이미지 향상	동계스포츠 활성화/발전	국민의식 향상	남북긴장 완화
전체	42.2%	28.8%	9.6%	9.5%	2.2%

한국갤럽, 2001

올림픽 성공적 개최가 새 정부 핵심과제가 된 상황에서 강원도청과 강원도 지역구 국회의원, 조직위원회는 올림픽 성공은 국민적 관심과 성원에 달렸다는 말을 강조한다. 올림픽에서 일어난 문제를 국민에게 책임전가를 하여 올림픽 사후 관리의 모든 비용을 국민체육진흥기금으로 충당시키려는 국민체육진흥법 개정을 노린 수작이다. 올림픽 개최에 혈세를 14조 원이나 사용했음에도 말이다.

염동열 자유한국당 의원은 2014년 3월 '국민체육진흥법' 36조 개정안을 발의했었다. 평창동계올림픽대회를 시설관리를 '올림픽국민체육진흥공단'을 통해 국민체육진흥기금으로 관리하자는 게 골자다. 체육학계에서도 여기에 동조하여 논리를 생산한다.

관동대학교 체육정책 전공 교수는 지난 2월 평창동계올림픽 G-1년 기념 국회 토론회에서 사후활용 방안으로 평창올림픽 시설의 관리 주체를 강원도가 아닌 국민체육진흥공단으로 지목하면서 올림픽 관련 법 개정에 힘을 실어주고 있다. 나아가 올림픽 폐막 후 경빙사업과 스포츠토토 사업를 포함시켜 수익금으로 평창올림픽 사후 관리 운영비로 활용할 것을 주장한다. 그 결과 경빙사업에 눈독, 돈독이 오른 곳이 등장했다.

㈔동계올림픽을 사랑하는 모임 조직위원회는 올해 11월 14일 서울 종로구 세종문화회관에서 '강원 아이스더비 도입 공청회'를 열었다.

아이스더비는 스피드스케이팅과 쇼트트랙을 접목하여 220m의 트랙에서 선수들이 경기를 펼치면 관객들이 베팅을 거는 사행성 사업이다. 사회문제, 특히 청소년 도박중독에 핵심 요인인 스포츠 사행성 사업을 축소하기는커녕 증가시키겠다고 난리법석이다.

☞ 제대로 평가하여 제대로 책임을 물어야 한다

'국민체육진흥법' 36조 개정안이 통과되는 일은 없어야 한다. 막아야 한다. 이제는 올림픽 사후 평가와 대책을 더 이상 관주도가 아닌 시민참여가 중심이 되는 민주적 의사소통 과정이 필수적인 시대다. 그간 국제대회 평가는 해당대회 조직위원회가 전담했다. 조직위원회가 대회 종료 후 6개월 안에 문화체육관광부 장관에게 평가서를 제출하면 그만이었다. 지금까지 조직위는 평가를 내면 곧바로 모든 자료를 해산하는 시스템이었다.

이제는 달라야 한다. 평창동계올림픽 평가서 작업은 조직위원회 뿐만 아니라 학계, 전문가, 시민단체 등 여러 단위가 참여해야 마땅하다. 그리고 평가 기간도 최소 2년 정도로 늘려야 한다. 적자 문제는 강원도에 올림픽 세금을 따로 걷는 '올림픽세'가 하나의 방법이다. 실제로 1976년 하계올림픽 개최지인 캐나다 몬트리올에서 시행했던 정책이다.

강원도에 도민에게 책임을 추궁하는 게 아닌 올림픽으로 인한 경제성 내지 이익구조를 개별화하는 구조를 구축하자는 뜻이다. 정치적인 성과로 활용하려는 정계와 개발이득을 노리는 재계가 더 이상 메가스포츠이벤트에 군침을 흘리지 않도록 만들어야 한다. 다음부터는 열리지 말아야할 올림픽은 말 그대로 절대 열려서는 안 된다.

☞ 1988년 "손에 손잡고"... 30년뒤 평창은, '욕망 올림픽' 위기의 올림픽, 올인픽(All-人-pic)을 상상하다

"손에 손잡고 벽을 넘어서~" 기억하시는가? 1988년 서울 올림픽 개막식 말미. 까만 양복에 기름 발라 올백으로 머리를 넘긴 분들이 새까만 선글라스를 끼고 몸을 비비 꼬며 불렀던 그 노래. 서울 올림픽 공식주제가인 코리아나의 〈손에 손잡고〉다.

가사의 절반이 영어라 당시 논란이 있었으나 독일과 일본을 비롯해 무려 17개국에서 차트 1위를 차지하는 기염을 토했다. 동서로 갈려 두 번의 올림픽을 반쪽짜리로 치른 세계인에게 다 함께 손을 잡고 냉전의 벽을 넘자는 메시지가 큰 위로로 다가왔으리라. 그날 잠실벌에서 울려 퍼지던 노래 때문인지 인류는 벽을 넘고 또 넘다 이듬해 마침내 벽을 무너뜨린다.

1989년 동독 시민들은 베를린 장벽이 무너뜨리고 냉전 시대를 마무리했다. 손에 손을 맞잡고 벽을 허물고 다다른 곳은 과연 어디일까? 차가운 이념의 갈등과 반목이 사라진 따뜻한 봄날 같은 세상? 천만의 말씀! 냉전이 끝나고 곧바로 인류가 돌진한 시대는 자본의 욕망이 활활 불타오르는 신자유주의 시대였다. 냉전에 얼어붙었던 올림픽은 시장논리에 충실한 메가 이벤트로 본격적인 변모를 시작한다. 마침 당시 IOC 위원장이은 유명한 후안 안토니오 사마란치. 가난한 IOC를 국제 졸부로 승격시킨 장본인이다. 프로 선수들에게 올림픽을 개방해 시청률을 확보한 후 방송 중계권료를 챙겨 막대한 이익을 챙겼다.

올림픽이 처음 전 세계로 중계된 1960년 로마 올림픽의 중계권료는 117만8000 달러였다. 2012년 런던 올림픽과 비교하면 반세기 동안 자그마치 1600배가 치솟았다. 거기에 라이센싱 사업과 스폰서십까지 더하면 IOC에 올림픽이란 4년에 한 번씩 황금알을 낳는 거위인 셈이다.

☞ 지속가능한 올림픽 위한 고육지책 '아젠다2020'

평창 동계올림픽이 한 달 앞으로 다가왔다. 1988년 서울 올림픽은 냉전시대 긴장의 최고조에서 종지부를 찍었다.

지난 5일 오전 경기도 포천 베어스타운에서 알파인스키대표 김동우(한국체육대학교)가 2018 평창동계올림픽에 대비해 훈련하고 있는 모습.

하지만 꼭 30년이 지나 열리는 평창 동계올림픽은 신자유주의 시대 욕망이 올림픽에 발현되는 마지막 행사가 될 가능성이 크다. 올림픽 개혁안으로 불리는 '아젠다2020' 때문이다.

올림픽을 유치하면서 드는 비용은 천문학적이다. 5억600만 달러로 사상 최고액을 기록한 소치 올림픽을 선두로 올림픽을 유치하고 나서 나라 재정이 휘청거렸던 아테네 올림픽을 기억한다. 오죽하면 IOC조차 개혁안을 만들어 올림픽을 개최하는 나라의 부담을 줄이려고 했을까?

2014년 12월 토마스 바흐 IOC 위원장은 올림픽 유치비용을 줄이고 분산 개최를 허용하는 '아젠다2020'을 발표한다. 여기서 '2020'은 2020년을 의미하지 않는다. 개혁안 전체가 총 40개의 제안으로 이뤄졌기 때문이다. 발표 당시 이 개혁안은 2020년부터 적용돼 분산 개최가 불가능하다는 루머도 돌았다.

'아젠다2020'의 출현으로 평창을 포함한 미래의 올림픽 개최국들에게는 다양한 방법으로 올림픽 유치 비용을 줄일 수 있는 길이 열렸다.

내막을 들여다보면 '아젠다2020'은 2022년 동계올림픽을 개최하겠다고 뛰어들었던 유럽의 여러 나라가 주민들의 반대로 유치 포기를 선언하자 지속가능한 황금알을 얻기 위한 고육지책으로 IOC가 내놓은 개혁안이다.

'아젠다2020'을 발표한 IOC의 속내를 잘 들여다보면 앞으로 올림픽 장사를 계속하고 싶다는 걸 알 수 있다. 겉으로는 올림픽 지속가능성(Sustainability)이라는 세련된 언어로 포장했지만 결국 개최를 할 때마다 생기는 이익을 오래오래 챙기고 싶다는 마음이 굴뚝인 것이다. 이상하게도 (혹은 당연하게도) 평창 다음 올림픽 개최도시인 도쿄와 베이징은 이 제안을 충실히 받아들여 비용을 차곡차곡 절감하고 있는데 유독 평창은 원래의 계획대로 꼭 지어야겠다는 몽니를 부렸다.

☞ 끝나지 않은 올림픽 재앙

500년 동안 보존된 원시림 가리왕산에는 현재 알파인 스키경기장이 들어섰다.

곧 닥칠 올림픽 재앙은 차근차근 진행되고 있다. 지난 3년 간 분산 개최를 진지하게 논의하자는 시민사회의 요구는 전혀 받아들이지 않았다.

오히려 최악의 상황을 막으려는 시민들의 노력을 무시한 평창 동계올림픽 조직위는 개최가 두 달도 채 남지 않은 현 시점에서 '손에 손 잡고 벽을 향해서' 돌진 중이다.

그동안 가리왕산 중봉에 스키 활강장을 짓는다고 500년 동안 보존돼온 원시림이 사라졌고 사업 타당도가 기준 미달이라 정상적으로는 인가가 나지 않을 고속철이 개통을 앞두고 있다. 경기장 건설에 투입된 노동자들의 임금을 주지 못해 국제노동기구로부터 강력한 비판을 받기도 했다. 당초 계획에 없던 개폐회식장은 사각형에서 오각형으로 설계가 변경되는 바람에 팠던 땅을 다시 메우는 해프닝도 겪었다.

사후 활용 방안이 마련되지 않은 채 경기장들이 들어서고 이를 유지하기 위한 천문학적인 비용은 대부분 국민의 혈세로 충당될 것이다.

1998년 동계 올림픽을 치른 일본의 나가노현은 20년이 다 되어가는 지금까지 여전히 올림픽 후유증으로 허덕이고 있다. 당시 준비된 동계올림픽 개최지라고 칭송받던 나가노는 이제 퇴물이 된 시설과 함께 주저앉았고 회복의 길은 요원하다.

평창의 무분별한 경기장 건설과 자연 파괴를 경고하기 위해 한국을 방문한 나가노의 한 시민단체 회원은 지금까지 겪은 그들의 경험을 "추운 겨울에 비를 맞으며 밖에 서 있는 상태"라고 표현했다. 바로 그 고통스러운 자리에 앞으로 꽤 오랫동안 우리가 서 있어야 할지도 모른다. 음울하고 비극적인 미래상으로 글을 맺으려고 하니 왠지 찜찜하다.

정녕 근대 올림픽의 미래는 없단 말인가? 혹시 우리가 아직 상상해 보지 못한 대안이 있지 않을까? 확실한 건 현재와 같은 질주를 멈추지 않는 한 올림픽은 막다른 절벽을 향해가는 파국열차가 될 것이란 점이다.

이제 올림픽을 개최하느라 천문학적인 지출을 감행할 나라는 대폭 줄어들 것이다. 원래 지어놓은 경기장을 재활용하거나 아예 올림픽을 같은 곳에서 개최하는 방안도 고려해 볼 시점이다. 무엇보다 국가간 유치한 경쟁보다는 인류가 다다를 수 있는 최고의 경지에 오른 이들이 모여 어우러지는 축제의 올림픽이 되면 좋겠다.

모든 인류가 참여할 수 있는 스포츠 축제, 올인픽(All-人-pic)을 상상해 본다.[13]

8. 평창 동계올림픽경기장 3곳 관리 5년간 202억 적자

2018 평창 동계올림픽대회의 가장 큰 반전이라면 개회식만 한 것이 없을 것이다. 추운 날씨, 지붕 없는 평창 올림픽 스타디움, 다사다난했던 국내 정치적 상황 등으로 많은 이들의 우려가 컸던 것이 사실이다. 하지만 이 모든 걱정은 2월 9일 오후 8시, 개회식이 시작되면서 말끔히 사라졌다. 하지만 사후활용 방안이 결정되지 않은 2018평창동계올림픽 경기장 시설 유지관리에 향후 5년간 200억원 규모의 비용 투입이 필요한 것으로 나타났다.

그러나 정부가 당초 입장과는 달리 국비지원에 난색을 표시, 막대한 재정적자가 우려되고 있다. 3일 도의회에 제출된 '강원도 동계스포츠경기장 운영 관리 조례 일부개정조례안'의 비용 추계서에 따르면 강릉 스피드스케이팅 경기장, 강릉하키센터, 올림픽 슬라이딩센터 등 3곳에 대한 관리위탁 비용이 올해부터 오는 2022년까지 5년간 202억 8500만원으로 추산됐다.

스피드스케이팅 경기장에 연간 13억 8900만원이 들어가는 것을 비롯해 강릉아이스하키경기장 14억 1600만원, 슬라이딩센터 12억 5200만원 등 3개 경기장을 합쳐 매년 40억 5700만원씩 필요할 것으로 분석됐다. 이는 운영비용에서 운영수익을 뺀 적자 예상액이다. 도는 해당 관리비용 부담비율을 국비 75%, 도비 25%로 나눌 것을 정부와 국회에 건의하고 있다. 이에 따라 예상 부담액을 나누면 5년간 투입액은 국비 152억 1500만원, 도비 50억 7000만원 규모로 나뉜다.

그러나 문화체육관광부에서 국비지원 비율에 대한 결정을 늦추면서 관련 예산도 미반영, 도 부담액이 더 늘어날 것이라는 우려도 높아지고 있다. 도종환 문체부 장관의 경우 적자예산분의 55% 지원을 언급하기도 했다. 반면 관동하키센터, 쇼트트랙 보조경기장, 강릉 아이스아레나, 정선알파인 경기장 4곳의 경우 비용이 들지 않는다.

각 시설 위·수탁 관리계약에 앞서 근거마련을 위해 개정하는 이번 조례에서는 경기장 등 올림픽 시설의 사용료 규정도 신설한다. 스키점프대 체육경기 사용료는 하루 50만원, 크로스컨트리 및 바이애슬론은 30만원, 축구장은 체육경기 50만원. 그외 행사 100만원 등이다. 체육경기가 아닌 일반인들에게 받을 일반 사용료는 차등 적용할 예정이다. 도의회는 이번 조례 심사 과정에서 올림픽 경기장은 국가행사를 치른 시설이라는 점을 감안, 국비 지원 비율 상향 조정 등 대응책을 함께 강구할 방침이다.

이번 평창 동계올림픽에 참가한 북한 선수는 모두 22명(3개 종목). 이들은 여자 아이스하키 남북단일팀 외에 피겨 스케이팅 페어, 쇼트트랙 스피드 스케이팅 알파인 스키, 크로스컨트리 스키에 출전했다. 비록 눈에 띄는 결과는 내지 못했지만 남북단일팀이 만든 진한 감동은 전 세계인들에게 '하나된 한반도'를 보여주기에 충분했다.

북한 응원단의 열기도 뜨거웠다. 이들이 일사분란하게 같은 율동과 구호를 외치며 한반도기를 흔드는 모습을 보는 것은 남한 국민들에겐 다소 생소한 풍경이었지만 응원하는 마음만은 하나였다. 북한은 3월 9일부터 시작되는 2018 평창 동계패럴림픽대회에도 참가한다. 조지아, 타지키스탄과 함께 동계패럴림픽대회 첫 출전국이다.14)

9. 체육계 흔드는 정치인 바람

세상 참 많이 달라졌다. 요즘 회장 선거가 한창인 체육계도 예전과는 딴판이다. 국정(國政) 챙길 시간도 부족할 국회의원들이 "이 한 몸 바쳐 최고의 협회로 키워 보겠다" 며 무더기로 출사표를 던졌다.

새누리당의 김재원(컬링)·윤상현(축구)·이병석(야구)·한선교(농구)·김태환(태권도)·홍문표(하키)·이학재(카누) 의원, 민주통합당의 신장용(배구)·신계륜(배드민턴)·이종걸(농구) 의원 등 현역 국회의원만 10명이다. 그야말로 광풍(狂風) 수준이다. "스포츠 단체장이 정치인들 부업(副業)이 돼버린 것 같다" 는 씁쓸한 목소리가 들린다.

한국 스포츠계는 오래전부터 정치인들과 인연을 맺어왔다. 55개 가맹 단체를 둔 대한체육회장의 역사만 살펴봐도 알 수 있다. 역대 대한체육회장 32명 가운데 정치인이 11명으로 가장 많았다. 교육자, 기업인, 관료가 4명씩이었다. 경기인 출신은 1명뿐이다. 정치인 출신 대한체육회장 11명 중에는 스포츠 발전에 이바지해 존경받는 인물이 있는가 하면 "그 양반 때문에 한국 스포츠 발전이 10년은 늦어졌다" 는 비난을 받는 이도 있다.

예전에는 종목별 단체가 팍팍한 살림에 도움을 줄 수 있는 기업인 회장을 추대하는 경우가 많았다. 하지만 스포츠토토 등에서 지원금이 나오고 저마다 마케팅 능력을 조금씩 갖추면서 '회장님 선택' 기준도 바뀌기 시작했다. 경기장 건립 등 정책적으로 풀어야 할 현안에 영향력을 발휘할 수 있는 국회의원들에게 눈을 돌리기 시작한 것이다.

국회의원 입장에서도 스포츠 단체장 자리를 마다할 이유가 없었다. 스포츠 분야 활동을 통해 인지도를 높이고 해당 스포츠 단체와 동호인까지 자기 지지 세력으로 만들 수 있기 때문이다. 그러다 보니 "재미가 쏠쏠하다" 는 소문이 났고, 이번 선거철에 정치인이 대거 몰리는 진풍경이 벌어진 것이다.

정치인이 스포츠 단체를 맡겠다고 나서는 걸 싸잡아 비난할 생각은 없다. 해당 종목 경기인 못지않은 열정으로 선수들을 격려하고 협회 지원을 위해 열심히 뛰었던 모범 사례도 많았다. 문제는 '젯밥' 에만 관심이 있는 '쭉정이' 정치인들이다. 해당 종목 관계자들에게 "내일 TV 토론 나간다" "이번 선거 때 도와달라" 는 식의 스팸 문자만 보낸 케이스도 있었고, 협회 내분만 키운 '사고뭉치 회장'

도 있었다. 이번 선거판에 뛰어든 정치인 중에도 "정말 회장이 되고 싶어서가 아니라 다른 후보의 당선을 막기 위해서 출마한 것 아니냐" 는 구설에 올랐던 인사도 있다.

국회의원은 물론 그 누구라도 소신과 능력이 있는 인물이라면 체육 단체 회장 자리에 앉을 수 있다. 하지만 "스포츠를 발전시키겠다" 는 희생과 봉사의 각오도 없이 개인적인 욕심을 채우기 위해 엉덩이를 들이미는 '얌체' 들은 더 이상 없어야 한다.

체육인들도 정신 차려야 한다. 정치인과 권력의 힘에 기대던 시대는 지났다. 주인의식을 갖고 협회를 이끌어갈 내부 역량을 키울 때가 됐다. 자기들 밥그릇 지키기에 눈이 멀어 경기장 한 번 찾은 적이 없는 정치인들을 '바람막이' 로 끌어들이는 구태(舊態)는 청산해야 한다.

IOC(국제올림픽위원회) 헌장(憲章)에는 '국가올림픽위원회는 정치·법·종교·경제적 압력을 비롯한 어떠한 압력에도 굴하지 않고 자율성을 유지해야 한다' 고 명시돼 있다. IOC 헌장에 이런 내용이 있는지조차 모르면서 "올림픽 5위의 스포츠 강국을 내가 만들었다" 며 어깨에 힘주고 다니는 건 정말 꼴불견이다.15)

5년만의 대통령 선거철이다. 후보 반열에 오른 인물들은 제각기 국정 운영능력과 도덕적 신뢰감을 돋보이게 할 묘안 찾기에 바쁘다. 후보 주변의 전문가 그룹은 보통 사람들의 표심을 자극하는 포퓰리즘 공약을 쏟아낸다. 보통사람의 표가 더 많기 때문이다.

국민 또한 자신의 삶과 직결된 공약에 깊은 관심을 갖게 마련이며, 체육인이 체육정책 공약에 관심을 갖는 것도 자연스러운 일이다. 그러나 부각된 체육정책이나 스포츠 복지정책 공약은 잘 보이지 않는다. 대통령 후보군에 스포츠 애호가가 없는 탓일까? 참모진에 체육의 중요성을 인식하는 자의 부재 탓일까?

선진국의 지도자들은 스포츠 애호가가 많았고, 일찍이 체육 진흥 정책과 스포츠 문화 창달 정책을 펼쳤다. 영국 국왕 헨리 8세와 제임스 1세는 탁월한 스포츠맨이었던 탓에 스포츠를 적극 권장했다. 특히 17세기의 국왕 제임스 1세는 『왕의 스포츠 교서』를 내리고, 국민의 건전한 스포츠 참여를 적극 권장했다. 왕실의 운동경기애호주의(athleticism) 전통은 19세기 '영국 스포츠 혁명'으로 이어졌고, 스포츠 교육을 통해 형성된 영국 젊은이들의 역동적인 기질은 대영제국 건설의 자양분이 되었다. 섬나라라며 늘 깔보았던 영국이 세계 최강이 된 배경에 스포츠가 있었다는 것을 간파한 프랑스 지도층은 영국 스포츠를 교육체계 속에 적극 수용하는 개혁을 단행했다.

영국이 아닌 프랑스에서 올림픽이 제창되고, FIFA가 탄생한 것도 역사적으로 같은 맥락이다. 20세기 최강국 미국의 대통령들도 스포츠를 더욱 즐겼으며, 체육의 중요성을 깊이 인식하고 있었다.

미국 초대 대통령 워싱턴은 사냥과 승마 광이었다. 2대 애덤스는 세일링, 레슬링, 수영, 스케이팅 애호가였다. 제퍼슨(T. Jefferson)은 "건강한 신체에 건전한 정신"이라는 존 로크의 충고를 예로 들며 국민에게 체육의 중요성을 일깨웠다. 가장 뚜렷한 체육 가치관을 지닌 대통령은 케네디(J. F. Kennedy)였을 것이다. 그는 "연약한 미국인(Soft American)"이란 기고문에서 대통령을 비롯한 모든 부처는 체육 진흥과 체력 증진이 미국의 기본적이고 일관된 정책임을 분명히 알아야 한다고 했다. 그리고 국가 건설에 있어서 정신적, 지적 자질에 건강과 신체적인 활력이 필수적으로 뒷받침 되어야 한다는 신념이 진리라는 것은 어떤 다른 나라의 역사보다 미국의 역사가 생생하게 증명하고 있다고 했다.

우리 역사에도 문무겸전(文武兼全)의 상징인 정조(正祖)와 같은 훌륭한 국왕이 있었으나 20세기 지식인들이 체육의 중요성을 인식하게 된 것은 일제의 조선강점 직전이었다.

민족주의 역사학자 문일평은 체육은 국가의 운명에 중대한 영향을 미친다고 했다. 그러나 서양에서 이미 근대 올림픽이 개화했을 무렵 테니스를 접한 황제는 "저렇게 힘든 일을 손수하다니 참으로 딱하오, 하인에게나 시킬 일이지…" 라며 혀를 찼다. 조선의 문약(文弱)한 전통이 계승되어졌던 대한민국이 1960년대부터나마 체육의 중요성을 깊이 인식하게 된 것은 다행스러운 일이었다. 군부 정권이 탈정치화 수단으로 스포츠를 이용했다는 비난도 있다. 하지만 거시적 관점에서 보면 체육과 스포츠의 진흥은 국가발전과 국민의 건강, 그리고 국민의 행복지

수 제고에 큰 영향을 미쳤다는 것을 부인할 수 없으며, 미래에도 체육과 스포츠의 순기능이 유지될 것이라는 점에서 대통령 후보도 체육의 중요성을 제대로 인식하는 인물이어야 한다.

21세기 체육진흥정책과 스포츠 복지정책은 국민성 강화 운동이며, 국민 건강 증진 운동이자 국민의 행복 추구 운동이다. 대통령 후보는 우선적으로 국민의 고달픔이나 일자리 걱정을 해야겠지만 삶의 질과 직결된 국민의 건강과 행복 걱정도 해야 한다.

대통령 후보가 케네디 대통령처럼 체육에 대한 올바른 가치관을 갖고 21세기형 체육진흥정책이나 스포츠 복지 정책을 공약으로 낸다면 많은 국민이 행복해할 것이다. 투표권을 가진 많은 국민이 스포츠맨이거나 스포츠 애호가들이고, 자신의 건강과 행복에 깊은 관심을 갖고 있기 때문이다.[16]

[박근혜, 최순실 사건 정리]

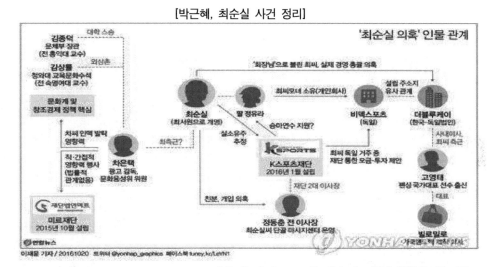

http://cafe.daum.net/nodistortion/GV2z/3(2016. 11. 09).

10. "태권도 올림픽서 살아남기, 온 국민 즐기는 스포츠로"

고대 올림픽에도 있었던 레슬링은 1896년 제1회 근대 올림픽부터 한 번도 빠짐 없이 정식 종목으로 경기가 치러졌다. 국제올림픽위원회(IOC)는 2013년 2월 집행 위원회에서 그런 유서 깊은 종목인 레슬링을 2020년 도쿄 올림픽 종목에서 '잠 정 퇴출' 시켰다. 그 이유는 '수비 위주로 경기를 펼치는 레슬링은 재미없다' 는 것이었다.

레슬링은 7개월 후 천신만고 끝에 다시 올림픽종목으로 '부활' 했지만 혁신적 인 변화가 없다면 여전히 전망이 밝지 못하다.

[태권도 살아남기, 올림픽에서 본때를 보여라!]

무카스미디어(2008. 07. 09), 정대길 기자

레슬링이 겪은 수모는 '남의 일' 이 아니다. 2년 뒤 도쿄 올림픽에서는 대한 민국의 국기(國技)인 태권도와 엇비슷한 일본의 가라테가 정식 종목으로 데뷔한 다. '유사 종목 배제' 라는 IOC 원칙상 경쟁관계인 두 격투기 종목 중 하나는 올림픽에서 퇴출될 수도 있다. 특히 '재미있느냐' 가 기준이라면 태권도는 결코 안심할 수 없는 상황이다.

그런 의미에서 최근 문화체육관광부가 발표한 '태권도의 미래 발전전략과 정책과제(부제: 문재인 정부 '태권도 10대 문화콘텐츠' 추진 방안)'가 관심을 받고 있다. 태권도에 스포츠 종목을 넘어 문화의 옷을 입혀 국민 모두가 즐기고 참여하고, 건강하게 성장하는 태권도 생태계를 만들어 가는 방안을 마련하는 데 중점을 뒀다. 이에 따라 태권도의 산업 생태계 조성, 태권도의 위상과 정체성 확립, 태권도 글로벌 리더십 강화 등을 정책목표로 정했다.

특히 태권도계(대한태권도협회, 국기원, 세계태권도연맹, 태권도진흥재단)의 현안을 해결할 수 있는 정책과제를 2022년도까지 단계적으로 추진할 계획이다. 올해부터 연평균 24%씩 증액해 총 1700억 원의 예산을 투입할 예정이다.

태권도계는 저출산·고령화 시대에 아동 위주의 태권도장 시스템으로는 지속 성장이 어렵다는 위기의식을 느끼고 있다. 올림픽 종목으로서 태권도의 경쟁력이 도전을 받고 있고, 태권도 단체들의 투명성(승품·단 심사비 공개 등)과 책임성을 높여야 하는 가시적인 노력이 필요하다. 도종환 문체부 장관은 "그동안 태권도 발전을 위한 많은 논의와 계획이 수립됐지만 실행으로까지는 이어지지 못했다. 이번에 마련한 정책들이 실행력을 담보할 수 있도록 태권도 단체와 지속적으로 협의하고 세부 내용을 차질 없이 이행할 수 있도록 노력하겠다"고 밝혔다.[17]

WTF는 베이징올림픽 이후 원형경기장의 도입과 출전선수 얼굴 노출을 위한 헤드기어 착용법 개정 혹은 헤드기어 투명화, 박진감 넘치는 경기를 위한 몸통 호구의 두께 축소, 스포츠 태권도로서 변신을 위한 경기복 변화 등을 논의하고 규정을 변화시켰다.

☞ 태권도의 수련생 관리 방안을 강구해야 한다

1965년 대한태권도협회 창립 이후 태권도는 180여개 국가 8천만 명이 참가하는 전세계인의 스포츠로 자리매김하였으나 우리나라의 경우 태권도장의 양적인 팽창과 더불어 저출산에 의한 절대인구 감소, 경기 침체로 인한 사교육 투자 감소, 레저스포츠 중심으로서의 체육인구 이동, 태권도가 갖고 있는 사회적 이미지의 가치 하향, 반복 숙달을 싫어하는 청소년의 성향 변화 등으로 태권도 수련생의 수가 감소하는 추세이다.

현대사회의 흐름 속에서 신체활동에 대한 중요도와 관심 그리고 삶의 질 향상을 위해 최근 들어 다양한 체육관 무술·무도장 그리고 소규모 민간 상업 스포츠 시설이 감소하는 시설이 보이고 있다.

오늘날 무술·무도장은 경영적인 측면에서 하양 곡선이 지속되고 있어 우려의 목소리가 높아지고 있다. 이는 사회 전반적인 경기 침체현상과도 직접적인 관계가 있지만 무술·무도장의 교육적 내용이 부실하다는 지적과 함께 행정적, 제도적 측면 등 무술·무도계 자체에 그 문제점이 다양하게 나타나고 있다.

현재 무술·무도장의 운영은 출생 인구의 감소로 인한 취학연령의 지속적인 감소, 세계 경제의 불황 등으로 인해 과거에 비해 많은 어려움에 처해 있다. 이러한 어려움 외에도 무술·무도장 운영이 체계적인 방식이 아닌 과거의 경험에 의한 주먹구구식으로 이루어지고 있으며, 대학 무술·무도학과 졸업생들이 도장을 운영에 참여하게 됨으로써 무술·무도장의 운영은 점점 더 어려운 현실이다.

위기 극복을 위한 제도 개선과 역사관 정립, 도장 수련 체계의 확립, 지도자 양성 시스템의 선진화, 태권도 전당 건립 등은 이상일 뿐 아직 실천 단계에는 이르지 못하고 있는 실정이다. 세계 189개국 이상 국가에서 수련하고 있는 해외 수련생을 위한 지도 체계와 국책 사업인 태권도 공원 조성도 도장 활성화에 긍정적인 영향을 미칠 수 있도록 강구되어야 할 중요한 과제이다. 또한 경쟁적인 시장 환경 속에서 살아남고 성공하기 위해서는 무술·무도장을 이용하는 소비자의 가치관과 용구가 다양해지면서 고객이 원하는 제품의 차별화가 필수적으로 요청된다.

실제로 태권도 발전을 위해서는 모든 연령에서 쉽게 참여하여 수련할 수 있는 프로그램이 필요하지만, 프로그램이 다양하게 제시되지 못하고 이러한 문제들은 결국 무술·무도장의 운영을 어렵게 하고 있다. 다른 조직의 경영과 마찬가지로 무술·무도장 운영의 새로운 수련생의 확보뿐만 아니라 기존 수련생의 지속적인 참여와 구전광고를 위하여 서비스 개념의 경영을 도입하여 이익을 극대화해야 함은 물론 다양한 프로그램의 개발이 절실한 실정이다.

성공적인 무술·무도장을 위해서는 많은 중요한 점들이 있지만 그 중에서도 사범 고용에 관한 문제가 가장 중요한 것으로 생각된다. 훌륭한 사범의 고용은 무술·무도장의 이미지 향상은 물론 많은 수의 관원들이 늘어날 여지가 충분히 있기 때문이다.

태권도 참여 인구의 감소의 원인 중 하나는 그동안 태권도가 무도로서의 가치만을 강조한 반면, 수련인의 입장을 고려하지 못하였기 때문이라 생각되며 따라서 수련자의 욕구를 충족시켜 지속적으로 태권도에 참여할 수 있는 방안을 강구해야 한다.

11. 이란 여성들, 38년 만에 월드컵축구 관람

　이란은 21일 새벽(한국시각) 카잔 아레나에서 열린 2018 러시아월드컵 B조 2차 전에서 스페인에 0-1로 졌다. 그러나 같은 시각 이란 본국에서는 이란 여성들에게 의미있는 사건이 벌어졌다. 테헤란 스타디움서 스페인전, 공개적인 축구 관람은 38년 만에 처음이다.

　이란 여성들이 38년 만에 축구 스타디움에 입장해 2018 러시아월드컵 이란-스페인 경기를 응원하고 있다(트위터 갈무리).

　시엔엔(CNN)은 이날 "이란 축구팀은 졌지만 이란 여성들은 기념비적인 사건을 자축했다"며 이란 테헤란 아자디 스타디움에 입장해 러시아월드컵에 출전한 자국팀을 응원하는 여성들을 소개했다.
　여성 축구팬들이 이란대표팀 유니폼 색깔의 옷을 입고 부부젤라를 불며 열렬히 응원하는 모습을 트위터 사진들을 통해 전했다.
　이란 여성들이 축구 스타디움에 입장하게 된 것은 무려 38년 만이다. 이란은 그동안 여성들은 남성 스포츠 경기를 관람할 수 없도록 금지해 왔으며 이를 어길 경우 벌금형은 물론 투옥될 수도 있었다. 이란축구협회 공식 트위터도 여성 축구팬들의 사진을 올려 여성들의 첫 스타디움 응원에 의미를 부여했다. 하지만 이란 여성들이 앞으로도 자유롭게 축구경기를 관람할 수 있을지는 미지수다.
　「워싱턴포스트」는 올해 초만 해도 이란은 여성들의 축구경기 관람 금지를 오히려 강화했다면서 3월에 있었던 여성들의 아자디 스타디움 진입 시도가 계기가 됐다고 전했다. 당시 35명의 여성들이 테헤란 클럽 경기가 열리는 아자디 스타디움 진입을 시도했고, 다음날 잔니 인판티노 국제축구연맹(FIFA) 회장이 "하산 로하니 이란 대통령이 조만간 여성들의 스타디움 입장 허용을 약속했다" 고 언론에 밝히면서 전환점을 맞았다.

지난 16일 모로코와의 1차전에서는 허용되지 않았다. 이날도 입장 몇시간 전에 스크린 방송이 불가능하다며 갑자기 입장을 불허하는 우여곡절을 겪었지만, 수많은 여성들이 몰려들면서 결국 스타디움을 개방했다. 이란 출신 여성 언론인 예가네 레자이안(34)은 "2014년 월드컵 당시 커피숍에서 창문을 가리고 소리를 죽인 채 축구경기를 봤다" 며 "한번 해냈다면 더욱 앞으로 전진할 수 있다. 정말 그럴 수 있기를 바란다" 고 말했다.[18]

차도르를 입은 이란의 여성경찰

12. 노태강 문체부 차관 "심석희같은 선수가...당신들은
맞을 사람이 아니다"

23일 오전 문화체육관광부(이하 문체부)의 대한빙상연맹 특정감사 결과 발표 후 만난 노태강 문체부 제2차관은 평창올림픽에서 아픔을 겪은 선수들을 향해 이같은 메시지를 전했다. '안방' 평창동계올림픽이 상상이상의 성공을 거뒀고, 목표했던 메달, 최고의 성적을 달성했지만 선수도 국민도 100% 행복하지는 않았다. 문체부는 3월 26일부터 4월 30일까지 대한체육회와 합동으로 빙상연맹에 대한 특정 감사를 진행했다. "평창동계올림픽이 좋은 성과를 남겼지만 빙상 종목과 관련, 사회적 논란으로 국민들에게 실망감을 안기고 국민청원을 통한 진상조사 요구로까지 이어졌다"고 특정감사의 배경을 밝혔다. 이날 서울 정부청사에서 노 차관이 직접 언론 브리핑에 나섰다. 감사 결과와 상세 내용을 조목조목 설명했다.

감사 결과는 기존에 알려진 내용보다도 수위가 높았다. 쇼트트랙 국가대표 심석희에 대한 전 국가대표 지도자의 폭행 정황은 알려진 것보다 충격적이었다. 노 차관은 "문재인 대통령의 진천선수촌 격려방문 전날인 2018년 1월 16일 선수의 태도를 문제 삼아 밀폐된 공간에서 발과 주먹으로 폭행했으며, 선수는 심한 폭행에 따른 공포감으로부터 벗어나기 위해 선수촌을 빠져 나온 것으로 확인됐다. 이후 사건을 은폐하기 위해 쇼트트랙 지도자들이 연맹과 대한체육회에 허위 보고한 혐의도 있다"고 전했다. 노 차관은 "폭행 수단과 폭행 정도를 감안하고, 또한 가족들의 의사를 존중해 문체부는 16일 해당 코치를 관계기관에 수사 의뢰했다"고 밝혔다.

평창 성공 이후 불어닥친 칼바람에 선수들이 행여 위축될까 우려하는 시선에 노 차관은 "이것은 오직 선수들을 위한 일"이라고 확신했다. "선수들의 잘못이 아니다. 이번 감사를 통해 선수들에게 당부했다. 부당한 대우를 당할 때는 두려워하지 말고 이야기하라. 당신들은 그렇게 폭행 당해도 되는 사람들이 아니다. 한 나라의 국가대표이자 성인 선수로서의 자부심을 갖고 운동해 달라. 문제가 되는 어른들은 대한체육회나 정부가 나서서 해결해주겠다." 노 차관은 심석희 등 월드클래스 선수들에 대한 심각한 폭행이 은폐된 과정을 개탄했다. "결코 부당한 대우를 당해서는 안될, 세계 최정상의 선수, 성인 국가대표 선수다. 선수들에게 이제는 참지 마라. 공개하라고 이야기했다. 당신들이 침묵하고, 지나가면 또 같은 일이 반복된다. 당신 후배가 또 그렇게 당할 수 있다."

노 차관은 "우리 사회나 스포츠계는 결과 지상주의, 성적 제일주의가 만연해왔던 것이 사실이다. 정당한 절차, 인권이 보장되지 않는 성적을 사회는 반기지 않는다. 국민들도 더 이상 그 메달을 기뻐하지 않는다"고 했다.

"감사를 진행하며 가장 심각하게 생각한 점은 감사 대상들이 규정이나 절차 위반을 매우 가볍게 여긴다는 것"이라고 꼬집었다. "의도가 좋고, 결과가 좋은데, 잠깐 바빠서 식으로 규정 위반에 대해 큰 문제의식을 느끼고 있지 않았다"고 지적했다. "문제가 생기면 늘 체육계의 눈으로 사태를 판단하는 경우가 대부분이었다. 이제는 일반 국민의 기준, 우리 사회 통념적 기준에서 이 행위가 어떤 의미인지를 판단해야 한다. 체육계만의 시선이 아닌 우리 사회의 보편적 기준에서 판단하는 방안을 마련하겠다"고 말했다.

한편 문체부의 감사 결과, 평창올림픽에서 '왕따주행'으로 가장 큰 논란이 됐던 여자 스피드스케이팅 팀추월 예선은 고의성이 없었던 것으로 밝혀졌다. 전명규 전 부회장이 빙상계에서 부당한 영향력을 행사한 부분은 "사실"로 적시됐다. 빙상연맹이 정관에도 없는 상임이사회를 지속적으로 운영함으로 인해 '특정 인물'이 빙상계에 영향력을 행사하는 결과를 초래했다고 봤다. 이 밖에도 국가대표 선발과 지도자 임용 과정에서의 부적정한 사례, 경기복 선정 및 후원사 공모 과정의 불투명성, 스포츠공정위원회의 부당 운영, 선배 선수의 후배 선수 폭행 의혹 등 빙상연맹 운영 전반에 있어 "비정상적인 사례들이 다수 확인됐다"고 전했다.

노 차관은 "문체부는 관련자 징계 요구 28건(징계요구자 18명), 부당 지급 환수 1건, 수사 의뢰 2건, 기관 경고 3건, 개선 요구 7건, 권고 3건(징계 권고 포함), 관련 사항 통보 5건 등 총 49건의 감사 처분을 요구할 예정"이라고 공식 발표했다.

대한빙상연맹에 대한 관리단체 지정에 대해 노 차관은 "관리단체로 지정할 정도의 사안이다. 정관에 근거도 없는 상임이사회를 운영하고 비정상적으로 운영한 것만으로도 충분히 사유가 된다"고 봤다. 빙상연맹이 관리단체로 지정되면 기존 임원들은 자동해임된다. 대한수영연맹이 2016년 관리단체로 지정된 후 26개월 가까이 표류한 끝에 정상화된 사례를 들자 노 차관은 "빙상연맹은 다르다. 그렇게 오래 걸리지 않을 것으로 본다.

관리단체로 지정한 후 조속한 시일내에 정상화되도록 할 것"이라는 의지를 분명히 했다. "후속조치를 매우 신속하게 진행할 것이다. 이번 일을 계기로 이런 기자회견은 두번 다시 하지 않을 강한 각오로 일을 추진하고 있다"고 말했다.[19]

13. 한국 스포츠계에 여전한 '독버섯' 새 정부는?

22개 체육단체 5만여명이 시국성명서를 발표했다. 스포츠와 연관된 국가적 사안은 물론 체육계 현안에 대해 좀처럼 성명서를 내는 데 인색했던 22개 체육단체의 성명서라서, 한편 반갑기도 하지만 동시에 놀랍다는 인상마저 든다.

보도에 따르면, 한국체육학회와 11개 분과 학회 4만872명에 더해 한국체육단체 총연합회 11개 단체 1만 837명 등 총 22개 단체 5만 1709명의 성명서라고 하는데, 이 엄청난 숫자에 놀라지 않을 수가 없다. 요즘은 시절이 하수상하여 많은 사회단체들이 성명서를 내고 있는데, 최소한 성명서의 핵심 내용을 미리 알리고 단체 메일이나 문자 서비스를 통해 동의 여부를 확인한 후 발표하는 게 상례다.

과연 5만여 명에게 그러한 절차를 거쳤는지 의문이다. 애초에 학회나 단체에 가입할 때 특정한 사건에 대하여 성명서를 발표할 경우 회원 각자의 의견을 묻지 않는 것에 동의를 구하는 절차라도 있으면 모르거니와 설령 그런 절차가 없다 해도 그 또한 문제이다. 만약 총 22개 단체 5만여 명의 동의 과정이 없었다고 한다면, 이번 성명서는 그 단체의 집행부 이름으로 발표하는 게 나았을 것이다.

내가 이렇게 동의 절차부터 거론하는 것은, 22개 체육단체 명의로 발표된 성명서의 주요 내용이 한국체육학회의 11개 분과 회원들 각자의 학문적 소신이나 현 시국을 바라보는 관점, 특히 평창올림픽에 대한 생각과 서로 다르거나 심지어 대립적이라고 판단하기 때문이다.

성명서는 "박근혜 정부 4년은 우리나라가 스포츠 선진국으로 발전할 매우 중요한 기회를 잃어버린 체육 정책의 실패였다"고 규정하고 있는데, 기본적으로 이 정도의 판단에는 나 역시 동의한다. 아마도 많은 체육 관련 행정가, 학자, 종사자들이 "체육계 4대악 청산이라는 미명 아래 선의의 체육인들을 표적 수사"를 하였고 "K스포츠재단을 만들기 위해 체육인재육성재단을 멋대로 없애버린 사안"에 대해서도 함께 분노할 것이다.

그러나 좀 더 자세히 보면, 깊이 있는 자성은 없으며 날카로운 비판도 없다. 22개 체육단체의 성명서의 핵심을 보면 '박근혜·최순실 게이트'가 "평창동계올림픽 성공적 개최를 크게 방해했고 올림픽 성공을 통해 이루고자 한 국가 발전 원동력을 약화"했다고 지적하고 있는데, 바로 이러한 인식이 나는 문제의 근원이라고 생각한다.

　'박근혜 · 최순실 게이트'는 달리 표현하면 '평창 게이트'라고도 할 수 있다. 문제는 거의 모든 체육계 인사들과 단체들이 올림픽을 황금알 낳는 거위로 여겨 달려들었는데 그만 최순실 · 김종 · 차은택 등이 그 거위의 배를 갈라버렸다고 비난하고 있다는 점이다.

　세상 모두가 돌을 던지자 뒤늦게 돌을 던지는, 뒤늦은 시차도 문제다. 스포츠 권력이 살아 있을 때, 그들이 '올림픽은 국가지대사'라는 철지난 명분을 앞세워 권력을 휘두르고 막대한 이익을 탐하고 체육계에 모멸감을 안기는 전횡을 할 때, 한편 무서워서 피하거나 다른 한편 그 먹이사슬의 한 칸 위에 편승하려고 했던 일부 체육계 인사들마저도 돌을 던지는 판국이다. 단지 최순실이나 김종과 힘겨루기를 해서 패했을 뿐인 과거의 평창올림픽조직위원장이나 그 밑에서 일했던 권력지향적 인사들마저 자신들이 마치 거대한 악의 세력에 맞서 싸운 사람인 양 코스프레를 하고 있지 않은가.

　올림픽이야말로 국가 발전의 원동력이라고 하는 20세기 중엽의 인식에 여전히 머물러 있는 상태에서는 온갖 개발과 특혜와 전횡의 게이트가 숱하게 재연될 뿐이다.

　이번에는 김종 · 최순실 · 차은택이 그랬지만 과거에는 또 다른 권력 실세들이 그랬었고 앞으로도 또 다른 권력의 비선들이 그러할 것인 바, 올림픽이 국가 발전의 원동력이라고 하는 전근대적인 국가주의 인식이야말로 국민의 세금을 탕진하고 선수들의 땀방울을 얼룩지게 하는 근원이다. 이 낡은 인식에 머무르고 있기 때문에 결국 성명서는 "무분별한 예산 삭감은 많은 부작용을 초래할 것"이라면서 탄원하는 수준에 머물고 말았다.

　이참에 올림픽이 진실로 국가 발전의 원동력인지 꼼꼼히 살펴보자는 인식은 전무하다. 막대한 적자, 부실한 운영, 실현 불가능한 사후 활용 계획 등에 의해 평창올림픽 이후가 심각하게 우려되는 상황임에도 성명서는 '국가 발전 원동력'이라는 단어를 앞세우고 있다. 어쨌거나 올림픽이라는 거위가 황금알을 낳을 거라는 낡은 인식이다.

　그래서 앞에서 나는, 이번 성명서가 과연 5만여 명의 의견을 최소한이라도 수렴한 것인가, 하고 의문을 제기한 것이다. 왜냐하면 적어도 한국체육학회의 회원들 중에는 올림픽 같은 스포츠 메가이벤트가 황금알을 낳는 거위라고 주장하는 국가주의 스포츠 정책에 대해 이론적으로 비판적일 뿐만 아니라, 평창올림픽이 경제 개발 효과는커녕 오히려 국가 재정에 위기를 가져올 수도 있다는 현실적 판단을 하고 있는 사람들이 많기 때문이다.

한국체육단체총연합회는 지난 10월1일, 통합 체육회장 선거 후보자 토론회를 사실상 비공개로 진행했다. "후보자들의 자질과 소명의식을 검증하고 체육인들에게 정보 및 알 권리를 제공하기 위해 토론회"를 마련했다고 하면서, 정작 현장에서는 사전에 5개의 공통 질문을 준 뒤 각자 발표하는 형식이었고 그나마도 각자의 지지자들과 취재진 말고는 청중의 참여와 질문이 차단된 토론회였다. 바로 이런 폐쇄적이고 허약한 구조야말로 '박근혜·최순실 게이트'라는 독버섯이 자라나기 좋은 토양이다. 이런 상황에 대한 심각한 자성과 근본적인 질문 없이 그저 몇몇 사람을 악당이라고 지목하는 것으로 그친다면, 언제든지 한국 스포츠계는 독버섯의 토양이 되고 말 것이다.[20]

☞ 새 정부 체육정책 내부서 발목잡나?

새 정부 출범 이후 체육계에서는 "되는 것도 없고, 안 되는 것도 없다"는 말이 나온다. 스포츠에서 시작된 게이트로 새 정부가 탄생했고, 이 과정에서 지지를 보낸 많은 체육인은 허탈하다. 새 정부 내부에서 발목을 잡는다는 얘기도 있다.

노태강 문화체육관광부 2차관이 과거 직책에서 승격해 원상복구된 것은 개혁의 상징처럼 보였다.

하지만 새 정부의 개혁이나 적폐청산 과정에서 일관성이 없고, 뚜렷한 정책도 없다는 지적이 커지고 있다. 김종 전 차관에 의한 스포츠산업지원센터 신설로 고유의 연구기능과 정체성 혼란을 겪었던 한국스포츠개발원의 원상회복과 원장 선임은 몇 달째 표류하고 있다.

정부 체육예산의 90% 안팎을 책임지는 국민체육진흥공단의 이사장 자리도 4개월째 공석이다. 새 정부의 인물난으로 보이지만, 무관심의 일면이라는 비판도 있다.

체육을 담당하는 노태강 차관은 하는 일마다 제동이 걸리고 있다. 문체부는 120억원의 국고를 지원받는 한국대학스포츠총장협의회의 운영 정상화를 추진했다가 잠정 중단한 상태다. 심의 의결권이 제한된 집행위원회가 실질적으로 총장협의회의 의사결정기구로 기능해온 관행을 바로잡고, 이전 정부에서 피해를 본 진재수 사무처장을 사무총장으로 승격시키기 위한 방안은 외부의 입김 때문인지 동력을 잃고 있다.

김종 전 차관이 5개 프로종목 7개 연맹의 공동이익을 위해 만들었다는 140억 예산 규모의 한국프로스포츠협회 존폐 논란은 새 정부의 체육정책 혼란을 반영한다. 애초 문체부에서는 개별 프로연맹의 업무와 중첩되는 옥상옥 구조여서 해체를 결정했다.

하지만 최근 다시 방향을 수정했다. 물론 프로스포츠협회의 역할은 어느 정도 평가를 받고 있지만, 개편 작업을 주도했던 노태강 차관은 머쓱해졌다. 블랙리스트 피해자 복권 등 국정 기조를 따르던 문체부 직원들은 요즘 "우리가 할 수 있는 게 없다"고 토로한다.

체육계에서는 일련의 개혁 중단에 현장을 모르는 여권 실세 국회의원의 원칙 없는 개입이 있었다고 의심하고 있다. 정당이 아닌 관료 출신의 노 차관이 정치권의 체육 관련 의견이나 주문을 무시하거나 뚝심으로 돌파하기는 불가능하다. 새 정부 내부에서 개혁과 구태의 방향이 충돌하고 착종하는 이유다.

한 체육학과 교수는 "스포츠총장협의회에는 과거 정부와 유착했던 인사가 있고, 프로스포츠협회도 최순실의 자회사에 일감을 몰아주기 위해 만들었다는 의혹을 받은 적이 있다. 국회의원이 정부 정책의 세세한 부분까지 관여하면 개혁을 할 수가 없다.

노 차관에게 힘을 실어줘야 한다"고 지적했다. 새 정부의 인사나 체육정책 신뢰도는 내부에서부터 떨어지고 있다.[21]

"선수들은 잘못이 없다. 당신들은 그렇게 부당한 대우를 당할 사람들이 아니다. 두려워하지 말고 말해달라. 우리가 나서서 해결해주겠다."

14. 교육부가 내놓은 체육특기자 학업 관리책, 진정 학생 선수를 재고돼야 할 부분은 무엇

최순실씨와 그의 딸 정유라씨의 교육농단 사태는 대학 체육특기자 제도가 부정입학의 창구로 악용돼 왔다는 사실을 적나라하게 보여줬다. 최씨 조카 장시호씨도 연세대에 승마특기생으로 입학한 이후 학사경고를 3번 받고도 제적당하지 않고 졸업해 체육특기생 학사관리가 얼마나 부실한지 드러난 바 있다. 한마디로 대학은 체육특기생 학사관리를 방치하고, 모든 학생들에게 공정하게 적용돼야 할 학칙을 한낱 휴지조각으로 만들었던 셈이다.

교육부가 29일 연세대·고려대·성균관대·한국체대 등 전국 17개 대학의 체육특기생 학사관리 실태를 조사해 내놓은 결과를 보면 말문이 막힐 정도로 엉망이다. 체육특기생에 대한 제대로 된 학사관리는 전무하다시피 했고, 학사부정 행위가 광범위하게 이뤄지고 있다는 사실이 드러났다.

교육부 조사결과에 따르면 학사경고를 3회 이상 받고도 '총장 결재' '학생이익 우선적용' 등을 이유로 제적을 당하지 않은 체육특기생이 4개 대학 394명에 달했다. 5개 대학은 군 입대와 대회 출전 등으로 시험을 치르지 않은 체육특기생에게 대리 시험과 대리 과제 제출을 통해 학점을 인정해줬다. 9개 대학은 체육특기생이 프로구단에 입단해 수업과 시험에 참여하지 못했는데도 출석과 학점 취득을 인정했다. 일부 체육특기생들은 병원 진료 기간과 입원일수를 고쳐 수업에 빠지고도 학점을 따냈다. 6개 대학에서는 체육특기생이 장기간 입원을 했거나 재활치료로 수업에 참여하지 못했는데도 학점을 줬다.

교육부는 학사관리를 제대로 못한 대학에는 행정조치하고, 대리 시험을 치르거나 병원 진료기록을 위조한 혐의가 있는 학생에 대해서는 징계·학점취소는 물론 형사고발을 검토키로 했다. 하지만 이런 조치로는 무너진 대학 교육의 공정성과 신뢰를 회복할 수 없다. 일이 터지고 나서야 허둥대는 '뒷북 행정'을 되풀이하지 않으려면 체육특기자 제도를 근본적으로 손봐야 한다. 미국이나 일본처럼 학력수준과 출석률이 일정 기준에 미달하면 졸업할 수 없도록 하고, 체육특기자의 학사관리를 전담하는 기구를 둬야 할 것이다. 또 체육특기자 입시 제도의 전면적인 개편과 더불어 대회 성적이 지상 목표인 엘리트 체육 교육 시스템의 폐해도 바로잡아야 한다. 대학은 '학업은 뒷전이고 운동만 잘하는 체육특기생'이 아닌

'공부하는 체육특기생'을 육성하는 교육기관이어야 한다.[22]

교육부가 '제2의 정유라' 사태를 막기 위해 체육특기생들의 학사관리를 강화한 체육특기자 제도 개선 방안을 발표했다. 취지와 방향은 좋지만 세부 안건에서는 학생 선수들이 처한 상황이 간과된 탁상공론이라는 비판도 제기된다.

교육부가 9일 발표한 '체육특기자 제도 개선방안'에 따르면 현재 고교 1학년 생이 대학에 진학하는 2020학년도부터 대학이 체육특기자 입학전형을 진행할 때 학생부를 의무적으로 반영해야 한다. 2017학년도 입시에서 체육특기생을 뽑은 92 개교 중 학생부를 반영한 학교는 59곳(64.1%)에 불과하다.

각 대학교는 신입생 전형의 투명성과 공정성을 높이기 위해 포지션(단체종목)·종목(개인종목)별 모집인원을 모집요강에 명시하고 면접·실기평가에 외부인사를 포함시켜야 한다. 포지션과 종목이 없이 모집인원수만 밝히다보니 지도자가 임의로 선수들을 받는 경우가 잦아 비리 가능성이 제기돼 왔다. 교육부는 체육특기자 대입 서류 보존기간을 현행 4년에서 10년으로 늘린다.

이미 대학에 입학한 체육특기자의 경우, 학사특례 인정 대상을 종목별 경기단체 등록 학생으로 한정하고 공결 상한을 수업시수의 절반까지로 제한한다. 대체 시험도 시험 기간에 대회에 출전하는 경우에만 가능하다. 훈련, 평가전 등 이유로는 시험을 대체할 수 없다는 의미다.

대학은 체육특기자의 학업 수준과 전문성, 진로 등을 고려해 맞춤형 교육과정도 편성하게 된다. 지금 대학 운동부 학생들은 일반 학생들과 함께 같은 과에 배정되는 게 대부분이다. 물론 수업도, 시험도, 평가도 일반 학생들과 함께 한다. 근본적으로 학생 선수들이 좋은 학점을 받기 어려운 구조다.

한 학부모는 "진정으로 학생 선수들을 위한다면 학생 선수들만을 위한 수업을 따로 마련하고 오전에 집중적으로 하게 해 오후 훈련시간을 확보해줘야 한다"고 말했다. 그렇게 하려면 대학교가 학생 선수들을 위한 커리큘럼을 따로 마련하고 교수진도 따로 배치해야한다. 비용 등 현실적 문제 때문에 대학교가 이를 제대로 시행할지는 미지수다.

대학교 5~6곳이 자기 학교마다 특화된 커리큘럼을 하나씩 운영하면서 다른 학교 학생 선수들도 수업을 받고 학점도 교류시키는 게 현실적인 대안이 될 수 있다.

고등학교도 2021학년도부터 체육특기자를 선발할 때(현 초등학교 6학년부터 적용), 각 시·도 교육청 여건에 따라 내신 성적이나 최저학력 여부를 의무적으로 반영해야 한다.

초·중·고교생의 경우, 정규 수업을 들은 뒤 훈련에 참가하는 게 원칙이다. 수도권 학교들은 대체적으로 이를 준수하고 있지만 지방일수록, 고학년일수록 이를 어기는 경우가 많다. 교육부는 정규 수업을 모두 듣기 힘든 경우, 보충학습과 출결처리 상황을 학교가 교육청에 의무적으로 보고하도록 했다. 근본적인 해결책을 제시하지 못한 채 감시와 규제만 해결하겠다는 접근법은 학교 운동부를 애물단지로 전락시키고 운동부 해체를 부채질하는 꼴밖에 안 된다.

초중고대 모두 최저학력에 못 미치는 체육특기자는 전국(국제) 대회 참가를 제한하는 방안도 추진된다. 취지는 좋지만 세부 시행방법에서는 보완해야할 게 많다.

현행 학교체육진흥법에 따르면 최저학력 기준은 초등학생의 경우 교과목 평균점수의 50%, 중학생은 40%, 고등학생은 30%다. 즉 학생 선수들이 자기 학교 일반학생의 평균점수에 일정 수준을 맞추지 못하면 대회에 나설 수 없다는 뜻이다. 이 또한 적잖은 논란이 예상된다. 일반 학생 선수들의 학업 능력이 월등히 높을 경우 학생 선수들은 하한선을 맞추기 무척 힘들다.

유진욱 전 수영국가대표팀 코치는 "학업 성적에 따라 대회 출전 여부를 결정하는 것은 학생 선수들의 인권침해"라고 말했다. 대학교 학생 선수는 전년도 평균학점이 C0이하일 경우 대회 출전에 제한을 받는다. 최근 한국대학총장협의회 소속 대학 축구, 농구, 배구, 핸드볼 팀 선수들이 이른바 'C0룰'을 맞추지 못해 올해 일부 대회 출전 금지 처분을 받았다.

교육부는 2018학년도부터 체육특기자의 전국대회 참가횟수 제한 기준을 대회수가 아니라 참가일수로 바꾼다. 이전에는 전국대회 출전 횟수가 연간 2~4회로 제한되면서 학생 선수들이 상급학교에 진학하기 위해 필요한 전국대회 성적을 거두는 기회 자체가 너무 부족하다는 지적을 받아왔다.[23]

15. 대한민국 스포츠… 이제는 좋은 스포츠거버넌스가 필요하다

　대한민국은 2018평창동계올림픽 개최로 지구촌 4대 메이저 스포츠 대회(하계·동계올림픽, 월드컵, 세계육상선수권대회) 개최 그랜드슬램을 달성한 나라가 되었다. 성적이나 기록으로 본다면 스포츠강대국임이 틀림없다. 그러나 지난 정유라 사태와 같이 조직 내부적으로 발생되는 조직사유화, 서열, 파벌, 조작, 부패, 비리와 같은 단어들이 끊임없이 헤드라인으로 장식하는 현실은 대한민국이 스포츠선진국으로 나아가는데 있어 참으로 아쉬운 대목이기도 하다.

　물론 스포츠 부패는 대한민국만의 문제가 아닌 전 세계적 문제로 볼 수 있다. 지난 2016년에 교황청 문화평의회에서 주관한 '신앙과 스포츠회의'에서 프란치스코 교황은 '조작과 부패, 상업적인 남용 등으로부터 스포츠를 보호해야 한다'고 강조하였다.

　이러한 측면에서 스포츠선진국은 스포츠조직의 부정부패를 감시하고 조직의 정책과 전략, 효과적 경영성과를 위한 투명한 운영을 위해 스포츠거버넌스 시스템 구축에 만전을 기하고 있다.

　그렇다면 스포츠거버넌스란 무엇인가? 스포츠를 전공하지 않는다면 다소 생소한 용어일 것이다. 스포츠거버넌스에 대해 다양한 학자들이 정의를 하고 있지만 본고에서 필자는 '스포츠조직 운영의 투명성 제고를 위해 내부적 견제와 감시 체계를 구축하는 것'으로 정의하고자 한다.

일반적으로 스포츠조직은 비영리법인의 형태로 운영예산 대부분을 정부기금으로 운영하며, 스포츠조직의 독립성을 확보하기 위해 운영자금의 집행과 결산을 조직 내부에서 관장한다. 여기서 주목해야할 대목은 바로 "조직을 운영함에 있어 내부 감시와 견제의 역할은 누구에게 있냐?" 는 것이다.

스포츠거버넌스의 핵심은 바로 이사회를 그 역할자로 정하고 있다는 것이다. 체육단체와 같은 비영리법인 이사회는 조직 최고의 의사결정 및 정책입안체로서 최고행정가의 선출, 지지, 평가, 조직 최고의 목적에 대한 검토, 조직의 전략적 계획 개발과 검토, 조직의 자기평가, 재정능력 강화를 위한 활동 등을 정기적으로 수행하는 역할을 갖고 있다. 또한 체육단체의 이사진은 자원봉사자 역할의 최상위 전문가로서 도덕성, 책임성, 전문성을 갖추어야 한다.

우리나라 체육단체의 경우, 중앙체육단체는 폭 넓은 인프라로 전문성을 갖춘 이사회로 구성되어 있다. 그러나 풀뿌리 체육의 근간인 지역체육단체의 경우 자치단체장이 지역체육회 회장 이며, 이사진 구성은 지인(知人) 우선주의로 이사를 선임하는 경우가 대부분이다. 결국 지역체육단체 운영에 있어 이사회는 회장의 거수기 역할로 변질될 가능성이 높아진다. 물론 지역의 경우 전문성을 갖춘 인프라가 열악한 것도 사실이다.

이러한 문제 해결을 위해 영국, 호주, 뉴질랜드, 캐나다 등과 같은 스포츠선진국에서는 스포츠거버넌스 규칙서를 만들어 실행하고 있다. 규칙서의 내용은 이사회의 구성과 역할, 조직운영체계, 정보공시, 정책결정에 대한 윤리성과 책임성 등에 관한 세부적 내용을 담고 있다.

우리나라 체육단체의 경우 정관 상 이사회 구성 및 기능이 명시되어 있다. 아쉬운 부분이라면 운영에 대한 프로세스가 구체적이지 못하며, 정보공시에 대한

언급이 없다는 것이다. 또한 체육단체의 경우, 법적으로 독립적 위치라 할 수 있고 정부 및 지자체의 재정지원으로 도산위험이 없어 시장경쟁이 이루어지지 않기 때문에 감시와 견제 기능에도 한계가 있다. 결국 체육단체를 운영함에 있어 내부적으로 투명하지 못한 결과가 반복적으로 나타나며, 지금이라도 좋은 스포츠거버넌스 구축을 위한 이사회의 역할과 중요성을 조직 스스로 인지해야하는 이유이기도 하다.

  스포츠거버넌스는 신자유주의 시대에 있어 조직운영에 대한 시민사회의 중요성을 강조한다. 결국 이사회의 전문성, 책임성, 투명성 확보는 체육단체 운영의 근간이 되어야 하는 것이다.

  앞으로 정부와 지방자치단체, 학계와 체육단체는 좋은 스포츠거버넌스 구축을 위해 우리나라 실정에 맞는 이사회 운영 지침과 전문성 확보를 위한 이사회 전문 교육시스템 개발과 같은 다양한 노력이 필요할 것이다.[24]

16. 열대국가 썰매 선수에 50살 현역까지…편견의 반대말, 평창

토마스 바흐 국제올림픽위원회(IOC) 위원장은 '다양성으로 이뤄진 하나'를 올림픽 가치로 꼽으며 "스포츠가 서로의 다양성을 이어주는 다리 구실을 할 것"이라고 자신했다. 소수 약자들의 도전은 올림픽에서도 멈추지 않는다. 평창겨울올림픽이 7일 앞으로 다가온 가운데 '일곱빛깔 무지개'처럼 다양성을 품은 채, 환경과 차별, 편견에 맞서는 선수들을 살펴봤다.

☞ 게이?

나는 나 "게이는 나를 정의하는 말이 아닙니다. 목표를 향해 노력하는 것으로 사람들에게 존중을 받는 것이지, 성적 취향은 부차적인 것입니다." 미국의 피겨 스타 애덤 리펀은 2015년 이렇게 '커밍아웃' 했다. 그는 '피겨는 게이 스포츠'라는 편견 따위에 아랑곳하지 않았다. 보수적인 미국 스포츠계에서 '커밍아웃' 한 상태로 이번 평창올림픽에 출전하는 첫 선수가 됐다. 그는 대표 선발 뒤 "나는 어린 시절 성소수자 운동선수로서 롤모델이 없었지만, 앞으로 누군가 내 이야기를 공유해 스스로 (어떤 성적 정체성도) 괜찮다는 것을 알기를 원한다"고 말했다.

평창올림픽 출전 선수 가운데 성적 정체성을 밝힌 선수는 10명 정도인 것으로 알려졌다.

☞ 누구든 날 수 있다.

여성들에게 겨울올림픽은 높은 벽이었다. 여성 출전이 허용된 것은 첫 올림픽 (1896년) 이후 28년이나 지나서였다. 겨울올림픽이 가장 최근 여성에게 문호를 연 종목은 스키점프다. 1회 대회 때부터 스키점프에 남자선수들이 출전했지만, 여자 는 4년 전 소치올림픽 때 비로소 처음 출전했다. 이전까지 국제스키연맹과 아이 오시가 "여성들에게 너무 위험하고, 의학적 관점에서 (출산과 관련해) 여성에게 이로울 게 없다"는 엉뚱한 논리로 정식 종목 채택을 거부해왔다. 여자 스키점프 에서 첫 올림픽 금메달을 목에 건 독일의 카리나 포크트는 최근 아이오시와의 인 터뷰에서 "지금까지 좋은 시즌을 보내왔고, (평창올림픽을 앞두고) 완벽하게 준 비를 마쳤다"고 말했다.

☞ 인종차별 없는 세상을 위해

남아프리카공화국은 극단적 인종차별정책 '아파르트헤이트' 때문에 아이오시 로부터 1964 도쿄올림픽부터 24년간 올림픽 출전이 금지됐다. 1988 서울올림픽 때 출전 금지 조처가 풀린 지 30년째인 올해 알파인스키 선수 시브 스펄먼은 흑 인으로 남아공 역사상 첫 겨울올림픽에 참가하기 위해 전력을 다했다. 그는 지난 소치대회 때도 힘겹게 올림픽 출전권을 땄지만, 남아공올림픽조직위원회(SASCOC) 가 "올림픽에서 경쟁할 만한 수준이 아니다"라며 출전을 허용하지 않아 '은밀 한 인종차별' 논란이 일었다. 그는 지난 30일(현지시각) 남아공 언론과의 인터뷰 에서 "조직위의 최종 결정을 기다리고 있다. 내 유일한 바람은 올림픽 출전"이 라고 말한 바 있다.

☞ 독재 그리고 난민

에리트레아는 평창에서 겨울올림픽에 처음 출전하는 6개 나라 가운데 하나다. 1960년대부터 에티오피아를 상대로 독립투쟁을 벌였고, 이후에는 독재정권의 탄 압으로 난민 행렬이 끝없이 이어졌다. 국제인권감시단체 '프리덤하우스'가 '자유가 없는 최악의 국가'로 꼽기도 했다. 섀넌 아베다(알파인스키)는 에리트 레아의 첫번째 겨울올림픽 대표선수가 됐다. 1980년대 아버지를 따라 캐나다로 이민 갔지만, 아이오시가 에리트레아에 '와일드카드'를 부여하자 아버지의 나 라 국기를 달고 평창행을 택했다. 아베다는 "나는 평창에서 에리트레아라는 국 가와 난민을 대표한다. 세계인들에게 에리트레아라는 나라가 있고 국민들이 받는 고통을 알리고 싶다"고 말했다.

☞ 겨울 없다고? 뜨겁게 달린다

열대국가 선수들의 겨울올림픽 도전은 그 자체로 늘 화제였다. 4인조 봅슬레이 팀 '쿨러닝'으로 유명한 자메이카는 1988 캘거리 대회부터 평창까지 9회 연속 겨울올림픽에 출전한다. 물론 메달을 딴 적은 없다. 이번엔 여자 2인승 봅슬레이 재즈민 펜레이터-빅토리언과 캐리 러셀 짝이 유일하게 출전 명단에 이름을 올렸다. 자메이카의 첫 여성 겨울올림픽 선수들이기도 하다. 이들은 썰매에 '쿨 볼트'라는 이름표를 붙였다. '쿨러닝'의 도전정신에 우사인 볼트만큼 빨리 달리겠다는 뜻을 담았다. 펜레이터는 미국 언론 〈엔비시〉(NBC)와의 인터뷰에서 "경쟁력을 갖춰 금메달을 따고 싶지만, 평창에서는 메달 이상의 특별한 의미를 얻고 싶다"고 말했다.

☞ 장애를 넘어

한국 봅슬레이 대표팀 김동현은 선천성 청각장애 3급 판정을 받고 태어났다. 한때 "하루 종일 전화통화를 하며 재잘거리는 게 소원"이었다고 했다. 상대의 입모양으로 말하는 내용을 파악하는 '독순술'을 익히고, 보청기를 껴봤지만 한계가 있었다. 동료들의 소리를 듣고 호흡을 맞추지 못하면, 팀 성적은 고사하고 동료들을 위험에 빠뜨릴 수도 있다. 양쪽 귀의 인공달팽이관 수술을 했고, 두차례 올림픽에 나섰다. 그는 4년 전 소치올림픽을 앞두고 "장애를 가진 사람들에게 희망을 주고 싶다. 포기하지 않는 의지를 보여주고 싶다"고 했다. 평창에서는 동메달을 기대하고 있다.

☞ 나이는 숫자일 뿐

세계 최고 기량을 겨루는 올림픽에서 고령 선수들이 어려움을 겪는 일은 어쩌면 당연하다. 하지만 나이는 기량을 평가하는 절대 잣대가 아니다. 평창올림픽 최고령 출전자는 올해 50살인 핀란드의 컬링 선수 토미 란타메키다. 1986년 컬링 선수가 됐다. 이후 국가대표로만 28년을 지냈고, 대표팀 코치를 거쳐 2년 전부터 다시 선수로 뛰고 있다. 평창에서 처음 도입된 더블믹스 종목에 19살 아래인 오나 카우스테와 호흡을 맞춘다. 그는 최근 핀란드 현지 언론과의 인터뷰에서 "평창올림픽 목표는 금메달이다. 쉽지 않겠지만 할 수 있다"며 각오를 다졌다.[25]

17. 43년 전 에베레스트 도전 때 두 다리 잘라낸 중국인 등정 성공

43년 전 에베레스트 도전 때 동상에 걸려 두 다리를 잘라낸 중국 산악인이 네 번째 도전 만에 마침내 정상을 발 아래 뒀다.

주인공은 1975년 첫 도전 때 해발 고도 8000m, 이른바 데스 존에서 폭풍설에 갇혀 사흘 밤을 헤매다 끙끙 앓는 동료에게 침낭을 건네주는 바람에 자신은 동상에 걸려 두 다리를 잘라낸 샤보유. 그는 정상을 밟지 못하고 하산해 목숨을 구했지만 곧바로 다리를 잘라냈고 1996년에는 림프종 때문에 다시 무릎 위마저 잘라냈다.

2014년부터 2016년까지 세 차례 도전했다가 실패했던 샤보유가 14일(현지시간) 마침내 꿈에 그리던 세계 최고봉의 정상을 발 아래 뒀다고 영국 BBC가 전했다.

그는 지난달 AFP통신과의 인터뷰를 통해 "에베레스트 등정은 나의 꿈"이라면서 "이뤄내야만 한다. 개인적 도전이기도 하고 운명에 맞선 도전이기도 하다"고 말했다. 마지막 2년 전 도전 때는 폭풍설을 만나기 전까지 거의 정상 근처에까지 이르렀다.

지난해에는 네팔 관광당국이 두 다리를 절단한 장애인이나 시각장애인, 단독 등반을 막는 안전 조치를 취하는 바람에 도전하지 못했다. 전 세계 많은 이들이 차별이라고 항의했고 네팔 법원도 이를 받아들여 등반을 허용하라고 판결했다. 이렇게 올여름 등반 시즌이 시작되자마자 쾌거를 이뤄낸 것이다.

그의 세계 최고봉 등정은 두 다리를 절단한 장애인으로는 2006년 마크 잉글리스(뉴질랜드)에 이어 두 번째다. 잉글리스 역시 2주 동안 얼음동굴에 갇혀 있다가 동상으로 두 다리를 잘라냈다. 샤보유는 또 정상 도전이 상대적으로 쉬운 중국이 아니라 네팔 쪽으로 오른 첫 두 다리 절단 장애인이기도 하다.

스티브 플레인(호주)도 이날 등정에 성공해 목숨을 잃을 뻔한 시련을 극복하고 의미있는 기록을 남겼다. 에베레스트를 마지막으로 7대륙 최고봉을 4개월이 안 되는 117일 만에 등정해 기존 기록을 9일 단축하며 최단 기간 기록을 경신했다. 그는 서핑 사고로 목을 부러뜨린 뒤 4년 만에 이런 쾌거를 이뤄냈다.

샤보위나 플레인이나 지난 등반 시즌 마지막에 설치했던 고정 로프를 새 시즌이 시작하자마자 이용해 유리한 점이 있었다. 믿기지 않는데 플레인은 에베레스트 등정에 나선 날 곧바로 발 아래 뒀다고 방송은 전했다.

플레인은 등정 후 페이스북에 "3년 반 동안이나 병원에 누워 지내면서 의사들로부터 다시 걷기도 힘들 것이란 얘기를 들었다. 하지만 부러진 목을 부여잡으며 목표를 정해 마침내 이뤘다"고 적었다. 그는 부상 후 많은 도움을 받은 'Surf Life Saving Association'과 'SpinalCure Australia'를 위한 자선 기금 모금도 병행했다.[26]

☞ **장애인체육의 또 다른 의미, 재활 그리고 사회참여,**

평소 장애인과 만날 일이 많지 않았던 내가 장애인들과 만나 함께 사회참여를 하게 된 계기는 바로 스포츠클럽에 참여하면서 부터였다. 그 클럽에는 휠체어를 이용하는 척수장애인들이 함께 운동을 했다.

비장애인들과 장애인들이 함께 어울려 스포츠 활동을 하고 야외로 소풍을 가기도 했다. 장애를 가진 회원들 중 한분은 오랜 시간 집에서 잘 나오지도 않아 외부활동이 거의 없었다.

처음 클럽에 왔을 때 그는 말수도 없었고 사람들과 어울리지도 않았다. 그런 그가 운동을 시작하고 두 세 달이 지나면서 '저분이 저렇게 말이 많고 밝은 분이었나?' 싶을 정도로 변해있었다. 장애인들과 함께 활동을 처음 했던 나로서는 그 모습이 참 신기해보였다. 대체 무엇이 저 사람을 저렇게 바꿔 놓았을까?

자신이 장애인으로 평생을 살게 될 거라는 예고 없이 어느 날 갑자기 질병과 사고로 인하여 장애를 갖게 되는 순간부터 다시 일상의 삶으로 돌아가기 까지 수많은 과정과 다양한 지원이 필요하다.

일반적으로 중도장애인의 장애수용 단계는 자신에게 장애가 남게 된다는 충격 단계를 시작으로 '부정-우울-분노-적응과 수용'의 단계를 거치게 된다. 얼마 전 종료된 동계 패럴림픽과 관련한 기사에서 우리는 '장애를 극복한', '의지의 한국인'이라는 표현을 쉽게 접했을 것이다. 결론부터 말하자면, 장애는 '극복의 대상'이 아니라 '수용의 대상'이다.

김도현 노들장애학궁리소 연구원의 인터뷰를 통해 얼마 전 언론에 소개된 보도 내용을 보더라도 "장애 극복의 서사는 그 척도가 비장애인의 몸이며 올림픽에서도 인간의 한계를 뛰어넘었다는 의미로 극복이라는 말을 사용하지만, 장애 극복은 한계가 아니라 장애인이 비장애인의 몸에 가까워졌다"는 뉘앙스가 강하다고 했다. 우리 사회가 말하는 '장애를 극복'한 사람들은 대부분 직업이나 취미, 전문분야 활동 등 사회참여에 적극적인 사람들이다. 이들의 공통적인 특징은 100%

일수는 없겠지만 자신의 장애를 수용한 사람들일 것이다.

평생을 함께 가야할 '장애'를 인정하고 수용하는 순간, 그 장애와 함께 평생을 살아가기 위한 계획과 준비와 도전을 하게 되기 때문이다. 그만큼 장애인들의 사회참여를 위해서는 바로 '장애 수용'이 잘 이루어지도록 돕는 것이 매우 중요한 문제이다.

나의 남편이자 같은 학문을 하고 같은 활동을 하고 있는 박종균 박사는 27년째 휠체어를 타고 생활하는 척수장애 당사자이다. 그는 재활시스템이 거의 갖춰있지 않은 시절에 사고를 겪고 재활을 했다. 그 과정에서 너무나 많은 것을 잃었고, 많은 어려움을 겪었던 그는 자신보다 늦게 장애를 갖게 되는 누군가가 자신보다는 덜 힘들었으면 좋겠다는 생각으로 다양한 공부와 활동을 하게 되었다. 장애인으로 살기위해 많은 법적 문제들을 해결하는데 어려움이 있었기에 법률자문을 해주기 위해 법학과를 졸업했고, 의료재활에만 치중한 나머지 장애 당사자의 심리적 문제와 가족상담이 미흡했기에 심리상담을 공부했고, 장애인이 사회참여를 하기 위한 행정과 정책, 서비스를 지원하기 위해 사회복지와 재활학을 공부했다.

또한, 재활체육이 부재한 시절, 지역 장애인들을 중심으로 자조모임을 만들어 체육활동을 할 수 있도록 했고, 그들이 비장애인과 달리 열악한 환경에서 활동하는 것을 개선하기 위해 지자체에 행정적인 지원과 시설 설치 가능하도록 했다. 혼자서 해내기에는 너무도 다양한 분야였고 많은 시간과 노력이 필요했다. 더불어 재활체계가 잘 되어 있는 뉴질랜드, 미국, 스웨덴, 독일, 덴마크, 스위스 등 세계적으로 유명한 재활센터를 직접 방문하기도 했다. 이러한 경험과 현장 조사를 통해 2014년 한국형 전환재활시스템(TRS)에 관한 박사학위논문을 마무리했다.

누구에게나 출산의 고통과 같은 하나의 결과물이 바로 학위논문이겠지만, 그의 논문은 그의 인생이고 앞으로 장애를 갖게 되는 사람들을 위한 그의 마음이기도 하다.

국내의 경우 사고 이후 병원에서의 내외과적 수술과 치료 이후 일상생활을 위한 물리치료와 작업치료 등의 훈련을 하는 의료재활이 재활과정의 중심이다. 의료재활과 더불어 심리재활, 교육재활, 사회재활, 직업재활, 재활스포츠, 가족지원, 사후관리 등 다양한 영역의 재활이 있으며 국내는 의료재활 외에는 매우 미흡하거나 부재한 수준이다.

선진국의 경우 각 분야의 재활전문가들이 솔루션위원회 형태로 한 사람의 재활과정에 서비스를 지원한다. 국내와 달리 재활체육 프로그램도 체계적으로 잘 갖춰져 있었다. 세계적인 척수센터인 스위스 척수센터에서도 스웨덴에서도 미국에서도 나의 질문은 한결 같았다. 이곳에서 이루어지는 재활스포츠는 '의사의 처방과 관리에 의해 이루어지는가?', '이 위원회의 중심은 누가 되는가?' 이었다.

결론은 의료재활이후의 재활스포츠는 재활스포츠 담당자가 관리한다고 했으며, 위원회의 중심은 의사가 아닌 주로 재활코디네이터(다양한 이름으로 불리며 주로 재활과정을 겪은 장애당사자가 중심)라고 했다. 재활체육이 부재한 국내에서 장애인들은 병원에서의 재활치료 이후 자조모임을 통해 체육활동을 시작했다. 재활체육프로그램도 없이 종목 중심의 생활체육이었을 것이다.

초창기 장애인체육 분야에서 활동하던 선수들의 많은 수가 자조모임을 통해 운동을 시작한 사람들이다. 그들을 이야기를 들어보면 장애를 가지고 어떻게 살아가야하나 고민하고 방황하는 순간에 휠체어를 타고 운동하는 다른 장애인을 보면서 신기함, 호기심, 위안, 희망의 감정을 갖게 된다고 한다. '어떻게 휠체어를 타고 배드민턴을 치고 농구를 하지?', '나도 할 수 있을까?' 라는 생각을 시작으로 체육활동에 참여를 하게 되었다고 한다. 그것이 바로 '동기부여' 이다. 앞서 말한 장애인의 장애수용 단계에서 혹은 수용 이후의 재활과정에서 동기부여는 장애인의 성공적인 재활과 사회참여에 반드시 필요한 요소이다. 잔존기능 유지와 체력향상은 물론 롤모델을 통한 심리재활에 까지 영향을 미치는 것이다. 다만, 이는 재활체육의 시스템이 제대로 갖춰있지 않은 상황에서의 모습이다.

이러한 상황에서 부정적인 문제가 발생할 수도 있다. 휠체어를 타고 농구를 하는 다른 장애인을 보고 동기부여가 되어 활동에 참여를 했던 척수(경수)장애인이 다른 사람들은 농구공을 잘 들고 슛을 하는데 자신은 장애특성상(같은 척수장애인이라 해도 흉수손상의 경우 대부분 손의 기능에 문제가 없지만 경수손상의 경우 손의 기능이 약함) 불가능한 동작이 많은 것을 알고 오히려 실망하는 경우도 있었다. 만약, 재활체육시스템이 잘 갖춰져 있어서 재활체육상담사가 장애특성에 맞는 재활체육 프로그램 단계에 배치를 하고, 전문지도자가 지도를 하게 된다면......

체육과 조금 먼 이야기 같은 내용이 있지만, 우리가 온전히 장애인체육을 이해하기 위해서는 장애와 장애인을 조금은 이해해야 그것이 가능하리라 생각한다. 글의 시작에 등장했던 그 척수장애인은 이후 다양한 종목에서 대표선수도 하고 사회참여도 활발하게 하고 있다.

많은 의료비를 낭비하며 2-3년씩 혹은 길게는 10년씩 병원에서 생활하는 장애인들을 만들기보다, 3-6개월이면 퇴원을 하고 다양한 재활프로그램을 통해 자신의 지역사회로 돌아가 사회참여가 가능하도록 하는 선진국의 시스템이 바람직하지 않을까? 그리고 재활체육은 이렇게 장애인들이 다시 그들의 삶의 터전으로 돌아오는 과정에서 귀한 단비와 같은 의미가 아닐까...[27]

18. 부천FC U-18 감독 즉각 해임하라

　‘부천FC 유소년 선수단 U-18’ (이하 부천 U-18) K감독이 선수를 폭행, 폭언 했다는 주장이 제기돼 파문이 일고 있는 가운데 선수로 활동하고 있는 A군의 부모가 기자회견을 갖고 시민사회의 도움을 요청했다.

　12일 오전 11시 부천시청 3층 브리핑룸에서 열린 기자회견에서 A군의 부모는 부천FC 유소년 선수단 U-18에서 발생한 지속적이고 반복적인 폭행, 폭언, 인권침해 행위와 축구부의 금품수수 등 비리를 폭로했다.

　A군의 부모는 U-18의 비리와 폭행, 폭언, 모욕적인 대우를 지적하며 "친구들의 회피 등으로 씻을 수 없는 상처를 입고 정신과 치료를 받을 지경에 이르렀다. 우리 아이의 피해를 밝히고 불명예를 회복하기 위해 시작했지만 알아보는 과정에서 축구부 비리와 다른 학생들의 폭행 등을 알게 됐다" 며 말했다.

　이어 A군의 부모는 " ‘감독 수고비’ 를 걷은 학부모는 최 모 씨이며, 내부적인 직책은 없다. 공식적인 금액은 총무의 통장으로 입금하고, 그 부분에 대해서는 결산보고를 받았다. 추가 갹출은 결산보고가 없었다. 이에 대한 확실한 증거가 준비되어 있고, 이미 경찰에 제출했다." 며 감독 수고비가 아니라 운영비로 사용했다는 주장을 일축했다.

　그러면서 A군의 부모는 "감독 수고비라는 명목으로 모금을 한 것은 지난 동계 훈련이 처음이었지만, 예전 감독은 학부모들과 술자리, 노래방 등이 전혀 없었는데, 새로운 감독이 온 후에 경기 전날까지도 학부모들과 감독 간의 회식자리가 있었다." 며 K 감독 부임 이후 분위기를 설명했다.

　A군의 부모는 폭행의 이유를 무엇으로 추정 하냐는 질문에 "전부터 감독에게 찍혔다는 말을 많이 들어왔다. 감독이 부임하고 1차면담 당시 감독은 ‘아들이 잘하고 있다고 칭찬했지만, 아버님 운동만 잘한다고 되는 것은 아니지 않냐’ 는 의미심장한 말을 던졌다." 고 전했다. 2번째 면담에서 아이의 왕따 문제를 상담했지만, "감독은 ‘내가 어떻게 그런 것까지 신경 쓰냐’ 는 답이 돌아왔다."

　"3번째 면담에서 감독은 두발 문제 등 소소한 문제로 퇴출을 통보했다. 실력이 부족하거나 부천FC 명예를 훼손했다면 제가 먼저 데리고 나갔다. 폭력을 저지른 학생은 그대로 있는데 우리 아이가 소소한 이유로 퇴출을 당하는 이유를 이해할 수 없다." 고 억울함을 토로했다.

"이런 상황에 대해 모두 다 알고 있는 사실이지만, 스포츠계가 갑과 을의 관계이다 보니 힘들다. 찍히면 후일에 퇴출당하기 때문이다. 어느 학부모가 감독에게 가서 그 내용을 따질 수 있겠냐." 며 A군의 아버지는 눈물을 흘렸다.

A군 부모는 A군의 폭행 사실을 알고 5월 26일 구단과 2시간에 걸친 면담을 했다. "이번 사태에 대해 알아보고 조치를 취한다는 말을 들었다. 생각보다 관심이 덜했기에 고소와 기자회견까지 오게 됐다." 고 밝혔다. 구단은 '감독 수고비' 의 사용처와 학부모들에게 '거짓진술서' 를 강요했다는 A군의 부모의 주장에 대해 다른 입장을 내놓았다.

구단은 자체 조사한 결과, '감독 수고비' 에 대해 "학부모인 최 모 씨의 국민은행 계좌로 A군의 부모를 포함해 5명이 10~50만원을 입금했으며, 총액은 110만원이다. 최 모 씨는 동계훈련지인 전남 영광에서 선수들 뒷바라지를 하기 위해 상주하는 학부모들 숙소 및 식대 해결을 위해 걷은 것이라고 진술했고, A군의 부모를 포함해 돈을 낸 학부모님들이 며칠씩 돌아가며 훈련지에 상주한 것으로 확인했다." 고 말했다.

이에 A군의 부모는 "전남 영광에서 목포에서 열린 회식에 한 차례 참여했으며, 회식비는 따로 걷어서 냈다. 그 외에 식사나 숙박을 하지는 않았다." 고 반박했다. 또한 구단은 '거짓진술서' 에 대해 "부모들이 자체적으로 모여 회의를 진행하고, 해당 내용이 사실이 아니라는 내용의 진정서를 작성하여 지난 9일 구단에 단체 방문하여 제출한 것으로 인지하고 있다." 고 밝혔다.

A군의 부모는 "K 감독이 얼굴을 먼저 비추고 학부모들의 핸드폰까지 걷어 진술서를 낼 수밖에 없는 상황을 만들었다." 며 구단 측에서 잘못된 사실을 인지하고 있다고 주장했다.

기자회견을 마무리 하며 A군의 부모는 "어느 부모가 자기 자식에게 꼬리표가 붙어 다닐 것을 알면서 거짓을 말하고 기자회견까지 하겠느냐. 증거를 가지고 있고, 많은 학부모들이 저를 돕고 있다. 진실은 반드시 밝혀질 것이다.

다른 학부모들도 K 감독의 해임을 원한다. K 감독이 해임되지 않으면 제 2, 3의 피해자가 나올 것이고, 다음 차례는 자신이 될 수 도 있어 공포에 떨고 있다." 며 K감독의 해임을 강력히 요구했다.

한편, A군을 비롯한 부천 U-18 유소년 선수들 전원이 다니고 있는 경기경영고등학교에서 학교폭력위원회가 열릴 예정이며, 날짜는 미정이다. A군 부모는 A군을 포함해 후배 선수들을 폭행한 3학년 B군, C군을 고소한 상태이다.[28]

19. 신체운동(身體運動)과 지능

　신체 운동(體運動, physical activities)은 체육에서 '운동'이라고 하고 있으나, 물체의 위치 이동에 대하여 붙여진 물리적 용어로서의 '운동'과는 구별되며, 엄밀하게는 신체 운동 또는 신체 활동이라 한다. 이것은 물리적인 뜻에서의 운동의 성질을 가지면서 주로 자기 자신이 신체를 움직이고자 하는 의도로 하는 운동도 포함하고 있다. 또 전체의 경우로서 말하는 신체 운동은 주로 대근(大筋)을 움직이는 운동을 가리킨다.

　따라서 소근(小筋)만을 수축시키는 것 같은 운동에 대하여는 신체 운동이라고 하지 않는 것이 보통이다. 또 '신체 운동'이기 때문에 신체만의 운동이냐 하면 그렇지가 않고, 이에는 지각(知覺) 작용이나 정의적(情意的)인 작용도 포함된다. 신체 운동을 '체육'에 이용하기 위하여 많은 분류법을 쓰고 있는데, 특히 생리학적인 분류와 구조에 의한 분류가 흔히 쓰인다.[29]

[신체운동지능]

And Just Like That(2017. 09. 03)
http://blog.naver.com/ppolpippolpi/221088609683

　신체 움직임의 효율은 개인을 위험 환경으로부터 수신이 기능하도록 만드는 기초가 될 뿐 아니라 사회 안전망을 촉매 하는 거대 역할까지 가능하게 만든다.

　신체운동은 인간의 자연적 활동이라고 불리어지는 걷기(walking), 달리기(running), 오르기(climbing) 그리고 던지기(throwing) 등과 같은 의미를 내재하고 있다.[30]

[다중지능]

신체운동지능(2015. 08. 28), http://blog.ebs.co.kr/220464465639

　‘다중지능’은 하워드 가드너의 『마음의 틀』에서 최초로 사용하였다. 이 책에서 가드너는 언어지능(시인 엘리어트), 음악지능(모차르트), 논리수학지능(아인슈타인), 공간지능(레오나르도다 빈치), 신체운동지능(마이클 조던), 대인지능(간디 등 사회운동가), 대내지능(신앙인처럼 자신을 엄격하게 통제하는 능력이 탁월한 사람) 등 모두 일곱 개의 지능을 제시했다.

　하워드 가드너는 1983년에 발표한 저작 『마음의 틀(Frame of Minds)에서 지능을 특정한 방식으로 구체적인 형태의 정보들을 처리하는 생물심리학적 능력이라 정의하고, 인간은 다양한 정보처리 능력, 즉 ‘지능들’을 발달시켜왔다고 주장했다.

　또 인간을 대략 8, 9개의 지능, 언어・논리수학・음악・공간・신체운동・자연・대인・자성・실존지능을 소유한 유기체라고 보았다. 그 중 신체운동 지능(bodily-kinesthetic intelligence)은 문제를 해결하기 위해 몸 전체나 일부를 활용하는 능력으로 운동선수는 물론이고, 외과의사, 기타 직접적인 기술 활용과 관련된 일을 하는 사람들에게 특히 중요하다.

농구 선수 출신 미 상원의원 빌 브레들리(Bill Bradley)는 "어떤 사람과 한 시간 동안 농구를 하면, 그에 대해 알고 싶은 모든 것을 파악할 수 있다"고 말한 바 있다. 즉 브래들리는 신체운동 지능이 잘 발달한 사람인 셈이다.[31]

우리의 뇌(역시) 계산 능력과 예상 또는 추측 능력을 가지고 있다. 이는 지각 능력과 아주 긴밀한 상호보완적(관계로) 연관되어 있다.

인간의 근육이 실제로 움직이기 전에 마음속으로 미리 시연해 볼 수 있으며, 그 후에야 비로소 근육은 뇌가 내리는 명령을 수행한다. 우리는 과거와 미래의 모습을 마음속으로 그려볼 수 있으며 서로 다른 행동을 상상해 본 후 최선의 판단을 내린다.

예를 들어 등산을 하는 동안 우리는 앞사람이 올라가면서 내는 소리를 듣고서 본능적으로 그 사람이 건드린 돌이 떨어지는 모습을 상상한다. 그리고 그 돌이 머리 위에 떨어지기 전에 몸을 피한다.[32]

[신체운동지능퍼즐]

놀이로 배우는 진로교실, 삼양문화(2016. 11. 08) https://blog.naver.com/sammunwha/220856523121

자신의 모든 신체를 이용해서 어떤 생각이나 감정을 표현하는 능력과 자신의 손을 이용해서 사물을 만들거나 변형시키는 능력을 말한다. 이 지능에는 자기 자극에 대한 감수성(proprioceptive), 촉각적 능력뿐 아니라 협응, 균형, 손재주, 힘, 유연성, 속도 등과 같은 특정한 신체적 기술이 포함된다. 이 능력은 배우, 팬터마임 배우, 운동선수, 무용가, 장인, 조각가, 기계공 및 외과의사 등에게서 찾아볼 수 있다.[33]

20. 신체운동지능이 높으면 무엇을 해도 스타가 된다

피겨의 요정 김연아, 수영 천재 박태환, 골프 신동 미셸 위를 보라. 공부만 잘
한다고 무조건 '천재'라 불리던 시대는 지났다. 지금은 신체운동지능이 빛을
발하는 시대! 다양한 다중지능들과 결합하면서 더욱 강력해지는 신체운동지능에
주목할 때다.

☞ 지적 사고의 베이스, 신체운동지능

신체지능은 자신의 몸을 비롯해 사물의 움직임을 컨트롤하는 능력이다. 인간친
화지능이나 논리수학지능 등 여타 지능과 결합하면 한층 시너지 효과를 내기 때
문에 직업 선택의 폭이 무궁무진한, 살아가는데 매우 유용한 지능으로 여겨진다.

아이가 유난히 뛰어놀기를 즐기거나 운동에 푹 빠지면 나중에 공부를 못하는
것은 아닐까 걱정하거나 아이의 진로를 고민하는 엄마들을 종종 만난다. 언어지
능이나 음악지능 등 여타 지능에 비해 과소평가를 받는 신체운동지능. 이는 모두
'신체운동지능=운동선수'만을 떠올리거나 '운동선수는 무식하다'는 편견 때
문이다. 하지만 안무가부터 배우, 외과의사, 엔지니어, 물리치료사, 조각가, 파일
럿, 건축가까지 신체운동지능의 영역은 폭넓다. 전문가들은 신체운동지능을 살아
가는 데 가장 유용한 지능으로 손꼽는다.

신체운동지능이란 한마디로 자신의 몸이나 사물의 움직임을 통제, 컨트롤하는
능력이라 할 수 있다. 몸의 움직임을 조절하는 능력과 공이나 악기, 기계 등의 사
물을 기술적으로 다루는 능력 등이 그것이다. 전혀 상관없어 보이지만 건반 위에

서 현란하게 움직이는 피아니스트의 손놀림, 1백 분의 1초로 손가락을 움직여 목표물을 명중시키는 사격 선수의 기술, 내적인 감정을 신체로 표현해내는 배우의 연기도 모두 신체운동지능에 속한다.

신체운동지능의 특징이라면 다른 지적 요소들과 결합하면 더욱 강력해진다는 것이다. 몸으로 움직임을 표현하고 표정을 조절하는 배우는 자신의 감정을 세심하게 관찰하고 표현해내는 자기성찰지능과 인간친화지능이, 운동선수는 전략을 짜는 논리수학지능과 공간지능, 동료와의 팀워크를 높이는 인간친화지능이 신체운동지능과 맞물리면서 그 빛을 발한다.

프리미엄리그에서 맹활약을 펼치는 박지성 선수가 좋은 예다. 그에겐 '산소탱크'라는 별명을 지닐 만큼 뛰어난 신체운동지능 외에도 상대 선수의 심리를 읽는 인간친화지능과 스스로를 통제하고 좀 더 좋은 기량을 발휘하기 위해 노력하는 자기성찰지능, 공의 속도와 선수들의 움직임을 파악하는 논리수학지능을 찾아볼 수 있다.

그렇다면 어떤 아이가 신체운동지능이 높을까? 가장 쉽게 파악할 수 있는 것이 어릴 때부터 춤이나 운동에 남다른 감각을 보이는 아이다. 신체운동지능이 높은 아이는 몸을 어떻게 움직여야 하고, 반사적으로 어떤 움직임을 취해야 하는지 타고난 경우가 많다. 운동과 스포츠에 호기심과 흥미를 느끼는 아이도 신체운동지능이 높다고 할 수 있다. 이 아이들은 적극적이며 활동적인데, 스포츠 활동을 좋아하고 순발력이 있으면서 민첩하다. 또래 아이들에 비해 모방능력이 뛰어나 같은 장면을 한두 번만 봐도 똑같이 재현해내는 능력이 뛰어나다.

신체조절능력이 뛰어난 것도 특징. 소미소보 키즈 스포츠클럽의 이승희 연구원은 신체운동지능이 높은 아이일수록 상황에 대한 대처능력이 빠르고 승부욕이 강하다고 말한다. 스스로 자신을 컨트롤하며 상대를 향한 배려심이 깊은 것도 신체운동지능이 높은 아이들의 또 다른 모습이다.

기본적으로 운동선수는 대부분 신체운동지능이 높다고 할 수 있다. 특히 뛰어난 운동선수라면 대다수가 이미 선수가 되기 전부터 갖고 있던 능력, 예를 들어 협응력(손과 발, 눈과 손 등이 함께 움직이며 운동하는 능력), 순발력(순간적으로 발휘하는 힘), 지구력(오랫동안 축적되는 힘), 표현력(감정이나 생각을 신체로 표현하는 능력) 등을 계발해 극대화시킨 케이스라 할 수 있다.

하지만 모든 운동선수가 이러한 능력을 골고루 갖고 있거나 같은 능력을 지니고 있는 것은 아니다. 클럽아이앤제이의 양재하 유아&아동체육 교육파트장은 "농구선수 마이클 조던은 우수한 신체 조절력과 순간 판단력, 컨트롤 능력을 갖추어 게임을 리드하며, 지난해 베이징올림픽에서 금메달을 딴 배드민턴의 이용대 선수의 경우 뛰어난 집중력과 반사운동신경이 돈보이는 경우"라고 말한다. 피겨스케이트 김연아 선수는 순발력과 협응력 외에도 남다른 표현력으로 세계 최고의 자리에 올랐다.

• 세부 신체운동지능에 따른 추천 운동과 직업

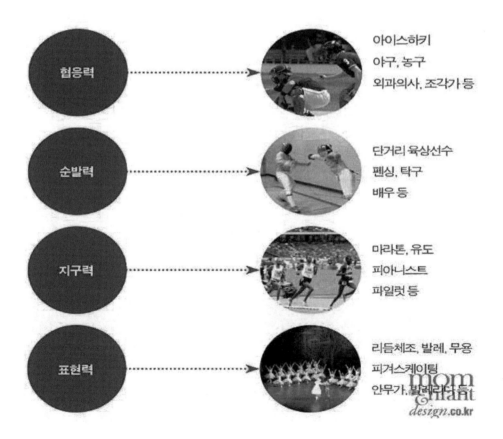

☞ **협응력이 뛰어나다면 외과의사, 정밀 작업자, 표현력이 좋다면 뮤지컬 배우나 감독, 발레리나**

신체운동지능이 높은 아이들은 대개 판단능력이나 순발력이 뛰어나다. 운동선수나 무용수, 전문 스포츠 선수, 해설가, 에이전트, 카레이서, 공학자, 지도자, 배우 등으로 성공할 확률이 높다. 세부적인 능력에 따라 추천 직업군도 달라진다.

먼저 협응력이 뛰어나다면 공을 다루는 구기 종목 운동선수나 수술이 많은 외과의사 혹은 조각가 등이 잘 어울린다. 섬세한 손재주가 필요한 정밀 작업자나 기계공도 권할 만한 직업이다.

분석력이 높다면 스포츠 해설가나 운동 처방사, 무용 평론가, 스포츠 감독 등이 안성맞춤. 순간적인 순발력이 강점이라면 단거리 육상선수나 펜싱, 배드민턴 선수 같은 운동선수나 상대 배우에게 맞춰 반응해주는 능력이 필요한 배우가 적격이다. 이외에도 뛰어난 표현력의 소유자라면 뮤지컬 배우나 감독, 무용수, 조각가, 발레리나, 피겨스케이트 선수, 안무가 등이 잘 어울린다.[34]

21. 볼링 국가대표 1위 탈락시키고 7위 뽑은 협회 임원 무죄

16세기 이후 루터(Luther,M.)가 핀수를 9개로 고정하는 등의 규칙을 정하여 나인핀즈(nine pins)가 유행되었고, 영국에서는 핀 대신 볼을 사용하는 론(loan) 볼즈가 잔디 위에서 성행하여 오늘날까지 명맥을 이어오고 있다.

스포츠로서의 볼링은 1895년 미국볼링협의회(America Bowling Congress)가 창립되고 1901년 시카고에서 ABC 토너먼트를 개최한 뒤부터 급격한 발전을 가져왔다. ABC대회는 제2차대전중인 1943·1944년을 제외하고는 매년 개최되었으며, 등록인구만도 780만이 넘는다. 1952년 서독 함부르크에서 국제볼링연맹(FIQ)을 창설하고 핀을 10개로 하는 등의 규칙을 새로 정하게 되면서부터 자동식 핀세터가 발명되어 급속한 발전을 하게 되었다.

아시안게임 국가대표 선발전에서 1위를 기록한 선수에게 0점을 줘 탈락시키고 그 대신 7위 선수를 선발한 혐의로 재판에 넘겨진 대한볼링협회 전직 임원에 대해 법원이 무죄로 판단했다.

서울중앙지법 형사20단독 권희 부장판사는 14일 업무방해 등 혐의로 기소된 전 볼링 국가대표 감독 강모씨에게 징역 8개월에 집행유예 2년을 선고했다.

권 부장판사는 국가대표 선발 과정에서의 업무방해 혐의에 대해 "실기점수가 좋은 선수에게 지도자평가 점수로 0점을 주는 게 통상적·상식적이진 않다" 면서도 "강씨의 재량 범위에 포함되는 걸로 보인다" 고 판단했다.

이어 "당시 탈락한 선수는 법정에서 '발목부상이 있으니 양보하라는 강씨의 지시에 동의한 면도 있다, 아직 (다른) 어린 선수들은 군대 문제가 걸려있어 양보 비슷하게 한 것 같다' 고 증언했다" 며 "이후 금메달 등 우수한 성적을 올린 점을 보면 강씨의 지시에 위계가 있었다고 보긴 어렵다" 고 설명했다.

권 부장판사는 강씨가 감독 6명에게 1850만원을 갈취한 혐의에 대해선 "강씨의 협박 때문에 돈을 줬다고 보기까진 인정하기 어렵다" 며 무죄를 선고했다. 사기로 8000여만원을 받은 혐의와 선수에게 소속팀을 강제로 옮기라고 한 혐의에 대해서도 무죄로 판단했다.

다만 강씨가 2000만원의 스카우트비를 가로챈 혐의에 대해선 "간접적인 공갈이라도 자신의 지위를 내세우며 불법적인 부탁을 들어주지 않을 경우 부당한 대우를 받을 수 있다는 의구심이 일게 한다면 죄가 성립한다"며 유죄를 인정했다.

권 부장판사는 "강씨는 볼링협회 안에서의 지위를 이용해 선수에게 돌아가야 할 스카우트비를 사용해 죄질이 좋지 않다"며 "다만 상당히 반성하고 있고 동종 범죄 전력이 없는 점 등을 고려했다"고 밝혔다.

강씨는 2010년 광저우 아시안게임에 참가할 볼링 국가대표 선발전에서 자신의 영향력을 이용해 특정 선수가 선발되도록 경기력 평가 최종 결과 보고서를 조작한 혐의(업무방해)로 기소됐다. 당시 그는 1위·3위로 뽑힌 선수들에게 지도자 점수(총점 100점 중 30점) 항목에서 0점을 줘 7위·8위로 떨어뜨리고, 기존의 7위·8위 선수가 5위·6위로 선발되도록 한 것으로 조사됐다. 이들 2명은 아시안게임 단체전에서 금메달을 따 군면제·연금 혜택을 받았다.

강씨는 또 고등학교에 재학 중인 국가대표 선수를 한 볼링팀에 입단시킨 후 스카우트비 명목으로 해당 볼링팀 감독이 받아야 할 2000만원의 우수선수 유치 지원비를 가로챈 혐의(공갈)도 있다. 그는 2012~2016년에는 "내가 입만 열면 너를 보내버릴 수 있다. 돈을 보내지 않으면 전기톱으로 다리를 잘라버린다"며 다른 감독에게 협박하는 등 6명으로부터 1850만원을 받은 것으로 조사됐다.

2012년 국가대표 감독직을 마친 후에는 도박 등으로 신용불량자가 되자 평소 알던 선수·부모·감독 등 24명에게 연락해 8272만원을 받아 가로챈 혐의, 선수가 원하지 않는데도 실업팀의 청탁을 받고 이적할 팀을 강제로 지정해 스카우트비를 가로챈 혐의도 있다.

강씨는 1999년부터 2012년까지 9년 동안 볼링 국가대표 감독을 지내고 볼링협회 부회장으로 활동하면서 국내 볼링계를 좌지우지하는 등 '볼링계의 대통령'으로 불리기도 했다.[35]

[볼링 시합장]

http://blog.naver.com/jjjjom/220792970592(2016. 08. 21)

22. 빙상연맹, 대체 무엇을 또 누구를 위해 존재하는가

‘반성 없는’ 대한빙상경기연맹(이하 빙상연맹), 대체 무엇을, 또 누구를 위해
존재하는가.

반복되는 흑(黑)역사, 빙상계가 곪아가고 있다. 23일 또 한 번 날벼락 같은 소식
이 전해졌다. 여자 스피드스케이팅 팀 추월 국가대표 노선영(콜핑팀)의 올림픽 출
전이 무산된 것. 평창동계올림픽 개막을 불과 보름가량 앞둔 시점에서, 그것도 빙
상연맹의 행정적 착오로 빚어진 비극이었다. 앞서 16일에는 여자 쇼트트랙의
‘간판’ 심석희(한체대)가 코치로부터 폭행을 당해 진천선수촌을 이탈하는 일이
벌어지기도 했다. 파장은 눈덩이처럼 커져만 가고 있다.

왠지 낯설지 않다. 시계를 거꾸로 돌려 4년 전으로 돌아가 보자. 2014 소치동계
올림픽을 코앞에 두고 한국 빙상계는 추문과 폭로로 몸살을 앓아야 했다. 쇼트트
랙 국가대표 코치가 과거 선수를 성추행하려고 했다는 의혹이 제기돼 직위 해제
된 데 이어, 장명희 아시아빙상경기연맹(ASU) 회장이 기자회견을 열고 현 빙상연
맹 집행부를 공개 비판하는 사태까지 벌어졌다. 빙상계 원로들까지 나서 날선 문
제제기를 하고 나섰지만, 정작 빙상연맹은 요지부동이었다.

이뿐만이 아니다. 지난 2014년 여자 쇼트트랙 국가대표 선수 6명은 코치들에게
상습적인 구타와 비인간적인 대우를 받으며 훈련해왔다고 폭로해 파문이 일었다.
당시 태릉선수촌을 집단 이탈했던 이들은 7장 분량의 자술서에서 거의 매일 코치
들에게 맞았다고 주장했다. 2010년엔 같은 파벌 선수끼리 밀어주는 이른바 ‘짬

짜미 사건'이 수면 위로 떠올라 해당 선수들이 징계를 받았다. 이는 빅토르 안 (한국명 안현수)이 러시아로 귀화하는 단초가 되기도 했다.

'가화만사성(家和萬事成)' 집안이 화목해야 모든 일이 잘 풀린다고 했다. 그 동안 빙상은 동계올림픽 종목 가운데서도 높은 인지도를 자랑하며 많은 사랑을 받았다. 하지만 하루가 멀다 하고 잡음을 만들어내는 통에 국민들도 이제는 등을 돌리기 시작했다.

무엇보다 중심을 잡아줘야 할 빙상연맹이 오히려 문제를 만들어내고, 키우고 있다. 올림픽이라는 무대 하나만을 바라보고 달려왔던 한 선수의 날개가 꺾였다. 대체 어떤 말로 그녀를 위로할 수 있겠는가.[36]

23. 월드컵재단, 누구를 위한 기관인가

지난 2002년 한·일월드컵 개최 후 2003년 3월6일 재단법인 경기도수원월드컵경기장관리재단(이하 재단)이 도민들의 환영속에 탄생했다. '경기도2002년월드컵수원경기추진위원회'의 전신인 재단이 월드컵의 성공 개최와 한국 축구 사상 첫 4강 진출을 이어가기 위해 설립된 것이다.

[수원월드컵경기장]

미디어오늘(2015. 12. 16), 수원월드컵경기장 홈페이지.

하지만 출발부터 삐걱거렸다. 경기도와 수원시가 경기장을 짓기 위해 부담해야할 사업비 6대4 비율이 문제였다. 이는 현재까지도 풀기 어려운 숙제가 됐다. 전국 10개 월드컵경기장 중 2개 지방자치단체가 맡고 있는 곳은 수원월드컵경기장밖에 없기 때문이다. 이는 고스란히 재단의 이사진에도 반영됐다. 이사장은 도지사가, 부이사장은 수원시장이 각각 당연직으로 맡았고, 경기도기획조정실장과 문화체육관광국장, 경기도체육회 사무처장, 수원시 문화교육국장, 수원시체육회 사무국장 등 경기도와 수원시가 당연직 이사로 나란히 자리를 꿰찼다. 그러나 시간이 흐를수록 사무총장 자리를 놓고 경기도와 수원시의 마찰이 빚어졌고, 결국 수원시의 몇몇 인사가 사무총장을 맡는 현상도 나타났다.

그로부터 10여년이 지난 지금, 재단의 방만한 경영이 도마에 올랐다. 1본부 1실 6팀 35명으로 구성된 재단은 올해 미션으로 '스포츠 복합문화 융성을 통한 도시민 행복 증진'을 내세웠다. 하지만 도시민들을 위한 생활체육 및 축구 진흥사업 프로그램은 없었고, 대신 임대사업과 대관료만 챙기기에 바빴다.

재단의 사업 수입을 보면 임대사업으로만 42억여원을 벌어들였다. 스포츠센터가 연간 20억원으로 가장 높았고, 최근 계약한 성스뷔페가 10억여원, 월드컵컨벤션웨딩홀이 8억5천여만원 순이다. 또 프로축구 K리그 클래식(1부리그) 수원 삼성과 챌린지(2부리그) 수원FC 경기 사용료를 비롯해 행사·광고·시설 대관 등으로 30억여원을 거둬들이는 등 지난해에만 모두 72억여원의 수입을 올렸다.

재단이 임대사업에 열을 올리게 된 배경에는 자립 경영이 한 몫했다. 2006년부터 출연금(도비·시비)을 받지 않으면서 자립 경영에 나선 재단은 이를 해결하기 위해 임대 업체에 고스란히 부담을 떠넘겼다. 이런 구조 때문에 임대 업체들은 또다른 하위 업체에 높은 임대료를 요구하는 악순환이 이어졌다. 도·시민의 혈세로 지어진 재단이 또한번 서민들을 힘들게 하는 상황을 만든 셈이다. 그럼에도 재단은 불법 영업을 묵인했다.

월드컵컨벤션웨딩홀의 뷔페시설을 용도 변경하지 않은 채 영업하도록 묵과한 것이다. 게다가 재단은 웨딩홀·뷔페시설이 있으면서도 또다른 뷔페 업체를 인근에 임대시키는 등 상도덕마저 저버렸다.

재단에는 정관이 있다. 정관 제1장 총칙 제3조 목적에는 '국내 축구 발전에 기여하고 궁극적으로 경기도민의 삶의 질을 높이는 체육·문화시설의 공간을 제공하는 등 지방체육진흥과 도민의 화합을 도모하며, 세계 축구 발전과 인류평화에 기여한다'는 내용이 있다. 또 제4조 사업에는 '월드컵경기장의 효율적인 관리 및 운영을 비롯 축구 발전과 진흥사업, 임대사업 및 집행, 종합스포츠센터 관리·운영 등'이 명시됐다.

그러나 현재 재단은 정관을 지키지 않고 있다. 초창기에는 아마추어 유소년 축구사업과 4개국 초청 축구대회, 해외 프로팀 친선 경기 등 축구 관련 프로그램을 통해 도민들에게 다가갔지만, 최근에는 프로축구 K리그를 제외하곤 이렇다할 사업을 내놓지 못하고 있다. 도·시민들을 위한 재단이 진정 바로 서기 위해선 정관부터 제대로 지켜야 하지 않을까싶다.[37]

한편, 수원삼성 팬들 입장에선 수원월드컵경기장을 수원FC와 공동으로 사용하는 것을 받아들이기 어려울 수 있다. 또한 수원시로서도 2016 K리그 클래식에서 수원FC가 선전을 하더라도 수원종합운동장의 활용 차원에서 수원종합운동장이 수원FC의 홈 경기장으로 계속 사용토록 할 수도 있다.

그런데 나는 내년에 수원FC의 수원월드컵경기장 홈 경기장 사용 논란이 일기를 진심으로 바란다. 그 논란이 프로축구 K리그의 흥행에 도움이 될 것이고 어두운 프로축구계에 한 줄기 빛이 될 것으로 믿기 때문이다. 벌써 수원더비가 기다려진다.

평화와 안정 그리고 위기는 하루아침에 오는 것이 아니라, 장기간에 걸쳐 다양한 원인들이 축적된 결과이다.[38]

24. 이흑산과 함께 탈영한 '또 한 명의 난민복서' 에뚜빌

"흑산, 내 이름 좋아요." 카메룬 출신 복서 압둘라예 아싼. 이제 자신을 품에 안은 한국에서 '챔피언'을 꿈꾼다.[39]

지난 7월, 카메룬 출신의 난민 복서 이흑산(본명 압둘라이 아싼)의 이야기가 지상파 방송에 소개됐다. 카메룬의 수도 야운데에서 태어나 생계유지를 위해 복싱을 시작했던 이흑산은 군으로부터 스카우트 제의를 받고 입대해 12년간 혹독한 생활을 견뎌냈다. 그러다 2015년 문경에서 열린 세계군인체육대회에 출전했다가 탈출해 난민 지위 신청을 했고, 결국 2년 만에 그 지위를 인정받았다.

카메룬에 있던 시절 동료들과 포즈를 취한 이흑산(왼쪽). 오른쪽은 함께 탈영한 에뚜빌(이흑산 제공), 중앙일보(2017. 11. 25)

워낙 우여곡절이 많은지라 여러 언론이 이흑산의 눈물겨운 이야기를 다뤘다. '난민복서' 이흑산은 올해 3차례 공식전에서 모두 승리를 거뒀다. 한국 슈퍼웰터급 챔피언 자리에 올랐고, 내년 세계복싱협회(WBA) 아시아 타이틀매치를 앞두고 있다(이흑산은 현재 WBA 아시아 랭킹 8위다).

이런 그와 함께 어려운 시절을 함께한 동료가 있다. 에뚜빌. 그 또한 카메룬 군에서 잦은 구타와 가혹행위를 견뎌야 했고, 이흑산을 따라 문경에서 같이 도망쳤다. 파란만장한 새 삶을 꿈꿨지만 현실은 녹록지 않았다. 천안에 머물던 에뚜빌은 난민 신청자였기에 6개월마다 체류 허가를 연장 받아야 했는데, 서류를 사흘 늦게 제출해 강제추방 명령을 받고 외국인 보호소에 수감됐다.

에뚜빌의 운명은 안개속이나 다름없었다. 강제 추방을 당해 본국으로 돌아가면 최소 5년 이상의 징역에서 최고 사형까지 당할 수 있기에 잠을 청하기 힘들었다.

이런 그에게 이일 변호사가 손을 내밀었다. 국내에 체류 중인 난민들을 돕는 단체인 '난민지원 네트워크'에서 의장을 맡고 있는 이 변호사는 에뚜빌을 만나 수차례 상담했다.

"제가 도운 건 별로 없었어요. 직접 대면해서 상담하는 과정을 많이 거쳤을 뿐이에요. 사실 에뚜빌이 개인적인 이야기는 거의 하지 않았어요. 이흑산은 보호소에 수감되지 않았기 때문에 지속적으로 운동을 할 수 있었고, 시합에서도 이겨 이슈화가 많이 된 편인데, 에뚜빌은 아무것도 할 수 없는 상황이었잖아요. 이흑산보다 나이도 어리고 힘도 좋다고 생각해서 열심히 운동하면 좋은 결과가 나오지 않을까 싶어요." 경과를 설명하던 이 변호사는 "에뚜빌은 굉장히 긍정적인 사고를 지녔다"는 말을 덧붙였다.

천신만고 끝에 난민지위를 획득하고 11월 중순 보호소에서 석방된 에뚜빌은 이흑산을 좇아 춘천으로 향했다. 하지만 현실은 팍팍했다. 기초생활수급자 혜택으로 정부에서 매달 48만 원을 보조받고 있지만 한국에서 생활을 영위하기에는 턱없이 모자란 금액이다. 더군다나 국내 프로복싱 사정이 열악한 탓에 4라운드 경기 대전료가 고작 10만~20만 원 수준이었다. 이렇다보니 운동에만 전념하기가 어렵다.

먹고 사는 문제가 눈앞에 닥치니 에뚜빌도 여간 혼란스러운 게 아니다. 현재 심정을 묻자 그는 "stressfu"이라는 짧은 영어 단어 하나로 모든 것을 설명했다. 보호소에서 풀려나 '자유'를 얻었지만 그에 대한 책임도 고스란히 본인이 짊어져야하기 때문에 생각이 많아졌다. "내겐 시간이 필요하다. 복싱만으로 먹고 살 수 있을지 의문이다. 지난해 12월부터 근 1년간 보호소에 있었기에 몸 상태나 운동량이 절대적으로 부족하다."

1월 말 시작하는 프로복싱 신인 최강전 '배틀로얄' 출전은 일찌감치 포기했다. 운동을 하겠다는 확신이 서면 출전하겠다는 생각에서다. 국내에서 공식전을 단한 차례도 치르지 않았지만 실력만큼은 이흑산에 뒤지지 않는다는 평이다. 이흑산과 에뚜빌의 매니저인 이경훈 관장(춘천 아트복싱체육관)은 "이 친구(에뚜빌)는 힘이 장사예요. 파괴력만 놓고 보면 오히려 이흑산보다 나아서 시합 뛰면 분명 좋은 성적 낼 겁니다. 그럼에도 마냥 권유할 수 없는 게 안타까울 뿐이죠. 결국 돈이 문제입니다"라며 아쉬움을 내비쳤다.

'고생 끝에 낙이 온다'고 했는데, 한 고비를 넘으니 더 큰 고비가 버티고 있다. 자신이 믿고 따르는 형(이흑산)이 택한 복서의 길을 걸을지, 아니면 복싱을 접고 안정적인 삶을 택할지를 선택해야 한다. 인생에 있어 중차대한 결정이기에 차일피일 미룰 수 없다. 에뚜빌의 고민은 현재진행형이다.[40]

25. 은퇴한 학생 선수 "저는 이제 무엇을 해야 하나요?"

대학스포츠는 우리나라 스포츠를 지탱하는 명실상부한 버팀목임과 동시에 우수한 선수자원을 지속적으로 육성하는 산실이다. 하지만 찬란한 빛으로 인해 더욱 진한 그림자가 드리워지듯 매년 전체 대학선수 중 40%에 가까운 대학 학생 선수들이 운동을 포기하고 있다.

☞ 중도탈락한 수많은 학생 선수와 좁은 직업 선수의 길

논문 '학생 선수들의 중도탈락 원인 특성 및 개선 방안'에 따르면 매년 약 24% 가량의 학생 선수들이 운동부에서 탈락되며, 전체 학생 선수 중 직업 운동선수가 되는 비율은 10%를 넘지 못하는 것이 현실이다. 즉, 90% 정도의 학생선수들은 중도에 탈락된다는 것이다. '중도탈락 학생선수의 인권 및 학습권 보장에 관한 연구' 논문을 살펴보면 학생 선수들의 중도 탈락 비율은 초등학교 6학년(48.8%), 고등학교 3학년(44.4%)에서 가장 높으며 고등학교 2학년(18%)에서 가장 낮은 비율을 보이고 있다.

중학교 1학년에서 부터 고등학교 1학년까지는 평균적으로 24% 정도로 비슷한 추이를 보이고 있다. 대학에 진학하면 탈락 비율은 다시 상승한다. 대학 1년과 2년에서 각각 37.5%, 44.9%의 비율의 학생 선수들이 중도 탈락한다.

이러한 추세라면 직업 선수로 성공할 수 있는 학생선수는 불과 5-10%미만 일 것이라는 추론이 가능하다. 예를 들어 학생 선수가 추가되지 않는다는 가정하에 10,000명이 중학교 1학년에 운동을 시작한다면 대학교에 진학하는 학생선수는 약 750명(7.5%)이며 대학교 3학년까지 운동하는 학생 선수는 250명(2.5%)에 불과하다.

☞ 수업결손으로 인한 학생선수의 부족한 기초학력

교육과학기술부의 자료에 의거하면, 학교 운동부의 수업 참여현황에서 오전 수업만 받고 오후에 운동을 하는 경우가 평상시에는 27.2%이지만 시합직전에는 40.7%로 상승하며 오전 수업 조차 참가하지 않는 경우도 10.5%에 달하는 것으로 나타났다. 이것은 학생선수의 기초학력에 심각한 영향을 미치고 있으며 결국, 고학년으로 진학할수록 운동을 중도에 포기하면 일반학생과 같은 학교 생활에 더욱 어려움을 갖는다는 것이다.

국내 엘리트 선수들의 60% 이상은 학생시절 시합과 관계없이 하루 6-8시간 이상 운동을 하며 시합 준비 기간에는 7시간 이상 운동하는 경우가 많은 것으로 드러났다. 주6일 이상 운동하는 학생선수가 69%로 가장 많았고 매일 운동하는 선수도 10%를 차지했다.

합숙 일수도 학기·방학 상관없이 11일-20일이 가장 높게 나타났다. 국내 학생선수의 경우에 합숙훈련과 지나치게 많은 훈련시간으로 인해 수업결손과 성적저하를 유도하고 있음을 알 수 있다.

2010년 국가인권위원회의 중도탈락 학생선수 인권사항 실태조사에 따르면 운동중단 이후에 성적이 하위권에 머무른 학생은 62%로단지 14%만이 하위 학업 성적을 벗어났다고 응답했다. 중도탈락 학생선수의 56%는 운동을 그만둔것을 후회한다고 응답했는데 그 이유로는 수업을 따라가기 힘들다가 56%를 차지했고 무엇을 해야 할지 몰라 방황했다가 30%를 차지했다.

☞ 학생 선수의 은퇴 후 어려움

학생 선수들은 운동부 구성원 간의 갈등, 실력 부족, 경제적 이유 등의 이유로 준비되지 않은 운동 중도 탈락을 직면한다. 운동선수로서의 삶이 끝남과 동시에 새로운 삶이 시작하는 단계이지만   큰 어려움이 존재한다. 중도 탈락한 이들은 스스로를 실패자로 낙인 지으며 경쟁에서 패배한 아픔을 가지고 있다.

운동 이외의 낯선 일, 낯선 사람들과 낯선 환경 속에서 삶을 살아가고 있기 때문에 학생으로서의 적응과정에 실패하여 삶으로부터 소외되는 경험을 한다.

은퇴한 학생 선수들이 경험하고 있는 어려움들은 학생 선수가 되면 떠안아야할 잠재적 위험요소라 판단되며 이러한 잠재적 위험요소를 최소화하기 위해 학생선수의 문제를 교육적 관점에서 이해하고 그들의 시각에서 문제를 이해할 필요가 있다.[41]

26. 스포츠폭력에 레드카드를

수세기 전 영국에서 스포츠는 '여가놀이'를 뜻하는 말이었다. 저명한 문명사가 노베르트 엘리아스는 역작 『스포츠와 문명화』에서 현대 스포츠의 기원을 18~19세기 초 영국의 여우사냥에서 찾는다.

사냥꾼은 총이나 칼은 물론 몽둥이조차 쓰지 못하고 오로지 사냥개만으로 여우를 추격한다. 사냥개와 여우, 사냥개들 사이의 경쟁을 지켜보면서 사냥꾼은 짜릿한 긴장감과 흥분을 즐겼다. 이는 상대방의 팔을 뽑아버리거나 심한 경우 목을 졸라 죽이기까지 했던 고대 격투기와 질적으로 달랐다. 현대 스포츠는 폭력이 통제된 '놀이'라는 것이다.

쇼트트랙 국가대표 심석희 선수가 코치로부터 발과 주먹으로 수십 차례의 폭행을 당했다고 한다. 그 뉴스를 보면서 한국에서 스포츠의 의미는 무엇일까 되물어본다.

운동선수에 대한 폭력은 한국 스포츠계의 고질적 병폐다. 일상화·관행화되어 있다. 통계도 이를 입증한다. 2016년 서울대 스포츠과학연구소 연구결과에 따르면 전국 운동선수의 38% 정도가 각종 폭력에 시달리고 있었다. 손발이나 몽둥이로 맞기도 하고 욕설과 협박, 괴롭힘을 당했으며 원산폭격·손깍지 등의 가혹행위를 경험했다. 워낙 해묵은 문제다 보니 피해자가 유명선수거나, 엽기적 수준의 폭력이 아니고서는 보도되기도 어렵다.

엽기성이 큰 사건이 반복되다보면 충격은 덜하고 면역력은 커지는 법이다. 폭력에 대한 공분은 무관심과 무기력으로 변해 쉽게 잊혀지고 만다. 거론조차 '무얼 새삼스럽게'라는 느낌이 든다. 심 선수에 대한 누리꾼의 분노도 롤러코스터 같았던 북·미 회담과 남북정상회담의 역전 드라마에 묻힌 듯 지나가고 있다.

한국에서 국가 스포츠는 메달을 향한 무한질주다. 운동선수는 올림픽 메달을 따서 국위를 선양해야 살아남고 각종 대회의 메달을 거머쥐어야 대학 진학이 가능하다. 승리지상주의는 과열경쟁을 낳고 때려서라도 좋은 성적을 거두면 운동선수에게 공부를 안 시켜도, 폭력과 같은 인권유린이 자행돼도 쉽게 용서된다. 성적은 운동선수에게만 중요한 게 아니다. 지도자들의 일자리는 불안하고 대부분 성과급제의 비정규직이어서 경기 성적에 목숨을 걸게 된다.

시스템과 제도가 지도자의 폭력을 용인하고 부추기는 근원적 원인이 되고 있다. 심 선수의 경우도 평창 올림픽을 앞두고 기대만큼 기량을 보이지 못하자 코치가 폭력을 휘둘렀다고 한다.

폭력이 선수의 기량과 성적에 도움이 되는가에 대한 과학적 근거는 희박하다. 그럼에도 지도자는 조급한 마음을 폭력으로 해소하며, 경기결과가 나쁘면 훈련장에는 폭언과 폭력이 난무한다. 아예 나중에는 훈육을 핑계로 폭력이 일상화되는 악순환이 반복된다.

이 모든 적폐의 밑바닥에는 스포츠가 국위선양과 애국심 고취를 위해 봉사하고 헌신하도록 하는 국가주의가 도사리고 있다. 스포츠는 정권이 활용하기 좋은 먹잇감이다. 국가는 올림픽과 같은 화려한 메가 스포츠 이벤트에 천문학적 예산을 투입하고 체육계는 메달과 성적으로 정권에 보답한다.

이 과정에서 인권유린에 대한 묵인뿐 아니라 승부조작과 입시부정 같은 비리도 끼어든다. 빙상연맹과 같은 각종 체육단체의 사유화와 권력을 거머쥔 특정 지도자들의 횡포 또한 공공연하게 자행된다. 그럼에도 결과만 좋으면 부정한 과정은 은폐되거나 슬쩍 넘어간다. 이 같은 적폐의 메커니즘에 대한 분석은 새삼스러운 얘기가 아니다. 체육계는 물론 문화체육관광부 공무원들도 웬만큼 아는 사실이다. 하지만 대대적인 개혁을 표방해온 이 정부가 들어선 지 1년이 넘도록 체육계 적폐청산은 감감무소식이다.

지난 3월 문체부가 발표한 '2030 스포츠비전'은 개혁 의지는커녕 시늉조차 하지 않았다는 비판이 제기되고 있다. 이 정부도 기존 체육정책의 기조를 유지하며 체육계의 충성을 살짝 즐기고 있는 것 아닌가 하는 의구심마저 들게 한다.

체육계 적폐는 어디서부터 손을 대야 할지 모를 정도로 켜켜이 쌓여 있다. 그렇다고 대한체육회 등 체육계가 스스로 자정하기란 기대난망이다. 그동안 폭력·성폭력 사건뿐 아니라 각종 제도적 개혁의 시대적 요구에 시늉만 내온 대한체육회의 모습은 한마디로 눈 가리고 아웅하는 격이었다. 운동선수에 대한 폭력은 한두 명의 코치를 엄벌한다고 해결되는 문제가 아니다. 문재인 정부는 스포츠 적폐청산이라는 과제를 더 이상 외면하지 않아야 한다. 운동선수를 때려서 훈련시키고 성적을 올리고 메달 따게 하는 것을 방치해 놓기에는 너무 미개하고 후진적이며 부끄러운 모습이지 않은가.[42]

김아랑-김민석 등 '젊은 빙상인 연대', "전명규 교수 영구제명 요구", "저희 '젊은 빙상인 연대'는 어떤 불이익도 감수할 준비가 돼 있습니다. 그 어떤 불이익을 감수하더라도 더는 비겁해지지 않을 것입니다. 이 자릴 빌려 특정 정치인의 외압과 부정의한 세력의 로비에도 흔들리지 않고, 강도 높은 감사를 통해 빙상 개혁과 변화의 기회를 제공해준 문화체육부 도종환 장관님과 일선 조사관들에게 감사의 뜻을 전합니다." [43]

   - '정의롭고 공정한 대한민국 빙상을 바라는 젊은 빙상인 연대' 드림-

27. 체육계도 용기 있는 '미투' 이어질까

몇 년 전 방송업계 종사자 A씨는 지방 스포츠 구단 경기가 끝난 뒤 구단 프런트와 '뒤풀이'를 했다. 그런데 구단 홍보 남자 직원이 술자리가 파한 뒤에도 지속적으로 만나자는 메시지를 보냈다. 심지어는 밤늦게 숙소까지 찾아와 문을 두드렸다는 것.

이 일이 알려지면서 해당 직원은 구단 내부 징계를 받았지만, 정작 A씨가 취한 행동은 소극적이었다. A씨의 지인은 "스포츠 업계가 좁아 껄끄러운 관계를 만드는 데 부담을 느낀 것 같다"고 설명했다.

이처럼 스포츠계에 성범죄 피해 사실을 숨기기 급급한 풍토가 만연해 있다는 건 공공연한 비밀이다. 지금껏 수면위로 드러난 성범죄는 불평등한 권력관계에서 비롯된 경우가 대부분이다. 그러나 이는 빙산의 일각이라는 것이 다수 스포츠인들의 증언이다. A씨의 경우처럼 평등한 관계에서도 스포츠계 성범죄는 비일비재하다. 타 분야보다 특수성이 뚜렷하다는 뜻이다.

지난달 정부는 '미투(MeToo)' 운동과 맞물려 프로스포츠 분야에 대한 전면적인 성폭력 실태조사를 하겠다고 밝혔다. 문화체육관광부는 선수, 감독뿐 아니라 아나운서, 기자 등 약 1만3000여명의 프로스포츠 5대 종목 종사자를 대상으로 온라인 1차 설문조사를 한 뒤 심층조사를 이어간다. 한국여성정책연구원에 의뢰한 온라인 설문 문항 정리는 5월 중에야 끝나고, 내달부터 본격적인 조사에 돌입한다.

하지만 스포츠인들은 이번 조사의 실효성에 대해 반신반의하는 분위기다. 한국 프로스포츠협회 관계자는 "실질적인 피해 사례가 접수되려면 업계 분위기부터 바꿔야 한다"고 토로했다. 매일 얼굴을 마주 봐야 하는 스포츠 업계의 특성상 '당하고도 참아야' 하는 것이 당연시돼 조사 응답률이 현저히 낮을 것이란 우려다. 사전에 피해 사실을 적극적으로 알릴 수 있는 가이드라인을 세우거나 하다 못해 캠페인을 여는 것이라도 선행돼야 하지만 현재 계획에선 전무하다. 이에 '선(先)조사, 후(後) 대책'이라는 낡은 방식을 답습하는 것은 스포츠계 성범죄의 특성을 전혀 고려하지 않은 결과라는 지적이 따른다.

여기에 한정된 예산 탓에 피해자에 대한 지원이 다양하지 못한 점도 아쉽다. 문체부에 따르면 사업에 배정된 정부 예산은 조사비 1억원과 후속 대처비용으로 마련한 예비비용 2억원을 포함해 도합 3억원 규모다. 피해자에게 변호사 선임 비용 등 실질적인 도움을 주기에는 턱없이 부족하다. 이 때문에 상담 분야에 치중해 피해자를 돌볼 수밖에 없다.

문체부는 올해 10월까지 실태조사를 마치겠다는 계획이다. 그러나 사안이 생각보다 복잡하다는 점을 고려하면 앞으로 남은 시간이 결코 길지 않다. 좋은 건축은 '주춧돌'을 얼마나 잘 놓느냐에 달렸다. 프로스포츠 성폭력 실태조사의 성패 역시 초기단계에서 갈릴 공산이 커 관계자들의 각성이 절실하다.[44]

☞ 미투 운동(Me Too movement) 확산으로 바람직한 성문화를 정착시켜야

전국적으로 발생하는 성폭행 사건이 연일 뉴스를 오르내린다. 범죄 중에서도 피해자에게 씻을 수 없는 상처를 주는 것이 성폭행 사건이다. 무리를 지어 범행을 저지르고, 더군다나 연령대가 성인이다 보니까 합의적인 양 죄의식이 없는 경우가 많다. 지도자로서 가장 믿을 수 있다고 할 수 있는 엘리트 집단 안에서도 성폭행이 발생하고, 그것도 한 번으로 그치지 않고 수차례에 걸쳐 반복적으로 일어났다.

최근의 범죄는 특수한 계층의 사람들에게만 일어나는 우발적인 사건이 아니다. 현대 한국 사회의 문제가 빙산의 일각처럼 나타났을 뿐이다. 바다 속에 숨어 있는 나머지 빙산의 모습이 어떠한지 찾아내어 분석해 볼 필요가 있다.

미투 운동(Me Too movement, MeToo)은 2017년 10월 미국에서 하비 와인스타인의 성폭력 및 성희롱 행위를 비난하기 위해 소셜 미디어에서 인기를 끌게 된 해시태그(MeToo)를 다는 행동에서 시작된 해시태그 운동이다. 우리나라는 현직 검사 서지현이 JTBC 뉴스룸에 출연하여 검찰 내의 성폭력 실상을 고발하면서 전 영역으로 확대되었다.

남성은 여성을 총체적인 인격체로 바라보지 못한다. 여성을 성적인 신체 일부만을 가진 존재로 보는 남성들의 시각이 사회에 구조화되었다. 여자는 순결과 순종의 미덕을 지녀야 하고, 남자는 강하고 진취적인 기상을 가져야 한다는 마초문화가 한국사회를 뒤덮고 있다. 어렸을 때부터 성적인 정체성을 잘못 교육받은 아이들은 청소년 성범죄를 죄의식 없이 받아들일 수 있다.

여성을 바라보는 삐딱한 남성들의 시선은 여성과 관련된 범죄를 대수롭지 않게 여긴다. 여성을 수동적인 존재로, 남성을 능동적인 존재로 보는 이분법적 시각은 다른 분야로 전염되어 병을 키운다. 남성 우월적인 시각은 성을 권(勸)해 여성들을 사회의 피해자로 양산한다.

　모든 범죄의 특징은 개인, 가정, 사회의 문제가 중첩적으로 얽혀 발생하나, 범죄는 대부분 가정과 사회문제가 근본 원인이다. 가정으로부터 편안하게 쉴 수 있는 보금자리를 제공 받지 못한 사람들은 사회 전체에 대한 불만으로 가득하다. 사회 양극화와 경쟁 체제에서 따뜻하게 맞이하는 것은 술, 담배, 성(性) 등 자극적인 것들이다. 또한 무분별하게 접촉하는 음란물은 성적 호기심을 유발하고 성의식을 왜곡시키며 모방 범죄를 유도한다.

　해시태그 캠페인은 사회 운동가 타라나 버크가 사용했던 것으로, 앨리사 밀라노에 의해 대중화되었다. 밀라노는 여성들이 트위터에 여성혐오, 성폭행 등의 경험을 공개하여 사람들이 이러한 행동의 보편성을 인식할 수 있도록 독려하였다. 이후, 수많은 저명인사를 포함하여 많은 사람들이 자신의 그러한 경험을 밝히며 이 해시태그를 사용했다. 이후 이러한 운동은 전 세계적으로 퍼지게 되었다.

　근자에 성폭행 범죄의 가해자로 중학생 및 초등학생이 많이 등장하면서 소년법을 개정하자는 움직임이 탄력을 받고 있다. 특히 12세 이상과 14세 미만의 비행소년인 '촉법소년(觸法少年)'은 형사책임무능력자로 인정되어 처벌이 거의 이루어지지 않기 때문이다. 그동안 자기결정능력이 부족한 이들을 처벌보다 보호와 예방의 차원으로 선도하자는 논리가 지배적이었다.

　성폭행 사건은 여성의 위기며 시대의 위기다. 몇 년 사이에 중학생, 심지어 초등학생이 저지르는 범죄 건수도 많아졌다. 범죄 유형도 단순 성희롱을 넘어선, 강간과 강도 등 중대한 범죄까지 저지른다.

　총체적 사회병리현상으로 청소년들은 물론 성인들까지 위기의 살얼음판을 건너고 있다. 미투 운동 확산으로 서로의 가치를 존중하는 양성 평등사상의 정립은 물론이고 바람직한 성문화 정착이 그 어느 때보다 절실하다.[45]

28. 평창동계올림픽 지상파 중계방송에 나타난 '성차별'

"여자 선수가 한 방짜리 나오기가 솔직히 몇 번 안 되거든요." (KBS 컬링여
자예선)[46] "이 선수는 차별화는 성공했어요, 곱고 약하게 생겼어요. 그런데 강인
함을 선보였어요." (SBS 피겨스케이팅 여자 싱글 쇼트)

2018 평창 동계올림픽 지상파 중계 도중 여자 선수의 기량을 폄하하거나 불필
요하게 외모를 평가하는 등 해설자들의 성차별적 발언이 잇따랐던 것으로 나타났
다. 여성가족부는 2월9일~25일까지 17일간 지상파 방송 3사의 325개 경기 중계방
송을 대상으로 실시한 양성평등 이슈 모니터링 결과를 3일 내놓았다. 모니터링
결과 성차별적인 발언은 총 30건 발견됐다. 방송사별로는 KBS가 20건(66.6%)으로
가장 많았고 MBC와 SBS가 각각 5건(16.7%)을 차지했다.

성차별적 발언으로는 성별 고정관념을 드러내는 표현을 하거나 여성성·남성성
을 강조하고 선수의 외모를 평가하는 내용이 많았다. 한 남성 해설위원은 KBS 컬
링 여자예선 중계 도중 "여자 선수가 한 방짜리 나오기가 솔직히 몇 번 안 되거
든요" 라고 말했다.

한 여성 해설위원은 SBS 피겨스케이팅 여자 싱글 쇼트 중계 도중 검정 수트 바
지를 입고 무대를 선보인 헝가리 여성 선수에 대해 "이 선수는 차별화는 성공했
어요. 곱고 약하게 생겼어요. 그런데 강인함을 선보였어요" 라며 여성성과 관련한
고정관념에 입각한 해설을 했다. 또 KBS 쇼트트랙 여자 500m 경기 해설을 맡은
남녀 해설위원은 "우리나라 선수들 너무 예뻐요. 여자 선수들" "해설위원님도
지금 많이 예뻐졌어요" 라는 말을 주고받는 등 불필요하게 외모를 언급하는 대화
를 나눴다.

경기와 무관한 선수들의 사생활이나 나이를 언급하거나 부적절하고 선정적인 발언을 하는 경우도 있었다. KBS 쇼트트랙 여자 3000m 계주 A파이널 경기에서 한 남성 해설위원이 "아…지렸…아, 팬티를 갈아입어야 될 것 같습니다" 라고 말한 것이 한 예다.

한 여성 해설위원은 KBS2 피겨스케이팅 페어 쇼트 중계 도중 프랑스 선수를 두고 "여자 선수가 나이가 굉장히 많은데요. 몸 관리와 기술을 유지하고 있는 모습에 박수를 보냅니다" 라고 언급했다.

한편 문제성 발언을 한 사람의 비율은 남성 중계진이 27명(79.4%)으로 대다수를 차지했으며 여성 중계진은 7명(20.6%)이었다.

방송 3사의 전체 중계진 또한 남성 비중이 499명 중 375명(75.2%)으로 압도적으로 많았다. 캐스터와 해설자 비중 역시 각각 211명(97%), 164명(60.3%)으로 남성 비율이 훨씬 높았다.

양평원 관계자는 "평창 동계올림픽은 성평등 올림픽이라 불릴 정도로 동계올림픽 사상 '여성·혼성 종목 최다' 라는 기록을 남긴 반면 미디어 속 성평등은 아직 갈 길이 멀다" 며 "중계진의 젠더감수성 교육 및 언론·방송 종사자에 대한 양성평등의식 함양을 위한 지속적 노력이 필요하다" 고 강조했다.[47]

29. 동계패럴림픽을 떠나보내며

패럴림픽(Paralympic Games, Jeux paralympiques)은 신체적 장애가 있는 선수들이 참가하는 국제 스포츠 대회이다. 흔히 장애인 올림픽(障碍人 올림픽, 문화어: 장애자 올림픽)이라고 부르기도 한다.

여기서 말하는 신체적 장애란 근육의 손상 (하반신 마비 및 사지마비, 근육 영양 장애, 포스트 소아마비 증후군, 척추 피열), 수동적 운동장애, 사지 결핍 (절단 및 지이상), 다리 길이의 차이, 짧은 신장, 긴장과도, 운동실조, 아테토시스, 시각장애, 지적 장애를 포함한다.

패럴림픽은 동계 패럴림픽과 하계 패럴림픽이 있으며, 1988년 서울 하계 올림픽 이후로는 올림픽을 개최한 도시에서 국제 패럴림픽 위원회(IPC; International Paralympic Committee)의 주관 하에 4년마다 개최된다. 패럴림픽은 1948년 세계 2차 대전의 영국 퇴역 군인들의 작은 모임으로 부터 오늘날 대규모의 국제 스포츠 대회중의 하나로 발전해 왔다. 패럴림픽 선수들은 비장애인 올림픽 선수들과의 평등한 대우를 받기 위해 노력하고 있지만, 아직까지 올림픽과 패럴림픽 선수들의 큰 지원 격차를 겪고 있다.

동계올림픽에 이어 동계패럴림픽도 성황리에 마무리되었다. 2012년 런던패럴림픽에 참여했던 장애인선수단을 맞이하기 위해 인천공항에 갔었다. 그때 한쪽에서 패럴림픽 로고가 새겨진 작은 현수막을 들고 있는 사람을 발견했다. 현수막에는 '다음에는 TV에서도 보고 싶습니다.' 라고 새겨져있었다. 언제나 올림픽과 패럴림픽은 사람들의 관심도가 다르기도 하지만 그것은 미디어 매체들의 영향도 있을 것이다.

동계올림픽 기간 동안 대형 포털사이트의 메인화면 상단에는 동계올림픽 경기 일정과 영상, 메달순위 등 다양한 정보를 볼 수 있도록 되어있어 많은 국민들이 쉽게 경기 일정을 검색하고, 방송을 보고, 영상을 다시보기 할 수 있었다.

나 역시도 여자컬링 경기는 포털사이트의 일정표를 검색해서 챙겨보았고, 아리랑에 멋진 한복자태를 뽐냈던 민유라와 겜린의 경기는 영상 다시보기를 몇 번이고 되돌려보았다. 가정의 TV를 통해 시청하기도 했지만, 1인 미디어 시대인 요즘 많은 사람들이 포털 사이트를 통해 핸드폰이나 테블릿PC 혹은 컴퓨터 화면을 통해 시청을 했을 것이다.

대한민국에서 개최되는 동계패럴림픽. 국내에서 개최되는 대회라 그런지 그 어느 때보다 홍보도 잘 되었고 포털사이트에서도 개막식을 메인화면에 올려주기도 했다. 순간, '앞서 치러진 동계올림픽과 마찬가지로 포털사이트 메인에서 경기와 관련된 일정, 영상, 메달집계 등을 볼 수 있을까?' 하는 의구심이 생겼다. 아니 어쩌면 그것은 이번에는 의구심이 아닌 기대감이었을 것이다. 그래도 대한민국에서 치러지는 대회인데, 그리고 동계올림픽도 그렇게 서비스를 했는데 패럴림픽도 이번에는 당연히 그렇겠지 하는 기대감.

다음날, 혹시나 하는 기대는 역시나 하는 실망감으로 다가왔다. 동계올림픽 기간 동안 포털사이트에는 평소의 메인화면 색상이나 디자인이 아닌 올림픽 관련 색상과 디자인을 유지하면서 정보를 제공했었다. 하지만 패럴림픽의 개막식이 끝난 다음날, 바로 본래의 메인화면 디자인으로 돌아가 있음에 그저 이번에도 역시나 하는 생각을 할 수 밖에 없었다.

장애인들에게 체육활동이란 비장애인들의 그것에 재활과 사회복귀라는 더 깊고 소중한 의미가 추가로 부여된다. 패럴림픽의 시작에서도 우리는 그 의미를 찾아볼 수 있다. 올림픽의 발상지는 그리스이다. 이와 달리 패럴림픽은 영국이 발상지이다.

패럴림픽의 직접적 기원은 1·2차 세계대전 이후 전상자들의 재활수단으로 시작되었다. 1948년 영국 스토크맨드빌(Stoke Mandeville)병원의 구트만(Guttman, L.) 박사는 척수장애인체육대회를 제창하고 매년 국내대회를 개최했다. 이것이 1952년부터 국제대회로 그 규모가 확대 발전되면서 지금의 패럴림픽으로 이어졌다. 더 많은 장애인들이 체육활동을 통해 건강과 잔존기능유지, 재활과 사회복귀를 하는데 도움이 되기를 바란다. 그들이 체육활동을 하도록 이끌어내기 위해서, 그리고 그들의 문화와 여가 향유권을 위해서도 우리는 장애인들의 활동에 미디어를 조금 더 적극적으로 활용하는 배려가 필요하지는 않았을까하는 아쉬움과 다음을 기약하는 마음으로 '2018년 대한민국의 동계패럴림픽'을 보내고 따뜻한 봄을 맞이한다.[48]

☞ 뜨거워던 패럴림픽 열기, 이제는 현실 속 숙제로

2018년 평창의 3월은 장애를 가진 체육인들에게 꿈같았던 시간이었다. 1988년 서울 하계패럴림픽 이후 30년 만에 대한민국에서 열린 동계패럴림픽은 그 어느 때보다 뜨거운 국민적 성원을 받았다. 장애인 체육계는 대회의 성공적 개최로 고무돼 있다.

하지만 패럴림픽의 성공에 마냥 '꽃길'만 기대할 수 없는 것도 장애인 스포츠의 현실이다. 이전에 그랬듯 장애인 스포츠에 대한 관심은 언제든지 차갑게 식을 수 있기 때문이다.

이에 장애인 스포츠 발전을, 우리 사회 전체 과제로 여길 필요가 있다. 대한장애인체육회 이명호 회장은 "장애인이 스포츠를 하면서 건강한 육체와 정신을 가질 때 발생하는 사회적 효과는 엄청나다. 장애인들이 사회적 구성원으로 제 역할을 하는 것을 통해 1조7000억원을 절감할 수 있다"고 설명했다.

이번 패럴림픽에서 한국은 역대 최고의 지원을 받으면서 만족스런 결실도 맺었다. 선수들도 "이런 지원을 받는다면 다음 대회에는 더 많은 메달이 나올 것"이라고 한 목소리로 말한다.

다만 장애인체육회에서는 장애인 스포츠의 사회적 저변과 인식을 바꾸는 데 더 많은 투자가 이뤄질 수 있도록 장기적인 안목으로 움직일 필요가 있다. 한국 장애인 스포츠는 성장이 정체돼 있다. 이번 대회 출전 선수는 36명에 불과했다. 아이스하키 대표 17명과 컬링 대표 5명을 빼면 14명 뿐이었는데 선수 선발전이 필요 없을 만큼 저변이 약하다. 대표팀에 40대 이상 선수들도 14명에 이르렀다.

이는 장애인에 대한 뿌리깊은 의식 때문이기도 하다. 한 장애인 체육회 관계자는 "장애를 가진 어린아이들에게 스포츠를 접할 기회를 제공했을 때 너무 행복해하는 모습을 보곤 한다. 그러나 아직 부모님들은 장애를 가진 자녀가 양지로 나오는 것을 꺼려하는 부분이 많다"고 했다. 아이의 앞날을 현실적으로 찾는 것도 운동보다 공부에서 찾는 이유도 있다.

일단 평창 동계패럴림픽은 장애인 스포츠에 대한 인식이 크게 바뀌는 전환점을 마련했다. 정진완 한국 선수단 총감독이자 이천훈련원장은 "1988년 패럴림픽 이후 장애인에 대한 많은 법과 제도의 변화가 있었다"면서 "이번 대회를 통해 장애인들에게는 '나도 신의현처럼 할 수 있다'는 희망을, 국민들에겐 장애인들과 함께 운동하고 응원할수 있다는 인식을 준 것이 가장 큰 성과"라고 자평하며 변화를 기대했다.[49]

30. 올림픽 이후에 할 일은

해를 거듭할수록 여름이 잔인해진다. 유례없는 폭서는 심신을 마비시킨다. 사계절이 분명한 산하라고 했으니 성급하게 가을을 기다려야 할까. 그런데 내년에는 더욱 심해질 것이라는 예측이다. 지구가 점점 뜨거워지기 때문이란다. 사람 탓이 크다고 한다. 번연히 알면서도 뾰족한 수가 없다. 지구야 그렇다손 치고 대한민국은 도가 더욱 심한 것 같다. 나라 전체가 도시로 변한 탓도 아닐까. 옛날에는 물가로, 들로, 산으로 피서길 떠난다고 하더니만 이젠 딱히 피할 곳도 마땅치 않다. '벽지분교 교정에선 산새 울음소리, 낙도분교 교정에선 물새 울음소리, 도시본교 교정에선 애완견 기침소리' (오세영) 그처럼 정겹던 시구절도 정녕 허사일 것만 같다.

간사한 게 사람의 마음인지라, 차라리 지난해의 폭우와 물난리가 나았다는 생각마저 든다. 시쳇말로 더위에 감염된 '멘붕' 이다. 선풍기로는 감당이 되지 않는다. 한때는 엄청난 사치품이었던 에어컨이 어느 틈엔가 냉장고나 한 겨울의 전열기처럼 가정 필수품이 된 기분이다. 서울 강남아이들은 에어컨 없는 학교나 공부방을 상상조차 못한다. 막막한 중동과 아프리카의 더위가 남의 이야기가 아니다. 그런데 전력은 딸린단다. 그래서 더욱 더운 전기를 생산해 내야만 한다. 공공기관의 기준 온도는 상식과 다르다.

정책을 입안하는 관리도 재판도 비산업체 단일 기관으로 가장 전력 소비량이 높다는 서울대도 정전, 절전 작업에 나섰다. 은행의 현금지급기 박스에서 두 시간 피서하던 사람을 경찰에 신고했다는 해프닝도 낯설지 않다.

런던올림픽 소식이 잠깐이나마 청량음료가 된다. 64년 전, 애절토록 초라했던 신고식을 치렀던 그 위용의 땅에서 대영제국의 국기(國技)인 축구마저 승리했으니 오죽 감동이 크랴. 그러나 그 동안 무려 100 개의 금메달을 긁어 모은 우리가 아닌가. 이기면 좋고, 져도 그만인 것, 대수로울 것이 없다. 이 모든 것을 그 나라 문성(文星)의 작품 제목처럼 '한여름 밤의 꿈' 으로 돌리자. 우리 모두가 올림픽의 수혜자이기도 피해자이기도 하다. 그만으로 족하다. 올림픽과 폭서에 빼앗겼던 제 정신을 되찾아야 한다. 다시 일상적 삶의 질서를 찾아야 한다.

그 무엇보다도 몇 달 후에 치를 대통령선거를 주목하자. 누구를 향후 5년간 나라의 명운을 이끌 조타수로 삼을 것인가 진지하게 고민하자. 새누리당의 후보경선은 애초부터 박진감과는 거리가 멀지만 당면한 의제와 정책을 부각시키는 데는 유용하다. 이명박정부의 공은 승계하고 과는 과감하게 벗어 던지는 청사진을 제시해야 할 것이다. 지난 4·11 총선에서 일어난 공천헌금문제를 신속하게 처리한 것은 옳은 자세다. 그런 악이 다시는 되풀이 되지 않을 것이라는 확신을 심어주어야 한다.

제 1야당인 민주당의 경선도 지지부진이다. 비슷한 중량의 후보들 사이의 힘겨루기 결과로 동반상승보다는 계파갈등이 후유증으로 남을까 걱정이다. 힘들여 합친 통합진보당이 또다시 갈라질 운명이다. 거대 여당, 막강 후보에게는 희소식이다. 지난 가을 갑자기 한국정치의 총아로 등장한 안철수는 어느 틈엔가 시대의 아이콘이 되었다. 음습한 여름의 부패정치, 기존 정당들의 구태에 환멸을 느낀 청년세대에게 그는 정치바이러스를 퇴치할 백신 공급자이다. 정식으로 출마를 선언하라, 말라, 구태의 요구에 그가 경청할 이유가 없다. 그에 대한 '검증'도 과거식으로는 효과가 없을 것이다.

누가 뭐래도 핵심은 경제와 복지다. 5년 전, 우리는 경제에 '올인' 한 지도자를 뽑았다. '신형 CEO' 안철수가 떠오르는 숨은 이유도 경제다. 근대화 산업화의 경제 기틀을 세운 지도자의 딸이 거론되는 이유도 바로 여기에 있다.

그러나 복지를 소홀히 한 경제는 오히려 사회갈등을 심화시킬 뿐이다. 새삼 모두가 각성해야 한다. 각종 이익집단의 목소리에 현혹되지 말자. 활자에 붙들리지도, 트위터에 흔들리지도 말자. 정말이지 이번만은 제 정신 차리고 지켜보자.[50]

☞ 평창올림픽 때문에 풍비박산난 횡계마을

[올림픽 조직위, 약속 지키지 않아 수해 발생]

침수피해를 입은 평창 횡계6리 마을 상황과 대피해있는 수해민들(사진, 커뮤니티 홈페이지 캡처)

평창올림픽 기간 동안 설치해 놓은 구조물을 올림픽조직위원회가 방치해 놓은 사이 한마을 전체가 침수 피해를 입었지만 조직위원회에서는 마땅한 대책을 내놓지 못하고 있어 논란이 일고 있다.

지난 23일 한 시민이 청와대 홈페이지에 "평창 동계올림픽으로 인한 대관령 침수피해, 조직위의 대응이 분통 터지게 한다"고 청원을 올렸다.

글쓴이는 "어머니를 돌봐드리려고(시각장애인이셔서 혼자 계실수 없습니다) 오며가며 이번 상황을 지켜보다 너무 답답하고 가슴이 아픈데 방법을 몰라 이렇게 글을 써본다"며 청원을 하게 된 계기를 설명했다. 이 글에 따르면 이 마을은 옆에 큰 하천이 있어 2002년 태풍 루사와 매미도 큰 피해 없이 이겨낼 수 있었다고 한다.

그러나 올림픽이후 하천이 임시 주차장이 됐고 주민들의 우려에 올림픽 조직위 측에서는 올림픽이 끝난후 원상 복구 공사를 한다고 약속했다고 한다. 하지만 약속은 지켜지지 않았고 주민들의 촉구 전화도 응답받지 못했다고 한다.

결국 복구공사는 이루어지지 않고 그다지 많지도 않은 양의 비로 하천이 넘쳐 노인들이 유난히 많은 마을이 풍비박산이 나고 말았다는 게 글쓴이의 생각이다.

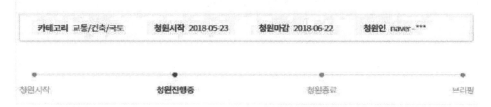

(사진, 청와대 홈페이지 캡처)

글쓴이는 게시글에서 특히 "노인분들은 여전히 대관령면사무소 2층에서 쪽잠을 주무시고 스트레스와 열악한 환경 때문에 병이나서 병원에 가시는 것도 이렇다 할 메뉴얼 없이 불편함을 호소하고 있다"며 처참한 현장상황을 전했다.

그는 조직위의 무책임한 대책을 강하게 질타했다. "누가봐도 인재이고 본인들도 인재임을 인정하면서 조직위의 대응은 분통이 터지게 한다"며 "그 어느 것 하나 속시원한 답변도 못할 뿐더러 일의 체계도 없어 같은 질문을 서로 다른 세

분에게 하면 모두 다른 답을 합니다. 정말 미칠 것 같습니다" 라고 답답함을 호
소했다.

이희범 2018평창동계올림픽조직위원장은 지난 19일 대관령면사무소를 방문해
"이번 침수사고가 자연재해에도 해당되도록 인정해달라" 며 주민들을 설득했다
는 주장이 나와 논란을 가중시키기도 했다.

한편 현재 수해가 발생한 평창 횡계 6리는 지자체와 군·경·자원봉사자의 도
움을 받아 수해 피해 복구 작업이 한창 진행 중이다.[51]

[훼손 심각한 가리왕산 복원 '산 넘어 산']

31. 올림픽과 모병제

얼마 전 민주통합당 대통령후보의 경선이 시작되기 전에 한 후보가 모병제의 실시를 공약으로 들고 나왔다. 세간의 반응은 그에 대한 지지도만큼이나 시큰둥했다. 전혀 현실성 없는 '튀는' 발언으로 받아들이는 분위기였다. 그런데 실은 곧바로 '쓰레기통'에 내다 버리기에는 가볍지 않은 무게가 실린 주제이다.

나라의 탄생 이래 군대는 대한민국 사내의 삶의 본질이 되어왔다. "모든 국민은 법률이 정하는 바에 의하여 국방의 의무를 진다." 헌법(39조 1항)은 남녀를 구분하지 않지만 법률은 남자에게는 필수, 여자에게는 선택으로 군복무를 부과한다.

군대를 다녀왔든, 면제받았든 모든 사내는 피해자다. 군을 면제받은 사내는 평생토록 은근한 멸시의 눈초리를 각오해야만 한다. 술자리의 방담도 주도할 수 없다. 군복무로 인한 사회와의 단절은 일생에 중대한 영향을 미친다. '끌려온' 사병의 경우는 더욱더 그러하다. "누구든지 병역의무의 이행으로 인하여 불이익한 처우를 받지 아니한다." 이들에게 헌법(39조2항) 조문의 위로는 공허한 메아리에 불과하다. 나라를 위해 개인의 행복과 자유를 희생하는 것이 군복무의 본질이라고 느낄 뿐이다.

군복무자에게 가산점을 주는 국가공무원시험제도를 여성에 대한 차별로 선언한 우리의 헌법재판소였다. 돈과 권력, 둘 중 하나만 있으면 군복무가 면제되던 시절이 있었다. 그러니 대통령도 국무총리도 군면제자라야 가능하다는 독설이 공공연히 나돌 법도 하다.

일부 페미니스트들은 대한민국 자체의 화두가 군대라며 우리 사회의 근본문제를 제기해 왔다. 어쨌든 군복무의 본질에 대한 발상의 전환이 절실하게 요청되는 시기가 우리 사회에 도래한지 오래다. 우리나라의 일상적 삶은 선진자유국의 수준을 넘어선지 오래다. 그런데도 군복무문제만은 요지부동이다.

거의 모든 나라에서 인정하는 종교적 신념을 이유로 한 대체복무도 완강하게 부정한다. 너나 할 것 없이 모두 총을 들어야 한다는 것이다. 그런데 이렇듯 지엄한 원칙에도 중대한 예외가 있다. 국제사회에서도 잘 알려져 있는 '이상한' 제도다. 런던 올림픽을 계기로 더욱더 이 제도가 홍보되었다. '메달을 따면 군대는 빠지고 돈방석에 앉는다.' 비아냥거리는 소리가 곧바로 선진국인의 상식의 소리인 것이다.

국제스포츠 경기는 현대판 전쟁의 성격이 강하다. 마치 중세 유럽의 결투재판처럼 '대표무장'을 통해 국력을 겨루는 측면이 있다. 그러나 진정한 스포츠 선진국에는 우리처럼 국가대표 상비군을 두지 않는다. 국민 개개인의 건강과 체력의 총합이 자연스럽게 올림픽에 투영될 뿐이다.

세계 5위를 달성했다고 해서 대한민국은 결코 스포츠 선진국이 아니다. 단지 메달 성취국일 따름이다. 우리의 성과는 국민의 건강이나 체력과는 무관한 대표선수들만의 성과일 뿐이다. 이를테면 모병제의 성공사례라고나 할까. 다른 경우에는 민감하기 짝이 없는 국민정서도 메달리스트들의 군면제에는 잔소리가 전혀 없는 게 참으로 이상하다.

병역이라는 공적의무를 면제받은 이들이 사적기회를 어떻게 활용하는가, 따져볼 법도 한 일인데도 말이다. 런던올림픽이 폐막된 지 보름도 채 지나지 않았다. 그런데도 벌써 기억이 흐릿하다. 빛나는 성과를 거둔 그 영웅들은 지금 어디에서 무엇을 하고 있을까. 메달을 딴 사내와 따지 못한 사내는 어떻게 제각기 인생을 설계할까. 짧은 휴식 끝에 다시 선수촌에 감금되는가. 4년 후에 치를 전쟁을 기다리며 전의를 불태우는가. 그동안 군대는 어떻게 할 것인가.

오래전부터 대통령선거 후보자와 자녀의 병역기록이 표심에 적지 않은 영향을 미쳤다. 후보자들의 면면을 보아 이번 대통령선거에서는 별반 시빗거리가 되지 않을 것 같다. 그러니 이참에 진지하게 논의되었으면 하는 바람이다.

장기적인 관점에서 모병제에로의 전환, 대체복무제의 도입, 올림픽 수상자들에 대한 병역 면제의 정당성, 그리고 무엇보다도 군사력 축소를 통한 북한과의 평화공존에 대한 진지한 논의가 이루어지기 바란다.[52]

"딱히 어떤 감정이 들었다기 보다는…신기하다는 생각이 들었어요. 제가 초등학교를 입학한 게 2008년이에요. 이명박 정부가 시작될 때였죠. 초등학교 때부터 천안함 사건과 연평도 포격을 봤고, 북한이 핵실험하는 걸 보고 자랐죠. 우리 세대에선 남북 사이에 평화모드가 오는게 사실상 처음이나 마찬가지에요."

경기도 고양국제고등학교에 다니는 최모군에겐 남북 대립이 일상이었다. 북한은 '삼대세습'을 하는 전근대적 국가이며, 툭하면 미사일을 쏘고 핵실험을 해댔다. 김정은 국방위원장은 희화화와 조롱의 대상이 되곤 했다. 최군은 "통일은 우리 세대에 와닿는 주제가 아니다. 이산가족도 부모님 세대의 일이고, 우리와는 접점이 별로 없었다"고 말했다. 그런 최군에게 지난달 27일 판문점에서 문재인 대통령과 김정은 위원장이 손을 맞잡는 모습은 낯선 풍경이었다. 최군은 학교에서 체육대회를 하는 짬짬이 핸드폰으로 정상회담 생중계를 봤다. 학교 동아리에

선 남북관계를 주제로 토론도 벌였다.

☞ '평화모드 첫 경험' 1020 세대의 남북관계 진전을 보는 시선

사진 속 판문점은 진짜가 아니다. 지난 1일 경기도 남양주종합촬영소를 찾은 청년들이 영화 〈공동경비구역 JSA〉의 판문점 세트장에서 기념촬영을 하고 있다. 지금은 '가짜 판문점'에서 사진을 찍지만, 미래엔 진짜 판문점에서 기념촬영을 하게 될지도 모른다(연합뉴스).

남북정상회담에 이어 북미정상회담이 확정되는 등 남북관계가 급진전되면서 이에 대한 10~20대의 관심도 높아지고 있다. 남북관계를 다룬 뉴스에 대한 관심은 10~20대가 30~40대보다 오히려 높았다. 포털사이트 다음에서 지난달 27일부터 지난 4일까지 2주간 많이 본 뉴스 10개를 연령별로 뽑아보니 10대의 경우 남북관계를 다룬 뉴스가 5개를 차지했다. 20대는 2건, 30대는 1건이었다. 포털사이트 네이버도 연령별로 많이 본 뉴스를 시간대별로 보여주는데, 10~20대는 상위 5개 뉴스 가운데 남북관계를 다룬 뉴스 비중이 높았다.

10~20대는 2014년 세월호 참사를 경험한 '세월호 세대'이기 이전에 2010년 천안함 침몰과 연평도 포격을 경험한 '천안함 세대'이기도 하다. 이명박·박근혜 정권 10년 동안 악화일로를 걷던 남북관계 속에서 성장한 이들은 남북의 '평화모드'를 난생처음 경험한다. 남북관계를 바라보는 10~20대의 생각을 들어봤다.

☞ "우리 정은이가 달라졌어요"

"김정은 위원장이 말하는 걸 처음 봤어요. 무자비한 독재자의 이미지가 강했는데, 유연하게 말하는 걸 보고 놀랐죠. 친구들끼리 '우리 정은이가 달라졌어

요’ 라는 이야기를 농담삼아 했어요.” 수원의 능실중학교를 다니는 심규민군이
말했다. 경기도 부천 중원고등학교를 다니는 박민제군은 남북정상회담에 대해
“2000년대 세대는 북한이란 갈등하는 장면만 봐왔기 때문에, 합성사진처럼 보고
도 믿기지 않는 느낌이었다” 고 말했다.

　　20대에게도 이 풍경이 생경하기는 마찬가지다. 취업준비생인 박서희씨는 “얼
떨떨했다는게 정확한 표현일 것 같다” 며 “벅차오르는 감정을 느낄 경황이 없었
고, 처음보는 광경이라 어떻게 받아들여야 할지 몰라 얼떨떨했다” 고 말했다.
2007년 남북 정상회담 땐 어려서 기억이 없다는 박씨는 “천안함 사태가 벌어졌
던 2010년 이후엔 중·고등학교에서 입시를 준비하던 때여서 남북관계에 큰 관심
을 갖기 어려웠다” 고 말했다.

　　2000년 김대중 대통령과 김정일 위원장의 만남, 2007년 노무현 대통령과 김정
일 위원장의 만남을 지켜본 30~40대에겐 다소 ‘익숙한’ 풍경이 젊은 세대에게는
아주 낯선 풍경으로 받아들여지고 있다.

　　2주 전 군복무를 마치고 ‘민간인’ 신분으로 돌아온 이모씨의 감회는 남다르다.
얼마 전까지만 해도 군대에서 ‘북한은 주적’ 이라는 교육을 받았고, 북에서 미
사일을 쏘면 아찔했던 순간들이 많았다. 이씨는 “생중계를 보면서 아버지가
‘너 컸을 때쯤엔 통일이 돼 군대 안 갈 줄 알았는데 이제야 빛이 보이는 것 같
다’ 고 말하셨다. 나도 눈물이 찔끔났다” 고 말했다.

☞ 북한, 무관심 혹은 희화화의 대상

　　젊은 세대에게 남북이 ‘한 민족’ 이란 정서는 사실상 없다. 평창동계올림픽에
서 여자 아이스하키 남북단일팀이 구성되었을 때, 젊음층을 중심으로 ‘공정하지
못하다’ 는 비판 여론이 일었다. 불공정한 사회 속에서 경쟁에 내몰린 젊은 세대
가 대의보다는 노력에 대한 정당한 보상을 요구하는 반응에는 타당한 지점이 있
다. 하지만 남북정상회담은 이들의 생각에 변화를 일으켰다. 박서희씨는 “가뜩이
나 취업도 안 되는 상황에서 개인의 기회를 빼앗는 것에 대한 곱지 않은 시선이
있었다” 며 “대의를 위한 희생이란 말을 좋아하진 않지만 남북평화라는 큰 그림
에서 보면 딱히 분노할 일은 아니지 않았나 하는 생각도 든다” 고 말했다.

　　젊은 세대의 삶에서 북한은 그동안 ‘노관심’ 이거나 조롱 또는 두려움의 대상
이었다. 박민제군은 “북한에 대해 깊이 이야기해본 적이 없다. 한국사를 배우면
시험범위가 현대사에 들어가기 직전이었다. 민주화 운동을 배우다가 끝나곤 했
다” 며 “친구들도 북한에 대해 관심이 없는 경우가 많았는데, 남북정상회담을

보며 관심을 갖게 됐다”고 말했다.

　김정은 위원장은 외모 때문에 희화화의 대상이 되기도 했다. 인터넷엔 김 위원장을 패러디한 각종 이미지들이 돌아다닌다. 고양국제고의 신은지양은 “김정은 위원장을 웃기는 캐릭터로 소비하고 웃음거리로 삼는게 많았다”며 “북한에선 강압적인 통치자이고 좋은 사람이 아닌데 희화화하는게 좋다고 생각하진 않았다”고 말했다.

　수원 능실중학교의 김모양에게 북한은 두려움의 대상이기도 했다. 김양은 “어린 시절 연평도 포격사건을 보면서 언젠가는 전쟁이 일어날지도 모른다고 생각했다. 미디어를 통해 김정은에 대한 자극적인 이야기를 접하면서 ‘처형’ ‘폭군’과 같은 이미지가 떠올랐다”고 말했다.

　하지만 남북정상회담 이후 통일에 대한 생각도 자연스레 하게 됐다. 박민제군은 “김정은 체제가 무너지거나 전쟁이 일어나서 우리가 이기는 방법이 아니면 통일이 힘들 것이라고 생각했다. 그런데 타협점을 찾아서 평화롭게 통일할 수 있겠다는 가능성을 느꼈다”고 말했다.

10대 청소년의 주요 반응

최모군(17)
“우리 세대엔 남북 평화모드를 보는 게 처음과 마찬가지. 신기했다”

신은지양(17)
“김정은을 유머코드로 소비하는 게 좋다고 생각진 않는다. 북한에선 강압적 통치자인데…”

김모양(15)
“연평도 포격 사건을 잘 기억하고 있다. 언젠가 전쟁이 날지도 모른다는 생각에 막연히 두려운 게 있었다”

심규민군(15)
“군대를 간다면 통일 전에 가고 싶다. 통일 이후에 간다면 개마고원이나 압록강변에서 보초설 수도 있지 않을까”

박민제군(18)
“한국사 시험 범위는 현대사 직전에 끝나. 북한에 대해 깊이 배운 적 없어”

20대 청년의 주요 반응

박서희씨(25)
“취업준비생으로 두려움이 크다. 우리가 준비했던 방식으로 사회에 진출하는 게 틀어지는 게 아닐까”

강모씨(27)
“군대 복무 단축에 대한 기대가 크다. 남북 대치상황이 줄어들면 군대 내 인권문제도 개선될 수 있지 않을까”

이규상씨(26)
“남북 평화체제 구축 과정, 통일 추진 과정이 국민들에게 다 보여질 수 있어야 공감대 얻을 것”

이모씨(23)
“통일은 장기적으로는 큰 이익될 것. 경제개발에 대한 기대가 크고, 국방비용이 줄어들면서 복지나 다른 곳에 쓰일 수 있지 않을까”

☞ 통일과 나의 연결고리, 군대

　최근 한국사회에서의 모병제 실시를 제안은, 인구감소로 2025년이 되면 현재 수준의 병력을 유지하기 어렵기 때문에 징병제에서 모병제로의 전환을 통해 장기복무하는 기술력 뛰어난 병력들로 숫자를 감축해 군을 현대화해야 지금과 같은 전력을 유지할 수 있다는 주장이다.

젊은 남성들에게 남북관계를 자신의 문제로 느끼게 만드는 연결고리는 군대다. 군 복무기간이 단축되거나, 징병제가 폐지될 수도 있다는 기대감 때문이다. 남북 정상회담 직후 청와대 국민청원 게시판에는 군복무기간 단축, 모병제 실시에 대한 청원이 이어지고 있다. 의대에서 인턴과정을 밟고 있는 강모씨는 내년 말 공중보건의로 대체복무를 할 예정이다. 강씨는 "군복무기간이 단축될 수 있고, 장기적으로는 모병제 논의도 이뤄지지 않을까" 라고 말했다. 강씨는 "남북의 대치상황이 줄어들면 군대 인권문제 등 비합리적 문화도 개선되지 않을까하는 기대가 있다" 고 말했다. 강씨는 군복무기간이 18개월로 단축되는 게 현실화된다면 복무기간이 긴 대체복무 대신 현역에 갈 의향도 있다고 했다.

군필자들도 복무기간 단축에 관심이 많다. 2년 전 전역한 이규상씨는 "군복무기간 단축에 대해 부러워하는 분위기" 라면서도 "복무기간이 단축되면 예비군 복무기간이 더 길어지고 힘들어지는게 아닐까 하는 우려도 있다" 고 전했다. 통일이 되면 오히려 군복무가 더 힘들어질 수 있다는 남다른 시각도 있었다. 심규민군은 "군대에 간다면 통일 전에 가고 싶다" 며 "통일이 되면 개마고원이나 압록강변에서 보초를 설 수도 있지 않을까" 라고 말했다.

이밖에 평양냉면, 삼지연 관현악단의 공연, '붉은응단 떼거리' 란 별칭을 얻은 아이돌 그룹 레드벨벳 등 한국 가수의 평양 공연 등은 젊은 세대가 북한을 친숙하게 느끼고 남북관계에 관심을 갖게 하는 요소였다.

☞ 통일이 되면 내 삶도 나아질까-경제성장 vs 통일비용

남북이 통일된다면, 그에 가장 많은 영향을 받는 세대는 바로 10~20대일 것이다. 취업난에 시달리는 20대는 남북평화와 통일이 일자리나 경제에 미칠 영향에 관심을 가졌다.

"취업준비생으로서 두려움이 가장 커요. 지금까지 준비한 방식으로 사회에 진출하는 게 틀어지는 건 아닐까 하는 우려도 들어요. 친구들끼리는 '재벌들 신났겠다' 는 이야기를 해요. 철도나 건설 주식이 많이 오르는데, 우리는 사지도 못했다고. 통일이 된다면 취직하고 일을 하는데도 변화가 있을텐데 잘 적응할 수 있을까 의문도 들어요" 박서희씨가 말했다. 박씨는 "성장중심으로 가던 우리나라가 최근 분배나 인권 문제에 신경을 쓰기 시작했는데, 다시 70년대같은 개발주의 시대로 돌아가지 않을까 우려된다" 며 "대기업 재벌 중심의 경제개발이 이뤄질 수도 있다는 생각도 든다" 고 말했다.

통일로 인한 경제성장에 대한 기대감과 동시에 통일비용을 자신들이 치뤄야 할지도 모른다는 부담감이 교차했다. 서울소재 대학에 재학중인 이모씨는 "통일비용이 크다고는 하지만 장기적으론 큰 이익이 될 것" 이라며 "경제개발에 대한 기대가 크고, 국방비용이 줄면서 복지나 다른 곳에 쓰일 수 있지 않을까" 라고 말했다. 강씨는 "한국이 직면한 성장정체, 취업난의 돌파구를 찾을 수 있지 않을까 기대감이 있다" 면서도 "통일비용은 우리 세대가 부담해야 하기 때문에 마냥 긍정적으로 보이진 않는다" 고 말했다. 강씨는 "실제 왕래가 시작되면 남북간 차이에 따른 어려움과 한국사회의 기존 차별 문제에 북한 주민 차별문제가 더해져 사회 혼란이 가중될 우려가 크다" 고 덧붙였다.

☞ 통일은 도둑같이 오지 않는다

이명박 전 대통령은 "통일은 도둑같이 온다" 고 했지만 지난 10년간 남북관계는 멀어져만 갔다. 10년 동안 남북이 화해할 수 있다는 상상력은 봉쇄됐다.

지금이라도 젊은 세대에게 남북관계와 통일에 대한 교육을 실시해야 한다는 목소리도 나온다. 역사를 가르치는 조한경 부천 중원고등학교 교사는 "학생들과 함께 남북정상회담 생중계를 봤다. 군사분계선을 넘나드는 의미를 아이들이 잘 몰라 설명해주니 그제서야 박수를 치더라" 며 "보수정권 아래선 통일교육 자체가 불가능했는데 앞으로 통일교육이 필요하다는 생각을 했다" 고 말했다.

사회학자 최태섭씨는 "젊은 세대의 관심사는 더 편하게 살 수 있는 환경이 조성되는 것인데, 북한은 그동안 우리를 방해하는 존재였다. 남북이 개별적으로, 노터치 형태로 지내는게 좋겠다는 생각이 일반적" 이라고 말했다. 최씨는 "한국사회에서는 분단 상황이 궁극적인 제약 중 하나" 라며 "남북관계에 대한 관심이 높아진 상황에서 민족감정에 호소하기 보다는 남북이 어떻게 합리적인 관계를 구축할 수 있는가에 집중하면 좋겠다" 고 말했다.

충분한 사전 의견조율이나 소통 없이 이뤄져 반감을 산 평창동계올림픽 남북단일팀 같은 일이 반복되지 않기 위해선 남북 협력과 통일과정 또한 젊은 세대가 투명하게 알 수 있어야 한다는 주문도 있었다. 이규상씨는 "남북정상회담을 생중계하듯이 남북 평화 구축과정이 국민들에게 다 보여져야 공감대를 얻을 수 있을 것" 이라고 지적했다.[53]

32. '넥센 게이트' …이게 야구냐

역시 두산 베어스는 시작에 불과했다. 전날 KIA 타이거즈도 최규순 전 프로야구 심판에게 돈을 건넸다는 사실이 밝혀진 가운데 삼성 라이온즈와 넥센 히어로즈도 그에게 금품을 전한 것으로 드러났다.

뉴시스에 따르면 30일 검찰은 두산, KIA와 함께 삼성과 넥센도 최규순 게이트에 연루됐다고 밝혔다. 4구단이 끝이라고 확신할 수도 없다. 검찰은 지난달 김승영 두산 전 사장이 최규순 심판에게 금품을 전했다고 밝힌 이후 본격적으로 수사에 착수했다.

KBO리그에 참여 중인 10개 구단 중 최규순 스캔들에 연루된 구단이 4팀으로 늘어났다(사진, 뉴시스).

검찰은 최 전 심판의 차명 계좌번호를 추적해 그에게 돈을 건넨 이들이 누구인지 확인했고 '최규순 리스트'를 작성했다. 4개 팀이 사건과 연루된 것으로 밝혀졌지만 이게 끝이라고 단정짓기는 이르다.

☞ 커지는 배신감, 잡아뗐던 삼성-넥센도 '최규순 게이트' 연루 확인됐다.

김승영 전 사장은 2013년 최 전 심판에게 300만 원을 빌려줬다고 인정하며 스스로 사장직에서 물러났다. 전날 사실을 시인한 KIA는 직원 2명이 2012, 2013년에 100만 원씩 두 차례 최 전 심판에게돈을 보냈다.

여기에 넥센이 추가됐다. 지난달 한 매체는 넥센이 이와 관련해 지난해 KBO에 자진신고했다가 철회했다고 보도했다. 돈을 빌려달라는 연락은 받았지만 금품을 전하지는 않았다는 이유에서였다.

그러나 검찰 조사결과 이는 사실과 달랐다. 최근엔 이장석 대표가 검찰에 소환돼 조사를 받기도 했다. 이 대표는 결백을 주장했지만 KIA와 마찬가지로 구단 직원이 돈을 건넨 것으로 드러났다.

삼성도 책임으로부터 자유로울 수 없었다. 이날 삼성은 '프로야구 팬 여러분께 진심으로 사과 드립니다' 라는 제목으로 사과문을 발표했다.

삼성은 "삼성 직원이 2013년 10월 최 전 심판의 요청을 받고 400만 원을 송금한 사실이 검찰 조사를 통해 확인됐다" 며 "깊은 책임을 통감하고 이와 같은 일이 다시는 재발하지 않도록 최선을 다하겠다" 고 입장을 밝혔다.

지난달 두산을 제외하고 9개 구단들은 KBO에 "심판과 금전적으로 거래를 한 사실이 없다" 고 공문을 보냈다. 그렇기에 프로야구 팬들이 느끼는 충격은 더욱 크다.

앞서 KBO는 자진신고를 한 두산과 달리 나중에 혐의가 밝혀진 KIA에 대해 징계를 검토할 것이라고 밝혔다. 시기는 아직 미정이다. 이들이 대가성을 염두에 두고 금전을 건넨 것인지 확인하기 위해서다.[54]

넥센 히어로즈의 홈구장인 서울 고척 돔구장(한겨레 자료 사진)

프로야구 넥센 히어로즈 구단이 선수 트레이드 과정에서 거액의 뒷돈을 챙겨 파장이 커지고 있다. 한국야구위원회(KBO) 발표에 따르면 히어로즈 구단은 2009년부터 올해까지 총 23건의 트레이드를 하면서 8개 구단으로부터 뒷돈 131억5000만원을 받았다. 현금트레이드 자체는 불법이 아니지만 양수·양도의 허위 보고는 명백한 규약 위반이다. 또 뒷돈이 배임이나 횡령으로 연결됐다는 의혹마저 일면서 히어로즈 구단은 최대의 위기를 맞고 있다.

이장석 전 대표가 이미 횡령·배임 등을 이유로 1심에서 징역 4년을 선고받았고, 소속 선수 2명이 성폭행 의혹으로 조사를 받는 등 잇따라 구설에 오르면서 구단에 대한 신뢰가 땅에 떨어졌다. 일부 팬들은 히어로즈 구단의 회원사 자격 박탈마저 요구하고 있다.

뒷돈 거래 자체는 법률적으로 처벌하기가 쉽지 않다. 프로야구선수협의회 사무총장인 김선웅 변호사는 "법적으로 문제 삼으려면 허위 신고에 따른 업무방해 정도일 것"이라며 "배임이나 횡령 등은 케이비오가 할 수 있는 사안은 아니고, 주주들이 고소할 가능성이 있다"고 말했다.

히어로즈 구단의 지난 10년 성과에 대한 평가는 엇갈린다. '선수 장사'라는 혹평에도 다양한 마케팅으로 야구단을 유지해 새로운 경영 모델을 제시했고, 꾸준히 유망주를 키워 중상위권 전력을 유지해온 점은 평가를 받는 부분이다. 2008년 경영난을 겪던 현대 야구단을 흡수해 히어로즈 구단을 창단한 뒤 초창기 가입금조차 내지 못하는 어려운 상황을 극복하고 안정적으로 야구단을 운영해왔다. 2009년 집중적인 대형 트레이드가 성사된 것도 구단의 자금 압박과 무관하지 않다. 그러나 구단 운영 과정에서 경영진의 비리가 있었다면 처벌받아야 한다는 지적이 나온다. 공식적으로 현금 트레이드로 보고됐던 2009~2010년 4건의 트레이드에서 건당 9억5000만원에서 20억원의 뒷돈을 받았고, 안정적인 구단 운영이 가능해진 뒤에도 뒷돈을 받아왔다는 점에 의혹이 쏠리는 이유다.

김선웅 사무총장은 "이번 사태로 정상적인 스폰서를 얻기가 어려워졌다"며 "케이비오는 재정 상태를 면밀히 검토하고, 야구단 정상화 방안 등을 강하게 요구해야 한다"고 밝혔다. 그는 "이장석 전 대표가 야구단을 계속 운영할 상황이 아닌 것으로 드러난 만큼, 도덕적이고 전문적인 경영진이 오는 것이 맞다"고 말했다. 수익모델이 있는 만큼 인수자를 찾은 것은 어렵지 않을 것으로 내다봤다.

케이비오는 우선 특별조사위원회 활동에 집중한다는 방침이다. 케이비오 관계자는 "다음주초 회의를 열어 방향 설정과 범위, 조사 대상 등에 대해 논의할 것"이라며 "20여일 이내에 환수 금액을 포함해 상벌위원회 결과 발표까지 끝낼 계획"이라고 말했다. 그는 "현재 리그가 진행되고 있는 만큼 퇴출 등 구단의 처분에 대한 논의는 필요하면 별도의 절차를 통해 할 예정"이라고 말했다.[55]

33. '제명 위기' 한국 수영 어쩌다 이지경까지…

국민개영(國民皆泳) 및 수영경기의 보급과 우수한 경기자를 양성하는 동시에 국민의 체위향상과 건전한 정신을 함양, 고무하여 민족문화 발전에 이바지할 것을 목적으로 1946년 3월에 조직되었다.

우리나라의 수영 및 경영·수구·다이빙·싱크로나이즈드스위밍 등의 수영경기를 통괄, 대표한다. 1929년 8월 조선체육회와 동아일보사 공동주최로 국민개영(國民皆泳)을 위한 수영강습회를 개최한 뒤 이원식(李元植)을 비롯한 9명이 발기하여 '조선수상구락부'를 조직하였다.

이 구락부는 다시 1931년 6월 '조선수상경기협회'로 발족하여 우리나라 수영계를 이끌어 나갔다. 광복 이후 1946년 3월 '조선수상경기연맹'으로 개칭하였다.

1948년 국제수영연맹에 가입하였고, '대한수상경기연맹(大韓水泳聯盟)'으로 개칭하였다. 1954년 11월 대한체육회에 가맹하였으며, 다시 1966년 '대한수영연맹'으로 개칭하였다. 그리고 1978년 아시아수영연맹에 가입하여 활동하고 있다.[56]

그야말로 한국 수영의 위기다. 지난 2016년 초 대한수영연맹 지원금을 횡령한 연맹 고위간부들이 잇따라 구속되면서 한국 수영은 한차례 홍역을 앓았다. 검찰이 수영연맹을 압수 수색을 하는 일까지 일어났고 사실상 모든 직무가 정지된 수영연맹은 결국 2016년 3월 25일 '관리단체'로 지정받았다.

대한체육회는 제 기능을 상실한 사고단체들을 '관리단체'로 지정해 정상화될 때까지 모든 업무를 관장해오고 있다. 해당 단체 사무국이 자율적으로 업무를 결정할 수 없고 건건이 대한체육회가 구성한 관리위원회의 허락을 받아야 하는 구조이다.

홍역을 앓은 수영연맹의 비리 속에 당시 수영연맹 회장이던 이기흥 회장은 책임을 지고 자리에서 물러났다. 그런데 이 이기흥 회장이 같은 해 모든 단체를 총괄하는 대한체육회장 선거에 출마해 당선되면서 수영인들의 분노는 극에 달한다. 수영관계자는 지금은 많이 가라앉았지만, 이기흥 회장이 대한체육회장으로 자리를 옮긴 당시 "법적으로 아무런 책임이 없다고 하더라도 수영연맹을 망쳐놓고 더 높은 자리에 가는 것은 도덕적으로 문제가 있다."며 수영계에서는 큰 논란이 일었다고 한다.

사실상 수영연맹이 방치된 상황에서, 박태환 등 국가대표들은 아시아선수권에 자비를 털어 출전하는 일까지 벌어진다. 국가대표들에 대한 관리뿐만이 아니라 유망주를 육성할 시스템도 전면적으로 마비됐다. 일선에 있는 한 수영코치는 "과거보다 선수층이 두꺼워져서 좋은 선수들이 있는데 지원이 안 되고 있어서 답답한 심정"이라며 불만을 토로하고 있다.

이호준 등 제2의 박태환으로 관심을 끈 선수들이 많았지만, 지금은 모두가 잠잠하다. 국제대회 출전 기회를 얻어야 경험을 쌓고 자신감을 충전할 수 있는데 그런 기회들이 원천적으로 불가능해진 셈이다.

오는 8월 아시안게임과 내년 광주에서 열리는 세계수영선수권 준비에도 차질이 빚어지고 있다. 단일종목의 세계선수권은 해당 연맹에서 주관해야 하는 업무가 많다. 대한수영연맹이 FINA(세계수영연맹)와 광주 세계수영선수권 대회 조직위원회의 중간다리 역할을 해야 하지만, 사실상 이 과정이 마비된 셈이다.

대한수영연맹 관리위원회 위원 한 명은 "세계수영선수권이야 조직위원회가 알아서 하는 거지, 연맹에서 할 게 뭐 있나요?"라는 안일한 인식을 드러냈지만, 일선 수영관계자들은 "사실 아시안게임보다 세계수영선수권 준비가 더 문제"라고 입을 모아 말하고 있다.

대한체육회 가입탈퇴 규정에 따르면 "체육회 정관 제11조에 의거 관리단체로 지정된 단체가 관리단체로 지정된 날로부터 2년간 관리단체 지정 해제가 되지 못한 경우 체육회는 해당 단체를 제명시킨다."라는 조항이 명시돼 있다.

대한수영연맹이 관리단체로 지정된 날이 2016년 3월 25일이니까 이미 이 시한은 지난 셈이다. 수영연맹 관리위원회는 "대한수영연맹이 선거인단 모집에 어려움을 겪었을 뿐 적극적으로 회장 선출을 하려 했다"며 "오는 5월 말 새로운 회장선거가 진행될 때까지는 기다릴 예정"이라는 입장이다.

하지만 현재 대한수영연맹이 가진 부채만 8억 원인 데다, 과거처럼 체육 단체를 맡아 명예를 얻는다는 인식이 많이 떨어져 있는 만큼 적임자가 나타날지는 미지수이다.

수영은 육상과 함께 올림픽에서 가장 큰 비중을 차지하는 기초 종목이다. 통합수영연맹은 엘리트 체육뿐만 아니라 일반인들의 생활체육까지 책임져야 하는 큰 책무를 지니고 있다. 이런 중요한 역할을 하는 수영연맹이 2년째 업무 마비상태에 있는 동안 대한체육회는 뒷짐만 지고 쳐다보고 있는 것은 아닌지, 한국 수영의 위기를 해결하려는 노력은 과연 있는 건지 씁쓸한 뒷맛이 남는다.[57]

☞ 대한수영연맹, 2년 3개월 만에 정상화 눈앞

김지용 신임 회장 체제 출범 이후 연맹 정상화 단계를 밟고 있는 대한수영연맹이 2년 3개월 만에 대한체육회 관리단체 해제를 눈앞에 뒀다.

대한수영연맹 관리위원회는 11일 서울 올림픽공원 테니스경기장 회의실에서 회의를 열어 대한수영연맹의 관리단체 지정 해제를 결의했다. 대한체육회 관계자는 "수영연맹이 새 회장을 선출해 조직 정상화 토대를 만들었다"면서 "6월 말 예정된 대한체육회 이사회를 통과하면 최종 확정된다"고 밝혔다.

대한수영연맹은 재정악화와 집행부 인사 비리 행위로 2016년 3월 대한체육회 관리단체로 지정됐다. 대한체육회 정관에는 정상적인 운영이 어려운 경기단체를 관리단체로 지정해 2년 동안 직접 관리할 수 있다는 조항이 있다. 관리단체가 되면 연맹 집행부 임원은 모두 해임되고, 대한체육회에서 파견하는 관리위원이 대신 집행부 역할을 맡는다.

당시 수영연맹 회장이었던 이기흥 현 대한체육회장은 사태를 책임진다며 같은 해 3월 사퇴했다. 이후 2년 넘게 회장 없이 표류했던 수영연맹은 지난달 19일 김지용 국민대학교 이사장을 새로운 회장으로 선출해 연맹 정상화의 가장 중요한 단추를 끼웠다.

평창동계올림픽 선수단장을 역임한 김 회장은 회장 당선 이후 "연맹 정상화가 최우선 목표"라고 밝히기도 했다. 관리단체 해제가 눈앞에 다가온 수영연맹은 올해 8월 자카르타-팔렘방 아시안게임, 2019년 국제수영연맹(FINA) 광주세계수영선수권대회, 2020년 도쿄하계올림픽 등 대규모 국제대회 준비에 힘을 싣게 됐다.[58]

체육단체 운영의 투명성과 효율성은 국가 체육의 미래를 책임진다. 정부와 지방자치단체, 학계와 체육단체는 좋은 스포츠거버넌스 구축을 위해 우리나라 실정에 맞는 운영 지침과 전문성 확보를 위한 전문 교육시스템 개발과 같은 노력이 필요할 것이다.

34. "축구협회 수뇌부, 불량품 만들어놓고 뻔뻔하게 자리 지켜"

한국 축구는 총체적 위기에 빠져있다. 대한축구협회는 성적 부진, 비리, 시스템 문제 등이 수년째 이어지고 있다. 미숙한 행정력은 축구대표팀의 경기력에 영향을 미친다. 그러나 책임지는 사람은 없다. 악순환이 이어지고 있다.

신문선 명지대학교 기록정보과학전문대학원 교수는 대한축구협회 수뇌부를 향해 쓴소리를 했다. 신 교수는 최근 명지대 연구실에서 가진 인터뷰에서 "스포츠에서 공정성은 성역이다. 그런데 축구는 그것이 무너졌다" 면서 "축구는 '불량품' 이라는 것이 현재 국민의 인식이다. 축구가 신뢰를 회복해야 한다" 고 목소리를 높였다.

신 교수는 한국 축구의 가장 큰 문제는 중대한 사건이 있을 때마다 교묘히 책임을 회피하는 축구협회 수뇌부라고 지적했다. 울리 슈틸리케(독일) 축구대표팀 감독의 경질을 예로 들었다. 감독을 새로 뽑아놓고도, 지원은 턱없이 부족했다. 그는 "슈틸리케 감독을 처음 데려왔을 때 겨우 아르무아 코치 한 명만 붙였다. 어느 나라 대표팀이 겨우 코치 한 명만 지원하고 시스템을 바꾸라고 하나" 라고 강도 높게 비판했다. 경기력이 좋아지기 어려운 환경을 만든 축구협회가 대표팀이 부진하자 감독만 교체하는 '꼬리 자르기' 를 했다는 것이다.

신 교수는 "축구협회 수뇌부는 위기 순간마다 절묘하게 피해간다" 면서 "대표팀 상황이 나빠지자 감독 책임으로 몰고갔다. 감독에게 힘을 실어주는 대신 전임 외국인 감독에게 그랬듯이 해임했다" 고 말했다. 책임을 지지 않는 수뇌부는 물갈이 되지 않고 오랜 세월 힘을 유지하고 있다. 신 교수는 "1994년 미국월드컵부터 20년 넘게 특정 기업의 장기집권으로 이어지고 있다" 면서 "사건과 사고가 발생해도 수뇌부에 속한 관련자들은 잠시 다른 곳에 갔다 돌아오는 식" 이라고 한숨을 쉬었다.

과거 축구협회는 헌신하고 봉사하는 자리였다. 신 교수는 "예전 축구협회는 이익을 안겨주는 것은 물론이고 회의비도 없었고, 차비도 없었다" 면서 "오로지 축구를 위해 헌신하는 축구인들의 자리였다" 고 강조했다. 그는 "그러다보니 한일전에서 패하기라도 하면 (윗선은) 오히려 '책임지게 돼 홀가분하다' 는 농담을 하며 일괄 사퇴했다" 고 떠올렸다. 반면 지금의 축구협회는 과거 가졌던 순수성을 잃어가고 있다고 봤다. 신 교수는 "현재는 기업인들에게 축구협회 명함보다 더 좋은 비지니스 도구는 없다"면서 "해외에서 축구협회장이란 타이틀은 한국의 웬만한 고위 공직자보다 큰 직함"이라고 밝혔다. 그러면서 "축구협회는 기업의 자회사가 아니다. 축구는 전 국민이 사랑하는 문화 콘텐트"라고 덧붙였다.

축구협회의 관행과 비리는 적폐가 됐다. 이렇게 쌓이고 쌓인 폐단은 팬들이 축구를 떠나게 만든 원인이 됐다. 그는 "힘을 갖고 대표팀 감독 선임은 물론 선수 선발할 때도 인사를 투명하지 않게 하고, 직간접적으로 영향을 미쳤다"면서 "2014년 '의리 파동'이 대표적"이라고 목소리를 높였다.

'다른 축구인들은 왜 아무도 목소리를 내지 않을까'라는 질문에는 "처음엔 양심있는 축구인들이 맞섰다. 그런데 싸워보니까 협회의 힘 즉, 예산권과 인사권이 막강했다"면서 "용기있는 축구인들이 회유에 넘어가 전무이사, 기술위원장 등 또 다른 호위세력이 됐다"고 했다. 그러면서 "그래도 반대하는 목소리를 내는 사람들은 무차별 탄압을 받는다"면서 "20년 동안 협회에 맞서 글을 쓴 저는 얼마나 탄압을 받았을까"라며 쓴웃음을 지었다.

협회의 적폐는 축구에 대한 신뢰도를 나타내는 바로미터 '대표팀 경기 시청률 추락'으로 이어졌다는 분석이다. 신 교수는 "예전 국가대표팀은 '히트 상품'이었다. 중계를 한다고 하면 광고가 줄을 이었다. 방송사 내부에서 아무리 인기 있고 입지가 탄탄한 프로보다 앞섰다"고 떠올렸다. 그러나 지금은 상황이 달라졌다. 그는 "한국 축구는 하향세다. A매치를 해도 관중이 오지 않아 운동장이 빈다"면서 "축구가 지금은 드라마 재방송에도 밀리고 시사 프로에도 밀린다. 광고주들은 떠났다"고 한탄했다.

또 "거기에 대한 책임은 경기를 잘 못하는 선수, 감독이다. 그 위로 올라가면 '불량 콘텐트'를 생산한 기업과 공장, 즉 축구협회다. 공장장은 전무이사와 회장이다. 기업 같으면 이미 특단의 조치를 취했을텐데, 이들은 불량품을 만들어놓고도 뻔뻔하게 자리를 지키고 있다"고 말했다.

신 교수는 절대 감정적으로 접근하는 것이 아니라고 했다. 그는 "지난해 경질된 울리 슈틸리케 감독과 현 신태용 감독의 대표팀의 데이터를 비교하면 지표상으로 그 어느 것도 나아진 게 없다"고 분석했다.

신 교수는 "러시아월드컵에서도 결과가 나쁘면 감독 책임 이전에 20년간 장기 집권한 사람들이 책임을 져야 할 것"이라면서 "또 다시 커튼 뒤로 숨는 것은 국민들이 용납하지 않을 것이다. 이번 월드컵 결과는 적폐를 대청산할 수 있는 기준점이 될 수 있을 것"이라고 말했다.

향후 협회도 평가를 받고 스스로 진단해야 발전한다는 조언도 잊지 않았다. 그는 "유소년 시스템부터 평가를 했으면 좋겠다. 정몽준 회장 체제 하에 이 만큼 예산을 투입해서 이 만큼의 결과를 얻었다"고 공개해야 한다.

신 교수는 "FIFA도 월드컵이 끝나면 보고서를 만든다. 스터디그룹이 전술부터 평가해서 월드컵 백서를 만들고, 축구의 상업적 가치 증대를 위해 전 세계 회원 국에 보낸다"고 말했다. 그러면서 "축구협회는 스폰서가 떠났다. 사실 생활축구 가 힘인데, 오로지 엘리트 축구 성과만 생각하고 힘을 쏟고 있다. 축구협회가 털 고 나가야 할 백서를 만들면 100가지도 남을 것"이라고 했다.

축구가 처음부터 경영적 관점에서 판단해야 한다는 것이다. 신 교수는 "한국 축구의 경영적 지수는 중국 축구와 비교해 떨어지고, 일본과 비교해도 시장 사이 즈가 게임이 되지 않는다"면서 "축구협회 매출 증대를 위해 노력해야 한다"고 말했다. 슈틸레케 감독 경질로 발생한 손해도 막심하다는 지적이다. "슈틸리케 감 독과 중도에 계약을 해지했으면 잔여 연봉을 줬을 것이다. 코칭스태프에게도 마 찬가지"라면서 "이 경우 감독만 책임이 있는 게 아니라 비용에 대한 책임도 있 다. 기업은 당연히 인사에 대한 책임을 묻는다. 오히려 처음부터 좋은 감독을 데 려오지 못하고 문제를 일으킨 정몽규 회장도 책임을 졌어야 한다"고 했다.

박항서 신드롬은 공정함이 경영적 관점에서 바라본 축구의 좋은 예라고 했다. 신 교수는 "박항서 감독의 히딩크식 선수 선발과 훈련 방식이 큰 영향을 미쳤다 고 본다. 눈이 오는데도 죽기 살기로 뛴 선수들을 보면 모두 기분이 좋아졌다. 베 트남 기업들이 앞다퉈 후원했다"이라면서 "지금 학원축구엔 돈이 만연해있다. 학부모들 사이에선 불신이 가득하고, 유소년 축구는 2류, 3류로 떨어졌다. 결국 태극마크의 경쟁력으로 이어진다"고 했다. 그는 "히딩크 감독에 대한 그리움도 결국 공정함에 대한 그리움이다. 공정성이 확보되야 다음 단계로 진입할 수 있 다"고 말했다.

프로축구연맹과 상생이 살길이라는 진단도 잊지 않았다. 그는 "프로 구단들은 손해보면서 FIFA 규정에 없는 조기 A매치 선수 차출에 협조한다. 그런데 태극마 크의 가치 상승으로 이어지지 않으니 답답할 것"이라면서 "프로는 장사하기 위 한 집합체 아닌가. 희망이 보여야 투자를 한다. 현대가 빠지면 축구가 망한다는 생각이 맞나. 현대가 있으면, 현대 때문에 경쟁기업이 참가하지 않는 건 생각 안 해봤나"면서 "진정한 용기를 가진 국민들이 움직이고 있다. 더 용기를 가져야 할 사람인 축구인들이 나서야 할 차례다. 방관하고, 포기하고 그러면 축구가 더 죽는다"고 강조했다.

결국은 사람이 바꿔야 한다는 생각이다. 신 교수는 "결국은 훌륭한 장사꾼이 와야 한다. 투명성을 가진 사람이 와서 떨어진 축구의 구매력을 끌어올려야 한다"고 설명했다.

신 교수는 "그 첫걸음이 공정성이다. 인적 쇄신부터 이뤄져야 한다" 면서 "그 시점은 월드컵의 결과라고 본다. 이번엔 국민이 용납하지 않을 것이다. 축구의 주인은 특정 기업도 아니고 호위무사 일부 축구인도 아니다. 주인은 국민" 이라고 말했다.[59]

일간스포츠(2018. 03. 16), 피주영 기자

35. 대한민국 64년의 성취와 스포츠 선진국으로
나아가는 길

2012 런던올림픽이 막을 내렸다. 대한민국은 12개 종목에서 메달 28개를 따내며 당초 예상을 훨씬 뛰어넘는 성적을 거뒀다. 우리 앞에 있는 나라는 미국 중국 영국 러시아 등이다. 고된 훈련과 가난, 부상, 좌절 등을 이겨내고 값진 성과를 일궈낸 선수와 지도자 모두 5000만 국민의 뜨거운 박수를 받을 자격이 있다.

광복 후 처음 태극기를 앞세우고 참가한 1948년 14회 런던올림픽에서 우리는 동메달 2개를 따내 59개 참가국 중 32위였다. 당시 선수단의 공식 명칭은 '조선 올림픽 대표단'이었다. 일제 식민 통치에서 해방됐다고는 하지만 대한민국 정부가 수립되기 전이었기 때문이다. 선수들은 런던서 돌아오는 길에 대한민국의 탄생 소식을 들어야 했다. 그때 우리는 1인당 소득 75달러로 전 세계에서 가장 가난한 나라였다. 그로부터 64년 만에 런던서 다시 열린 올림픽에서 우리 젊은이들은 205개 참가국 중 정상급에 당당히 자리 잡았다. 온갖 어려움을 딛고 오늘의 성취를 이룩한 대한민국의 역사를 떠올리게 하는 쾌거이기에 더욱 대견하다.

이번 올림픽에서 한국 선수들은 메달 수뿐 아니라 경기 내용 면에서도 대한민국의 달라진 모습을 보여주었다. 펜싱·사격 등 한국 스포츠의 불모지 같던 종목에서 각각 6개, 5개씩 메달을 따 세계를 놀라게 했다. 체조에서 양학선은 자신만이 구사할 수 있는 '양학선'이란 신기술로 사상 첫 금메달을 차지했다. 리듬체조의 요정 손연재는 사상 처음으로 결선에 진출, 5위를 기록했다. 우리 젊은이들이 실패할까 두려워하지 않고 새로운 분야에 도전해 빛나는 결실을 이뤄낸 것이다.

대한민국 젊은이들은 올림픽에서 메달을 따면 기뻐서 울고 메달을 놓치면 아쉬워서 울고 하던 과거와는 다른 모습을 보여주었다. 한 경기 한 경기에 모든 것을 쏟아부었지만 승패에 일희일비하지 않았다. 젊은 세대가 실패해도 낙망하지 않고 좋아하는 일에 최선을 다하는 모습을 보며 우리는 대한민국의 또 다른 가능성을 보았다.

런던올림픽의 기억은 대한민국이 전 세계와 어깨를 겨루며 앞으로 나아가는 데 더없는 힘이 될 것이다. 64년 전 젊은이 67명이 신생(新生) 국가 대한민국에 조그만 희망의 불빛을 선물했던 것처럼 이번 우리 젊은 선수 245명도 대한민국의 앞

날에 더 밝은 희망을 쏘았다.[60]

☞ 스포츠 선진국으로 나아가는 길을 찾아서

오늘날 스포츠는 우리들에게 무엇인가, 우리가 너무 가까이 보면서 접하고 있는 스포츠에 대해 이 같은 물음을 던지는 것이 매우 새삼스럽다. 대다수의 사람들의 생각은 그저 보고 즐기는 여가활동의 일부 정도라고 답할 것이다. 과연 그러한가?

하지만 국민들의 자부심을 키우고 자신감을 불어넣는데 스포츠만한 것이 있을까. 동·하계올림픽과 각종 국제대회에서 보여준 경쟁력, 올림픽과 월드컵을 개최하면서 얻은 운영 노하우는 물론 일상생활에 깊이 파고든 스포츠는 문화 그 자체가 돼 버렸다.

브라질 리우데자네이루 개최된 하계올림픽대회는, 2016년 8월 5일부터 21까지 17일 동안 열전 끝에 끝나고 수많은 선수 관객 등 70억 세계인이 보는 가운데 삼바 춤으로 화려한 폐막식을 가졌다. 국가별 획득한 메달을 살펴보면 미국 1위(금메달 43개·은메달 37·동메달 36, 총116개), 영국 2위(금메달 27·은메달 22·동메달 17, 총76개), 중국 3위 (금메달 26·은메달 18·동메달 26, 총70개), 러시아 4위, 독일 5위, 일본 6위, 프랑스 7위 다음으로 우리나라는 8위(금메달 9·은메달 3·동메달 9, 총21개)를 하여 4회 연속 10위권의 위치하고 있는 국가가 되었다.

리우데자네이루 하계올림픽에서 금메달 10개 종합순위 10위 내인 소위 10-10을 목표로 했던 한국은 기대했던 종목의 부진으로 금 9개, 은 3개, 동 9개를 획득하면서 종합순위에서 8위를 달성해 절반의 성공은 거뒀다고 할 수 있지만 정부 차원의 엘리트스포츠에 대한 지속적인 지원이 절실한 것으로 지적받았다.

일본은 금메달 12개, 은메달 8개, 동메달 21개를 따내면서 6위에 올랐는데, 전문 스포츠선수를 키우는 엘리트스포츠에 투자해 온 결과였고, 영국도 금메달 27개, 은메달 23개, 동메달 7개를 따내면서 중국을 제치고 2위에 올라 괄목할만한 성과로 주목을 받았다.

이런 사례를 반면교사로 삼아 새롭고 장기적인 투자 육성계획이 필요하다고 입을 모은다. 특히 기초부터 튼튼히 다져야 할 것이다. 전국소년 스포츠대회는 여러 가지 문제점이 드러나 시들해졌다. 운영상의 문제점을 보완하여 새롭게 태어나 관심을 높여야 한다.

전국체전으로 눈을 돌려보자. 전국체육대회는 우리나라 아마추어선수들의 최고를 향한 도전의 무대로 국가대표선수들도 고향이나 소속지역의 대표로 참가하고 매년 새로운 기록도 세워진다. 우리나라가 국제적 위상을 높이고 스포츠선진국으로 발돋움하게 된 것도 바로 전국체전 덕분이다.

전국체육대회는 각 시·도의 결실을 맺는 중요한 무대인만큼 금년에도 순위 향상을 목표로 동계 강화 훈련에 여념이 없다. 지난 추석 연휴 때도 올 설 연휴도 훈련장에서 보낸 그들이다. 그들에게 목표를 물어보면 "당장은 각종 종목별 대회와 전국체전이지만, 앞으로 국가대표로 올림픽 무대에 서는 것"이라고 늘 그들은 말한다.

엘리트스포츠는 우수한 경기력을 가진 선수를 국위 선양을 위해 키우는 시스템이다. 이게 무너지면 우리 선수들이 우리나라에서, 나아가 국제무대에서 빛나는 성과를 올릴 기회가 사라지는 것이다. 교육부는 물론 아울러 시·도교육청에서는 조기에 선수를 선발하여 학교 엘리트스포츠를 활성화해야 한다. 선진국가의 계획과 투자를 참고하여 선수 육성 시스템을 재점검하여 우리의 현실에 맞는 치밀한 전략과 지속적인 투자를 해야 한다.

또한, 지역별로 엘리트 스포츠선수들에게 희망을 줄 수 있도록 꿈나무선수 발굴과 학교에서부터 실업팀으로 이어지는 체계적 육성 시스템이 마련돼야 하고, 자치단체와 기업, 주민들의 체육에 대한 관심과 지원이 뒤따라야 한다.[61]

36. 지도자와 스포츠

한국 지도자급인사 가운데 학창시절 공부와 운동을 병행한 사람은 거의 없다고 해도 지나치지 않다. 책만 끼고 살고, 대학가서는 오로지 고시 패스를 위해 법전을 달달 외우고 그랬던 학생들이 한국의 정치 및 재계 지도자들이 됐다. 물론 이 가운데는 이른바스포츠권(운동권)도 있다. 너들 모두에게 스포츠는 가끔 운동하다가 몸이 뻐근할 때 소일거리로 하는 놀이에 불과하다. 나중에는 이것도 학창시절 운동했다고 둔갑한다. 이건 운동이 아니다. 특별활동이다. 숨이 턱에 차고 하늘이 노랗게 될 때까지 뛰어 보지 않은 것은 운동이라고 할 수 없다.

미국에서는 운동을 하지 않은 학생은 절대로 리더가 될 수 없다. 명문대학을 나온 지도자들 가운데 이름을 나열하기 힘들 정도로 그들은 모두 한 가지씩 운동을 병행했다. 2007년 작고한 제럴드 포드 대통령은 명문 미시건대학 미식축구 팀 '올 아메리카 센타' 였다. 대학교 총장도 마찬가지다. 부시 대통령은 리틀리그 선수 출신이다. 아버지는 아이비리그 예일대학 야구팀 주장이었다. 단순히 특별활동 수준이 아니다.

미국 정치인들에게 균형 있는 사고가 나올 수 있는 배경이 바로 스포츠의 힘이다. 스포츠는 희생, 협동, 에어플레이 정신이 담겨 있다. 나홀로 독불장군은 인정될 수 없다.

한국에서는 공부만 잘하면 된다. 나만 최고가 되면 된다. 남을 짓밟고 올라가면 되는 게 한국 교육방식이다. 남을 배려하는 수준이 후진국과 다를 게 하나도 없다. 한국의 정치가 이런 풍토 속에서 성장했기 때문에 페어플레이가 실종돼 있다. 한국의 지도자급 인사들의 '노블리스 오브리제' 부재도 같은 맥락이다. 특권은 있지만 책임은 없는 사회다. 스포츠의 몰이해는 한수 더 뜬다.[62]

스포츠 집단은 새로운 시대 상황의 변화와 다양한 측면에서 과학적인 훈련 방법이 도입되고, 그 성과는 각종 국제대회를 비롯한 올림픽에서 표출되고 있다.

스포츠 리더십의 역할에 대한 학문적 관심이 고조되고 있는 것은 자연스러운 일이며, 이러한 과학적 측면의 진보는 스포츠 집단의 성장 또는 경기력 강화를 위해 훌륭하게 이끌 수 있는 리더를 지속적으로 필요로 하고 있다.

이러한 스포츠 집단은 선수와 지도자가 상호작용으로 이루어지는 팀으로 구성되어 있기 때문에 선수와 지도자간의 상호작용의 양과 질에 따라서 집단의 효율성은 달라진다. 즉 스포츠 집단은 스포츠라는 과제를 수행하기 위하여 두 명이상의 사람이 모여 서로 영향을 주고받으면서 집단의 공동 목표를 달성하기 위하여 노력하는 집단이다.

스포츠 집단은 집단 내의 의사소통 방법 개선, 사기 진작, 인간관계 개선, 경기 기능과 선수 만족의 향상과 같은 개인적 차원의 효율성을 나타내며, 이들은 지도자의 리더십에 의해 영향을 받고 있다.

지도자의 리더십은 스포츠 집단의 목표 달성을 위해 선수 각 개인 또는 팀의 영향력을 행사하는 행동적 과정이기 때문에 스포츠 집단의 효과적 운영의 종요한 요소가 될 뿐만 아니라 운동선수나 팀에 동기 부여를 하는 수단으로 하는 운동성과를 이해하는 데 매우 중요하다.

또한 선수 만족은 스포츠 선수들이 운동 수행과정에서 느끼는 만족의 정도로 새로운 기술과 선수의 장단점을 파악하여 지도하는 기술 분석에 대한 만족과 승패의 원인 분석과 창의성, 경기 결과 등을 통하여 선수의 운동 지향 목표에 따라 적절히 변화시키는 것이 매우 중요하다.

지도자의 행동 유형은 지도자의 특성 구성원의 특성, 상황적 특성에 의하여 결정되며, 이러한 특성들은 지도자에게 규정된 행동, 선호되는 행동, 실제 행동으로 나타나게 된다. 지도자는 상황에 따라서 다른 행동을 취해야 선수들의 만족도를 향상시키고 팀의 성공을 높여준다.

또한, 훈련은 더욱 높은 경기력의 향상을 위하여 전문적인 집단을 구성하여 그 성과를 극대화시키기 위해 노력하고 있다. 특히 경쟁을 특징으로 하는 스포츠 상황은 상대 선수를 능가하고 스스로 목표를 달성하기 위하여 자신의 잠재력을 최대한 발휘하게 된다. 이러한 잠재력을 발휘하기 위해 선수들은 지도자의 지도 프로그램에 의하여 반복적인 훈련과 기술 향상 및 목표 달성을 위하여 지도자의 효적이고 효율적인 리더십 유형이 요구되고 있다.

스포츠와 운동 상황에서 다양한 역할을 수행하는 지도자의 리더십은 팀 구성원들에게 가장 큰 영향력을 행사하는 지도 과정을 의미한다. 리더십은 궁극적으로 선수들에게 수행능력을 극대화시키고 좋은 수행결과의 근간이 되기 때문이다.

그러나 지도자의 리더십은 선수에게 영향력을 행사하는 주요 수단으로 인식되어 효과적인 리더십은 선수들에게 강력한 영향력을 발휘할 수 있어야 함에도 불구하고 기존의 리더십 현상을 유지하거나 기대되는 성과를 이끌어 내는 리더십에 미치지 못하는 경향이 많다.

하지만 신체조건이나 체질적으로 유럽 또는 동구권 국가들의 선수들보다 상당이 불리한 조건의 우리나라 선수들이 지금과 같이 세계적으로 스포츠 강국으로 인정받을 수 있었던 것은 아마도 많은 지도자들과 선수들의 피나는 노력과 인내의 결실일 것이다.

☞ 아마추어 스포츠 지도자의 자질이란?

예전에 인터넷으로 생각되지만, 이런 '심리 테스트'와 같은 것이 있었다.

~~ 소년 야구의 경기에서 일어난 일. 어느 팀이 경기 종반 좋은 득점 기회를 맞이했다. 이에 감독이 타자에게 번트 지시를 내렸다. 그런데 선수는 초등학생이다. 치고 싶은 마음이 앞서 지시를 무시하고 배트를 휘둘렀다. 그 타구가 깨끗한 안타가 돼 주자는 홈 플레이트를 밟았다. 그 결과, 팀은 승리했다.

여기서 질문. 소년 선수는 지시를 따르지 않았다. 그것을 감독(지도자)은 질책해야 할까? 아니면 좋은 결과를 낸 선수의 자주성을 존중해 칭찬하고 지시를 어긴 것은 묵인해야 할까? ~~

한국의 독자 여러분은 어떻게 생각할까. 일본에서는 무대가 소년 야구인 점도 있어, "일일이 번트를 대지 않았던 것을 나무랄 필요는 없다", "어차피 야구는 게임. 즐기면 되는 것이므로 결과를 낸 선수를 칭찬해 주면 된다"는 의견이 다수를 차지한 것으로 기억한다.

필자의 개인적인 의견은 반반이다. 즉, 반은 긍정하지만 반은 부정적이다.

우선 지시를 어기고 번트를 대지 않은 것은 확실하게 잘못임을 인정하게끔 해야 한다고 생각한다. 안타를 친 것은 그 뒤에 칭찬해주면 된다. 다만 지시를 어긴 것에 더 무게를 둔다. 너무 엄격하다고 생각할 수도 있다. 소년 야구인데도. 하지만 소년 야구인 만큼, 잘못으로 인정해야 한다고 생각한다.

중요한 것은 두 가지가 있다. 첫째는 야구라는 경기는 즐기는 것이지만 결코 자기가 하고 싶은 것만 할 수 있는 것은 아니다. 그런 '사회성'을 포함한 단체 경기인 것을 알고 있어야 한다고 생각하기 때문이다. 극단적인 이야기이지만 타순 등은 그 좋은 사례다. 선수 전원이 "4번 타자로 나서고 싶다"고 한다면 타순은 짤 수 없다. 그래서 1번부터 9번까지 결정되는 과정에서 이미 인내와 자기희생은 생기고 있다. 투수도 그렇다. 두들겨 맞고 감독이 강판을 지시해도, "싫어, 더 던지고 싶다"며 공을 건네주지 않고 마운드에 서 있다면 마찬가지로 야구는 성립하지 않는다.

이것은 여담으로 웃긴 이야기이지만 필자는 동서양을 막론하고 20년 이상 프로와 아마추어 야구 경기를 많이 봐왔지만 경기가 중단될 정도로 투수가 강판을 거부하거나 대타가 나오는 것을 거부하는 야수를 본 적이 없다.

어째서 그런 선수가 없는 것일까. 그것은 "감독의 지시는 절대적이다"는 규칙을 어떤 선수라도 인식하고 있기 때문이다(그 결과, 벤치에 돌아가서 글러브를 내동댕이치는 경우는 있어도).

결국, 야구라는 게임도 집단이라는 사회성이 있는 조직이며 번트도 그 가운데 하나. 그렇기에 설령 불만을 가진다고 해도 게임에서는 따라야만 한다. 거기에는 두 번째로 이어지는 것, 즉 '규칙'이라는 것이 있다.

야구뿐만이 아니라 스포츠란 모두 '규칙' 속에서 행해진다. 규칙이란 모든 선수에게 공평한 것이며, 그렇기에 절대적이다. 앞서 사례로 든 번트 지시는 그 하나에 불과하다.

요컨대 규칙이라는 범주에서 행해지고 있는 한, 그 규칙을 지키는 '질서'가 동전의 양면처럼 존재하는 것도 잊어서는 안 된다. 때론 그 질서는 앞에서 든 사례처럼 선수 개인에게는 이해하기 어려운 경우도 있을 것이다. 하지만 그렇기에 거부해서는 게임은 물론이고 경기 자체도 성립하지 않게 된다.

다소 과장되게 말하면, 사회에 나가면, 혹은 인생에서는 불합리한 일은 얼마든지 있다. 우선 그것을 제대로 받아들인 뒤 어떻게 자기와 타협점을 찾아 길을 모색해갈지를 사람을 배울 필요가 있다. 번트는 그런 한 가지 예로 생각한다. 바꾸어 말하면 "인내를 익히는 것"에도 이어진다.

"그런 것, 소년 야구에서 가르칠 필요는 없다"는 견해도 있을 것이다. 그런 의견에 반론은 없다. 그러나 어린 시절이기에 느끼고 이해하고 배워야 하는 것도 있는 건 틀림없을 것이다.

최근, 일본에서는 미식축구의 명문 팀인 니혼대학이 간세이학원대학과의 정기전에서 상대 쿼터백을 태클로 다치게 한 문제가 사회적 관심사가 되고 있다. 규칙상으로는 손에서 공이 떠난 선수에 대한 태클은 위반이다. 그런데 니혼대학 감독이 그것을 알면서도 선수에게 지시, 그보다 강요한 것이 드러나 아마 스포츠의 문제에서 대학 스포츠의 본모습이나 대학 교육 이념의 문제로까지 확대되고 있다. 선수는 자청해서 공식 장소에서 사죄하고 진실을 밝혔기에 비난은 줄고 동정조차 받고 있다.

하지만 감독과 코치들은 다르다. 자신의 관여를 부정했으므로 사임 후에도 비난 여론은 더더욱 커지고 있다. 그들의 언동에 변명이나 옹호할 여지는 없다. 다만 생각하게 되는 것은 이 지도자가 '규칙'의 무게감을 근본부터 망각하고 있었다는 점이다(덧붙여서 어째서 그런 난폭한 행동을 선수에게 시킨 그럴듯한 이유는 아직 밝혀지지는 않고 있다).

일본은 많은 스포츠가 체육, 즉 교육의 일환으로 들여와 발전해왔다. 그와 함께 '도' 라는 '이래야 한다' 는 일본 고래의 사상도 더해져 때로는 자주적인 발상을 막는 가르침으로도 이어졌다. 유도, 검도…… 야구 역시 '야구도' 라고 칭하는 것에서 알 수 있듯, 일본인 속에는 그런 것에 열중하는 경향이 있다.

그것은 선수뿐만이 아니라 지도자도 시야를 좁게 해 독선적으로 만들 위험이 있다. 그리고 이것들은 뜻밖에도 프로가 아니라 아마추어 세계일수록 더 강하다. 이것은 구미와는 크게 다른 스포츠에 대한 접근일 것이다. 물론, 일본에서도 요즘은 이런 보수적인 발상에서 탈피하려는 지도자는 적지 않다.

어찌 됐든 일본에서는 아마 스포츠에서 코칭의 어려움을 더욱더 묻는 시대가 됐다. 그것은 지도자가 지녀야 할 자질을 묻는 것과 같은 의미다.

아마 수준에서 승리 지상주의의 잘잘못. 프로가 되려고 하는 선수와 그렇지 않은 이가 어떻게 해서 함께 즐기는 환경을 만들 수 있을까. 무엇보다도 '열심히 하는 것' 의 의미.

그래도 흔들림이 없는 것은 규칙이다. 규칙 범위 안에서 어떻게 분발할 수 있을까. 규칙을 벗어나는 일이 얼마나 어리석은 짓인가. 더 나아가서는 "규칙 안이라면 무엇을 해도 괜찮을 것이다" 는 빗나간 생각을 어떻게 불식할 것인가. 규칙을 생각하고 준수하는 것으로, 규칙을 존중하는 생각이 길러질 것이다. 승부는 그 뒤의 일.

만약 지도자의 자질을 묻는다고 한다면 그것들을 얼마큼 인식하고 있느냐에 있다고 생각한다.

끝으로, 필자는 서두의 질문에서 번트 지시를 무시한 잘못을 바로잡아야 한다고 했다. 단, 소년 야구에서 번트 사인을 낼 필요가 있느냐고 묻는다면 즉각 "아니오" 라고 대답할 것이다.[63]

35. 바람을 보는 것으로 시간이 나에게 다가온다.
학생선수와의 만남 : 교육과 이해

아직 동쪽 하늘에 해가 고개를 내밀지 않았다. 난 이른 새벽에 자전거를 길 위에 세워 학교를 향한다. 엉덩이를 살짝 안장에 걸치고 페달을 돌린다. 뒷바퀴를 굴려 앞바퀴를 밀어간다. 길 위를 구르는 바퀴의 속도는 곧 바람으로 나의 몸에 다가온다. 나의 온몸 세포 하나하나에 바람이 깊게 그리고 넓게 스며든다. 난 바람을 맞는 것이 좋다. 두 바퀴의 자전거가 구르는 동안 나의 몸으로 다가오는 바람이 향기롭다.

3월부터 길 위에 두 바퀴를 굴려 학교를 향했다. 아직 봄이 오지 않은 3월 새벽의 바람은 살을 에는 차가움을 가지고 있다. 그래서 자전거를 가지고 길 위를 나서는 경우 따뜻하게 몸을 보온할 수 있는 옷을 챙겨 입었다. 두 바퀴에 몸을 실은 난 온전히 바람에 노출된다. 나의 몸을 보호해줄 것은 아무것도 없다. 찬바람으로부터 나를 보호하는 것은 몸에 걸친 옷이 유일한 보호막이다. 그래서 찬 북풍으로부터 나의 온기를 지키기 위해 단단히 무장을 한다. 그러나 기본적으로 나의 옷 무장에는 한계가 있다. 너무 두터운 옷을 걸치면 바퀴를 굴리는데 자유롭지 못하다. 그래서 난 다만 바퀴를 나의 두 다리로 저어갈 때 부딪쳐 오는 바람으로부터 체온을 유지할 수 있는 정도의 옷만 걸친다. 그리하여 나의 몸이 스며드는 바람의 찬 기운으로 움츠러들지 않게 하고자 한다.

아직 봄이 오지 않았던 그 어느 날, 길 위를 흐르는 북풍이 거세어도 밀려오는 봄바람에 자꾸 뒤로 밀려난다. 난 그렇게 3월의 바람과 맞서며 봄의 바람을 맞았다.

뒷바퀴의 굴림으로 앞바퀴를 밀어내듯 4월의 따뜻한 봄바람이 겨울의 끝을 붙잡고 몸부림치던 길 위의 북풍을 몰아냈다. 어둠이 깊을수록 새벽은 밝아오고, 길 위의 바람이 차면 찰수록 따뜻한 바람은 곧 불어온다. 지난겨울 국민과 각을 세우며 오직 한줌의 무리만 위해 국가권력을 행사하던 불통의 대통령이 결국은 국민들의 촛불로 탄핵 되었다. 그리고 5월의 시작과 함께 우리 사회에 다시 사람의 향기가 나는 희망의 바람이 서서히 불어오고 있다. 정말 '대한민국은 민주공화국이고 모든 권력은 국민으로부터 나온다.' 라는 이 평범함이 지켜지는 세상이 되어 국민 모두가 신명나는 세상이 될 것이라는 기대감을 갖게 한다.

  지금이 좋다. 지난겨울 광장의 촛불을 통해 우리 사회가 한 단계 성숙하였다는 사실이 좋다. 이제 적어도 국민을 기만하고 국민의 생명을 가볍게 여기지 않는 국가는 되지 않을 것이다. 국민이 주인 되는 세상을 꿈꿀 수 있어 행복하다. "이게 나라인가?" 하는 자괴감을 갖고 학생들 앞에 서지 않아도 되어 좋다. 선생님으로 학생들 앞에서 "이것이 대한민국이다." 라고 이야기하며 가르칠 수 있어 좋다. 좋은 바람이 분다. 사람 향기가 나는 바람이 분다.

  '아! 시원하고 상쾌하다.' 아직 이른 아침 길 위에 두 바퀴를 굴려 나아가는 나를 마주하는 바람이 좋다. 코끝에 다가오는 바람, 눈썹을 날리는 바람, 넓은 가슴으로 다가오는 바람, 귀가를 속삭이며 지나가는 바람, 등줄기를 타고 흘러내리는 땀을 식혀주는 바람. 나는 라이딩 속에서 바람을 보고 느끼며 두 귀로 "우웅웅 우 웅웅웅..." 하는 바람 소리를 들을 수 있어 행복하다. 나는 하루하루의 삶에서 나를 기억하려고 노력한다. 바쁘게 살아가는 삶의 굴레에 갇히지 않고 세상과 나를 깊이 바라보려고 한다. 내가 세상을 그리고 나를 인식하지 못하게 되는 순간 세상이 멀어지고 나의 존재 이유도 잃어버리게 되지 않을까 걱정한다. 그래서 나를 부여잡고 세상을 잡고 사는 삶을 실천하고자 길 위에서 바퀴를 저어가는 느림을 선택 하였다. 더디게 느리게 여유 있게 바퀴를 굴려가니 초 단위로 분단위로 나를 보게 된다. 일상의 삶에서 내가 보이고 세상이 보인다. 그래서 시간이 달아나지 않고 천천히 나에게서 흘러간다.[64]

  한편, 부상으로 농구를 그만둔 후 교육대학원에 입학했다. 2005년 중도탈락 학생선수를 주제로 한 석사학위 논문을 시작으로, 2006년 학생선수 학습권과 관련된 국정자료집, 2009년, 2010년 학생선수 인권상황 실태조사에 보조연구원 공동연구원으로 참여했다. 2013년 대학교 학생선수의 수업일상에 관한 박사학위논문을 작성했다.

  학생선수와 관련된 연구와 프로젝트에 참여하면서 다양한 사람들을 만났다. 나와 유사한 경험을 한(하고 있는) 학생선수, 은퇴선수, 중도탈락 학생선수, 지도자를 만났다. 교육, 인권, 여성학 전문가와도 소통했다. 이들과 함께 학생선수의 학업, 관계, 문화적 어려움에 대해 고민하고 토론했다. 자연스레 학생선수, 운동부, 인권은 내 주 관심사이자 연구 분야가 됐다.

  2011년 1학기 한 대학에서 학생선수만을 대상으로 한 진로교육 수업을 담당했다. 농구특기생으로 대학에 입학한 내게 특별한 의미가 있는 수업이었다. 운동을 그만 둔 후 경험한 학생, 연구자, 지도자, 교육자 경험이 학생선수를 이해하고 그들만을 대상으로 한 수업에 도움이 될 거란 확신을 가지고 수업준비를 했다.

내 경험에 대한 '확신'은 수업시작과 함께 '의문'으로 변해갔다. 9시부터 11시 40분까지 진행되는 수업에 대부분의 학생선수는 빠지거나 늦었다. 수업에 참여한 소수의 학생선수는 수업이 아닌 잠을, 교육내용이 아닌 스마트폰과의 소통을 선택했다. 내 확신과 예상과는 달리 수업은 전혀 다른 방향으로 흘러갔다. 학생선수 경험, 운동부 지도 경험, 연구 경험이 있기에 누구보다 학생선수와 운동부 문화를 잘 알고 있다는 나의 생각은 나의 착각이자 오만이었다. 커다란 충격이었다.

☞ '수업내용 반복'

나와 학생선수 모두를 가장 힘들게 했다. 매주 연결되도록 구성해놓은 수업 내용은 무용지물(無用之物)이었다. 매주 각 운동부의 훈련 및 시합 일정이 달랐기 때문이다. 같은 수업과 과제를 6주차까지 진행하고 내주는 상황이 발생했다. 결국 난 모든 수업계획을 수정해야했다.

☞ '텅 빈 앞자리'

50명 정원이라 배정된 커다란 강의실. 적은 수강생으로 인해 공허한 강의실 풍경보다 나를 더 당황하게 만들었던 것은 모든 수강생이 뒷자리에 앉아 앞과 중간에 텅 비어있는 책상과 의자였다. 수업진행을 위해 앞자리로 학생선수들을 불렀지만 이들은 뿌리내려 움직이지 않는 고목(古木)과 같았다. 앞자리로 움직일 것을 요구하는 내 말에 움직이는 것 대신 돌아온 대답. "뒷자리가 편해요."

☞ "너 미래를 준비 하냐?", "오~ 필기하는 거야?"

운동부 수업에는 두부류의 '무리'가 있었다. '하지 않으려는 다수'와 '하려는 소수'다. 수업에 참여하는 대부분의 학생선수는 수업준비가 미비했다. 필기구, 교재, 노트북을 준비하는 소수는 언제나 놀림의 대상이었다. 다수의 무리에 의해 비참여의 형태로 형성되는 수업분위기 소수에게 넘기 힘든 장벽이었다. '수업준비를 하지 않는 것', '뒷자리에 앉는 것', '필기하지 않는 것' 소수는 다수의 무리에 의해 형성되는 수업분위기를 바꾸진 못했다. 수업준비와 참여에 열정적이던 한 개인종목 학생선수의 말을 빌리자면 이러한 현상은 '자연스런 동조(同調)'였다.

한 학기 수업을 진행하며 지속됐던 '학생선수들에게 무엇을 가르칠 수 있을까?'란 내 고민은 '그들에게 내 수업은 어떤 의미가 있었을까?'란 고민으로 이어졌다. 선수, 지도자, 연구자, 교수자 경험. 다양한 학생선수 교육에 도움이 될 거란 확신. 하지만 아주 중요한 것을 빠뜨린 것 같은 느낌을 지울 수 없었다.

내 경험을 토대로 규정한 수업과 그들의 경험. " '가르치는 행위' 이전에 '대상에 대한 이해'가 선행돼야 해!" 지도교수의 말이 생각났다. 이해 (Understand)란 말 그대로 남의 밑(under)에 서(stand)는 것으로 시작된다. 남의 위 (over)에 서(stand)려는 자가 남을 이해한다는 것은 어불성설(語不成說)이다. 교육 과 이를 위한 계획보다 중요한 것. 남들과 다른 길을 걷고 있는 학생선수를 이해 하기 위한 배려의 손길이 아닐까.[65]

1818년 완성된 '목민심서(牧民心書)'는 백성을 다스리는 조선 관리들의 행동규 범을 자세하게 정리해 놓은 책으로, 지금의 정치인들에게도 적용되는 소중한 가 르침들이 담겨있다. '목민심서' 안에는, 조선 후기 최고의 실학자로 불리는 정약 용(丁若鏞)이 그토록 다양한 분야에서 위대한 업적들을 이뤄낼 수 있었던 비결이 숨어있다. 사회에 나가 리더의 역할을 하게 될 아이들에게 꼭 필요한 가치라 여 겨 '다산 연구'라는 정규수업을 진행한다면 과연 학생들이 그 수업을 듣고 느 낀 교훈은 무엇일까?[66]

38. 평균을 높이는 생활체육 정책이 필요하다

정책 축제기간이다. 부유하던 이론과 담론을 건져내어 정책 속에 가지런히 채운 뒤 공약으로 포장한다. 대선 후보자는 선물상자를 전해 주듯 국민 앞에 공약을 내민다. 이번 체육공약은 여느 때보다 두둑하다. 국정농단으로 파괴된 체육계 재건.

2016년 억지로 합쳐진 뒤 혼란이 가시지 않는 대한체육회의 화학적 통합. 14조 원 예산이 투입된 평창올림픽의 성공적 개최와 사후방안. 시대적 과제와 시기적 상황이 절정을 이룬 상태라 어느 때보다 체육정책의 무게감이 남다르다.

지난 4월 9일 체육인들이 결집한 자리에 역사상 최초로 대통령 후보를 불러 체육인들의 결의문을 전하고 각 후보들에게 체육공약을 받아낸 〈2017체육인대회〉가 이를 반증한다. 이번 체육정책의 핵심 중 하나는 클럽중심의 선진형 스포츠 생태계 구축이다. 유력 대선 후보는 공공스포츠클럽 지원법 재정추진을 언급했다.

대한체육회에서 야심차게 준비한 〈KOSC AGENDA2020〉도 전문체육과 생활체육의 연계강화를 꾀하는 스포츠클럽활성화가 중점과제로 선정됐다. 스포츠클럽 확산의 당위를 내 뜻대로 요약하자면 '학교체육 생활체육 전문체육이 스포츠클럽에서 선순환 되는 구조 구축'과 같다.

스포츠클럽은 운동기계가 되고 메달이 없으면 낙오하는 엘리트체육 병폐에 특효처방전이다. 그런데 생활체육은 스포츠클럽 확산보다 중요한 과제가 따로 있다. 바로 생활체육 참여율 증대다. 전국민의 60%는 생활체육의 묵은 캠페인인 '스포츠 7330'이 언감생심인 상황이다. 문화체육관광부에서 발표한 〈2016 생활체육참여실태 조사〉에 따르면 37%만 주 3회 이상 생활체육에 참여한다. 생활체육 비참여 원인 부동의 1위는 시간부족이다. 전체 50%에 달한다. 2015년 기준 OECD 가입국 중 한국은 멕시코 다음으로 노동시간이 많은 나라다. 나아가 국내 취업자의 1인당 연간 평균 노동시간은 2,113시간으로 OECD 회원국 평균보다 347시간이나 많다. 스포츠클럽이 이 문제를 해결해줄 수 있을까?

스포츠클럽 시스템이 정착되면 으레 생활체육 참여율이 증가된다 하지만 이는 학교체육 스포츠클럽에서 이입되는 수준에 머무를 공산이 크다. 동호회가 이를 대변한다. 그간 동호회는 생활체육 정책의 수혜를 독차지했다. 숱한 지원을 받았지만 생활체육 참여율 증가에는 큰 효력을 발휘하지 못했다.

   대표적인 동호회 지원형태는 문화체육부의 생활체육 활성화 사업인 생활체육프로그램 지원 사업이다. 2017년 395억을 배정받은 이 사업은 '국민의 생활체육 참여 활성화 및 삶의 질 향상을 위한 생애주기별 생활체육 프로그램 및 생활체육 소외계층 프로그램 운영 지원'을 목적으로 한다. 그런데 39개의 세세사업 중 84억 가량이 대회지원금으로 쓰인다. 전체 금액의 21%에 이르는 금액이다. 여기에 K스포츠클럽 육성사업까지 합하면 214억원 총액의 54%까지 차지한다. 생애주기별로 구분해보면 성인프로그램은 죄다 대회지원이다. 기존 참여자에게만 혜택이 주어지는 예산구조다.

   2016년 역대 최초로 생활체육 동호회인구 500만 명을 돌파했다지만 운동을 전혀 안하는 29%와 월 3회 이하인 11%의 해당되는 2,000만 명 앞에선 무력한 수치다. 2007년 동호회 인구는 290만 명이었다. 9년 간 210만 명 증가했다. 동호인 인구 천만 시대는 2025년이 넘어야 가능한 셈이다. 이마저도 사상최저 출생률 기록이 날마다 경신되고 노령화가 가파르게 진행되는 엄연한 현실이기에 녹록치 않다.

   스포츠클럽 시스템 구축만큼 필요한 건 생활체육 비참여자의 참여 유도를 위한 정책 설계다. 누구나 걸어서 10분 내 공공체육시설 조성이 좋은 예다.

   하지만 공공체육시설을 동호회가 독점하는 사례가 부지기수다. 체육시설 동호회 사유화로 표현되는 지경이다. 극단적인 사례로는 2015년 충북 어느 지역에서 동호인들이 배드민턴장 사용을 두고 싸움을 벌이다 한 명이 사망하는 안타까운 사건이 발생했었다.

   참여자보다 비참여자에게 유리한 정책이 절실하다. 10분 거리에 시설 조성만큼 누구나 최소 하루 10분 스포츠 강습을 받는 것도 중요하다.

생활체육 733
일주일에 세 번 이상, 하루 30분 운동

   스포츠클럽 시스템 구축은 체육계의 오랜 숙원이었다. 앞으로 운동선수 출신 학생이 서울대를 진학하는 게 언론에 대대적으로 보도될 만큼 예외적인 일이 아닌 사회가 될 전망이다.

   또 스포츠클럽에서 국가대표가 발탁되는 것도 마찬가지다. 예외가 아니라 평균이 어디까지 와 있는지가 사회를 규정한다는 말에 깊은 공감을 한다. 생활체육 비참여자가 생활체육활성화 사업의 혜택에서 예외 되는 일이 없길 바란다. 생활체육 참여율의 평균이 높아지는 것도 체육계에 오랜 숙원이다.[67]

39. 스포츠 마케팅 통해 변화의 계기를 만들자

인천 아시안게임도 거의 마무리가 됐다. 스포츠 대전이 끝나면 관련 스포츠 시설에 사람들이 갑자기 늘어난다고 한다. 특히 스포츠 스타를 본보기 삼아 선수를 꿈꾸는 이들도 많아진다.

박세리에서 시작된 골프 열풍은 현재진행형이고, 2002년 월드컵을 계기로 성장한 유망주들은 우리나라 축구의 앞날을 밝게 한다. 수영과 피겨스케이팅도 박태환, 김연아 선수에 의해 저변이 확대됐다. 스타들이 준 선물은 바로 '계기' 다. 변화를 위한 긍정적 욕구를 자극한 것이다.

인간은 성장하고 발전하는 데서 기쁨을 얻는다. 다만 가족과 사회 등 주위에서 설정해 놓은 요구에 부응하기 위한 욕구는 늘 버겁다. 외적인 목표 실현을 좇지만 늘 쫓기는 신세가 되고 만다. 아침에 일어나 각자 일터로 나간 후 집에 들어오기까지 다양한 일들이 다른 듯 반복된다. 쳇바퀴 같은 생활의 사슬 같다. 그런데 그 사슬이 끊기는 경우가 있다. 어떤 계기로 삶에 변화가 일어난 경우다. 사슬을 끊는 건 두 가지다. 스스로 끊었느냐, 타력에 의해 어쩔 수 없이 끊겼느냐. 긍정적 계기로 목표를 세우고 스스로 열정을 쏟는 경우는 매우 바람직하다. 그러나 보통은 그렇지 못한 경우가 대부분이다.

대표적으로 건강 문제다. 옛말에 "돈을 잃으면 조금 잃는 것이요, 명예를 잃으면 많이 잃는 것이요, 건강을 잃으면 다 잃는 것이다" 라고 했다. 다들 아는 말이다. 그렇다. 단지 알고 있을 뿐일지 모른다. '건강을 위해야지' 라는 생각이 행동으로 실천되기까지 만만치 않은 장벽이 있는 것 같다. 그러다 막상 병원 신세를 지면 상황은 달라진다. 장벽은 단번에 허물어진다. 이제는 반강제적으로 건강을 돌볼 수밖에 없다. 불행 중 다행인 것은 복잡했던 일상생활의 사슬이 끊어졌다는 것이다. 병원은 마치 전쟁터와 같다. 삶과 죽음의 갈림길에 수많은 사람이 모여 있다.

요즘 질병의 80% 이상은 바르지 못한 생활습관에 의해서다. 곧 자신이 질병을 만들었다. 생생한 고통의 현장에서 후회해본들 소용없다. 다행히 우리나라 의료시스템은 나쁘지 않기에 회복에 대한 희망을 얻을 수 있다. 특히 최고의 두뇌들이 의사를 꿈꾼다. 생명을 다루는 의사와 간호사 등의 직업은 그야말로 성업(聖業)이다. 가장 고귀하고 아름다운 행동은 죽어가는 사람을 살리는 일이 아니던가. 치료를 잘 받고 퇴원했다면 할 일이 있다. 예전과 달라지는 일이다.

병원이라는 '와신상담(臥薪嘗膽)'을 거친 많은 사람은 또다시 쓴맛을 보고 싶지는 않을 것이다. 건강은 아파본 사람일수록 잘 챙긴다. 그런데 지혜로운 자는 그 전에 긍정적 계기를 만들어 낸다. 아프기 전에 음식, 운동, 스트레스 조절 등 건강한 생활방식을 실천한다.

아시안게임이 끝나고 할 일이 생겼다. 이용대 선수의 윙크를 떠올리며 배드민턴을 해보자. 이번에도 금메달을 선사한 야구 대표팀을 환호하며 사회인 야구팀에 가입해보는 것도 좋겠다. 통산 20개의 메달을 따내 한국 선수 역대 신기록을 기록한 박태환 선수가 좋다면 수영장에 등록하자. 건강은 머리에 담는 게 아니라 몸으로 실천하는 것이다.[68]

☞ 스포츠 팬들 마음에 '브랜드'를 심어라

지난달 27일 오후 8시. 싱가포르 포뮬러원(F1) 경기가 시작됐다. 출발 신호와 함께 20대의 머신(Machine·F1 경기에 참가하는 차량)들이 시속 300㎞로 내달리기 시작했다. 차량의 굉음이 도시 국가 싱가포르를 삼킬 것 같았다. 직전까지 경기장을 가득 메웠던 관중의 함성도 머신이 내는 엔진음에 묻혀버렸다.

경기장 곳곳에 설치된 대형 스크린에는 어느새 관중의 시야에서 벗어나 싱가포르 시내를 질주하는 차량의 모습이 중계됐다. 이 장면은 동시에 위성을 통해 전 세계로 생중계됐다.

1000분의 1초까지 따지는 각 머신의 구간별 기록이 시시각각 대형 스크린 하단에 표시됐고 그때마다 'LG' 로고가 나왔다. 경기장 트랙 주변에 설치된 LG 입간판도 질주하는 머신의 모습과 함께 스크린에 나왔다.

경기를 지켜보고 있던 LG전자 남영우 아시아본부 CEO는 "(TV로 중계되면) 몇 명이나 보는 것이냐"고 물었고, LG전자 최승훈 마케팅팀 차장은 "180여 국가에서 6억 명의 사람들이 시청하게 될 것"이라고 말했다.

F1은 올림픽·월드컵 축구와 함께 세계 3대 스포츠의 하나로 꼽히는 인기 스포츠. LG전자는 올해부터 5년간 F1 공식 후원계약을 체결했다. LG전자 측은 "세계 최고의 자동차 대회인 F1 후원을 통해 LG전자는 글로벌 시장에서 장기적이고 확고한 브랜드 이미지를 구축할 것"이라고 설명했다.

글로벌 기업의 스포츠 마케팅이 불붙고 있다. 글로벌 기업 간의 경쟁이 격화되고 또 기술발전으로 기업 간의 품질 격차가 줄어들면서 소비자의 새로운 선택기준으로 떠오른 것은 '브랜드'. 특히 글로벌 전자 기업들은 브랜드의 자산 가치를 높이기 위한 마케팅 수단으로 '스포츠 마케팅'을 채택하기 시작했다.

☞ "품질 경쟁시대에서 브랜드 경쟁시대로"··· 글로벌 기업의 스포츠 마케팅 경쟁

스포츠 마케팅은 1960년 로마올림픽이 사상 처음으로 TV로 생중계되면서 주목 받기 시작했다. 스포츠 경기의 TV 생중계가 보편화되고 글로벌 기업들의 '브랜드 세계화 전략'이 상승 작용을 일으키면서 '스포츠 마케팅'은 중요한 마케팅 수단으로 자리를 잡았다. 1964년 동경올림픽에 스폰서로 참가한 소니, 아식스, 미즈노 등이 세계적인 브랜드로 급부상했고, 1972년 뮌헨올림픽에서는 아디다스가 스포츠 브랜드로서의 이미지를 세계인에게 각인시켰다.

경동대학교 스포츠마케팅학과 오갑진 교수는 "올림픽이나 월드컵 등 주요 스포츠 이벤트의 후원 기업은 1980년대에는 글로벌 식음료 기업이나 스포츠용품 업체 위주였다"면서 "하지만 최근에는 전자업체들이 스포츠 마케팅의 주요 플레이어로 등장했다"고 말했다. 그는 이어 "전자업체들의 글로벌 경쟁이 그만큼 치열해졌다는 것을 의미한다"고 설명했다. 실제 2008 베이징 올림픽 때에는 삼성전자와 파나소닉이 주요 스폰서로 참가했고, 월드컵 축구 파트너에는 소니가 자리를 잡고 있다. F1에서는 LG전자와 인텔 등 얼핏 자동차와는 거리가 먼 IT 기업들이 후원기업 명단에 올라 있다.

☞ "열광하는 스포츠 팬들이 곧 우리 고객"

싱가포르 F1 결승 경기가 열리던 날 오후, 경기 주최 측은 VIP 관객에게 출전 팀의 차고와 머신을 직접 볼 수 있는 기회를 제공했다. 머신에는 160여개의 센서가 부착돼 있어 날씨와 노면상태, 연료량 등 경기에 영향을 미치는 정보들을 수집해 각 팀의 본부들이 모여 있는 런던으로 보낸다고 한다.

런던에서는 이들 정보를 분석해 실시간으로 싱가포르 F1 경기장을 질주하고 있는 선수들에게 작전 지시를 내린다.

앤드루 버렛(Barret) LG전자 스폰서십 팀장은 "F1은 단순히 운전석에 앉은 선수들의 운전실력 겨루기가 아니라 이런 첨단 시스템을 운영하는 팀 간의 경쟁"이라며 "이런 F1 경기의 특징과 LG전자가 내세우고자 하는 첨단 브랜드로서의 이미지가 부합하기 때문에 후원을 결정한 것"이라고 말했다. 버렛 팀장은 "F1 후원을 시작한 이후 영국, 프랑스, 브라질 등에서 LG에 대한 브랜드 선호가 이전보다 15% 상승한 것으로 조사됐다"고 말했다.

☞ 삼성전자 vs. LG전자: 글로벌 스포츠 마케팅 大戰

삼성전자는 '스포츠 마케팅' 분야의 선두주자다. 1997년부터 올림픽 후원을 시작한 삼성전자는 2016년까지 올림픽 후원 계약을 연장하기로 했다. 삼성전자에 따르면 올림픽 후원에 참여한 이후 삼성전자의 브랜드가치는 급상승했다.

삼성전자의 브랜드가치는 1999년 31억달러였지만 2008년에는 176억8000만달러로 급성장했다. 또 작년 베이징올림픽을 거치면서 삼성 휴대폰의 중국시장 점유율이 21.2%로 올림픽 전에 비해 두 배나 성장하는 성과를 올리기도 했다. 삼성전자 관계자는 "올림픽 후원을 통해 삼성브랜드가 가전 중심의 저가 이미지를 탈피, 디지털 시대의 글로벌 브랜드로 발돋움했다"고 말했다.

삼성은 또 영국 프리미어 프로축구리그의 최고 인기 구단인 '첼시(Chelsea)'를 후원하면서 영국·프랑스 등 선진 시장에서 브랜드 인지도를 높이는 계기를 마련했다. 첼시는 전 세계적으로 9000만명 이상의 팬을 보유하고 있는 인기구단. 삼성전자는 2005년 6월 첼시를 후원한 이후 유럽 시장 전체 매출이 2004년 135억달러에서 2008년 247억달러로 83%나 성장했다.

김용만 단국대학교 스포츠경영학과 교수는 "2005년부터 5년간 삼성전자가 첼시와 맺은 1000억원의 후원 계약은 삼성전자 내부에서도 가장 효과를 본 스포츠 마케팅 사례로 꼽힌다"면서 "특히 첼시 후원을 두고 휴대전화 시장의 강력한 라이벌 업체인 노키아와 경쟁을 벌인 끝에 얻은 결과라는 점에서 더욱 의미가 크다"고 말했다.

삼성은 이밖에 미국인들이 열광하는 스포츠 중 하나인 'NASCAR(미국 개조자동차 경주대회)'의 텍사스 경기를 단독으로 후원하고 있다. 삼성전자 미국 통신법인 손대일 법인장은 "NASCAR 후원을 통해 삼성이 외국 기업이 아닌 현지 기업이라는 이미지를 심어줄 수 있었다"고 말했다. 반면 LG전자는 F1 외에도 2002년부터 영국·인도·호주·파키스탄 등 영연방 국가들에서 폭발적인 인기를 끌고 있는 '크리켓 월드컵'을 후원하고 있다.

오갑진 경동대 교수는 "수없이 쏟아지는 제품 그리고 광고의 홍수 속에서 브랜드 이미지를 각인시키기 위해서는 제품과 브랜드에 '스토리'가 있어야 한다"면서 "그런 점에서 '각본 없는 드라마'가 펼쳐지는 스포츠 마케팅의 중요성이 더욱 부각되고 있다"고 말했다.[69]

40. 스포츠를 '물'로 보면서

한국 프로스포츠단체들이 체육진흥투표권(스포츠토토)에 레저세를 부과하려는 지방세법 개정안에 반대하는 공동성명을 발표했다.

☞ 야구, 축구 등 프로스포츠단체, 스포츠 토토 레저세 부과 반대 공동성명

한국야구위원회(KBO)와 한국프로축구연맹, 한국농구연맹(KBL), 한국여자농구연맹(WKBL), 한국배구연맹(KOVO), 한국프로골프협회(KPGA), 한국여자프로골프협회(KLPGA) 등 프로스포츠 주관단체와 대한축구협회(KFA)는 3일 각 단체장이 서명한 성명을 통해 레저세 부과 방안에 대해 반대의 뜻을 분명히 하고, 신설 법안 상정 철회를 강력히 요구했다.

이들 단체들은 레저세 부과 방안에 반대하는 이유로 첫째 체육진흥투표권 발행은 국민의 여가체육 육성 및 체육진흥 등에 필요한 재원 조성을 위함이고, 둘째 레저세 부과 시 체육분야에서 조성된 투표권수익금이 체육진흥 사업에 사용되지 못하게 되며, 셋째 레저세 징수금액은 목적이 정해지지 않은 일반예산으로 전환되어 불특정 분야에 사용됨으로써 체육진흥의 본질 및 공공성을 침해하기 때문이라고 밝혔다.

문제가 된 지방세법 개정안은 지난 5월 23일 이한구 의원(새누리당 대구 수성갑)이 대표 발의한 것으로 스포츠토토 수익금에 10%의 레저세를 부과해 재정 부담을 안고 있는 지방자치단체 세수로 돌린다는 내용을 담고 있다. 법안이 통과되면 레저세에 지방교육세(4%)와 농어촌특별세(2%)가 추가부과돼 총 16%가 스포츠토토 수익금에서 빠져나간다. 국민체육진흥공단은 그럴 경우 연평균 4143억원, 향후 5년간 2조714억원의 체육진흥기금이 감소된다고 밝혔다.

이들 단체들은 성명서에서 "우리나라가 체육에 쓰는 돈은 국가 총예산의

0.05% 안팎이며 독일, 영국 등 유럽선진국의 1%대에 비해 턱없이 부족하다"면서 "우리 체육의 백년대계와 국민스포츠 복지의 향상을 도모하며 꿈나무 체육 영재들에게 꿈과 희망을 심어주기 위해서 '하석상대'(아랫돌 빼서 윗돌 괴기) 식의 체육복표 레저세 신설 법안 상정의 철회를 강력히 요구한다"고 밝혔다.

프로스포츠 단체들은 성명서에서 "실제로 프로축구의 경우, 유소년들이 마음껏 훈련할 수 있는 겨울훈련장과 인조잔디 구장 등을 조성하고 유소년 프로그램을 체계적으로 운영하는 등의 활동은 체육진흥투표권을 통해 조성된 수익금 덕분이다. 또한 프로야구는 지원받은 기금의 70% 이상을 초·중·고교 야구부와 리틀야구단 창단 및 각종 유소년대회 개최 등의 유소년야구 활성화 사업에 사용하고 있으며, 부족한 야구장인프라 개선과 다양한 저변확대 프로그램 개발에 사용하고 있다. 프로농구도 유소년 농구 유망주 발굴을 위한 꿈나무 대회를 개최하는 등 각종 사업을 전개하고 있다. 배구나 골프도 다른 종목보다 규모는 작지만 지원금 덕에 과거에는 시도조차 할 수 없었던 꿈나무 육성 사업을 시작할 수 있게 됐다"고 체육진흥기금 활용도를 상세히 설명했다.

레저세 법안은 지난 2010년 김정권 전 의원이 동일 내용으로 발의했다가 체육재원 축소 등의 우려로 당내 의견을 모아 자진 철회한 적이 있으나 4년만에 다시 발의돼 체육계의 큰 반발을 사고 있다. [70]

체육진흥투표권(스포츠토토)에 레저세 부과하는 지방세법 개정안 반대

"○○○ 의원님이 가십니다." 사전 약속은 없었다. 일방적인 통보만 있었을 뿐이다. 4년 전 중국 광저우. 한국과 대만의 야구 조별리그 첫 경기가 열리고 있는 아오티야구장에 국회의원 몇 명이 수행원을 대동하고 나타났다. 밤늦게 경기가

끝나고도 대부분의 선수는 야구장에 남아 '사역'을 했다. 돌아가며 의원들의 '인증 샷' 모델이 돼줘야 했기 때문이다. 야구장뿐만 아니다. 의원들은 다른 종목 경기장에도 불쑥불쑥 나타나 아이처럼 신나게 사진을 찍고 다녔다. 해당 종목과 별 인연도 없는 의원들의 방문에 관계자들은 당황스러워했다. 조금이나마 더 쉬고 싶어 하는 선수들을 억지로 붙잡아 놓고 사인까지 받아 냈다. 광저우에서만 그런 것도 아니다. 올림픽이든 아시아경기든 국제대회가 열리는 곳마다 정치인의 방문은 끊이지 않았다. 양심은 있었는지 공짜로 촬영을 요구하지는 않았다. 얼마가 담겼는지 모를 '금일봉'은 내놨던 것 같다.

대한체육회와 한국야구위원회(KBO) 등 국내 스포츠 단체들은 이달 초 일제히 성명서를 발표했다. 체육진흥투표권(스포츠토토)에 레저세를 부과하려는 정치권의 움직임에 반대한다는 의사를 분명히 한 것이다. 국회의원 13명이 발의한 대로 지방세법 개정안이 통과되면 스포츠토토 수익금에 크게 의존해 온 국내스포츠 기반이 붕괴될 것이라는 내용이었다. 체육계 발표에 따르면 레저세가 부과될 경우 체육진흥기금이 1년에 4000억 원이 넘게 줄어든다.

KBO의 경우 그동안 배분받은 수익금의 70% 이상을 유소년 야구에 투자해 왔다. 최근 리틀야구가 월드시리즈에서 우승할 수 있었던 데는 스포츠토토 수익금이 결정적인 역할을 했다. 기금이 감소한다고 당장 성인들의 프로야구에 영향을 주지는 않겠지만 꿈나무들에 대한 투자가 줄면 한국 야구의 미래는 장담할 수 없게 된다. 축구, 배구, 농구도 마찬가지다. 저변이 열악한 장애인체육은 타격이 더 크다. 올해 장애인체육회 예산 496억 원 가운데 기금 지원이 450억 원가량이나 된다. 특단의 대책 없이 기금 수입이 줄면 장애인체육은 존립 기반 자체가 흔들리게 된다. 물론 점점 열악해지는 지방세 수입원을 확보하기 위해 레저세 부과에 찬성하는 의견도 만만치 않다. 스포츠가 국민의 먹고사는 문제와 직접적인 연관은 없다는 것이다. 틀린 얘기는 아니다. 하지만 체육 관련 예산이 전체 정부 예산의 1% 안팎인 선진국과 달리 0.3%에 불과한 국내 현실에서 그나마 한국 스포츠를 지탱해 온 국민체육진흥기금까지 넘보는 것은 스포츠를 '물'로 보는 염치없는 짓이다.

인천 아시아경기 개막이 나흘 앞으로 다가왔다. 국내에서 열리기에 의원들의 행차는 해외 대회와는 비교할 수 없을 정도로 많을 것이다. 이들 중에 한국 스포츠의 앞날을 위해 레저세 부과 반대를 소신 있게 주장할 의원이 얼마나 있을까.

그런 소신은 없어도 되니 제발 여러 사람 귀찮게 하는 '인증 샷'이나 찍지 않았으면 좋겠다.[71]

41. 국적 이동 스포츠 선수

한 사회를 구성하는 구성원들은 매우 다양하며, 장애인, 동성애자 등의 사회적 소수자뿐만 아니라 이민자, 영주권자, 외국 국적을 가진 주민 등 인종적 혹은 민족적 소수자들도 존재하고 있다.

한국 사회 역시 다양한 소수 집단이 존재하며, 특히, 외국인 노동자와 결혼이주자의 급증으로 인한 다문화사회로의 변형이 빠르게 진행되고 있다.

하지만 이주 외국인들이 급증하고 있음에도 불구하고, 이주민의 특성상 일반대중들과의 물리적 접촉은 아직까지는 제한적이며, 이들의 삶은 일반인들로부터 격리되어 있다.

반면, 스포츠 영역에서 나타나는 운동선수들의 국적 이동은 스포츠가 가장 대중적으로 소비되는 나눔화 형식 중의 하나라는 점과 미디어를 통해 중계되는 스포츠의 일상성과 편재성을 감안할 때 대중들의 현실 인식에 강력하게 영향을 미치는 주요 이슈가 되고 있다.

국제적 노동 이주 현상은 세계화로 인한 사회적 변형의 가장 대표적인 현상이다. 세계화에 따른 자본과 노동의 자유로운 이동은 노동자의 국제적 이동을 활성화시키고 있고, 임금이나 삶의 질을 높이기 위해 국가 간 이동하는 초국적 이주자가 급증하는 추세를 보이고 있다.

특히 최근 들어 스포츠는 세계화와 가장 활발하게 진행되고 있는 영역이라 할 수 있다. 글로벌 스포츠의 생중계 지역이 전 지구적 범위로 확장되었으며, 국가 간 경계를 넘어서 스포츠 인력들의 이동도 일상적인 일이 되었다.

이미 국내 스포츠에도 많은 선수가 귀화하여 활동하고 있으며, 탁구의 당예서, 석하정, 궉방방과 아프리키에서 귀화한 육상선수 김창원, 아이스하키의 브락 라던스키, 브라이언 영, 마이클 스위프트 등이 있다.

이와는 반대로 해외로 귀화한 한국인 선수로는 대표적으로 빅토르 안(한국명: 안현수)와 양궁의 Skykim(한국명: 김하늘), 하야가와(한국명: 엄혜랑) 등이 있다. 특히 스포츠선수의 국적 이동은 2014년 소치올림픽에서 안현수가 3관왕을 차지한 후 한국사회의 주요 이수가 되었다.

과거 한국사회가 경험했던 스포츠선수의 국적이동은 주로 외국인선수의 국내로의 이적이며, 그 영향력은 크지 않았지만 민족주의적 정서를 바탕으로 한 애국주의적 응원의 장(場)인 올림픽에서 국적을 이동한 한국선수들의 금메달 획득 장면을 보는 것은 그동안 경험할 수 없었던 생소한 일이었기 때문이다.

단일민족적 자부심이 강한 한국사회와 같은 수직적 사회는 이방인에 대한 배타적 반발에서 오는 결속과 같은 인종적 유대감을 강조하는 경향이 있어 이들에 대한 태도가 배타적일 수밖에 없다. 하지만 스포츠선수의 귀화에 대해 열악한 국내 스포츠의 발전적 측면에서 긍정적으로 평가하기도 한다.

주로 비상업적 스포츠선수로서 국제적 스포츠이벤트에서의 메달 획득만이 유일한 삶의 희망인 한국 선수들의 국적이동에 대해서 국내 스포츠의 구조적 모순에 의한 피해자로 옹호하는 여론도 나타나고 있다.

결국 스포츠선수의 귀화를 어떤 기준으로 보느냐에 따라 매우 다르게 인식되며 서로 다른 결과가 나타나기도 한다.[72]

☞ 클로이 김으로 불거진 스포츠 선수의 '국적 정체성'

평창올림픽 선수 178명, 모국이 아닌 나라 대표해 출전, '민족적 뿌리' '문화적 바탕' '올림픽 출전 꿈' 위해 귀화하였다.

13일 오전 클로이 김이 2018 평창겨울올림픽 스노보드 하프파이프 종목에서 금메달을 따자 한·미 양국이 난리가 났다. 이날 오전까지 1만 5000명에 불과하던 클로이의 트위터 팔로워 수는 불과 몇 시간 만에 14만명을 넘어섰다.

팔로워들을 살펴보면, 영문은 물론 한글 계정도 심심치 않게 보인다. 하프파이프 백투백 1080도(연속 공중 3회전)에 성공한 유일한 여성 선수이자, 15살에 스노보드의 전설 켈리 클라크를 꺾은 '천재' 클로이 김은 미국의 국가대표다. 덩달아 한국에서도 난리가 난 이유는 그의 부모가 모두 한국 핏줄이기 때문이다.

클로이의 아버지 '김종진' 씨는 1982년에 미국 캘리포니아로 건너갔고, 최저시급을 받아가며 돈을 모아 공과대학을 졸업했다. 김씨는 역시 한국 출신인 윤보라 씨와 결혼했고, 2000년 클로이를 낳았다. 딸에게 4살 때부터 스노보드를 가르친 아빠는 클로이의 첫 감독이기도 하다. 김씨는 13일 클로이가 금메달을 따기 전 한 언론과의 인터뷰에서 "우리 애가 용띠라 '오늘은 네가 천 년의 기다림 끝에 이무기에서 용이 되는 날'이라고 문자를 보냈다"고 밝혔다. 영락없는 한국 사람의 말투다.

클로이의 정체성은 미국 언론의 관심사이기도 하다. 클로이는 "어디 출신이냐"는 질문을 수도 없이 받아왔다. 그는 〈엔비시〉(NBC)와의 인터뷰에서는 "제가 어떤 면에서는 두 나라 모두를 대표할 수 있다고 생각해요. 얼굴은 한국 사람이지만, 미국에서 나고 자랐기 때문이죠”라고 답했다.

당황스러운 경험도 많았다. 〈워싱턴포스트〉와의 인터뷰에서는 “사람들이 저한 테 ‘어디서 왔냐’고 자꾸 물어봐요. 로스앤젤레스라고 대답하면 ‘아니, 진짜 어디서 왔냐고’라고 물어봐요. 롱비치에서 태어났다고 하면 ‘아니 진짜 진짜 진짜 어디서 왔냐고’ 또 물어봐요”라고 밝혔다. 클로이는 자신이 “분명히 미 국 사람”이라며 “정확하게는 한국계 미국인”이라고 정의한다.

클로이가 미국에서 태어난 미국 시민임에도 미국은 그의 ‘정체성’을 묻는다. 〈워싱턴포스트〉는 “점점 더 많은 나라가 미약한 연결점만 있어도 국외의 선수를 귀화시키려고 하는 상황이라 올림픽에서는 항상 정체성을 궁금해한다”고 밝혔 다.

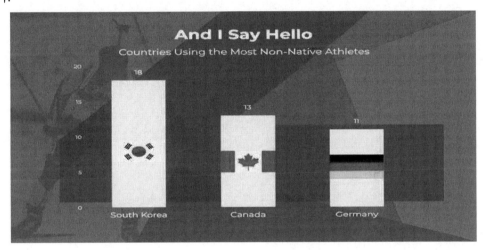

귀화 선수가 가장 많이 출전한 국가(캡릴로)

〈시엔엔스포츠〉의 보도를 보면, 귀화의 이유와 목적은 저마다 다르다. 국제 이 동성 시장조사회사 캡릴로(CapRelo)의 조사 결과를 보면, 2018 평창겨울올림픽에 출전하는 전체 선수의 6%인 178명의 선수가 모국이 아닌 나라를 대표한다. 이 가 운데 가장 많은 귀화 선수를 선출한 국가는 한국이다. 캡릴로는 한국이 18명, 캐 나다가 13명, 독일이 11명으로 각각 1~3위를 차지했다고 전했다. (실제 확인 결과, 한국으로 귀화해 이번 올림픽에 출전한 선수는 총 19명으로 캡릴로의 조사보다 1 명이 더 많다.)

한편, 가장 많은 선수를 국외로 보낸 국가는 미국이다. 모두 37명의 선수가 미 국에서 타국으로 국적을 바꿔 출전했다. 미국인이었던 37명 선수들의 행보를 살 펴보면, 캐나다가 6명으로 가장 많고, 그 다음이 한국(4명)이다. 남자 아이스하키의 마이크 테스트워드, 여자 아이스하키의 랜디 그리핀, 아이스댄싱 듀오인 알렉산더 겜린과 민유라 등이다. 특히 캡릴로는 한국의 남자 아이스하키팀 가운데 7명이 국외 출신이라고 지적했다.

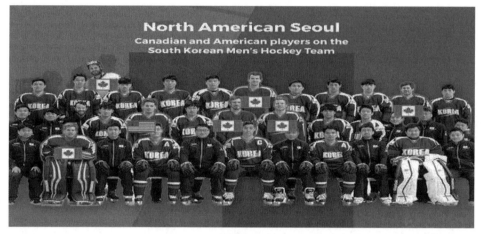

캡릴로가 블로그에 게재한 한국팀의 북미 출신 선수들

이들 중에는 '민족적 뿌리'나 '문화적 바탕'을 찾기 위해 귀화한 선수들이 흔하다. 나이지리아 스켈레톤 선수 시미델레 아데아그보는 캐나다 토론토에서 태어났다.

또, 나이지리아의 여자 봅슬레이팀 선수 세 명 전원은 미국 출신이다. 그러나 〈시엔엔 스포츠〉의 보도를 보면, 이들은 모두 나이지리아인이 되어 뿌리를 찾은 데 큰 자부심을 느낀다고 밝혔다.

뿌리를 찾다 보니 함께 자란 자매가 다른 국적으로 올림픽에 참가하게 된 특이한 경우도 있다. 한국 여자 아이스하키 국가대표팀의 에이스 박윤정(귀화 전 이름 '마리사 브랜트')은 미국 여자 아이스하키 대표팀의 공격수 하나 브랜트의 언니다. 둘의 피부색이 다른 데는 이유가 있다.

연합뉴스를 보면, 박윤정은 1992년 한국에서 태어난 지 4개월 만에 미국 미네소타주로 입양됐다. 동생 한나는 "언니가 처음 (귀화를) 제의받았을 때 약간은 주저했다. 우리는 이에 대해서 대화를 나눴지만 나는 그때 언니가 (귀화를) 원한다는 것을 알았다. 언니가 해내서 기쁘다"라고 말했다. 예선에서 조가 갈린 한국과 미국이 본선에서 만날 가능성은 희박하다. 그러나 만약 만나게 된다면 한·미 양국은 이 드라마를 절대 놓치지 않을 것이다.

선수들이 국적을 바꾸는 또 다른 중요한 이유는 '올림픽의 꿈'을 이루기 위해서다. 한국 언론이 '기적의 질주'라며 추켜세우고 있는 에일린 프리쉐는 한국과 독일에서 주목을 받았다. 금발의 파란 눈을 가진 그는 2016년 올림픽 출전의 꿈을 이루기 위해 독일에서 한국으로 국적을 바꿨다. 주니어 시절 루지 종목 세계 선수권 2관왕에 오르기도 했던 그녀는 성인이 되어 독일의 국가대표 선발에서 탈락하자, 한국을 찾았다. 대한루지연맹의 섭외가 있었다.

러시아에서 귀화한 바이애슬론 국가대표 안나 프롤리나와 티모페이 랍신도 비슷한 경우다. 안현수 선수가 러시아로 귀화한 이유도 마찬가지다. 안현수는 2017년 티비엔(tvN)의 토크쇼 '택시'에 출연해 "내가 설 곳이 없었다. 부상으로 국내 대회에서도 성적이 저조했다. 왼쪽 무릎 골절 수술을 4번이나 했다. 시청 팀 해체 뒤 날 받아주는 곳이 없었다"고 밝힌 바 있다.[73]

42. 해외 리그에 진출한 한국 선수들에 대한 국민적인 생각

한국의 붉은 전사들이 또 한 번, 월드컵 역사 창조를 위해 나선다. 한국시간으로 오는 2018년 6월 14일 펼쳐지는 '2018 FIFA 러시아 월드컵'은 이제 채 2달도 남지 않은 시간으로 성큼 다가왔다. 이를 향한 국민적 관심이 뜨겁다. 하지만 설레임 만큼 기대감을 섣불리 말하기 어려운 한국 축구의 상황이기도 하다.

6일 오후(현지시간) 오스트리아 레오강에서 훈련 도중 이온 음료를 마시며 갈증을 달래고 있는 월드컵 축구대표팀. 앞에 신태용 감독, 뒤에 차두리 코치의 모습이 보인다. 한국은 대표선수 23명 중 12명이 K리그 소속으로 출전 32개국 중 국내파 비중이 6번째로 높은 국가로 나타났다(레오강, 뉴시스).

한국축구대표팀이 2018러시아월드컵 출전 32개국 중 국내파 비중이 6번째로 높은 나라로 나타났다.

국내파 비중은 그 나라 축구실력과 인프라를 판단할 수 있는 자료이다. 아주 높다면 리그 실력이 좋다는 증거다. 예외적으로 해외로 진출할 재목이 적다는 뜻도 담겨 있다. 국내파 비중이 낮다면 그 나라 축구인프라가 열악하다는 반증이다.

7일 국제축구연맹(FIFA)에 따르면 출전 32개국 중 잉글랜드가 유일하게 엔트리 23명 전원을 자국 리그 출신으로 구성했다. 그 뒤를 이어 러시아가 23명 중 21명, 사우디 아라비아가 20명을 국내파로 구성했다. 엔트리 절반(12명) 이상을 국내파로 짠 국가는 7개국에 불과하다.

우리나라는 12명을 국내파로 채워, 전체 32개국 중 국내파 비중이 높은 6번째 국가다. 이에 반해 한국 첫 상대 스웨덴과 세네갈은 출전 23명 전원이 해외파다. 또 벨기에, 아이슬란드, 나이지리아, 스위스도 자국리그 선수는 단 1명에 불과했다. 2018러시아월드컵에 출전하는 32개국 736명의 선수들의 소속팀을 보면 잉글랜드 프리미어리그 맨시티 소속 선수가 16명으로 가장 많았다. 주전 전원이 월드컵에 나선다고 보면 된다. 그 뒤를 이어 스페인 양대명문 레알 마드리드와 바르셀로나FC가 각각 15명과 14명을 배출했다.

프리미어리그의 첼시와 토트넘, 프랑스 리스1의 파리 생제르망이 나란히 12명을 월드컵 무대로 보냈다. 736명 소속리그를 보면 잉글랜드 리그 소속이 무려 124명으로 전체의 16.8%나 됐다.

스페인 리그가 81명, 독일 리그가 67명으로 이들 3대리그 출신 선수는 모두 272명으로 전체의 37%로 10명 중 4명이 이들 국가에서 밥벌이를 하고 있다.[74]

2002년 월드컵의 성공과 함께 많은 선수들이 유럽 리그로 향했고, 그 중 가장 운길을 끈 것이 우리나라 최초의 프리미어리거 라는 박지성 선수이다.

박지성선수의 성공 스토리는 '약소국의 열등감 극복 수단으로서의 스포츠' 라는 민족주의적 요소를 보여준다. 즉, 한국인은 해외에서 큰 성과를 거둔 선수들을 통해 마치 자신들이 성공한 것과 같은 대리 만족을 느끼고 이 대리만족은 해외에서 활약하는 선수들을 국가적 영웅으로 만들어 낸다. 동시에 해외에서 활약하는 선수나 그 종목이 하나의 사회적인 큰 이슈로 등장한다.

실제로 그가 프리미어리그 보다 아래로 평가되던 네델란드 리그(에래디 비지에)에서 활약할 당시 뛰어난 활약에도 불구하고 뉴스에 한쪽 구석을 차지하곤 했다. 우리에게는 단지 유럽에 간 한국선수 정도 이었다. 하지만 프리미어리그에 진출하면서 메인뉴스에 첫 번째 뉴스가 될 정도로 우리나라에서 큰 뉴스가 되었다.

우리에 이러한 성향은 잘못된 방향으로 나타나기도 하는데, 박지성 선수 진출 초기 큰활약이 없음에도 박지성 선수에 글들을 많이 올렸고, 다른 팬들이 박지성 선수에게 오히려 반감을 가지는 일도 발생하였다.

☞ 해외 리그에 진출한 한국선수와 외국선수들 간에 대결로 보는가?

스포츠만큼 국가주의나 민족주의적 반응이 강하게 나타나는 경기는 없다. 그리고 스포츠에서 보이는 그러한 민족주의적, 국수주의적 성향은 스포츠를 지배집단의 가장 효과적인 정치 수단으로 이용되게 만들었다. 한국의 경우에도 스포츠는 정치의 대리물로 이용되었다.

박정희 대통령 시절에 열린 '박스컵' 대회는 다른 부분에서의 불의와 실정을 축구 경기로 은폐하고 대중적 불만을 무마하려는 모습을 대표적으로 보여주는 것이다. 그러나 최근 스포츠에도 많은 변화가 일어나고 있는데, 그 가운데 하나가

국가나 민족이라는 범주가 조금씩 상대화돼가고 있다는 점이다.

국경을 넘어서 선수들이 자유롭게 프로구단에 계약하는 경우가 늘어나면서 팬들은 국경을 넘어 자기 좋아하는 선수에게 지지를 보낸다. 스포츠에 사람들이 흥분하는 것은 그 어느 나라에 자기를 동일시하면서 응원하기 때문이 아니라, 세계 최고의 스타들이 펼치는 탁월한 기량에 매료되기 때문이다. 그렇듯 순수한 놀이적 재미를 추구하는 문화가 풍성하게 가꿔지면서 스포츠 그 자체도 더욱 발전되어 갈 수 있을 것이다.

☞ 우수선수들이 해외 리그에 진출한 것이 우리나라의 스포츠발전에 기여

민족주의 사상이 한국에 들어 온 것은 구한 말 지식인들이 서양 학문을 접하게 되면서부터였다. 민족주의란 역사적으로 긍정적, 부정적 기능을 함께 발휘해 왔고 그 부정적인 역할에도 불구하고 엄연히 상존하여 작용하고 있다.

민족주의란 일반적인 의미에서 '한 민족이 다른 민족과의 대립 및 투쟁관계에서 자기 보호를 위해 또는 압박과 예속 관계를 극복하기 위하여 국민 구성원들을 여러 가지 공통성과 동질성을 근거로 통합시키려는 원리로 이해되고 있다.

세계화, 국제화 시대에 민족이 무슨 소리냐고 되물을 수 있다. 유럽공동체, 북미자유무역지대, 시장개방, 노동과 자본의 국제적 이동 등으로 국경이 무너지고 있는데, 민족은 무슨 새삼스러운 개념이냐고 되물을 수도 있다. 그러나 다른 한편으로는 민족주의에 바탕을 둔 다양한 편 가르기가 엄연히 진행되고 있다. 올림픽이나 월드컵 축구대회에서 자국 팀의 승리를 위해서 열을 올리는 사람들이 더 많아지고 있다. 스포츠 내셔널리즘은 제대로 작동할 경우 사회의 갈등을 제어하고 구성원을 통합하는 기능을 발휘한다는 점에서 바람직할 수도 있지만 '외부 집단'과의 대결 의식이 지나치게 강조될 경우 국가 간의 마찰과 충돌이라는 부작용을 초래하기도 한다.

우수선수들이 해외리그에 진출에 대한 부정적인 측면에서 우수선수들이 많이 해외리그로 나가면 초라한 국내리그의 문제점이 있으나 긍정적인 측면은 선진 기술을 배울 수 있다는 점이다.

☞ 스포츠를 통한 한국과 일본 간의 반일 감정

한·일전 스포츠 시합을 보도할 때 한국 매스컴은 지나치게 흥분하고 감정적인 표현으로 흐르는 경향이 있다. 일반적으로 의제 설정능력을 가지고 있다고 평가되는 매스컴에서 약간은 선동적인 민족 감정이 배어난 중계를 하고 있다는 것은 민족주의가 스포츠에 미치는 악영향의 사례라고 볼 수 있다.

일본에는 메이저리그에서 활약하는 스타들이 SKAG다. 대표주자격으로 스즈키 이치로 선수를 들 수 있다. 이치로가 속한 시애틀 매리너스와 김병현이 속한 애리조나 다이아몬드 백스가 격돌하는 날이면 우리나라 스포츠 신문들은 일제히 '한·일 대결' 이라는 식의 기사를 내곤한다. 마무리가 보직인 김병현이 등판할지, 혹 등판을 해도 이치로와 맞대결을 할 수 있을지, 그 가능성이 희박한데도 말이다. 그러다 어쩌다가 한 타석 마주치기라도 해서 이치로가 삼진이라도 당하면 한국이 일본을 이겼다는 식으로 기사를 작성한다. 한·일전을 단순히 스포츠로 보지 않고 민족을 그 속에 대입시키고 있다. 일본은 역사적으로 한국에 엄청난 정신적, 물질적 손해를 입혀왔다는 것과 일본은 항상 우리의 선의를 오히려 배반해 오고 있다는 등으로 일본제국주의에 당한 피해는 아직 한국사회에 큰 상처로 남아 있다고 볼 수 있다.

한국과 일본 사이에 존재하는 비운의 역사를 부정하는 것은 아니다. 그것이 이성적 논쟁의 장이 아닌 스포츠 현장에서 감정적으로 표출된다는 것은 군중을 자극하는 다소 위험한 배타적 민족주의의 등장으로 이어질 수 있다. 아울러 이러한 행위는 반일감정에 의한 관중폭력사태로 흘러갈 가능성 또한 있기에 상당한 주의를 요한다.

그럼에도 불구하고 한국의 언론은 독자들의 관심을 유도한다는 목적아래 자극적인 기사제목과 선동적인 내용으로 대중들을 현혹하고 있다. 대부분의 보도가 정도의 차이는 있을지언정 한일관계의 특수성을 반영한 민족주의를 직·간접적으로 포함하고 있는 것이다.

☞ 스포츠에 대한 국민적인 열광이 한국의 경제적, 정치적으로 영향

한·일전에서 대체로 한국선수나 한국 팀의 편을 들어 한국에 유리한 방향으로 민족주의에 호소 하는 등 스포츠 내셔널리즘이 객관성과 공정성을 결여되어 극도로 민족주의에 호소하는 경향이 있다. 스포츠와 한민족을 연관시켜 생각하는 사고방식은 장점과 단점을 동시에 가지고 있다. 단점을 살펴보면, 가치문화적 측면에서 체제의 우월성 및 국력을 과시하는 용도로 악용할 소지가 있다. 긍정적인 측면에서 우리나라는 다른 어떤 나라보다도 민족주의적 색채가 강하다.

따라서 스포츠경기에 민족이라는 개념을 끼워 넣는 경향도 어느 나라보다도 강하다. 스포츠에 대한 국민적인 열광이 한국의 경제적, 정치적 시기가 어려울 때 유독 스포츠에 대한 열광이 더한다.

43. 메가 스포츠이벤트 개최의 쟁점과 실행 과제

현대사회의 지방 자치 단체들은 메가 스포츠이벤트의 유치에 심혈을 기울이고 있다. 이러한 현상은 지방자치제 실시 이후 표면화 되었으며 이로 인해 중앙에 예속되어 왔던 지역사회는 지역의 개성과 특성에 맞는 고유의 정책을 통하여 타 지역과의 차별성을 부각시키고, 아울러 차별성에 근거하여 지역 고유의 주체성을 확보하는 방향으로 경쟁력을 강화하고 있다. 특히 지방자치 시대의 민선단체장은 지방행정의 단순한 관리자 역할에서 벗어나 지역 발전의 비전과 미래를 제시하며 살기 좋은 도시 건설을 위한 CEO로서의 인식 전환이 요구되고 있고, 지역의 브랜드 가치 제고가 중요한 과제가 되고 있다. 떠한 차기 선거를 위해서도 단체장의 치적 쌓기는 자치단체의 최우선 과제가 되고 있으니 메가 스포츠이벤트야 말로 이의 목적을 충족시킬 수 있는 중요한 장치가 아닐 수 없다.

지방자치단체의 이러한 정략과 의도를 최적으로 충족시킬 수 있는 매개체가 바로 올림픽대회, 월드컵대회, 아시안게임, 유니버시아드대회, 종목별 세계선수권대회 등의 메가 스포츠이벤트이다. 메가 스포츠이벤트를 유치함으로써 지자체장은 국제적 인물로 부각되며 이는 자신의 능력을 인정받는 척도로 여겨지게 되었다. 이에 정희준은 이러한 대회 유치 현상을 올림픽 개최지 선정의 여건 변화 현상과 관련하여 설명하면서, 이는 '세계화와 신자유주의의 흐름 속에서 전 지구적 경쟁의 주역은 국가에서 도시로 바뀌게 되었고, 탈산업화에 기인한 경제 구조화의 결과로서 도시 행정의 특성이 과거의 안정적 관리주의에서 흥행성 강한 기업주의로 전환되었으며, 거대화된 도시들이 산업도시에서 탈산업도시로 탈바꿈 하게 되는 경제적 전환을 가져와 제조업을 통한 경제 발전을 추구하는 근대 도시에서 소비 기반의 탈근대 도시로 전환되고 있음'을 그 요인으로 제시하고 있다.

그럼에도 불구하고 문제가 되는 부분은 각종 스포츠이벤트의 유치 과정에서 부정적인 사례에 대한 관심과 논의가 다소 부족하고 이에 대한 경각심도 미약하다는 점이다. 물가상승과 부동산 투기, 사회적 혼란, 경기장과 선수촌 및 사회 기간시설 건설 과정에서 나타날 수 있는 지역주민 삶의 침해 등이 그러한 요인들이다. 이와 함께 대회 유치 과정에서 지역주민의 참여 기회를 배제한 밀실 행정의 전형은 빈곤한 삶의 근거지를 위협할 수도 있다.

또한 동계올림픽의 유치는 산림훼손과 동식물의 서식지를 감소시키고, 토양을 오염시키는 등 많은 갈등 요인이 잠재되어 있으나 국가 및 지역 발전과 경제 성장이라는 선전적 수사에 밀려 무시되어 온 경우가 적지 않는 게 사실이다.

이처럼 메가 스포츠이벤트는 경제적 이윤의 도모 못지않게 수많은 도시 빈민과 난민을 양산할 수 있는 야누스적 두 얼굴을 가지고 있다. 이러한 집단적 멘탈리티는 사람들 스스로 만들기보다 매체나 국가 중심의 조작에 의해 생겨나게 되는데, 특히 메가 스포츠이벤트와 함께 강하게 형성된다.

메가 스포츠이벤트의 개최에 따른 갈등 유형은 중앙정부와 지역사회, 지역사회와 지역사회, 지역사회와 주민 간에 나타나므로 이의 갈등에 의해 야기되는 사회 질서의 와해, 분열, 대립 등을 최소화 할 수 있는 조치가 사전에 마련되어야 할 것이다. 메가 스포츠이벤트 개최의 부정적 현상을 극복하기 위한 과제로는, 첫째, 국가주의적 메가 스포츠행정을 지향하여 지역적 민주행정을 실현하고 지역주민의 주권과 생존권을 보장해야 한다. 둘째, 개최와 관련된 조사는 개최도시의 관료, 스포츠전문가, 시민사회 대표, 경제학자 등의 다각적인 구성을 통하여 경제성 및 사업타당성이 검토되어야 한다. 셋째, 개최 후보도시 간의 갈등을 최소화 할 수 있는 방안으로서 메가 스포츠이벤트는 '황금알을 낳는 거위'라는 인식에서 벗어나 이에 대한 새로운 인식의 전환과 갈등 구도를 제지할 수 있는 조정 능력, 그리고 최종 후보 도시간의 공동개최나 범 협력체를 구성하는 방안이 요구된다. 넷째, 환경친화적대회 운영을 위해 대회 조직위원회에 환경보전위원회를 설치하여 환경친화적인 EI(environment identity) 개념을 도입하고, 환경보호전략으로서 Green plan을 수립해야 한다. 그러나 환경보전을 위한 국가수준의 정책 수립 과정에서 강력한 통제 및 억압을 정당화하기 위한 논리를 도입하게 되면 생태독재를 낳을 수 있으므로 국가주의적 스포츠 행정과 기술 이성을 극복하는 과제를 병행해야 한다. 이러한 실행과제들이 보장되면 메가 스포츠이벤트는 스포츠의 본질을 회복하는 한편, 첨예하고 다양한 유형의 갈등을 치유하고 가시적인 성과를 도모할 수 있을 것이다.[75)]

[평창 올림픽 스포츠박물관 내부]

44. 국제스포츠대회, 흑자는 불가능한가

국제스포츠대회를 장밋빛으로만 보던 시대는 지났다. 경기장과 인프라에 수십 조원을 투자하고도 기대 효과를 누리지 못하고 결국 빚더미에 앉는 개최도시의 사례도 늘고 있다. 1976년 몬트리올, 2004년 아테네 올림픽의 경우 대회를 잘 치르고도 과도한 시설 투자로 인해 돌이킬 수 없는 재정적자의 늪에 빠져들었다.

세계대학스포츠 축제인 유니버시아드를 준비하면서 이들 실패한 도시들의 전철을 밟지 않는 것이 최대의 과제였다. 2008년 대회 유치부터 '저비용 고효율의 흑자대회 실현', '시민에게 빚을 남기지 않는 대회 개최'라는 목표를 내세운 이유이기도 하다.

유니버시아드는 규모가 날로 커져 2015년 광주대회에는 170개국 2만여명의 참가가 예상된다. 그만큼 준비도 복잡해졌고 모든 준비과정에 국제기구의 승인을 얻어야 하는 국제대회 특성상 조직위원회가 자율적으로 결정할 수 있는 여지도 줄었다. 이 때문에 대회준비 첫 단계에서부터 3가지를 염두에 두었다. 첫째, 경기장 신설을 최소화하고 기존 시설을 최대한 활용한다. 둘째, 국제연맹과의 적극적 협상을 통해 불필요한 예산은 줄인다. 마지막으로 마케팅권리를 최대한 확보한다는 것 등이다.

올림픽과 더불어 세계종합대회인 광주유니버시아드는 68개 경기장에서 21개 종목의 경기가 치러진다. 가장 큰돈이 들어가는 경기장의 경우 수영장, 다목적 경기장, 양궁장 등 3개의 시설만을 신축하고 나머지는 기존시설을 활용했다.

신축 경기장마저도 대학 내에 둬 대학이 토지를 기부하는 방식으로 수백억원을 아끼고 사후활용문제도 해결할 수 있었다. 국제기구와의 끈질긴 협상 끝에 마케팅 권리도 100% 조직위에 가져왔다.

그 결과 지금까지 정부로부터 승인받은 총사업비보다 무려 1220억원을 줄일 수 있었다. 국내 개최 국제스포츠대회 사상 처음 있는 일이다. 지난 5월 정부의 재정 전략회의에서 광주유니버시아드가 국제스포츠대회의 우수 재정모델이자 표준모델로 발표된 배경이기도 하다. 눈에 보이지 않는 효과에 지나친 기대를 걸거나 사후 활용이 떨어지는 시설에 비정상적인 투자를 하는 것은 분명 문제가 될 수 있다.

그러나 개최도시의 입장에서 스포츠대회는 사회간접자본과 스포츠·관광 인프라를 해결하는 방안이 되기도 한다.

광주의 경우 정부가 KTX 고속철도 호남선에 8조8000억원을 투입하여 유니버시아드 개최 이전인 연말 완공을 앞두고 있다. 착공 5년 만이다. 호남선 복선화가 38년이 걸렸던 전례로 보자면 놀랄 만한 속도다. 도심의 낡은 아파트를 선수촌으로 재건축하는 방법으로 지역의 해묵은 숙원을 해결할 수도 있었다. 화장실에 한 번 다녀오면 4회 말이 지난다는 우스갯소리가 나올 만큼 낙후했던 야구장을 새롭게 단장하는 계기도 되었다. 지방재정여건으로는 요원했을 일들이다. 장기적인 관점에서 지역의 경쟁력과 더불어 나라의 품격을 높이는 국제스포츠대회 운영을 고민한다면 흑자대회는 불가능한 일만도 아니다.[76]

☞ 평창 올림픽에도 '유커' 공백 컸다…여행수지 14억달러 적자

평창 동계올림픽 특수에도 '유커(遊客·중국인 관광객)'의 공백은 컸다. 중국인 관광객 발길이 끊긴 탓에 2월 여행수지가 적자를 면치 못했다.

[평창 올림픽에도 '유커' 공백 컸다…여행수지 14억달러 적자]

2018평창동계올림픽대회 쇼트트랙 스피드 스케이팅 여자 3000m 계주에서 대한민국이 금메달을 딴 가운데 수많은 관중들이 강원 강릉시 강릉아이스아레나를 떠나지 않고 선수들에게 응원의 박수를 보내고 있다(2018. 02. 20. phot 31).

한국은행이 5일 발표한 '2월 국제수지(잠정)' 따르면 여행수지 적자는 14억1000만달러로 지난해 같은달(11억7000만달러 적자)보다 적자 폭이 커졌다. 사상 최악의 수준이던 지난 1월(21억6000만달러 적자)보다는 나아지긴 했지만 부진세가 계속된 것이다. 다만 적자규모는 지난해 9월(13억1000만달러 적자) 이후 5개월 만

에 최저 수준을 나타냈다.

평창 동계올림픽 효과는 있었다. 2월 해외를 나간 내국인 관광객은 줄고, 우리 나라를 찾은 외국인 관광객은 늘었다. 지난 2월 출국자수는 231만1000명으로 전월보다 19.4% 감소했다. 전년동월대비로는 3.6% 늘어 16개월만에 한자릿대 증가율을 나타냈다.

입국자수는 104만5000명으로 전월대비 9.3% 증가했다. 그러나 지난해 같은달 (125만2000명)에 비해서는 16.5% 급감했다. 중국인 관광객의 발길은 끝내 돌아오지 않은 탓이다. 미국(6만6000명)과 유럽(8만명) 입국자수는 전년동월대비 25.3%, 22.3%씩 늘었는데, 중국인 입국자수는 34만5000명으로 41.5% 감소했다.

결국 유커가 평창 효과를 메우지 못한 셈이다. 여행수지 적자가 나면서 서비스수지도 26억6000억달러 적자를 기록해 전년동월(22억1000만달러 적자)대비 적자폭이 커졌다.

전체 경상수지는 40억3000만달러 흑자를 기록하며 72개월 연속 흑자 기조를 이어갔다. 다만 구정 연휴가 껴 영업일수가 줄고, 수출 증가세가 다소 둔화된 영향으로 전년동월(81억8000만달러 흑자)대비로는 흑자 폭이 축소됐다. 상품수지도 지난해 같은달(102억2000만달러 흑자)보다는 흑자 폭이 줄어든 59억9000만달러 흑자를 나타냈다.[77]

[3000억 적자 예상했지만…평창 '흑자올림픽' 달성]

25일 강원도 평창군 올림픽스타디움에서 열린 2018 평창동계올림픽 폐회식에서 성화대 뒤로 불꽃놀이가 펼쳐지고 있다(미니투데이, 김창현 기자).

45. 건강스포츠의 두 가지 전제

    체육 및 스포츠 활동에 대한 대중의 관심이 해를 거듭할수록 커지고 있다. 얼마 전 문화체육부에서 발표한 바에 의하면 우리 사회에서 규칙적으로 체육 및 스포츠 활동에 참여하는 인구비율이 지난 10년 사이에 2배 이상 증가했다고 한다.

    이러한 과정에서 특히 주목할 만한 사실은 스포츠 수행과 관련하여 건강동기가 크게 강조되고 있으며, 오직 건강만을 목적으로 하는 소위 "건강스포츠"가 스포츠 일반으로부터 분화되어 독자적인 스포츠영역으로 자리잡아가고 있다는 것이다.

    한편, 최근 들어 스포츠와 건강의 인과적 관계를 의심하거나 부인하는 연구결과들이 적지 않게 보고되고 있다. 몇몇 연구결과에 따르면 최근 스포츠 활동 중에 심근경색이 원인이 되어 사망하는 사람의 수가 크게 늘고 있고, 운동을 생활화하고 있는 전문 스포츠인의 평균연령이 일반인의 평균연령에 비해 6~7년 낮다는 보고도 있다. 또한 운동선수 중에는 각종 질환에 시달리는 사람이 의외로 많다는 보고도 있다. 이러한 경향은 소위 "건강스포츠"가 건강에 득이 되기보다는 오히려 건강에 해가 될 수도 있다는 점을 시사해주고 있다.

    스포츠는 당연하게 건강에 이롭다는 전제에서 출발하고 있는 건강스포츠가 개인적, 실천적 차원에서 뿐만 아니라 총체적, 반성적 차원에서도 많은 문제를 내포하고 있음을 알게 되었다. 스포츠는 당연하게 건강에 이롭지 않다. 스포츠가 건강에 이롭기 위해서는 최소한 다음의 두 가지 전제가 충족되어야만 한다.

☞ "소유"에서 "존재"로 의식의 전환

    앞서 언급하였듯이 객관화된 건강관은 소유지향적 생활양식이 부수한 결과이다. 객관화된 건강관으로 말미암아 스포츠에서 건강동기가 빗나가는 결과가 초래될 수 있다. 프롬은 "소유에서 존재로"에서 우리에게 소유 지향적 삶의 방식을 포기하고 존재지향적 삶의 방식을 선택하도록 권하고 있다. 건강 및 스포츠와 관련하여 존재지향적 삶은 어떤 의미를 가질까?

    그것은 무엇보다도 "내가 건강을 가질 수 있다"는 믿음의 포기를 의미한다. 건강은 소유의 대상이 될 수 없다. 그것은 총체적인 삶의 과정의 현상으로 인식되어야 만 한다. "나"는 건강을 객체화시키거나 대상화시킬 수 없다. 오히려 건강은 나의 한 부분이며, 주관적인 요소인 것이다. 자아와 건강을 분리해서 생각하지 않는 것이 스포츠 및 건강과 관련하여 존재지향적 생활방식의 기본전제이다. 이러한 맥락에서 건강과 관련된 스포츠경험에서 즐거움동기의 강조가 부각되어질 필요가 있다.

스포츠를 하면서 얻어지는 즐거움은 몰입과 자아일치감의 경험을 제공해 준다. 현상학적 연구들은 즐거움으로 가득 차있는 스포츠 경험이 어떻게 자아와 육체의 일치로 이끌어가며 이러한 경험으로부터 어떻게 존재지향적 자기체험이 나타나게 되는지 보여준다. 이러한 연관에서 리트너((Rittner)의 말은 큰 의미를 지닌다. "이러한 의미에서 즐거움은 단순한 즐거움만이 아니다. 그것은 인간학적으로 중요하게 되며…, 자아가 서양적인 합리성의 목표를 회의적으로 보기 시작하면서 즐거움은 동시에 대중적인 균형의 비유가 된다".

그렇다면 즐거움은 어떻게 생겨나는가? 이 물음에 명확하게 답변하는 일은 매우 어렵다. 그러나 그것이 철저하게 개인의 의지에 따라 의도적으로 생겨나는 것이 아니라 우연하게 부수적으로 생겨난다는 말을 할 수 있다. 즐거움은 소유지향적인 의도와는 무관하게 생겨나는 것이다. 예컨대 어떤 활동에 몰입되어 있을 때 자기도 모르는 사이에 즐거운 기분이 생겨나는 것이다. 즐거움은 놀이적인 요소인 것이다.

다음 가다머(Gardamer)의 인용문은 이 점을 이해하는 데 도움이 될 것이다. "놀이는 놀이하는 사람의 의식과는 무관한 독자적인 존재를 가진다. 놀이는 거기, 바로 거기, 주체성의 대자적 존재가 주제가 되는 지평을 제한하지 않는 곳, 놀이적으로 행동하는 주체가 없는 곳 …". 놀이의 주체는 놀이자가 아니다. 놀이는 오직 놀이 자를 통해서 드러난다. 건강도 동일한 맥락에서 이해할 수 있다. 건강은 소유지향적인 인간의 의도와는 무관하게 나타난다. 건강은 놀이적이고 존재지향적이며 몰입된 스포츠활동 속에서 부수적으로 우연하게 나타나는 것이다.

스포츠가 활동 자체가 목적인 놀이로서가 아니라 건강이라는 목적을 달성하기 위한 수단으로 도구화 될 때 스포츠가 담지하고 있는 이와 같은 건강 요소들은 사라지게 되는 것이다.

☞ 조화로운 건강관의 회복

스포츠와 건강의 관계가 합리적으로 구성되기 위해서는 의식의 변화와 더불어 건강관이 바뀌어야만 한다. 즉 기존의 일면적이고 편협한 건강관이 포괄적이고, 조화로운 건강관으로 바뀌어야만 한다. 여기서 말하는 포괄적이고, 조화로운 건강관이란 앞서 말한 "ut sit mens sana in corpore sano" 이다. 앞서 유베나리스의 싯구를 성급하게 해석한 기존의 건강관이 어떤 문제를 야기시킬 수 있는지 설명하였다. 잘못된 해석으로 인해 건강을 이해하는 안목이 협애해 졌다.

여기서 대안으로 제시하고자 하는 유베나리스의 원래 문장 역시 아무런 문제가 없지는 않다. 헤커(Hecker)는 그 문장이 육체와 정신의 분리를 전제로 하기 때문에 건강에 대한 직접적이고 통합적인 접근이 방해를 받고 있다고 비판한바 있다.

그러나 유베나리스의 정신과 육체의 개념적 구분을 정신과 육체의 존재론적 구분으로 이해하지 않고 기능적 구분으로 이해한다면, 다시 말해 이 문장에서 육체와 정신이 존재론적으로 나뉘어져 있는 것이 아니라 기능으로 구분되는 동일한 실체로 파악한 다면 해커의 비판은 의미를 상실하게 된다.

실제로 당시에는 생물학적 개념과 심리학적 개념을 즐겨 사용하고 있었다. 유베나리스의 싯구절 "ut sit mens sana in corpore sano"는 필자가 생각하기에 조화로운 건강관을 상징한다. "ut sit"과 "mens sana in corpore sano" 사이에서 우리는 건강의 변증법적 요소를 읽어낼 수 있다. 육체적인 강화와 정신 및 심리적 강화는 "ut sit mens sana in corpore sano" 문장에서 변증법적으로 만나고 있다. 후렐만(Hurrelmann)은 이 점에 대하여 다음과 같이 주지시키고 있다. "건강이란 평생 동안 늘 새롭게 공을 들여 만들어 내어야만 하는 조화와 균형의 상태이다. 그것은 고전 의학서에 나와 있는 순수하게 육체적인 개념의 고정이 아니다."

건강은 육체적인 체력 하나만으로 또는 심리적인 즐거움 하나만으로 얻어질 수 있는 것이 아니다. 그것은 육체적인 건사와 심리 및 사회적 안녕, 감성적 욕구의 충족이 적절하게 조화를 이루고 있을 때 나타나는 현상인 것이다. 다양한 요인들 간의 조화가 건강에서 가장 중요하다.

유베나리스의 문장에서 "'ut sit'는 조화를 찾고자 하는 의지를 나타내는 의미로 이해되어져야만 한다. 리트너(Rittner)가 그의 논문 결론부에서 말한 내용은 이 점을 다른 말로 바꾸어 전달해 주고 있다." 스포츠의 건강 메카니즘은 스포츠에 문자 그대로 속해 있는 것이 아니다. 오히려 그것은 조심스럽고 정성스럽게 스포츠로부터 발현해 내야만 하는 것이다라는 리트너의 말은 "ut sit"의 또 다른 표현인 것이다.

유베나리스는 그의 풍자시에서 인간의 끝없는 욕망과 그것의 허무함을 읊고 있다. 권세를 자랑하던 티베리우스의 충신 세비야누스, 웅변가 키케로, 명장 한니발 등의 종말이 얼마나 비참했던가를 지적하고 또 용모의 아름다움은 도움을 받기보다 해를 가져오는 수가 더 많다고 한다. 그러므로 가장 바람직한 것은 건전한 신체에 건전한 정신이라는 것, 또 건전한 신체에 건전한 정신이 깃들인다는 것이 아니라, 그 두 가지를 아울러 갖추도록 노력하기를 유베나리스는 권하고 있다.

[유베나리스의 건전한 신체에 건전한 정신이 깃들인다]

46. 체육 단체장 연임 제한, 체육단체 임원 '1회 중임'은 비민주적 규제

최근 문화체육관광부는 체육 단체 임원의 연임을 2회로 제한하는 계획을 발표했다. 세계 어느 나라에서도 찾아볼 수 없는 이러한 행정 편의적 규제를 보면서 우리가 과연 21세기에 살고 있는지 생각해 보았다. 그야말로 '우물 안 개구리 식의 사고'이고, 민주주의 원칙을 훼손하는 정부 만능주의 발상이다.

국제 스포츠계에는 오랜 인맥과 경험이 있는 사람들이 모여 일종의 '마피아'를 형성한다. 우리의 목소리를 내기 위해선 그들과 친분을 쌓아야 한다. 이는 하루아침에 되는 일이 아니다. 거의 50년간 국제올림픽위원회(IOC) 위원을 지냈던 아벨란제 전 국제축구연맹(FIFA) 회장과 같은 남미나 유럽의 축구계 거물들은 수십 년 그 자리를 지켜왔다. 말레이시아 국왕으로 우리나라를 두 차례 방문했던 술탄 아마드 샤는 수십 년 동안 축구협회장을 맡고 있다. 월드컵이나 올림픽 같은 국제적 행사를 유치하려면 이러한 두터운 인맥이 필요하다.

연임을 두 번으로 제한한다면 국제 스포츠계 진출 기회를 스스로 봉쇄하는 것이다. 문화체육관광부는 국제 스포츠계 진출을 위해서는 예외를 인정해 심사를 거칠 수 있다고 했지만 그 절차 역시 지극히 관료적인 발상이어서 실효성이 의심된다.

국제 스포츠계 진출은 정부가 관여할 문제가 아니라 각자 자신의 위험부담을 안고 시도하는 것이다. 필자가 1994년 FIFA 부회장에 도전하던 당시 축구협회장에 선임되어 FIFA 부회장 출마를 결심했을 때만 해도 국내 축구계에서 당선 가능성을 믿는 사람은 거의 없었다. 경쟁자들은 쿠웨이트 왕족에 국가올림픽위원회연합회(ANOC) 회장과 아시아 올림픽평의회(OCA) 회장을 겸임하고 석유수출국기구(OPEC) 회장도 역임한 셰이크 알 사바였다. 카타르의 후보 역시 왕실의 전폭적 지원을 받는 인사였다. 이런 상황에서 FIFA 도전은 큰 모험이었지만 성공했다. 문화체육관광부의 방안대로 심사를 했다면 처음부터 가능성이 없다는 판정을 받았을 것이다. 만약 국회의원의 임기를 2번 중임으로 제한하고, 장래성이 있는 의원만 심사를 통해 예외를 인정한다고 하면 아마 전 세계의 조롱거리가 될 것이다.

일부 체육 단체에 문제가 있는 것은 사실이지만 그것은 그에 맞는 방법으로 고칠 일이지 획일적인 과잉 규제를 만드는 것은 비민주적 발상이다.

정부의 발상은 비단 체육계에만 국한된 문제가 아니다. 민주주의 원칙에 위배되는 이런 식의 규제 일변도 행정은 사회 전체의 분위기마저 퇴행적으로 만들 가능성이 있다. 『미국의 민주주의』의 저자 알렉시 토크빌은 다음과 같이 경고한 바 있다. "민주주의에서 정부는… 획일적 규제로 사회 전체를 뒤덮어 버리려 할 것이다. 이렇게 되면 인간의 의지는 완전히 파괴되지는 않지만 약화되고, 구부릴 수 있어지고 의타적인 것이 된다. 이러한 정부는 폭압적이진 않지만 사람들을 억누르고, 힘을 빼고, 지워버리고, 혼을 빼놓음으로써 나라 전체가 말 잘 듣고 생산적인 동물의 무리보다도 못하게 만들어서…."

자유롭고 자율적인 민간단체들이 많을 때 건강한 민주사회는 가능하다. 과도한 정부의 개입과 규제는 민주주의의 핵심인 자유와 자율을 해친다. 정부의 창조적 사고를 기대한다.[78]

한편 그동안 제한이 없었던 체육 경기단체 임원의 임기가 '1회 중임'만 허용되도록 바뀐다. 문화체육관광부는 이 같은 내용이 담긴 '스포츠 공정성 확보를 위한 제도개선 추진 방안'을 7일 발표했다.

문체부는 지난 8월부터 진행 중인 체육 단체 종합감사 등을 통해 파악된 문제점을 바탕으로 개선책을 마련했다.

감사를 통해 문체부는 임원이 장기 재직해 사익을 추구하거나 가족, 친지, 특정 학교 출신을 중심으로 이사회가 구성되는 등 부적절한 운영 사례를 발견했다.

이에 따라 우선 지배구조 개선을 위해 임원의 임기를 원칙적으로 '1회 중임'만 허용하기로 했다.

다만 국제스포츠기구 진출 시 임원 경력이 필요하거나 재정 기여도, 국제대회 성적, 단체 평가 등을 계량화해 객관적으로 연임이 타당한 경우 예외가 적용된다. 이는 대한체육회 내 '임원심의위원회'가 심의 의결을 통해 결정한다.

여기에 단체장의 8촌 이내 친인척을 임원으로 선임하거나, 경기단체 내 동일인이 임원 보직을 겸임하는 것도 제한된다. 또 임원진의 대표성과 객관성을 높이고자 특정 학교 출신의 비율을 규제하고 국가대표 출신자와 비경기인이 일정 비율 이상 포함되도록 할 방침이다.

한편, 부적격자가 임원이 되는 것을 방지하고자 경기단체 임원의 결격사유인 '국가공무원법 33조'가 실제로 적용되도록 법을 개정할 계획이다.

박위진 문체부 체육국장은 "개선안이 연내 대한체육회 이사회를 통과해 각 경기단체에 적용되도록 할 계획"이라면서 "지연되면 강제할 조항까지 마련할 예정"이라고 설명했다.[79]

47. '머니볼(Moneyball)' 전략

『머니볼: 불공정한 게임을 승리로 이끄는 과학(Moneyball: The Art of Winning an Unfair Game)』

저자는 경제 저널리스트인 마이클 루이스이며, 메이저 리그 베이스볼 오클랜드 애슬레틱스의 단장 빌리 빈의 구단 운영 에피소드를 다루었다. 잘생기고 운동능력이 뛰어나 모든 스카우터의 사랑을 한몸에 받던 빌리 빈이 실패하고, 이후 단장이 되어 자신의 실패를 밑거름삼아 스타성, 외형 등이 아닌 통계, 데이터 중시의 경영으로 성공하는 내용이다.

국내에선 아래 동명의 영화와 함께 세이버메트릭스라는 신선한 관점을 일반 야구팬들에게 널리 알린 장본인이다.

경영학적으로 교훈을 뽑으면, 남들이 주목하지 않는 것들 중에서 가치 있는 것을 찾아내라는 것. 이런 점 때문에 서적 분류도 경영학이었지만 메이저리그의 인기 덕에 야구서적으로 인기를 끌었다. 야구 서적임에도 불구하고 야구보다는 통계를 더 중시하는 요상한 책으로 보이지만 엄연히 경영학 서적이다. 오히려 야구 서적으로 보면 평가가 많이 깎인다. 경영학에 관한 자기주장을 밀려고 야구 역사를 왜곡한 부분들이 꽤나 있기 때문.

브래드 피트 주연의 '머니볼'이라는 영화가 있다. 메이저리그 만년 하위 팀 오클랜드 애슬레틱스의 단장 빌리 빈이 팀을 강팀으로 변화시킨 2002년 시즌의 실화를 바탕으로, 2003년 출판된 동명 소설을 원작으로 한 영화다.2011년 국내 개봉에 앞서 읽은 책을 최근 다시 폈다. 실화인데다 야구를 소재로 한 경영혁신 이야기여서 여전히 흥미롭게 다가왔다.

당시 메이저리그 선수단에 통용됐던 '경험' 위주의 운영에 '통계'라는 과학을 들이밀며 최소 투자로 최대 수익을 올리는 경영의 귀재 이야기는 여운이 꽤 오래 갔다. 빌리 빈 단장이 이런저런 흠집으로 저평가되거나 고정관념의 희생양이 된 '숨은 보석'들을 합리적 가격에 영입, 주력선수로 키우고 팀을 강하게 만드는 과정은 실화일까 싶을 정도로 드라마틱하다.

빌리 빈 단장의 '머니볼'을 쉽게 풀면 경영 효율화로 해석된다. '스몰 마켓'으로 한계성을 띠고 있는 오클랜드에서 최소 비용으로 최대 효과를 누리기 위한 생존 전략인 셈이다. 오클랜드는 메이저리그 30개 팀 가운데 팀 연봉 최하위권이지만, 최근에도 포스트시즌에 진출해 디비전시리즈에서 맞서 싸웠거나 팽팽한 접전을 이어가는 명문 팀으로 변모했다.

오클랜드의 성공 이후 저예산팀이 숨겨진 선수를 발굴해내는 효율적인 투자를 '머니볼'이라고 일컫게 됐다.

머니볼을 장황하게 늘어놓는 것은 지난 10월 제 94회 전국체전에서 드러난 강원체육의 현주소를 보면서 2002년 당시의 오클랜드가 떠올랐기 때문이다. 우수선수를 수용할 실업팀과 예산이 절대 부족한 현실에서 강원체육이 도민들의 기대에 부흥할 수 있는 길은 뭘까? 메이저리그에서 가장 적은 자금을 보유한 최약팀을 강팀으로 바꿔놓은 빈 단장의 경영전략이 현재의 강원체육에 필요한 것은 아닐까.

최근 열린 강원도의회 행정사무감사에서는 강원체육을 허약체질로 만드는 우수선수의 역외유출 문제가 쟁점이 됐다. 은퇴한 장미란 선수는 논외로 해도 사재혁, 진종오 등 세계적인 기량의 이 선수들은 강원도가 발굴하고 키웠지만, 전국체전에서는 타 시도 선수로 강원도와 경쟁하는 맞은편에 서 있었다. 세계양궁선수권대회 깜짝 우승의 주역 이승윤(강원체고 3년) 선수도 코오롱에 입단 예정이어서 앞으로 경기도 유니폼을 입는다.

강원체육인들로서는 억장이 무너질 일이다. 하지만 누가 선수들을 탓할 수 있겠는가. 프로스포츠에서 선수의 성적은 연봉으로 직결되고 성적이 좋으면 그만큼 몸값은 올라간다. 이런 선수들을 보유하려는 경쟁은 넘치는 것이 현실이다.

그렇다고 강원도가 타 시도와의 '머니게임'에서 이길 수 있는 길도 없다. 막강한 자금력을 보유한 대기업 실업팀의 연고지인 서울, 경기 등 타 시도와의 스카우트 경쟁은 '당랑거철'(螳螂拒轍)이다. 결국 강원체육이 선택할 수 있는 생존방법은 최소 비용으로 최대효과를 내는 경영합리화 전략일 수밖에 없다.

그 가능성도 봤다.

세계양궁선수권대회를 석권한 이승윤은 체육인재 조기 발굴의 좋은 선례다. 초등학교때 지도자들의 눈에 띄며 특별관리(?)를 받은 이승윤은 강원체고 재학당시 이미 초고교급 선수로 성장했다. 올해 전국소년체전에서 3관왕에 오른 김나영(철암중 1년)도 마찬가지. 역도는 중등부부터 대회가 있지만 강원역도는 우수선수 조기 발굴을 위해 도소년체전에 초등부 경기를 운영하고 있다. 이렇게 발굴된 김나영은 용상 100㎏을 들며 한국중학생 신기록을 작성했다. 또 전국체전에서 5000m 우승에 이어, 1만m에서 대회신기록을 세우며 2관왕을 한 김도연도 좋은 예다. 지난해 서울체고 졸업후 그의 잠재력을 눈여겨본 최선근 감독에 의해 강원도청에 입단한 김도연은 이후 한국 여자마라톤 기대주로 급성장했다.

2015년에는 안방(강릉)에서 전국체전이 열린다. 이번 체전에서 등위하락이라는 쓴 보약을 먹은 강원체육의 현장 곳곳에 머니볼의 실제 주인공 빌리 빈 단장이 많았으면 하는 바람이다.[80]

[모두가 함께, 몸도 마음도 튼튼하게!]

http://blog.naver.com/happygwedu/220367384094(2015. 05. 25).

48. '학생선수'에서 '선수' 빼기 : 외현과 내현

'낯설다.'

25살. 아주 오랜만에 학생으로 참여한 수업에서 책상과 의자에 대한 나의 느낌이다. 11년을 운동장에서만 살아왔기 때문일까? 학생선수가 아닌 학생으로 참여한 수업은 모든 것이 낯설었다.

농구선수 임용석은 꽤 잘나갔다. 고등학교 3학년 때 첫 태극마크를 가슴에 달았고, 명문대에 입학했다. 대학 4학년 때는 주장으로서 팀을 이끌었다. 각종 대회에서 우승, 준우승을 했다. 우수선수상도 수상했다. '훌륭한 농구선수' 11년간 학생선수로 살아오며 믿어왔던 나의 미래에 대한 확신은 대학 졸업을 앞둔 시기에 산산조각 났다. 왼쪽 무릎인대가 대부분 끊어지며 운동을 할 수 없는 몸이 됐기 때문이다.

대학 선수시절 운동과 학업을 병행해보고 싶어 지원해놓은 교육대학원에 입학했다. 운동을 그만둔 나의 신분은 자연스레 학생이 됐다. '힘든 운동도 했는데 뭘 못하겠어?'란 생각과 함께 당차게 학교생활을 시작했다. 하지만 내가 할 수 있는 것은 없었다. 내 포부와는 달리 대학원생활은 녹록치 않았다. 모르는 것, 못하겠는 것, 못하는 것 천지였다.

☞ '모르는 것 : 무(無)경험'

학생선수가 아닌 학생으로 처음 의자에 앉았던 첫 수업시간을 잊지 못한다. 교수, 교재, 교실 모든 것이 새로웠다. 일반학생에겐 너무나 '익숙'한 의자와 책상은 내게 '어색'함 자체였다. 16년간 '학생' 선수 신분으로 학교를 다녔지만 강의실 의자에 앉아서 수업을 듣는 것은 내게 맞지 않는 옷을 입는 것과 같았다. 영화 볼 때를 제외하고 1시간 이상 의자에 앉아있어 본적이 없는 내게 수업내용 이해는 불가능에 가까웠다.

☞ '못하겠는 것 : 공부, 관계 그리고 소통'

교육대학원의 설립 목적은 현직교사 재교육 및 예비교사교육이다. 집단구성원의 특성상 서로를 대부분 "선생님"이라 칭했다. 체격이 일반인과 별반 다르지 않은 필자 역시 다른 이들에겐 선생님이었다.

문제는 타인에 의해 드러나는 외면(外面)이 아닌 선수로만 살아온 내면(內面)이었다. 의자에 앉아 있는 것 자체가 힘든 나. 한국말로 하는 수업을 알아들을 수 없는 나. 무늬만 학생인 나의 실체를 남들이 알아볼까봐 겁이 났다. 편하게 앉아 있는 척, 수업내용을 알아듣는 척, 남들이 칭하는 선생님인 척 하는 가식(假飾)은 내 삶의 일상이 됐다. 난 서서히 수업내용, 타인, 그리고 내 자신과의 소통을 거부하고 있었다.

☞ '못하는 것 : 기초 아닌 기초'

대학원생활 중 영어 원서로 진행하는 수업은 내게 '넘사벽(넘을 수 없는 벽)'과 같았다. 원서 한쪽에 실린 영어단어 수백 개를 다 찾아 봤지만 내겐 해석 불가능한 것이었다. 운동을 하며 쌓아온 체력과 끈기도 문장구조를 모르는 내겐 무용지물(無用之物)이었다. 기초를 다지기 위해 찾아간 영어 학원. 기초 문법, 회화 반에 등록했다. 하지만... 일반인들과 나의 기초는 달랐다. 막막(漠漠) 막연(漠然) 망막(茫漠)의 연속이었다.

'선수'라는 단어가 필자를 대변해 주는 수식어가 아니게 된 순간부터. 나의 자존(自存)은 한길 낭떠러지 끝에 걸린 마지막 꽃잎과 같았다. 운동을 그만두고 학생이 되고자 했던 나는 양쪽 모두 녹아들지 못하는 중간인 이었다. '학생선수'에서 '선수'란 단어만 뺐을 뿐인데... 무엇이 나를 이렇게 힘들게 했을까?

☞ "운동을 그만두면 학생이 되는 줄 알았어요."

운동을 그만 둔 한 후배의 말이 생각났다. 운동을 그만두고 공부를 시작하며 스쳐 지난, 연구를 수행하며 함께한, 수업을 진행하며 소통한 학생선수, 중도탈락 학생선수, 은퇴선수. 그들의 일상은 16년 전 나의 학생선수시절과 유사했다. 대학원 생활에서 경험한 나의 어려움과 크게 다르지 않았다.

학생선수는 '학생' + '선수'의 합성어다. 두 가지 업(業)에 따른 공부와 운동이란 역할을 수행해야할 의무가 있다. 그러나 이들은 학생이란 업과 공부란 역할보단 선수란 업과 운동이란 역할에 집중한다. 최선의 경기력, 최고의 운동성적, 최고의 명성만을 위해 뛰고 뛰고 또 뛴다. 포스트 김연아, 박태환, 류현진을 꿈꾸기 때문이다. 하지만 모두가 간과하고 있는 것. 선수생활 이후의 삶이다.

언제부터일까? 대부분의 학생선수들의 일상, 목표, 꿈이 유사해진 것이. 왜 일까? 학생선수들이 운동을 그만두면서 남들과 공유할 수 없는 학업, 관계, 문화적 어려움을 경험해야 하는 것이. 무엇일까? 학생선수가 선수의 업과 역할만 하는 것을 당연하게 만든 것이.

"삶은 소유물이 아니라 순간순간의 있음이다. 영원한 것이 어디 있는가. 모두가 한때일 뿐. 그러나 그 한때를 최선을 다해 최대한으로 살 수 있어야 한다."

무소유를 실천하며 버리고 또 버리며 수행자의 삶을 산 수필작가이자 스님 고(故)법정(法頂)의 말이다. 삶은 순간순간 살아가는 존재의 쌓임이다. 자신의 꿈, 목표, 미래를 위해 대부분의 사람은 찰나(刹那)를 살아간다. 그래서 사람들은 이 짧은 시간을 최선을 다해 최대한 살아간다.

필자의 삶도, 나와 유사한 경험을 한 학생선수들의 과거 현재 그리고 미래 역시 동일하다. 대한민국의 운동선수는 '최선을 다한 최대한'의 순간을 살고 있는가?' 초보 교육학자이자, 연구자인 필자는 자문해본다. 그들의 찰나를 한 가지 업과 역할로 한정짓지 않기를 바라며...[81]

☞ '학교생활, 좋은 선후배 관계를'

인간은 사회적 동물이라는 말이 있다. 혼자서 살아가는 것보다 여러 사람이 힘을 합하여 도우며 살아가는 것이 보다 더 살기 좋기에 함께 살수밖에 없다는 뜻이기도 하다.

사람과 사람의 관계는 많은 형태로 이루어진다. 친족·친척의 관계, 이웃관계, 학교동기·동창의 관계, 회사 동기와 상하의 조직 관계, 고향·타향의 연고지 관계, 군대생활의 인맥 등을 들어 나와 좀 더 가까이 할 사람인지 멀리할 사람인지를 구분하는 사람들이 많다.

이 많은 사람들과의 관계를 잘 유지하는 사람이 있는가 하면 그렇지 못하는 사람도 있다. 이중 가장 가까이 생각할 수 있는 인간관계가 친족관계이다. 그런데 먼 친척보다 이웃사촌이 낫다는 말이 왜 나왔을까를 생각해보면 서로의 관계를 어떻게 유지하느냐가 인간관계를 결정짓는다는 이야기가 된다. 가까운 사람일수록 오해가 크다는 말도 있다.

믿는 사람으로부터 배신의 아픔이 크고, 기대가 큰 사람에게 실망도 크다는 말 등을 살펴보면 인간의 관계 역시 주는 것 없이 받기만 하려고 들면 좋은 관계는 계속 이루어지기 힘 든다는 것을 말해주고 있다.

인간관계도 내가 얼마나 베풀고 나누느냐에 따라 좀 더 좋은 관계가 맺어진다는 것이다. 물질적인 면도 있겠으나 그보다 더 큰 영향을 줄 수 있는 것은 사랑으로 감싸주고 참아주고 양보하고 상대편을 인격적으로 존중해 주느냐가 좋은 인간관계를 만들어 준다.

선후배의 관계 역시 후배를 인격적으로 존중하고 후배는 선배를 예우하고 존경하는 마음이 진실로 통하게 되면 선후배 관계는 돈독해 질 것이다.

학교의 선후배 관계에서 신입생은 생소한 학교생활에 궁금증도 많고 선배는 새내기의 호기심에 자랑도 많아 조금만 관심을 갖고 접근에 노력을 하면 선후배의 친근한 관계는 쉽게 이루어지리라 믿는다. 또래집단인 친구들과의 관계나 선후배의 관계는 교과서에서 배울 수 없는 여러 가지를 많이 경험하게 된다.

좋은 체험과 좋지 못한 체험 등 어른들의 간섭을 받지 않고 일어나는 자기들끼리만 통용되는 은어와 행동은 가끔은 사회적 물의를 일으키고 있지만 성인들은 제재보다는 학생들 스스로 질서를 찾도록 기대하며 그 불합리함을 묵시적으로 인정하고 있는 것이 현실이다. 그릇된 인간관계의 경험도 하면서 스스로 그 해결책을 찾아 깨우치는 것 또한 체험적 산교육이기 때문이다.

불의와 타협하고 답습하기를 원하는 것이 아니라 불의가 얼마나 큰 낭패를 가져오는지를 깨닫고 반성하고 참회하는 경험으로 다시는 그와 같은 실수를 하지 않기를 기대하면서 또래 집단의 경험을 조심스럽게 소중히 인정하고 있는 것이다.

선생님과 학생의 관계의 중간단계인 선후배 관계의 경험은 또 다른 세계의 경험으로 성인으로 가는 중간단계의 경험이라고 할 수 있다. 선배로부터 조금은 억울하고 분한 일도 경험할 수 있고 반항도 못하고 참아내는 하급생의 모습도 보면서 인간관계의 바른 모습이 무엇인지 깨닫게 될 것이다. 문제는 이들 모든 경험의 과정에서 올바른 인간관계를 배우고 자신이 취해야 할 바른 인간관계의 정립이다. 바람직한 인간관계의 올바른 행위를 찾아 가는 것이다.

주는 것만큼 되받는다는 생각으로 후배에게 사랑을 선배에게 존경심을 가지고 인간관계를 유지하면서 좋은 점은 따르고 그릇된 행동은 걸려내는 지혜가 필요하다. 선후배관계에서 답습되는 잘못된 문화 등 사회의 눈총을 받는 행위는 지양(止揚)하고 좋은 점을 본받아 전통을 세우는 것이 후배에 대한 배려요 사랑이며 좋은 전통은 선배들에 대한 예우로 돌아올 것이다.

49. 세상을 바꾼 도발적 달리기

미국 보스턴마라톤대회는 매년 사월 세 째 주 월요일에 열린다. 영국에 맞서 독립전쟁의 첫 총성을 울린 1775년 '4월 19일의 월요일'을 기념하기 위해서다.

올해도 사월 세 째 주 월요일인 지난 17일 남녀 마라토너 2만6천여 명이 참가한 가운데 열렸다. 한 세기를 넘겨 121회째 열린 올해의 보스턴마라톤에서는 한 여성 마라토너의 특별한 레이스가 눈길을 모았다.

올해 일흔 살인 캐서린 스위처(Kathrine Switzer). 그는 이날 등번호 261번을 달고 자신이 대표로 있는 '261 두려움 없는 재단(261Fearless)' 소속 회원들과 달렸다. 기록은 4시간 44분 31초. 50년 전 4월, 스무 살 때에 비해 25분 뒤진 기록이다. 보스턴마라톤협회는 그의 등번호 261번을 영구 결번으로 남기기로 해 최고의 존경을 보냈다.

캐서린 스위처는 1967년 남성의 전유물이던 마라톤 풀코스에 도전해 완주함으로써 공식인정을 받은 최초의 여성이다. 여자가 오래 뛰면 자궁이 분리돼 생식기능에 장애가 올 수 있다는 무지의 벽을 뚫고 달릴 권리를 쟁취한 모험적 여성이었다.

그가 마라톤에 도전한 계기는 여성에 대한 차별을 확인하면서부터다. 시러큐스 대학 언론학도였던 그는 1966년 학보사 기자로 보스턴마라톤대회를 취재하면서 놀라운 사실을 알게 된다. 여성이 남자처럼 변장하고 마라톤에 참가하는 사례를 취재하게 된 것이다. 실제로 로베르타 깁(Roberta Gibb)은 그해 출발선 인근 숲에 숨어 있다 남자들이 출발하고 난 뒤 뒤따라 뛰었다(로베르타의 레이스는 스위처보다 1년 앞섰다. 그러나 보스턴마라톤협회는 여성 최초라는 수식이 붙는 '공식 러너'로 캐서린을 꼽았다).

캐서린은 달릴 권리에 대한 차별에 이어 여성이 자신의 정체성을 숨기고 뛰어야 하는 현실이 불편했다. 여성들의 도전과 열정에는 감동을 받았으나 정체성을 숨겨야 하는 현실 앞에서는 거부감이 들었다. 그는 직접 불평등한 현실과 마주하기로 했다. 대학 크로스컨트리 팀의 문을 두드렸다. 남자 대학생들은 그를 치어리더로 착각했지만, 모든 훈련 스케줄을 수행하자 팀의 일원으로 인정했다.

캐서린의 훈련이 계속되고 1967년 4월이 다가왔다. 그는 자신의 계획을 코치 어니 브릭스에게 털어 놨다. "보스턴 마라톤대회에 참가하겠다. 도와 달라!" 당시 여타 남성들처럼 '여성은 마라톤 풀코스를 뛸 수 없다'고 믿어온 브릭스는 무심코 "좋다, 마라톤 풀코스를 달린다면 보스턴에 데리고 가겠다"고 말했다. 캐서린은 42.195km에 8km를 더 달려 브릭스의 편견을 깼다.

보스턴마라톤 출발선에 선 캐서린은 여성으로서 정체성을 드러냈다. 그녀는 긴 머리가 레이스를 방해하지 않도록 헤어밴드를 하고 작은 귀걸이까지 달고 출전했다. 연한 립스틱도 발랐다. 한 눈에 여성임을 알 수 있었다. 브릭스 코치는 중성 이미지의 K.S 스위처라는 이름으로 선수등록을 했다. 경기복 윗도리 앞뒤에는 261번 번호표식을 달았다.

캐서린이 남성 러너들 속에서 레이스를 펼치자 제일 먼저 사진기자들이 모여들기 시작했다. 그때 날카롭게 감정이 묻어난 목소리가 들렸다. 대회조직위원장 조크 샘플이었다. 그는 도로 가운데로 뛰어들어 캐서린을 향해 "레이스에서 꺼지라!"며 번호표를 뜯어내려고 했다. 코치 어니 브릭스와 남자친구 톰 밀러가 조크의 행동을 저지했다. 그리고 얼마 뒤 이 장면을 담은 사진이 〈AP통신〉을 타고 타전됐다. 20세기 스포츠의 명장면이 탄생하는 순간이었다.

사진의 위력은 엄청났다. 미국의 신문들은 캐서린 스위처를 순식간에 달릴 권리와 여성 차별 금지, 여성해방을 위해 뛴 아이콘으로 변화시켰다. 미국 정부는 이 사건을 계기로 학교 내 성차별을 없애기 위해 모든 교육프로그램에서 여성 차별을 금지하는 교육평등법 '타이틀9'를 제정했다. 이 법률이 제정된 얼마 뒤 미국 여학생들의 스포츠체육 참여비율이 10배 이상 확산됐다. 스포츠에서도 무지와 편견에 찬 불평등 현실이 캐서린 같은 여성들의 도전에 의해 본격적으로 무너지기 시작한 것이다.

캐서린의 레이스는 때마침 불기 시작한 페미니즘 운동과도 만났다. 1960년대 미국의 여성운동은 세계적으로 큰 반향을 일으킨 베티 프리단(Betty Friedan)의 『여성의 신비』가 출판되면서 왕성하게 전개됐다. 성을 생물심리문학 등 다양한 시각에서 바라보는 한편, 여성운동 등과 관련한 분야에까지 관심을 확대해나간 실천적인 운동이었다. 캐서린은 이 과정에서 남성 중심의 폐쇄적인 스포츠 장벽을 무너뜨려 학교나 직장에서 성 평등을 만들어 가는데 기여했다.

캐서린이 보스턴마라톤을 완주한 4년 뒤인 1971년 뉴욕마라톤대회 조직위는 여성에게 문호를 개방했다. 올림픽에서도 1984년 LA대회부터 정식종목이 됐다.

캐서린은 지난 50년 동안 끊임없이 달렸다. 달리지 않을 때는 책을 쓰고 마이크를 잡았다. 미국의 육상관련 매체 〈러너스 월드〉는 캐서린을 '10년간 가장 훌륭한 여성러너'(1967~1977)로 선정했다. 2010년에는 아테네마라톤 2500주년 기념

대회에 참가했으며, 2011년에는 뉴질랜드에서 열린 산악마라톤대회 '60대 부문'에서 수상하기도 했다.

그는 자서전 『Maraton Woman』을 비롯해 여러 권의 책을 쓴 베스트셀러 저자이자 에미상을 수상한 TV진행자였다. 40살 이상의 여성들을 위해 쓴 베스트셀러 『러닝 앤 워킹』은 〈뉴욕타임즈〉〈워싱턴포스트〉 등에 소개됐으며, 대부분의 저서들이 유럽과 뉴질랜드 등에서 번역 출판됐다.

캐서린은 2011년 긍정적인 활동을 통해 사회변화를 가져온 여성들만 가입할 수 있는 미국국립여성 명예의 전당에 헌액됐다. "조신하게 행동하는 여성이 역사를 만드는 경우는 없다.(Well-behaved women seldom make history)" 뉴욕의 명예의 전당 안 그의 사진 밑에 적혀 있는 도발적 문장이다.[82]

미국 보스턴마라톤에 몰래 출전해 금녀의 벽을 깼던 캐서린 스위처 씨가 17일(현지 시간) 50년 전 참가번호를 그대로 달고 다시 출전해 결승선에 들어왔다.

CNN에 따르면 시러큐스대에서 저널리즘을 전공하던 스위처 씨는 1967년 보스턴마라톤에 261번을 달고 출전했다. 공식 등록하고 참가번호를 받아 출전한 여성은 그가 처음이었다. 당시 여성은 마라톤 참가가 금지돼 있었다. 마라톤계가 여성이 마라톤을 하면 다리가 굵어지고, 가슴에 털이 나며, 생식 능력이 저하될 수 있다는 불합리한 이유를 들어 출전을 허락하지 않았기 때문이다.

☞ '금녀의 벽' 깬 마라토너, 50년전 번호 달고 완주

스위처 씨는 자신의 이름을 이니셜로만 적어 여성임을 눈치채지 못하게 했다. 뒤늦게 여성임을 간파한 감독관은 6km 구간을 통과하던 그의 목덜미를 낚아채며 제지했다.

스위처 씨는 자신과 동행한 코치와 남자친구의 도움으로 무사히 4시간 20분 만에 풀코스(42.195km)를 완주했다. 하지만 주최 측은 끝내 그를 실격 처리했다. 50년 뒤 70대의 나이로 다시 도전한 스위처 씨의 마라톤 기록은 4시간 44분 31초로 50년 전에 비해 24분 늦어졌다.

50년 전 그가 제지당하는 장면이 담긴 사진은 '여성의 달릴 자유'를 공론화하는 계기가 됐다. 4년 뒤인 1971년 제2회 뉴욕마라톤에서부터 여성의 마라톤 참가가 허용됐다. 이듬해 보스턴마라톤까지 여성 참가를 허용하면서 마라톤에서 금녀의 벽은 사라지게 됐다. 스위처 씨는 이번까지 39번이나 풀코스에 도전하며 마라톤에 대한 사랑을 이어 갔다. 그는 17일 마라톤을 완주한 뒤 가진 언론 인터뷰에서 "50년 전 보스턴 거리에서 일어났던 일은 내 인생과 다른 사람들의 인생을

완전히 바꿨다"며 "오늘 레이스는 지난 50년을 축하하는 의미였고, 다가올 50
년은 더 나을 것"이라고 소감을 밝혔다. 보스턴마라톤 조직위원회는 스위처 씨
의 번호인 261번을 영구 결번으로 지정하기로 결정했다.[83]

['금녀의 벽' 깬 마라토너, 50년전 번호 달고 완주]

미국인 캐서린 스위처 씨(가운데)가 17일(현지 시간) 50년 만에 다시 보스턴마라톤 결승선을 통과
한 뒤 기쁨을 만끽하고 있다(첫번째 사진). 그는 여성 출전이 금지됐던 1967년 몰래 참가했다가 감
독관의 제지를 받고 실격 처리됐다(두번째 사진). 50년 전 첫 출전 때의 참가번호도 261번이었다(보
스턴, AP 뉴시스·CNN 화면 캡처, 동아일보).

한편, 미국 영화 『아이, 토냐(I, Tonya)』는 미국 최초로 세계선수권대회에서 트
리플 악셀을 성공시킨 토냐 하딩은 기술이 뛰어나지만 보수적인 피겨계의 틀을
벗어나는 모습으로 인해, 심사위원들에게 미움을 받는다. 괴물 같은 엄마의 가르
침에 독기 품고 스케이트를 타는 그녀 앞에 올림픽을 앞두고 낸시 캐리건이 강력
한 도전자로 급부상하고, 토냐는 경쟁심에 불타오른다.
1994년 동계올림픽 출전권을 따기 위한 선수권 대회에서 토냐 하딩은 남편을
사주하여 라이벌 관계였던 낸시 캐리건을 해치려 했다는 혐의를 받게 된다. 온갖
스캔들의 중심에 서게 된 토냐 하딩은 과연 다시 은반 위에 설 수 있을까?

50. 축구장의 안과 밖

　구기 종목 가운데 가장 불확실성이 높은 경기는 축구다. 유럽에서는 만년 하위 리그 팀이 챔피언스컵을 가져간 명문구단을 깬다. 수비를 잘 하는 고교팀이 역습 한 번으로 대학팀을 고개 숙이게 만드는 게 축구다. 모든 스포츠는 의외성이 본질이지만 그 중 축구는 단연 앞서 있다.

　얼마 전 끝난 챔피언스리그 결승전에서 프랑스는 16년의 법칙과 10승 무패라는 통계의 옷을 입혀 챔피언스컵을 거저 가져갈 것처럼 몰아갔지만 포르투갈에게 졌다.

　한국에서도 절대강자를 퇴출시켰다. 약자의 반란이 성공한 셈이다. K리그 챌린지 팀 부천이 파컵대회에서 1부 리그 단골 우승팀 전북을 집으로 돌려보냈다. 선수 평균연봉 4천만 원의 부천이 3억 원인 전북을 이길 것이라고 누가 예상했겠는가.

　지난 5월의 영국은 더 극적이었다. "엘비스 프레슬리가 여전히 살아있을 확률과 맞먹는다"며 무시당해온 레스터시티가 프리미어리그 우승컵을 가져갔다. 구단의 수입과 선수들의 연봉은 수십 배 씩 뛰었다.

　현실에서는 좀체 보기 어려운 일이 스포츠에서는 빈번하다. 국내외를 막론하고 수많은 사람들을 이 후천개벽의 매혹 속으로 빠져들게 하는 이유다. 이들은 선수들의 몸이 만들어 내는 기량이 예측불허의 미학적 방식으로 '사건화' 하는 순간을 기다리며 몰입한다. 일상의 불안과 권태를 아무한테도 의지하지 않고 날려버린다. 때론 기성의 흐름을 확 바꾸거나 싸질러버리려는 심리의 투사로도 읽힌다.

　"부끄러워 말고 가슴 속의 불을 찾아라."
시적은유로 가득 찬 이 문장은 레스터시티 라니에리 감독이 선수들에게 한 말이다. 패배에 무감각해진 이들에게 이보다 괜찮은 조언을 찾기가 어려울 정도다. 이건 그가 선수들이 축구로부터 받은 상처를 보듬는 일을 리더십의 맨 앞에 놨다는 말이기도 하다. 내가 보기에 그는 상처받은 루저의 마음을 치유해 팀을 재건했다. 제이미 보디 같은 벽돌공 출신 8부 리그 선수를 국가대표로 바꿔 논 이유가 여기에 있다.

　그러나 스타디움 밖의 현실은 여전히 강고하다. 국경수비대의 검문소는 사나워지고 난민들은 지중해 연안을 헤매고 있다. 젊은이들은 축구를 좋아하지만, 여전히 일자리를 찾아 헤매고, 축구에서와 같은 사건은 일어나지 않는다. 뻔뻔스러운 기업은 1~2년 전에 뽑은 직원마저 밀어낸다. 최저임금 1만원 타령은 10년 가까이 제자리걸음을 하고, 변화는 불온하며 격차는 커지고 있다.

체육계 안은 아예 악취다. 수영협회 두 임원은 수영코치 등에게서 수억 원대의 돈을 갈취했다. 검찰은 이들에게 무려 징역 7년을 구형했다. 얼마나 죄질이 나쁘면 이처럼 중형을 때렸을까. 박태환 선수를 가르친 노민상 코치도 1억 원을 뜯겼다고 한다. 머리 둘 곳이 없다.

출구는 보이지 않고, 축구장에서 일어나는 드라마는 결코 일어나지 않는다.[84]

게다가 계명대 태권도시범단 학생 6명, 신입생들 상습 집단폭행하고, "매주 수차례 원산폭격" "동아리방서 수십대씩 때려", 4학년 남자선배, 여자 신입생 불러 마사지를 시키기도 하였다.

"어두운 동아리방에서 불을 끄고 손전등을 비춘 후 선배들이 목검, 몽둥이 등으로 엉덩이와 허벅지를 수십대씩 때렸어요."

"매주 수차례씩 '원산폭격'을 했는데 5시간 이상을 한 적도 있었어요. 몸을 움직이면 선배들이 배와 가슴을 걷어 찼어요."

"새벽 5시까지 때리고 가혹행위를 한 뒤 선배들이 집에 보내주면서 '아침 8시까지 학교 나오라'고 지시했어요."

"선배들이 수시로 휴대전화를 검사해서 구타 사실을 발설하거나 험담한 내용이 있는지를 확인했어요."

지난 17일 오전 9시 대구 달서구 신당동의 한 카페에 계명대 태권도학과 태권도시범단 신입생 7명(남 4명·여 3명)과 부모들이 모였다. "사실대로 말해봐." 부모들의 이 말에 머뭇거리던 신입생들은 곧 이런 이야기를 털어놓기 시작했다. 두시간이 넘게 자녀로부터 이런 충격적인 이야기를 들은 부모들은 이날 밤 11시 30분께 대구 성서경찰서를 찾아가 고소장을 냈다. 다음날에는 자녀의 상해진단서 등도 제출했다. 자녀가 말한 가해학생 6명은 같은 학과 2~4학년 남자 선배들이었다.

『한겨레』가 24일 입수한 신입생들의 피해 사실 내용을 보면, 지난 4월부터 최근까지 신입생들은 계명대 태권도학과 안에 있는 태권도시범단의 지하건물과 동아리방에서 선배들로부터 상습적으로 폭행과 가혹행위를 당했다. 선배들은 주로 나무 몽둥이와 목검, 플라스틱 파이프 등으로 신입생들의 허벅지와 엉덩이를 수십대씩 때렸다.

또 몇 시간씩 땅바닥에 머리를 박도록 했다. 허벅지와 엉덩이는 피멍이 들고 움푹 파였으며, 머리카락이 빠지고 두피가 벗겨졌다. 선배들의 폭행과 가혹행위는 매주 끊임없이 이어졌다.

이유는 별 것 아니었다. 선배들은 주로 신입생들이 졸거나 웃거나 선배가 부르면 대답을 바로 하지 않는다며 폭행과 가혹행위를 했다. 신입생들은 선배들의 학교 과제나 빨래 등을 대신해줬다. 4학년 남자 선배는 여자 신입생을 불러 마사지를 시키기도 했다. 선배들은 신입생들이 이런 사실을 부모 등에게 알릴까봐 수시로 휴대전화 검사를 했다. 신입생들이 이런 폭행과 가혹행위를 당하고 있을 때 다른 선배들은 이를 보며 웃고 즐겼다고 한다.

한 피해 여학생은 "선배들에게 맞을 때 '이대로 여기서 죽는구나' 라는 생각이 들며 엄청난 공포감을 느꼈다. 지금도 가해학생들의 보복이나 집단 따돌림 등이 두려운데 더이상 이런 일을 당하지 않았으면 좋겠다"고 말했다. 이 학생은 또 "가해자들이 잘못을 인정하고 그에 합당한 처벌을 받기 원한다. 직접적인 가해자뿐만 아니라 이를 보고도 방관한 사람들도 사과했으면 좋겠다"고 덧붙였다.

이 사건을 수사 중인 대구 성서경찰서는 지난 18일 모든 피해 학생들로부터 이런 진술을 확보했다. 경찰은 가해 학생으로 지목된 6명 중 4명을 피의자 신분으로 불러 조사했는데 혐의를 상당 부분 인정한 것으로 알려졌다. 경찰은 중국에 나가 있는 나머지 가해 학생 2명도 곧 소환할 계획이다. 경찰은 피해자와 가해자들의 진술을 바탕으로 적어도 11차례 폭행이 있었던 것으로 보고 있다. 경찰은 태권도 시범단에 가입했던 전체 신입생 9명중 2명이 태권도 시범단을 그만 둔 사실을 확인했다.[85]

지난달 23일, 서울 A고 야구부에서 벌어진 폭력 사건을 보도해 드렸습니다. 많은 분들이 지금도 여전한 학원 스포츠의 폭력과, 학교 측의 은폐 정황에 분노하셨습니다. 질문을 주신 분도 계셨습니다. '왜 피해자들은 적극적으로 나서지 않는가? 학폭위에서는 폭력 피해자가 원하면 반드시 처벌을 내리게 되어 있는데?'

당시 기사에 쓴 것처럼, A고교는 '용서와 화해로 사건이 종료됐다고 판단해' 학폭위에서 '조치 없음' 결정을 내렸다고 주장했습니다. 그 주요 근거는 1-2학년 학부모들이 자발적으로 작성한 탄원서입니다. '폭력이 심각하지 않았고, 이미 화해와 용서가 이뤄져 사이좋게 지내고 있으므로, 3학년 선수들에 대한 선처를 바란다' 는 내용입니다. 형식적으로는 아무 문제가 없어 보입니다. 그런데 그 탄원서는 정말 '자발적' 이었을까요?

취재 과정 내내 폭력 피해자들과 그들의 부모님들은 극도로 말을 아꼈습니다. 기자라고 신분을 밝히자마자 대부분 전화를 끊었습니다. 그래서 기사 내용 중 상당 부분은 피해자 측이 아닌 다른 분들을 통해 확인해야 했습니다. 피해자들이 침묵하는 이유는 충분히 이해할 수 있었습니다. '내부 고발자'라는 소문이 났다가는 야구부 생활이 불가능하기 때문입니다. 다른 학교로 전학을 가도 선배들의 앞길을 막은 배신자라는 주홍글씨가 지워지지 않을 것이기 때문입니다.

반대로 피해자들을 비난하는 목소리는 크고 거침이 없었습니다. "한국에서 운동하면서 이 정도 맞는 걸 못 참아요?" "우리 학교만 유별난 게 아닌데, 왜 자꾸 시끄럽게 만드는 거죠?" 그 분들은 저희 취재진의 이름과 전화번호를 공유하며 말을 맞출 것을 논의했고, 지금도 제보자 색출과 '마녀사냥'에 열심이십니다. 아이들이 폭력에 노출된 시스템을, 다름 아닌 부모들이 수호하는 희한한 광경이 펼쳐지고 있는 겁니다. 이 취재파일을 쓰고 있는 가장 큰 이유입니다.

확실한 건, '침묵과 은폐의 카르텔' 속에서는 모두가 피해자라는 겁니다. 치유 받을 기회를 얻지 못하고 폭력의 아픔을 가슴에 묻기를 강요당하는 피해자들부터, 언제 들킬지 몰라 평생 가슴을 졸여야 할 가해자들까지.[86]

51. 철학적 체육·스포츠의 본질과 잠재적 의미

철학적으로 체육의 본질은 존재론, 인식론, 가치론이다. 하지만 체육·스포츠의 본질을 논의의 중심에 두게 되면 하나의 난관에 봉착하게 된다. '어디에서부터 논의를 출발할 것인가' 와 같은 문제는 명확하게 해결하는 것은 쉽지 않다. 왜냐하면 '체육·스포츠의 본질이 무엇인가' 라는 존재론 문제는 '체육 또는 스포츠의 본질을 어떻게 해명할 수 있는가' 라는 인식론 문제를 발생시키며, 또는 체육 또는 스포츠 본질 해명은 가치론의 문제와 뗄 수 없는 연관이 있기 때문이다.

존재론은 체육·스포츠 세계는 인간의 참여 행위와 뗄 수 없는 관계에 있기 때문에 체육·스포츠 세계의 문제는 인간의 문제가 된다. "체육·스포츠 세계에서 마음과 몸, 정신과 신체의 관계와 그 양상은 무엇인가, 체육이라 할 때 '체(體)' 는 무엇인가" 라는 물음으로부터 출발한다.

인식론(epistemology, theory of knowledge)은 참된 삶 또는 지식의 기원과 조건을 다룬다. 체육·스포츠라는 대상은 어떻게 알 수 있는가. 체육·스포츠와 관련된 지식은 어떻게 획득 가능한가. 체육·스포츠와 관련된 지식은 어떤 유형이며 다른 대상 분야에 관한 지식과 어떻게 다른가. 그러나 전체는 단순한 부분이라는 관점에서 볼 때 현재에 혼재된 지식체계로서는 정체성을 확립하기 어려우며 이는 독자적인 영역으로 자리 잡는데 한계가 있다. 따라서 지식 내용을 통합하는 문제와 정체성 확보라는 문제를 해결하기 위해서 확고한 독자적 지식의 정립이 요구된다.

가치론, 일반적으로 가치(value)란 주관 또는 자기의 요구 특히, 감정이나 의지의 요구를 만족시킬 수 있는 대상의 성질이며 주관과 대상 사이에 존재하는 관계로 이해된다.[87] 가치를 중심으로 하는 4개의 하위 분야로 진(眞)을 추구하는 인식론, 선(善)을 추구하는 윤리학, 미(美)를 추구하는 미학, 성(聖)을 추구하는 신학 등으로 세분하여 논의한다. 한편, 스포츠의 잠재적 의미는 탁월성 추구, 지배와 우월, 개인적 한계의 도전, 모험 표현, 의식의 변용 상태와 신비적 통합 탁월성 등을 말한다.

♯ 탁월성 추구: 선수가 획득하려는 탁월성은 이전에 획득한 것보다 더욱 훌륭한 것이다. 그는 이미 수행한 것 이상의 것, 아무도 지금까지 이룩하지 못한 것을 바란다. 이것은 인간이 타인과 경쟁하는 한 확실히 존속된 진실이다.

어떤 동작을 끊임없이 시도하는 것은 탁월성을 향한 자기만족을 위한 행동이라 할 수 있다. 전문적인 운동선수에게 스포츠는 고통과의 싸움이다. 그럼에도 불구하고 중단하지 않고 지속적인 훈련을 거듭하는 것은 탁월성 추구의 욕망을 실현하려는 것이다.

＃ 지배와 우월: 시합하는 많은 사람에게 승리자의 지위를 나타내는 복장은 대단히 중요하다. 시합에서의 우월이 사회경제적 지위의 향상과 밀접다는 신념은 바람직한 사회 집단의 입회권을 제공하거나 인기를 제공한다. 눈에 띄는 일, 혹은 그 일로 인한 보장은 스포츠 체험의 유의미한 측면을 제공한다.

＃ 개인적 한계의 도전: 많은 사람에게 스포츠체험은 스스로 결정한 도전을 만족시키기 위한 실험장이 된다. 그런 시합은 관중을 염두에 두지 않으며 형식적인 상대도 없이 행해진다.

스포츠의 비경제적 형식에 종사하는 많은 사람에게는 그들의 계속적인 노력을 표시함과 동시에 개인의 한계를 스스로 확인하고 자 하는 용구를 반영한다.

＃ 모험: 위험을 찾아나서는 동기는 도전을 성취하는 것과 개인의 한계를 정할 필요성과 깊은 관계가 있다. 과거로부터 지금까지 자기 자신을 위험이나 스릴에 빠뜨리거나 모험을 추구하는 스포츠가 수없이 발생하였다.

우리가 추구해야만 할 원천이 있다. 즉 간단히 체험해서도 안 되고 눈을 뜨지 않으면서도 쉽게 굴복하지 않는 정신이다. 더구나 최종적으로 위험한 경기란 그게 전부이다. 그것들은 자기 자신의 생활을 명료하게 반영하는 것으로, 거기에서 모든 본질적인 것이 집약되고 정의된다.

＃ 표현: 스포츠에서 표현은 많은 형식을 취한다. 선수가 지향하는 것, 무엇이 달성되고 그것이 어떤 의미를 가지며 그 체험이 어떻게 느끼는가에 대해 언어라는 상징을 이용하는 것은 스포츠 체험 속에서 무엇을 행하고 있는가 하는 사실을 표현하는 가장 일반적인 수단이다. 스포츠 체험은 과정을 중시한 두 가지 표현 형식이 있는데 '스타일'과 '창조성'이다.[88]

＃ 의식의 변용상태와 신비적 통합: 이론가들은 의식의 변용 상태를 '폴로우'. '절정 체험', '내적 게임', '완전한 순간'이라 불렀다. 환경과 시간에는 강렬함, 마치 '하나의 작은 세계의 일부가 그 순간 세계에 전부로서 지각되는 것'과 같은 '전체감'이나 '완전함' 존재한다. 거기에는 지금이란 감각, 과거와 미래로부터의 자유, 그리고 그 체험을 바로 즉각적인 것으로 하는 '여기에 그리고 지금'이란 특징이 있다.[89] 개인은 더욱 통합된 더욱 전체적인 존재, 그리고 자신이 힘의 절정에 있는 듯한 기분을 느낀다.[90]

52. 실패를 극복하는 운동, 실패를 가르치는 스포츠

\# 흔해빠진 '성공학개론' 책으로 분류될 수 있는 『김밥 파는 CEO』(2011년)라는 책이 있다. '가장 성공한 재미 사업가 10인' 중 한 명으로 꼽히는, 신선도시락 전문업체 '스노우폭스'의 김승호 회장이 쓴 책이다. 20대 초반에 맨손으로 미국으로 가 7번의 사업 실패를 딛고 매장 1,300여 개, 회사 가치 5,000억 원(책을 쓸 당시는 700억 원)이 넘는 성공을 이뤘고, 이는 현재진행형이다. 지극히 빤한 성공요인들 중에서 가장 인상 기억에 남는 내용은 1장의 마지막 에피소드인 '실패한 사람이 처음 해야 하는 일…운동'이다. 도저히 이겨낼 수 없는 좌절에 빠졌을 때, 먼저 온몸이 땀으로 흠뻑 젖을 정도로 운동을 하라는 주문이었다.

좌절은 꼭 사업, 취직, 시험에 실패했을 때만을 의미하지 않는다. 드라마 같은 삶을 산 독일의 유명한 외무상 요슈카 피셔는 『신화를 쓰는 마라토너, 요슈카 피셔』라는 책에서 이혼의 아픔을 마라톤으로 이겨냈다고 밝혔다.

\# '개념버거'로 유명한 토종버거브랜드 맘스터치를 일군 정현식 해마로푸드서비스 대표. 3번의 취업과 3번의 창업을 한 그는 마지막 창업에서 대박을 터트렸다. 그리고 이에 대해 "한국에서 실패 없이 큰 사업을 하는 사람은 재벌 2,3세밖에 없을 것이다. 작은 실패는 필수다. 내 삶이 그 증거"라고 말했다.

지금은 대학생들에게 '창업의 멘토'로 통하지만 30대 초반 그는 리모컨 사업(2번째 창업)을 크게 말아먹고 깊은 좌절에 빠진 바 있다. 자살 직전까지 간 절박한 상황. 의욕을 상실해 봄볕이 따스한 4월 한 달 동안 아무 것도 하지 않고 누워만 있었다. 몸을 워낙 움직이지 않아 서 있는 것도 힘든 지경이었다. 이때 아파트 창가로 테니스를 즐기는 사람들의 소리가 들렸고, 몸을 일으켜 코트로 나가

고개를 좌우로 돌리는 것으로 새로운 시작에 나섰다. 운동, 사람이 몸을 움직인다는 것 자체가 삶의 가치를 일깨운다. 이런 경험 때문일까, 지금 그는 레슬링, 휠체어농구, 골프 등 기회가 닿는 대로 스포츠를 후원하고 있다.

＃ '저니맨'으로 유명한 야구의 최익성은 은퇴 후(어쩌면 선수 때도) 파란만장한 삶을 살고 있다. '정면돌파', '맨땅의 헤딩 정신'이라는 그의 모토처럼 배우 변신, 자서전 출판, 힘겨운 야구선수를 위한 야구사관학교 설립, 경찰청 청소년 야구리그 운영 등 옳다고 생각되는 일은 아무리 어려운 일이 있어도 밀어붙이고 있다.

나름 성공적이어서 지난해 12월 프로선수 출신으로는 처음으로 대한민국 스포츠산업대상의 개인 공로상 부문에서 문화체육관광부 장관 표창을 수상했다.

그는 지금 사단법인 '스포츠인재육성회'를 만들고 있다. "선진국처럼 스포츠와 체육인이 존중 받는 사회"가 그의 목표다. 그래서 야구를 넘어 다양한 종목의 체육인을 섭외해 지속적으로 좋은 일을 하는, 괜찮은 사단법인을 만들려고 하는 것이다. "어떤 운동이든 나름의 가치가 있죠. 선수 입장에서는 죽어라고 운동할 때를 생각하면 세상에 못할 일이 없습니다.

거꾸로 일반인도 누구나 하나 이상은 즐기는 스포츠가 있을 때 삶의 질이 높아집니다. 이 평범한 진리가 현실에서 잘 이뤄지지 않아 속상한 겁니다."

김영호와 로러스펜싱클럽이 주도하는 '공부하는 선수, 운동하는 학생'은 업계에서 성공한 모델로 꼽힌다.

＃ 최익성은 최근 '체육계의 마당발'로 통하는 한국 최초의 올림픽 펜싱 금메달리스트 김영호(로러스펜싱클럽 총감독)를 찾아가 만났다. 자신이 기획하고 있는 '스포츠인재육성회'를 도와달라고 부탁하기 위해서다. 그럴 만도 한 것이 김영

호는 사단법인 '공부하는 선수, 운동하는 학생'을 주도하고 있다.

로러스펜싱클럽은 공부하는 선수, 운동하는 학생을 미국의 아이비리그 명문대학에 보내는 것으로 유명하다. 김영호는 "다른 운동도 마찬가지지만 펜싱도 몸이나 기술만으로 하는 것이 아니다. 총명해야 한다. 또 아이비리그 대학은 공부만잘하는 학생을 선호하지 않는다. 스포츠활동을 통해 리더십, 협동심 등을 검증해야 좋은 인재로 평가받는다.

공부를 하면서도 운동을 해야 한다. 로러스펜싱클럽이 올해로 7년째 개최하는한미엘리트펜싱 초청대회는 운동과 함께 세미나 등 공부도 함께 한다"고 설명했다. 이쯤이면 어느 정도 결론은 나왔다. 김영호는 최익성에게 어떤 식으로든 돕겠다고 약속했다.

♯ 운동은 실패를 극복하는 아주 좋은 수단이다. 그리고 스포츠는 실패를 가르치는 최고의 방법이다. 스포츠의 본질에 승패가 있고, 항상 이길 수만은 없기 때문이다.

프로스포츠만이 아니라 생활체육이나, 유소년클럽스포츠에서도 패배는 존재하고, 당사자는 이를 받아들이고 극복하는 과정을 겪는다. 이게 아주 중요하다. 그래서 선진국일수록 운동과 스포츠를 장려한다.

생활체육에 1달러를 투자하면 의료비가 3.43달러나 줄어든다는 경제적 이유를넘어, 이렇게 철학적인 장점이 존재하는 것이다. 그렇다면 간명하다. 혹시 지금뭔가 힘든 일이 있다면, 계속 힘들어하기보다는 자리를 털고 일어나 운동하는 편이 낫다. 그리고 자녀들에게 최소한 한 가지 운동을 가르치는 게 좋다.[91]

호이징가(Huizinga)는 그의 저서『호모루덴스』에서 '체육·스포츠는 본질적인영역에서부터 떠났다'고 말하고, 플라톤(Platon)은 '한 국가나 국민의 체육(Gymnastike)과 훈육(Mousike)의 편중된 인간 형성으로 인해 국민 개인은 만용적인간과 비겁한 인간이 형성되어 이 같은 인간형성 집단에 의해 국가가 지배될 때국가는 도덕적 문란으로 불완전한 국가가 될 것이다'라고 했다.

53. 태권도 국대 출신 감독, 입시 비리·폭행 '몸통 의혹'

부산의 한 유명 대학 태권도부 감독이 입시와 횡령, 폭행 등 각종 비리에 대한 의혹을 받고 있다. 해당 감독은 국가대표 코치 출신 지도자로 올림픽과 아시안게임 등 각종 국제대회에도 출전한 바 있다. 당사자는 비리 의혹을 전면 부인하고 있지만 다수의 피해자와 관련자들의 증언이 나왔고, 제보를 받은 해당 대학이 감사를 진행 중이다.

국가대표 출신 지도자인 부산의 한 유명 대학 태권도부 감독은 그동안 입시 비리와 횡령, 폭행 등과 관련해 의혹을 받아 대학 감사실의 감사가 진행 중이다(해당 사진은 기사와 관련이 없습니다).

모교 출신으로 대학 태권도부 코치를 거쳐 2010년 지휘봉을 잡은 A 감독은 '짬짜미' 실기 시험 등 입시와 관련해 비리 의혹을 받아왔다. 이밖에 선수들의 숙소비, 훈련비 등을 유용해온 의혹을 받는 가운데 졸업생들에게 사례비도 요구해 받아 챙겼다는 증언도 나오고 있다.

입시 비리의 경우 특기자를 미리 정해놓는 방식으로 조직적으로 고교 측과 입을 맞춘 정황이 포착됐다. 여기에 실기 시험에서 사전 대련을 통한 승부 조작까지 했던 것으로 알려졌다.

또 학교 지원이 없는 준특기생의 경우는 매달 숙소비와 회비를 걷고, 대회마다 출전비를 모았는데 이게 불투명하게 사용됐다는 의혹이다. 선수들에 대한 폭행도 상습적으로 이뤄진 것으로 알려진 가운데 A 감독은 대회 출전과 관련한 전권을 쥔 사령탑의 지위를 부당하게 이용해 입막음을 하고 있다는 지적이다.

☞ **특기생이 일반 학생으로 둔갑**

이 학교 태권도학과 출신 B 씨는 원래 특기생으로 입학할 생각이었다. 고교 1, 2학년 시절 전국대회 우승과 준우승 등 성적이 좋아 특기자 전형에 원서를 넣을 계획이었다.

체육 특기자는 4년 전액 장학금과 숙식비, 대회 참가비 등 졸업할 때까지 수천만 원의 혜택이 주어진다. 그러나 B 씨는 특기생 대신 일반 전형으로 태권도학과에 입학했다.

당시 코치였던 A 감독의 입김 때문이었다는 설명이다. B 씨는 "당시 A 코치가 '너는 특기자 대신 일반 전형으로 원서를 넣으라' 고 압력을 넣었다" 면서 "억울했지만 코치의 말을 거역할 수 없었고, 합격자 발표 전 A 코치가 불러 '선수생활을 포기하라' 고 종용했다" 고 털어놨다. 이어 "미리 입학할 특기자를 정해놓았기 때문에 나를 일반 전형으로 넣게 한 것" 이라면서 "결국 나보다 낮은 대회 성적을 받은 선수가 특기자로 입학했다" 며 분통을 터뜨렸다.

실제로 이 대학 태권도부 입시 자료에는 이상한 점이 있다는 지적이다. 고교 대회 성적이 좋은 입시생들이 특기자가 아닌 지난해부터 따로 뽑기 시작한 준특기자로 지원한다는 점이다.

준특기자도 태권도부 겨루기 선수로 뛰지만 특기자처럼 학비와 숙소비, 훈련비 등에 대한 혜택이 없다. 한 마디로 장학금 없이 선수 생활을 하는 학생들이다. 하지만 이 대학은 상대적으로 대회 성적과 실기 점수가 떨어지는 선수들이 특기자로 입학하는 사례가 있는 것이다.

여기에는 '검은 커넥션' 이 있다는 지적이다. 한 태권도계 관계자는 "특기생은 4년 동안 학비와 기숙사비 등 최소 5000만 원 이상의 혜택을 본다" 면서 "때문에 2000~3000만 원 정도를 내고 특기자의 혜택을 받는다면 학생 입장에서도 이득일 수밖에 없다" 고 설명했다.

결국 A 감독에게 금전적인 대가를 지불하고 특기자의 혜택을 입는 학생들이 있다는 의혹이 나올 수 있다. 또 다른 관계자는 "점수가 높은데 준특기자나 일반 학생 전형으로 가고, 낮은데도 특기자로 지원한 사례가 있다" 고 확인했다.

이상한 점은 또 있다. 이 대학 태권도학과 특기자 전형은 수년째 경쟁률이 1.5:1 정도다. A 감독이 미리 전형자들을 결정해 교통정리를 하기 때문이라는 것이다. 합격자를 미리 정해놓고 지원을 하기 때문에 정원 외에 넘치는 지원자는 차단한다는 것. 특히 지난해는 6명 모집에 6명이 지원해 정확히 경쟁률이 1:1이었다. 준특기자의 경우는 10명 모집에 11명이 지원했다. 미리 짜놓지 않으면 나오기 어려운 경쟁률이다.

이 대학교 관계자는 이런 경쟁률에 대해 "사실 입시 전형 자체의 문제는 없다" 고 밝혔다. 입시 비리라고 한다면 부당하게 불합격을 당하는 학생이 있어야 하는데 그런 사례는 거의 없기 때문이다. 그러나 지원자가 거의 모두 합격하기 때문에 불합격하는 수험생이 적은 까닭도 있다. 태권도계 관계자는 "육상이나 레슬링 등 워낙 고교 운동부 학생 자체가 적은 종목은 1:1 정도의 경쟁률이 나와도 이해할 만하다" 면서 "그러나 태권도는 야구처럼 고교 선수들이 많은데도 이런 경쟁률이 나왔다는 것은 상식적으로 납득하기 어렵다" 고 말했다.

실제로 모 고교 관계자들은 "A 감독이 올해는 정원이 찼으니 더 지원을 하지 말라고 연락해왔다" 고 밝히기도 했다. 합격자를 사실상 미리 정해놓고, 지원자들을 받지 않도록 관리를 하는 셈이다.

올해 태권도부 겨루기 입시 경쟁률도 1:1 정도였다. 한 입시 관계자는 "특기생의 경우 6명 모집에 7명이 지원했다" 면서 "그러나 1명은 아예 자격 요건도 안 되는 학생으로 지원만 하고 시험은 치르지 않아 결국 전원이 합격했다" 고 밝혔다. 이어 "태권도부의 1:1 경쟁률에 대해 이런저런 말들이 학교 내부에서 나오자 눈 가리고 아웅하는 식으로 경쟁률을 조정한 것" 이라고 덧붙였다.

CBS노컷뉴스(2017. 12. 26), 임종률 기자

☞ 실기 시험은 '짜고 치는 고스톱?'

태권도학과 일반 전형의 실기 시험도 문제 투성이라는 지적이다. 한 마디로 '짜고 치는 고스톱'이라는 것이다. 태권도학과 출신의 C 씨는 "일반 전형으로 지원해 수험생들의 겨루기 실기 시험을 봤다"면서 "겨루기를 하기 전에 미리 합을 맞춰 누가 이길지를 정했다"고 털어났다. 합격을 해야 할 학생이 유리하도록 미리 경기를 짜놓는다는 것이다. 수험생의 상대선수로 나와 져주기 시합을 한 이 학교 태권도학과 재학생의 증언도 있었다.

C 씨는 "수험생들이 우리 학교에 온다고 하고 하면 재학생들과 며칠씩 운동을 하면서 미리 발을 맞췄다"면서 "A 감독의 주도로 이뤄졌다"고 밝혔다. 이어 "미리 왔던 친구들은 다 통과됐고, 시험 뒤 따로 모여 인사를 하기도 했다"면서 "그렇지 않은 수험생들은 겨루기를 하던 재학생들이 엄청 세게 대련을 했다"고 덧붙였다.

태권도계에서는 일부 대학의 경우 수험장에서 미리 특정 신호를 받는 학생이 이긴다는 것이 공공연한 비밀로 통한다. A 감독도 예외일 수는 없다는 것이다. "A 감독이 실기 고사장에 들어와 수험생들이 겨루기를 하기 전에 신호를 주는 학생은 거의 전원이 합격을 한다"는 제보도 있었다. 때문에 이런 부조리한 상황을 파악하기 위해 이 대학을 포함해 각 대학 실기 고사장의 촬영 영상을 분석, 확인해야 한다는 지적이다.

준특기생에 대한 특혜도 있다. 특기생까지 이 대학 태권도부 학생들은 지난해까지 일반 학생과 달리 대학 학과 시험을 볼 때 대회 출전 선수를 뜻하는 표식을 받았다. 그러면 시험을 잘 치르지 못해도 일정 점수 이상의 성적을 받았다. 대회 출전과 훈련으로 정상적으로 교과 수업을 듣지 못한 데 대한 배려 차원이다.

하지만 준특기생 중에는 선수로서 운동을 그만둔 이후에도 태권도부에 남아 있는 경우가 있었다. 그러면 이 학생은 더 이상 선수가 아니어서 훈련을 받지 않는 데도 시험에서 일반 학생과 달리 상대적으로 선수들이 받는 특혜를 봤던 셈이다.

한 관계자는 "이런 특혜를 계속 유지할 수 있는 것만으로도 큰 문제가 된다"고 지적했다. 대한민국을 떠들썩하게 만들었던 이른바 '정유라 사건'과 판박이다.

☞ 공금 유용 의혹…상습 폭행으로 사과까지

게다가 준특기생들과 관련된 비용도 문제의 소지가 있다. 이들은 학교 기숙사에서 생활하는 특기생과 달리 외부 숙소에서 합숙을 한다. 매달 20만 원 정도의 기숙사비를 낸다. 30명 정도의 준특기생들이 방 10개의 원룸에서 생활한다. 월세는 380만 원. 매달 걷는 숙소비는 600만 원 정도로 나머지 금액은 관리비 등 생활비로 쓰인다.

하지만 숙소비가 불투명하게 쓰인다는 지적이다. 이 대학 태권도부 준특기생 출신의 D 씨는 "매달 20만 원씩을 걷는데 돈이 어디로 쓰이는지 모르겠다" 면서 "또 운동을 그만뒀는데도 여기서 지내야 하는 것은 문제가 있다" 고 말했다. 숙소에서 지내는 학생이 빠지면 그만큼 걷히는 돈이 줄기 때문에 A 감독이 인원수를 맞추기 위해 나가지 못하게 한다는 것이다.

D 씨는 "선수를 그만둔 뒤에도 준특기생의 혜택을 받는 데 대해 A 감독에게 물어봤더니 '너는 그냥 모른다고만 하면 된다' 고 했다" 고 털어놨다. 이어 "1년 등록금과 숙식비 등 2000만 원이 넘는 돈을 미리 냈는데 그걸 A 감독이 관리한다" 면서 "중간에 선수를 그만두면서 대회를 나가지 않았는데 남은 비용을 돌려받지 못했다" 고 덧붙였다. 선수로서 성적에 대한 특혜를 위해 수천만 원의 돈을 내야 하는 셈이다.

D 씨는 "(준특기생 특혜에 대해) 걸리면 안 되는 것이고, 또 돈을 갖다 바치는 불법밖에 안 되기 때문에 부모님과 상의해 그만두려고 했다" 면서 "그런데 A 감독이 남은 비용 200만 원을 숙소비로 할 테니 그냥 준특기생 소속으로 있으라고 했다" 고 말했다. 이어 "학과에 대한 지원금이 인원 수에 따라 차등 지급되기에 소속을 유지하라고 한 게 아닌가 싶다" 고 지적했다.

A 감독이 졸업생들의 사례비를 유용했다는 의혹도 있다. 이 학교 태권도부 졸업생들은 관례적으로 스승에 대한 감사의 표시로 돈을 걷어 사례를 하는데 최근 이 액수가 적자 A 감독이 "우습게 본다" 고 화를 냈고, 졸업생들이 다시 수백만 원씩 갹출했다는 것이다. A 감독이 고급 유흥주점을 수시로 드나든다는 목격담도 적잖다. 여기에 숙소 생활을 하는 태권도부 선수들이 A 감독에게 상습 폭행 피해까지 입었다는 구체적인 증언도 나왔다. 지난 5월 A 감독이 남녀 학생을 퍼멍이 들 정도로 구타해 문제가 커지자 피해 학생의 고교 시절 감독과 지인들을 통해 입막음을 시도했다는 것이다. 그럼에도 사태가 수습되지 않자 피해 학생의 학부모를 찾아 사과를 한 것으로 알려졌다.

태권도부 학생들 사이에서는 A 감독이 슬리퍼나 발로 차거나 빰을 때리고 심지어는 몽둥이로 구타하는 일이 있었다는 얘기까지 돈다. 하지만 '내부 고발자' 라는 낙인과 함께 대회 출전 기회 박탈 등 선수로서 감당해야 할 피해 등을 감안해 학생들이 쉬쉬하고 있다는 게 내부 사정에 정통한 관계자의 전언이다.

☞ A 감독 "사실 무근" …대학 "비리 감사 진행"

이런 의혹들에 대해 A 감독은 "억울하다" 며 결백을 주장하고 있다. A 감독은 "현재 학교 내 교수들 간의 파벌 싸움에 휘말려 나를 음해하는 주장이 나오고 있다" 면서 "입시 비리와 횡령 등 모든 의혹은 전혀 사실무근" 이라고 강조했다.

A 감독은 "B 씨의 경우 고교 3학년을 앞두고 운동을 그만뒀기 때문에 특기자로 합격하지 못할 상황이었다" 면서 "전국 대회 입상 성적이 있다고 해도 3학년의 성적이 더 점수가 높기 때문" 이라고 해명했다. (그러나 이 대학 관계자는 "입시 요강에 그런 차이는 없다" 고 밝혔다.) 이어 A 감독은 "대회 성적을 위해 좋은 선수들을 데려와야 하는데 어떻게 특기자로 입학할 학생들을 미리 정할 수 있겠느냐" 고 반문했다.

준특기생들의 숙소비와 관련해서도 결백하다는 입장이다. A 감독은 "학생들의 숙소비, 훈련비 등은 모두 코치가 관리할 뿐 나는 0원도 관여하지 않았고, 모두 투명하게 영수증 처리를 하고 있다" 면서 "졸업생의 사례비도 재학생들의 훈련에 사용된다" 고 강변했다. 다만 태권도계 관계자들은 "과연 감독의 지시 없이 코치가 비용을 사용하는 게 가능할지 모르겠다" 면서 "만약 공금 유용이 사실이라면 해당 코치에 대한 조사도 필요할 것" 이라고 지적했다.

A 감독의 각종 비리 의혹에 대해 해당 대학교는 일단 감사를 진행 중이다. 이 대학 감사실장인 법학대학원 교수는 "제보를 받았기 때문에 A 감독에 대한 감사가 이뤄지고 있다" 면서 "다만 현재 학교에 더 큰 비리 의혹과 관련한 감사가 진행 중이라 현재는 A 감독 건은 감사가 중지된 상황" 이라고 밝혔다. 다만 해당 대학교는 2017년도 태권도학과 특기생과 관련한 입시 자료 제공을 거부했다. CBS 노컷뉴스는 해당 자료에 대해 회사의 공문을 발송하고 정보공개청구 절차까지 거쳤지만 학교 측은 경영 상의 비밀과 개인정보보호법 등을 이유로 자료 제공을 거부했다. 결국 해당 대학교가 보내온 것은 태권도부의 입시 경쟁률이다. 거의 20일에 걸쳐 요청해 겨우 공개한 자료가 학교 홈페이지에도 나와 있는 내용인 것이다.

그렇다면 개인정보가 드러나지 않도록 해당 학생의 이름과 구체적인 고교 대회 성적을 삭제하고 점수가 나온 채점표만이라도 제공해달라고 요청했지만 이마저도 무산됐다. 실무 담당자는 "입시에는 전혀 문제가 없었고, 점수도 큰 차이가 없어 무의미한 자료" 라고 설명했다. 그러나 문제가 없다면 자료 제공을 거부할 이유가 없다. 이에 대해 학교 감사실장은 "사실 CBS노컷뉴스의 자료 요청을 검토했지만 워낙 다른 사건으로 학교가 어수선한 상황" 이라면서 "입시 관련 자료까지 제공을 하면 더욱 시끄럽게 될 수 있어 공개하지 않기로 결정했다" 고 설명했다. 이어 "내년 초쯤 A 감독에 대한 다시 감사를 진행할 것" 이라고 덧붙였다.

  최근 이런저런 사건으로 곤혹을 겪고 있는 해당 대학교. 과연 재계약 여부가 임박한 태권도부 감독의 비리 의혹과 관련해 어떤 결정을 내릴지 지켜볼 일이 다.[92]

54. 문재인 정부 1년, 그리고 체육

☞ 체육을 체육답게!

'이게 나라냐?' 지난 10년간 이명박, 박근혜 정부를 살면서 국민이 느낀 심정이다. 특히, 세월호 사태와 최순실 국정농단을 정점으로 국민은 많은 상처를 받았고 이는 새로운 나라에 대한 열망으로 이어졌다. 나 역시, 최근에 가족과 함께 왕복 10시간을 운전하여 시카고에서 열린 재외국민선거에 한 표를 행사하고 돌아왔다. 그리고 2017년 5월 9일. 제 19대 대통령선거에서 문재인 대통령이 당선되었다. 문재인 대통령의 당선을 축하하며, 이 글에서는 앞으로 새 정부가 지향해야할 체육을 바라보는 관점에 대한 나의 바람을 짧게 적어본다.

'나라를 나라답게!' 문재인 대통령과 더불어 민주당 정부의 슬로건이다. 우리는 무엇의 본질을 얘기할 때 '~답다'고 한다. 본질은 무엇을 무엇답게 만드는 핵심적인 성질이다. 우리는 흔히 본질을 기능과 혼동한다. 만약 나라가 '무엇인지'에 대한 본질을 묻지 않고 나라가 어디에 '쓰일지'에만 관심을 두는 경우 본말이 전도되었다고 할 수 있다. 따라서 나라를 나라 '답게' 만들겠다는 것은 국민이 주인이고 이를 위해 국가가 존재한다는 국가의 본질이 제대로 구현되지 못한 채 소수 특권층을 위해 나라가 기능했다는 것을 전제로 한다.

정부가 체육정책을 기획하고 시행할 때에도 '체육을 체육답게' 하려면 체육의 쓰임, 즉 기능적인 측면을 바라보기 이전에 체육의 '~다움', 즉 본질에 대해 고민해야 한다. 그렇다면 체육을 체육답게 만드는 무엇, 즉 체육의 본질은 무엇일까? 본질은 선험적이고 추상적인 형식논리로 규정할 수 있는 실재가 아니다. 본질은 다양한 상황을 통해서 다른 양상으로 드러난다. 내가 경험하고 생각하는 체육의 본질 중 한 속성은 신체활동을 통해 자기 자신과 만나는 과정에 있다. 자기 자신을 대면하는 과정없이 신체활동을 해서 어디에 써 먹느냐, 신체활동을 하면 무엇이 좋으냐 등의 결과에 대해 따지는 것. 혹은 국민 모두가 체육 그 자체를 향유할 가치에 우선해 정부가 스포츠 행사의 경제적, 정치적 가치를 따지는 것 등은 체육을 기능적인 차원에서 바라봄으로 체육을 도구화 시킨다.

우리는 왜 신체활동을 하는가? 기능적 이유를 따지기 전에 본질적 이유를 생각해보자. 사실 신체활동을 하는 데는 이유가 없다. 인간은 신체활동을 하도록 태어났다. 신체활동은 그 자체로 존재이유가 된다. 신체활동은 무엇보다도 나 자신의 존재이유를 찾아가는 과정이다. 이를 통해 나 자신의 몸을 더 잘 이해하고 몸이 전하는 말에 귀 기울이며, 이를 통해 주변을 돌아보는 과정이다. 우리 몸은 신체활동에 정직하게 반응한다. 운동 형태, 강도, 시간에 따라 땀을 흘리고, 심장박동이 빨라지고 몸의 각 부분이 단련된다. 하지만, 운동 빈도를 점진적으로 늘이지 않고 갑자기 무리를 하는 경우 부상을 당하기도 한다. 안타깝게도 현대사회의 좌식생활습관과 기술의 발달로 인해 점차 뛰고 움직이는 일이 줄어들면서 신체활동의 존재의미가 퇴색되어가고 있다. 또한, 현대사회의 전문화, 과학화, 세분화는 오히려 신체활동의 기능적, 생리적, 심리적, 산업적, 사회적, 정치적 측면에 치우쳐 본말의 전도를 불러온다. 또한 학교에서는 주지교과 강조 및 입시중심 교육으로 인해 체육의 가치를 경시하고 교과로서 체육을 주변화, 기능화 시켜왔다.

요컨대, 지금까지의 체육정책은 체육의 본질을 경시한 채 '체육답지 않은 체육'에 이끌려 온 측면이 있다. 새 정부가 '국민이 주인'인 세상을 지향하고, '나라를 나라답게' 하려면 체육이라는 이름으로 체육이 아닌 다른 무엇의 변화를 도모하기 이전에 신체활동의 본질에 대해 고민해보고 국민 모두가 신체활동을 향유하는데 있어 동등한 기회와 투명한 과정, 공정한 결과를 가질 수 있도록 생활밀착형 제도적 개선 및 인식의 변화가 선행되어야 한다. 소수를 위한 체육이 아닌, 체육이 국민의 품으로 온전히 돌아올 수 있도록 '체육을 체육답게' 해주는 것. 신체활동이 국민의 삶의 주변부에서 중심부로 옮길 수 있게 지원해주는 것. 이를 통해 국민 모두의 삶의 질이 향상되는 것. 이것이 국민이 새 정부를 통해 바라는 바가 아닐까.[93]

☞ 문재인 정부 1년, 그리고 체육

필자는 작년 5월 문재인 정부 출범당시 체육정책에 대한 바람을 논한 적(체시민 칼럼 70호, '체육을 체육답게' 참고)이 있다. 필자의 논지는 체육이 체육다우려면 신체활동이 국민의 삶속으로 들어올 수 있게 정부와 시민사회가 적극적으로 도와야 한다는 것이었다. 과연 문재인 정부의 체육정책은 필자의 바람대로 잘 가고 있을까? 이 시점에서 문재인 정부가 지나온 1년 간 체육계 공과(功過)를 들여다보고 다시 출발하자는 의미에서 이 글을 쓴다.

지난 1년 간 한국 사회는 박근혜, 이명박 전 대통령의 구속과 함께 그동안 쌓인 사회전반의 적폐청산 운동을 본격적으로 시작했다. 한편으론, 미투 운동이 확산되며 그동안 한국사회에 만연하던 고질병들도 그 민낯을 드러냈다.

최근에는 북한의 지도자 김정은과 미국의 트럼프 대통령이 만나서 평화를 논하는 역사적인 사건을 목격하였고, 6.13 지방선거의 결과에서 보듯 민심이 무엇을 요구하는지도 보았다. 국민의 의식수준과 눈높이는 그 어느 때 보다 높아졌다.

체육 분야는 어떠한가. 우여곡절은 있었지만, 평창 동계 올림픽은 성공적으로 마무리 되었고 남북이 단일팀으로 참가하는 장면을 연출해냈다.

최근에는 남북 체육교류를 정기적으로 실시하고 남북 월드컵 공동개최를 준비하겠다는 얘기도 들린다. 대외적으로 보면 1년간 체육계에서 이루어낸 성과는 그럴 듯하다.

하지만, 메가스포츠 이벤트의 유치와 남북 체육교류 속에 가려진 체육계 적폐청산과 민주화는 잘 이루어지고 있는가?

예컨대, 평창 동계 올림픽으로 정당화된 자연훼손과 남은 시설 활용방안은? 체육계 블랙리스트 논의는? 체육계의 미투 운동은 어떠한가? 전문체육을 관장하는 대한체육회의 운영은 민주적으로 이루어지고 있는가? 여전한 학생선수들의 인권문제와 열악한 운동부 코치들의 처우는? 그리고, 우리 삶 속에서의 체육은. 과연 어떠한가?

문재인 정부 첫 1년. 체육계 평가는 대외적으로 높을지 모르지만, 대내적으로는 여전히 국민의 의식수준에 턱없이 모자라다. 이명박, 박근혜 정권동안 국정농단의 중심에 서있던 체육 분야는 잃은 것이 많다. 이를 채워 나가려면 많은 시간과 노력이 필요하다.

먼저, 체육 시설과 제도, 정책의 변화를 위해선 체육인의 의식이 바뀌고 자존감을 키워야 한다. 그러기 위해서 나는. 당신은. 그리고 체육시민연대는 어떠한 역할과 행동을 해야 할까? 같은 실수를 반복하면 그건 더 이상 실수가 아닌 직무유기다. 그간의 잘못된 관행을 돌이켜 보고 이를 바꿔야 체육도. 우리의 삶도 더 나아지지 않을까?[94]

55. 스포츠의 철학과 사회운동

스포츠를 즐기는 사람인 스포츠인들은 자기가 속한 집단에 대한 자긍심이 있어야 한다. 객관적으로 존재하는 집단의 강점을 인식 능력이 우수한 사람은 누가 굳이 알려주지 않아도 쉽게 파악된다.

하지만 우리는 몇몇 뛰어난 사람들만 함께 하는 엘리트 집단이 아니다. 특히 스포츠라 하는 것은 그 집단의 구성원이라 하면 누구나 쉽게 접하고 익힐 수 있도록 노력해야 한다.

다시 말해 그 가치를 쉽게 파악할 수 있어야 한다는 것이다. 그러면 그러한 가치는 어떻게 전달하고 알려주는 것이 가장 좋겠는가? 그것은 철학적으로 체계화된 내용을 목적의식적으로 쉽게 알려주는 것이 좋다. 객관적으로 아름다운 것을 자연히 익히고 배우며 느낄 수도 있지만 그렇지 않은 경우가 더 많다. 사람은 아는 만큼 본다. 아무리 객관적 가치가 뛰어난 것이라도 개인의 인지가 낮으면 그 잣대로 사물과 사안을 인식하여 훌륭한 사물과 사안도 값어치 없이 간과하여 버린다.

아름다운 것은 심미안이 있어야 진정 그 아름다운 것만큼의 크기를 이해한다. 스포츠인들은 저마다의 이해로 스포츠를 바라봐도 되지만 공통적으로 느껴야 할 핵심적인 사안은 반드시 같은 눈높이로 함께 느껴야 한다. 만일 객관적으로 그러한 사안이 없다면 어쩔 수 없겠으나 객관적으로 그럴만한 가치가 있는데도 대충 알고 지나간다면 안타까운 일이 아닐 수 없다.

한편, 스포츠를 보급하는 지도자에게 스포츠의 철학과 사상은 나침반과 같은 역할을 한다. 모든 단체에서 지도자는 가장 중요한 그 단체의 구성원이다. 집단은 구성한 첫 시기부터 좋은 일만 있지 않다. 궂은 일, 좋은 일이 항상 병존하며 해당 단체는 발전한다. 사람이 좋은 일이 있을 때 그 집단에 기여하는 것은 어렵지 않을 뿐만 아니라 누구나 할 수 있는 일이다. 그러나 궂은 일이 닥쳤을 때는 그렇지 않다. 따라서 지도자는 궂은 일이 있을 때 진가를 발휘한다. 하지만 진가를 발휘하기 위해서는 강철 같은 신념이 있어야 한다.

사람에 따라 어려움을 잘 넘기는 기질이 있는 사람이 있는가 하면 능력에 관계없이 그렇지 못한 사람도 있다. 또 어떤 일과 단체에서는 자기 능력을 잘 발휘하여 해당 집단을 잘 이끌어 가지만 어떤 단체에서는 그 반대의 경우도 있다. 그

단체가 일정 정도 시간이 지나면 그 단체의 기질에 걸맞는 사람들만 남게 되어 있다. 그러나 이것을 개별적 능력에만 의존하게 되면 그 단체의 발전은 기대할 수 없다. 이것은 집단력을 발휘하여 발전할 수 있도록 해야 한다.

그 집단력을 발휘하게끔 하는 것이 철학이자 사상이다. 지도자는 모름지기 그 단체를 이끌어 가는 도량이다. 누구보다도 그 단체의 정신을 잘 알아야 한다. 철학과 사상은 그 정신을 잘 알 수 있도록 이끌어주는 무형의 나침반이 될 것이다.

현대 스포츠의 중요한 요소 중의 하나인 유희성이다. 스포츠는 관중에게 구경거리를 제공해야 하고 또한 그것이 도덕성을 가지고 있어야 한다.

☞ 스포츠와 공간

스포츠는 사회를 반영하기에 스포츠 공간 역시 종종 투쟁의 공간의 변모한다. 스포츠를 통해 억압하기도 하고 또 스포츠를 정치적 도구로 활용하면서 평등과 통합하기에 체육인은 저항한다.

알리는 '나는 당신들이 하라는 대로 하는 사람이 아니다' 라고 했고, 랜스 암스트롱은 '나는 내 삶의 스타일에서나 옷을 입을 때나 사회에 순응하지 않는 편' 이라고 했다. 물론 마이클 조던처럼 백인들의 품에 안겨 '백인같은 흑인', '백인이 원하는 흑인' 이 된 이도 있다. 그러나 어느 나라든, 어느 종교이든, 어느 종목이든 주변을 돌아보고, 변화를 꾀하고, 사회 정의를 추구하고, 때론 희생까지도 감내하는 체육인이 있어 왔다.

지금은 아무렇지도 않게 보이는 여자 마라톤도 수 십 년간 여자 선수들이 가부장제에 저항하고 투쟁한 결과물이다. 스포츠선수들은 또한 체제에 저항한다. 테니스의 여왕 마르티나 나브라틸로바는 조국 체코의 사회주의 정권에 맞섰다. 당연한 것에 도전하기도 하고 포기를 거부하기도 한다.

사실 이 모든 게 이들을 세상에 단절시킨 채 운동만 시킨 우리 선배들 문제이긴 하다. 하지만 지금이라도 늦지 않았다. 우리나라 스포츠는 바뀌어야 한다. 더 자유로워야 하고 더 발랄해져야 한다. 그리고 세상을 둘러 볼 줄 알아야 한다. 그래서 자신의 소신과 신념에 다른 자신의 발언을 해야 한다. 조직이 요구하는 '금기'를 깨고 나와야 한다.

아직까지 운동 밖에 모르는 '운동 기계'보다는 다양한 방면에 관심과 재능을 가진 스포츠스타가 인기를 끌고 있다. 우리 주변에는 찾아보기 어렵지만 외국의 경우는 흔한 사례다.

런던 올림픽 개인 혼영 400m에서 금메달을 따낸 미국의 라이언 록티는 기량뿐만 아니라 독특한 캐릭터로 눈길을 끌었다. 30을 바라보는 나이에 '만년 2인자' 꼬리표를 떼어내고 현역에서 은퇴하면 패션 디자이너가 되겠다는 당찬 꿈을 갖고 있다. 신발만 130컬레를 가지고 있고 유명 모델 에이전시와 전속 계약을 맺기도 했다. '다이몬드 그릴'로 불리는 마우스피스는 그의 스타일을 대표하는 트레이드 마크다. 국내에 록티 같은 스타가 있다면 그의 이름 앞에 '기행(奇行)'이라는 수식어가 붙을지도 모른다.

집합행동에 대한 체육학 분야의 연구는 1982년 프로스포츠의 시작과 함께 관심을 갖게 되었으며, 2002년 한일월드컵을 통해 부각된 행위주체에 대한 사회적 인식이 집합행동으로서 시회운동으로 관심을 갖는 계기가 되었다. 따라서 이 책(『스포츠의 사회운동적 이해』, 김동규, 김영갑 지음, 2006)은 스포츠를 통해 새로운 사회질서가 출현하는 방식을 사회운동적 관점에서 이해하기 위한 연구의 결과물이기 때문에, 매우 중요한 의미를 갖는다.

또한 2002년 한일월드컵을 계기로 독특한 응원문화를 창출하여 중요한 문화현상으로 부각된 '붉은악마'를 집합행동의 영역인 사회운동의 관점에서 접근하였다. 다양한 의미로 표출된 이들의 행위속성을 사회운동적 관점에서 분석함으로써 체계적인 스포츠 집합행동으로의 프레임을 확보할 수 있게 된 것에 큰 의의가 있다.

스포츠 사회학에서 집합행동 및 사회운동과 관련된 연구는 대체적으로 두 가지 관점에서 한계점을 내포하고 있다. 첫째, 현대스포츠에서 사회운동이 중요한 사회현상의 하나였음에 도 불구하고 집합행동과 사회운동에 대한 연구는 의외로 많지 않다. 둘째, 사회운동에 대한 연구들 중 체계적인 이론과 배경을 가지고 수행된 이론적 접근들은 찾아보기가 힘들다는 점이다.

따라서 이 책은 이러한 한계들을 극복하기 위해, 사회학에서 거론되고 있는 최근까지의 사회운동적 이론적 관점과 쟁점을 소개하여 스포츠 집합행동으로서의 이론체계를 재정립하고 있다. 또한 현대스포츠에서 표출된 사회운동적 의미와 관계를 모색하고, 그 속에 내재된 사회운동적 행위 속성을 체계적으로 진단하였다.

스포츠에 사회운동을 접목시키는 작업은 체육학내에서 그동안 논의의 대상이 되질 못해 접근하기가 어려웠다. 그럼에도 불구하고 부족하긴 하나 2002년 한일 월드컵대회를 기점으로 변화되고 있는 한국 스포츠문화의 새로운 패러다임을 감지할 수 있는 바로미터의 역할을 할 것이다. 이 책은 스포츠의 사회운동적 의미를 종합적으로 고찰할 수 있는 학술도서로서 광범위한 스포츠 세계를 사회운동적 관점에서 이해하는데 큰 기여를 할 것이다.

56. 국내 최강 유도팀, 성적지상주의 벽 앞에서 씁쓸한 해체

국내 유도 최강팀 양주시청이 해체된 사실이 뒤늦게 알려졌다. 7일 대한유도회에 따르면 양주시청은 지난 3일 유도회 측에 '팀을 해체한다'는 의사를 전달한 것으로 확인됐다.

양주시청이 최전성기를 달리던 2015년 단체사진.

2010년 5월 창단한 양주시청은 지난 6년간 국내 최강팀으로 군림했다. 양주시청은 매년 전국 체전에서 금메달 2~3개씩 쓸어담았고, 2014 인천아시안게임에선 여자 금메달 정다운(63kg급), 은메달 김잔디(57kg급)와 남자 동메달 김원진(60kg급)을 배출했다. 2016 리우올림픽에선 남녀 유도대표팀(총 12체급)에는 김잔디와 김원진, 김성민(100kg 이상급) 등 실업팀 중 가장 많은 3체급을 출전시켰다. 또 슬럼프에 빠졌던 2008 베이징올림픽 은메달리스트 왕기춘(남 81kg급)도 양주시청에 입단하며 다시 한 번 전성기를 누렸다.

하지만 성적 지상주의 사회에서 실업팀의 생존은 쉽지 않았다. 양주시 측(이하 시측)은 유도팀 소속 선수들이 리우올림픽에서 노메달로 돌아온 지 불과 3개월 만인 작년 11월, 유도팀 총 8명 가운데 왕기춘을 비롯한 정다운, 김잔디, 송수근, 홍성인 등 5명과 계약 연장을 하지 않았다. 이들의 계약 기간은 모두 2016년까지였다. 이런 가운데 장문경 양주시청 감독도 계약이 만료되면서 여자 대표팀 코치로 자리를 옮겼다. 올림픽 전까지만 해도 '무적'으로 통한 전국 최고의 팀이 불과 100여 일 만에 공중분해 된 것이다.

시 측은 올림픽 영향은 거의 없었다는 주장이다. 유도팀 담당 부서인 양주시 체육청소년과 최상기 과장은 "점점 나빠진 지역 여론이 반영된 것이다. 국가대표급 스타 선수 위주로 팀이 구성돼 팀 예산 규모만 컸기 때문" 이라고 했다.

최과장은 지역 초·중·고교와 연계성이 떨어진다는 점도 문제 삼았다. 그는 "지난 6년간 유도팀에는 양주 출신 선수가 1명도 뽑히지 않았다" 며 올림픽이 팀 축소·해체의 직접적인 이유가 아님을 강조했다. 그는 "관내 인재육성 문제만 해결되면 유도부 재창단도 고려하고 있다" 는 애매한 말만 덧붙였다.

그러나 창단 때부터 유도팀 사정을 잘 아는 관계자 A의 애기는 달랐다. A는 "지원 규모에 비해 홍보 효과가 미미하다는 점이 문제였다는 것은 사실이지만 재계약이 이뤄지지 않은 결정적인 이유는 올림픽 성적 때문" 이라며 "리우올림픽을 앞두고 시 관계자가 '금메달을 따야 팀이 살아남는다' 는 말을 자주했다"고 했다. A는 "성적이라는 이슈 외에도 시 관계자들과 지역 관계자들의 정치와 이해관계 복잡하게 얽혀있다는 점도 선수들 거취에 영향을 미쳤다. 선수들만 피해를 봤다" 고 덧붙였다.

또 다른 관계자인 B는 "올림픽 한 번의 결과로 하루 아침에 명문팀이 사라진다는 사실이 안타깝다. 게다가 사전에 선수들과 아무런 교감이 없이 이뤄진 시 측만의 결정" 이라고 했다.

이런 가운데 재계약 불가 통보 과정도 의문점을 남겼다. 시 측은 선수들의 계약 연장 통보를 차일피일 미룬 것이다. 한 선수는 "시 측 담당자들이 내년에도 함께 갈 것이라고 했다. 그러다 11월이 돼 갑자기 얘기가 달라져 선수들이 당황스러워했다" 고 했다. 통상적으로 실업 유도팀은 전국체전이 끝나는 9월, 늦어도 10월에는 선수에게 계약 의사를 알린다. 이보다 더 늦으면 새 팀을 알아볼 시간적 여유가 없기 때문이다. 장문경 감독은 "선수들에게 빨리 알려주지 않으면 자칫 실업자가 나올 수 있다고 수 차례 시 측에 전달했다. 빠른 확답을 원했지만 소득이 없었다" 고 했다. 결국 우려했던 사건이 발생했다. 한창 전성기를 누려야 할 송수근이 새 소속팀을 구하지 못해 평생 입어온 도복을 벗은 것이다. 송수근은 "선수 생활을 더 하고 싶었다. 시 측에 빠른 결정을 부탁했지만 11월까지 묵묵부답이었다" 면서 "나중에는 선수도 계약직 신분이니 1개월 전에만 알리면 법적으로 문제없다는 말만 돌아왔다. 재계약 하지 않는 이유도 제대로 듣지 못했다" 고 한숨을 쉬었다.

공식적으로는 팀 축소였지만 결과는 해체였다. 시 측은 "잔류 인원 3명과 새 감독을 뽑아 2017년을 꾸리려고 했다"고 했다. 하지만 지난해 11월부터 2월까지 3개월 동안 시 측은 선수들을 방치한 것으로 드러났다. 한 선수는 "당장 3월에 국가대표 선발전에 열리는데 새 감독님은 오시지 않았다"면서 "숙소에서 밥을 선수가 짓고 선수 이동 때 운전도 직접했다. 훈련을 할 수 있는 환경이 아니었다"고 했다. 결국 이들마저 팀을 떠났다. 김원진은 지난 1월 경남도청에 새 둥지를 틀었고, 김성민과 김재윤은 렛츠런파크행을 택하고 10일 입단한다. 이들이 떠나면서 명문 양주시청은 역사 속으로 사라졌다.

장문경 감독은 "장기적인 안목으로 예산을 줄여서라도 팀을 꾸려갔으면 좋았을 것"이라며 아쉬워했다. 지도자로 제2의 유도인생을 걸고 있는 왕기춘은 "선수들이 메이저 대회에서 메달을 따지는 못했지만 그동안 양주시청 마크를 도복에 새기고 싸운 시합은 어떻게 설명하나"하고 했다.[95]

양주시청 유도부는 지난 2010년 5월 창단해 국가대표 선수들을 대거 영입하면서 실업무대에서 최강 전력을 자랑했다. 특히 지난해 리우 올림픽에는 남자 60kg급 김원진, 남자 100kg 이상급 김성민, 여자 57kg급 김잔디 등 3명의 소속팀 선수가 출전하기도 했다.

하지만 대표급 선수가 많아지면서 운영비에 부담이 커지고, 지난해 리우 올림픽에 나선 선수들이 부진한 성적에 그치자 유도부의 홍보 효과가 작다는 여론이 불거지면서 결국 해체 수순을 밟았다.

유도부 해체 징후는 이미 지난해 11월부터 불거졌다.

유도계 관계자는 "유도부 예산이 10억원 수준으로 높았지만 리우 올림픽에 나선 선수들의 성적이 나쁘자 해체 여론이 불거지기 시작했다"라며 "양주시청도 지난해 계약이 끝나는 선수들과 재계약을 하지 않았다"고 전했다. 결국 지난해 11월 김잔디가 포항시청으로 이적한 것을 시작으로 김원진이 경남도청으로 팀을 옮겼고 장문경 감독은 대표팀 코치로 이동했으며 마지막까지 팀에 남아있던 김성민과 김재윤은 최근 렛츠런파크로 이적을 확정해 양주시청 유도부에는 선수가 하나도 남지 않게 됐다.

양주시청 관계자는 "양주시 관내에도 유도부가 있는 학교가 많아서 양주시 출신 꿈나무를 육성하는 차원에서 재창단 등의 방안을 생각하고 있지만 아직 구체적으로 계획이 나온 것은 없다"고 밝혔다.[96]

57. 피파(FIFA) 월드컵 그리고 코니파(CONIFA) 월드컵

FIFA 월드컵(영어: FIFA World Cup)은 축구 국제 기구인 국제 축구 연맹(FIFA)에 가맹한 축구 협회(연맹)의 남자 축구 국가대표팀이 참가하는 국제 축구 대회이다. 일반적으로 월드컵 축구나 월드컵이라고도 한다.

4년마다 열리는 월드컵은 1930년에 첫 대회가 열렸다. 1942년과 1946년 대회는 제2차 세계 대전으로 인하여 열리지 못했다. 대회는 예선 무대와 본선 무대 등 두 부분으로 나뉜다. 예선 무대는 본선에 진출할 32팀을 가려내기 위해 본선 보다 3년 일찍 시작한다. 현재 본선은 개최국 경기장에서 한 달 남짓 서른두 개 팀이 우승을 놓고 경쟁하는 방식으로 진행된다. 월드컵 본선은 세계에서 가장 많은 사람이 시청하는 스포츠 행사이다. 어림잡아 7억 1,510만 명이 2006년 FIFA 월드컵 결승전을 시청했다고 한다.

총 20번 대회가 열리는 동안 8팀이 우승을 차지했다. 가장 우승 횟수가 많은 팀은 브라질로 총 다섯 번의 우승컵을 들어올렸다. 그 다음으로 이탈리아와 독일이 네 번, 그리고 초대 우승팀인 우루과이와 아르헨티나가 각각 두 차례씩, 잉글랜드와 프랑스, 스페인이 각각 한 차례씩 우승을 차지했다. 네덜란드는 준우승만 3번(1974·1978·2010)했다.

2014년 FIFA 월드컵은 2014년 6월 12일부터 7월 13일까지 브라질에서 열렸고, 독일이 우승했다. 그리고 이번 2018년 FIFA 월드컵은 러시아에서 개최되며, 2022년은 카타르, 2026년은 캐나다/멕시코/미국에서 개최된다.

세계적인 종합 스포츠 행사 중 하나인 올림픽과 달리 월드컵은 단일 종목 대회다. 그리고 올림픽은 고대 도시국가 그리스의 전통을 따라 한 도시를 중심으로 개최되지만, 월드컵은 한 나라를 중심으로 열리며 대회 기간은 올림픽이 보통 두 주 동안 열리는데 비해 월드컵은 약 한 달 동안 진행된다.[97]

러시아 월드컵이 한창이다. 축구경기를 바라보며 필자는 세계화의 시대에 살고 있는 우리에게 민족주의 혹은 국가주의라는 이데올로기가 여전히 강하게 어필하고 있음을 느낀다. 비록 한국이 16강 진출에는 실패했지만 독일 전을 바라보며 느낀 카타르시스, 그리고 일본과 벨기에의 경기를 둘러싼 공영방송사의 편파중계 논란. 그 옳고 그름을 떠나 민족주의적 감정을 제외하고는 이러한 경험들을 이해할 수 없을 것이다.

비단 한국뿐이랴? 예상을 뒤엎은 채 스페인을 꺾고 8강에 진출한 개최국 러시아나, 승부차기 징크스를 깨고 16강전에서 콜롬비아를 이긴 잉글랜드도 월드컵 승전보를 접하며 시원하고도 달콤한 여름날을 보내고 있다. 월드컵 본선에 진출하지 못한 중국도 매 경기를 흥미롭게 지켜보고는 있지만, 그 속내는 다음대회에서 자국 팀의 선전 및 이로 인한 영광을 꿈꾸고 있을 것이다. 결국 피파(FIFA)는 민족주의를 자극하여 대회의 성공을 담보하고 있는 셈이다.

독립축구협회연맹이 주관하는 코니파(CONIFA) 월드컵이란 대회가 있다. 2014년에 처음 개최된 이후 2년 주기로 열려 올해 3회째를 맞고 있다. 그 규모야 피파 월드컵에 비할 수 없겠지만, 참가하는 선수들의 열정만큼은 그 어떤 축구경기대회보다 뜨겁다. FIFA가 정식으로 승인하지 않은 국가, 그리고 독립된 영토가 없는 소수민족을 위한 대회라는 점이 바로 그 이유다.

사실 스포츠 민족주의는 외부로부터 핍박과 억압을 받은 경험이 있는 민족에게서 더욱 강하게 작동한다. 국가대표의 경기를 앞두고 한반도에서 민족주의가 유달리 흥하는 이유도, 우리가 일제강점기와 내전 그리고 분단의 고통을 겪은 바 있기 때문일 게다. 코니파 월드컵은 오늘날에도 나라 없는 서러움과 슬픔을 안고 사는 국제사회의 마이너리티들에게 자신들의 존재감과 정체성을 드러낼 수 있는 소중한 기회다.

[월드컵 시즌에 묻는 질문, 국가란 무엇일까]

내일신문(2018. 06. 19), http://kimchulun.khan.kr/437

2018년 코니파 월드컵은 지난 5월 31일 부터 6월 9일까지 진행되었다. 대부분 영토가 없는 민족들이 참가하기에, 코니파는 매번 대회를 주관하는 협회만을 선정하고, 실제 축구경기는 제3의 지역에서 벌어지곤 한다. 즉, 소말리아 내 소수민족인 바라와(Barawa) 축구협회가 금년대회를 주관하였으며, 실제 대회는 런던에서 열린 것이 한 예이다. 영국이 개최지로 선정된 이유는 런던에 거주하는 바라와 난민들이 이들 민족을 대표하여 월드컵에 출전했기 때문이다.

재일교포 즉, 자이니치 선수들도 '일본 내 한인연합 (United Koreans in Japan)' 이란 이름으로 2018 코니파 월드컵에 참가하였다. 대한민국도 조선인민공화국도 아닌 분단이전의 한반도에 뿌리를 두고, 통일한국/조선을 지향하는 이들은 모국이 사라진 디아스포라 집단이나 마찬가지다. 일본을 상징하는 푸른색 테두리와 백두산 호랑이를 형상화한 붉은 한반도 문양을 협회로고로 사용하고 있으며, 대회기간 중 국가로는 아리랑이 울려 퍼졌다. 비록 조별리그에서 3위에 머물렀지만, 경기에 임하는 이들의 각오는 진지하고 비장했다.

정치적으로, 문화적으로, 그리고 사회적으로 소외당하고 있는 소수민족들의 스포츠축제. 어찌 보면 코니파 월드컵은 서글픈 대회다. 피파 월드컵에 출전하는 선수들이 국가의 영광을 위해 투혼을 발휘한다면, 코니파 월드컵에서 선수들은 민족의 설움을 알리기 위해 차고 달린다. 당연히 협회차원의 지원도 열악하다. 이들에게 민족주의는 역경을 극복케 하는 원동력이며 축구는 이를 발산할 수 있는 몇 안 되는 창구다.

물론 민족주의는 복잡한 문제이며, 이 대회에 참가하는 모든 팀들의 역사와 맥락을 모두 이해하는 것은 어려운 일임에 틀림없다. 그러나 FIFA월드컵과 같은 스포츠 메가 이벤트에만 열광할 것이 아니라, CONIFA월드컵과 같은 대안(alternative)스포츠 대회 역시 우리는 진지하게 바라볼 필요가 있다. 스포츠현장에서 벌어지는 마이너리티 문제에 관심을 갖는 것. 그것이 소위 스포츠 선진국을 지향한다는 나라에서 살아가는 시민들의 바람직한 태도가 아닐까?[98]

58. 국가가 되고 싶은 이들의 '대안 월드컵'

9일(현지시간) 영국 런던 외곽의 엔필드 퀸엘리자베스 스타디움. 북키프로스와 카르파탈랴 대표팀 간 축구대회 결승전 승부차기가 한창이었다. 관중 수천명의 시선이 북키프로스의 미드필더 하릴 투란의 발끝에 꽂혔다.

투란의 승부차기에 따라 결승전 승자가 가려진다. 투란의 실축으로 2018년 독립축구연맹(CONIFA · 코니파) 월드컵 우승은 카르파탈랴에 돌아갔다. 카르파탈랴는 우크라이나 서부에서 헝가리어를 사용하는 소수민족이다.

북키프로스 대표팀 선수와 감독들이 지난 7일(현지시간) 영국 런던에서 열린 '2018 코니파 월드컵' 준결승전에서 이탈리아 북부 파다니아 대표팀과 상대로 3:2로 승리한 후 환호하고 있다(AFP연합뉴스).

올해로 3회째를 맞은 코니파 월드컵은 국제축구연맹(FIFA) 체제에서 소외된 이들이 만드는 '대안 월드컵'이다. 티베트, 카스카디아 등 국제사회로부터 정식 국가로 인정받지 못한 소수민족이 주축이다. 이번 대회는 지난달 31일부터 10일간 열렸으며, 본선 진출 16개팀이 승부를 겨뤘다. 2018년 러시아 월드컵을 보름 정도 앞둔 시점이었다.

2014년 첫 대회 때만 해도 상황은 열악했다. 스웨덴 토착 사미족 출신인 퍼-안데스 블라인드 사무총장이 직접 심판을 보고 부상자를 날랐다. 그러나 국제적 인정을 원하는 각 자치정부의 참여와 지원으로, 창립 4년 만인 지금은 쿠르드족을 비롯한 47개팀을 회원으로 둔 단체로 성장했다. 올해는 아일랜드의 유명 도박업체 패디파워가 후원사를 맡았다.

조지아와의 분쟁을 겪고 있는 아브카지아의 축구팬들이 지난 31일(현지시간) 2018 코니파 월드컵 티베트전에서 아브카지아를 대표하는 깃발을 흔들며 응원하고 있다(AFP연합뉴스).

선수들에게는 코니파 월드컵에 참가하는 것 자체가 소중한 기회다. 국제사회로부터 인정받지 못한 민족적 정체성을 있는 그대로 드러낼 수 있기 때문이다.

북키프로스의 수비수 네카티 겐치는 "어려서부터 세계적인 축구선수를 꿈꿨지만, 늘 터키 대표팀으로 활동하는 가능성만 생각해왔다"며 "북키프로스를 대표해 결승전에서 뛴 것은 평생 단 한번뿐인 기회"라고 말했다.

터키계가 다수인 북키로프스는 1983년 키프로스공화국으로부터 독립을 선언했지만, 그리스계 남키프로스의 반발로 터키를 제외한 국제사회의 승인을 받지 못하고 있다.

이번 코니파 월드컵에는 재일한국인 팀도 참가했다. 재일한국인 축구선수 안영학이 감독 겸 선수로 나섰다. 2010년 남아프리카공화국 월드컵에서는 북한 대표로 참가했던 그는 "FIFA보다 규모는 작지만 코니파 월드컵에 참여하는 선수도 매우 열정적"이라며 "자이니치 대표로 뛰게 돼 자랑스럽다"고 가디언에 말했다.

대회 참가까지의 과정이 순탄하기만 했던 것은 아니다. 짐바브웨 서부의 마타벨랜드 대표팀은 대회 며칠 전까지도 영국으로 가는 항공권 비용 2만5000달러(약 2692만원)를 마련하지 못해 애를 먹었다. 평생 아프리카 대륙을 벗어나본 적 없는 이들의 영국행을 도운 것은 '크라우드 펀딩'이었다. 북키프로스 대표팀도 훈련에 필요한 장비를 지원하며 연대를 표했다.

9일(현지시간) 영국 런던에서 열린 2018년 코니파 월드컵 결승전에서 우크라이나 소수민족 카르파탈랴 대표팀 공격수가 북키프로스 선수를 제치고 드리블을 하고 있다(코니파 공식 트위터).

코니파는 다양한 민족적 정체성을 인정하는 것이 강대국 중심의 FIFA 체제에 대안이 될 수 있다고 본다. 코니파 조직위원장 폴 왓슨은 알자지라 인터뷰에서 "(사람들의 정체성을) 꼭 정치적으로 만들어진 작은 우편함에 맞출 필요는 없다"며 "정체성에 대한 우리의 유연한 관점은 기존 체제보다 현대사회에 더 잘 들어맞는다"고 말했다.

모두가 이에 동의하는 것은 아니다. 코니파 주최 측은 대회 일주일 전 런던 내 그리스계 키프로스 교민들로부터 항의 서한을 받았다. 북키프로스인들의 의견을 일방적으로 대변한다는 것이다. 알제리 내 소수민족인 카빌리 대표팀 선수들은 알제리 당국으로부터 '대회에 참가하면 귀국 후 본인은 물론 가족들의 신변도 장담할 수 없다'는 협박 전화를 받기도 했다. 카빌리 대표팀 감독이 훈련 과정에서 알제리 경찰에 수차례 체포되는 일도 있었다.

실제로 코니파 월드컵 참가는 소수민족이 국제사회에 자신들의 상황을 알리는 효과적인 홍보수단이 된다. 코니파 측도 정치적으로 논쟁의 여지가 있을 수 있음은 인정한다. 그러나 대회의 목적은 정치가 아닌 축구 자체에 있다고 선을 긋는다. 블라인드 사무총장은 "우리는 정치에 대해서는 일절 말하지 않는다"며 "오늘날 정치인들은 국경을 짓고 사람들을 구분하는 데 골몰한다. 코니파는 그 반작용일 뿐"이라고 말했다. 국적에 상관없이 스포츠를 즐길 수 있는 '열린 공간'을 마련했다는 것이다.[99]

코니파는ConIFA: Confederation of Independent Football Associations)는 2013년 9월 5일에 설립된 FIFA 미가입국을 위한 축구단체로, 종전의 NF-보드가 수행하던

FIFA 바깥의 국제축구를 주관하는 역할을 이어받은 국제기구이다.

북키프로스인들이 지난 7일(현지시간) 2018 코니파 월드컵 준결승전에서 이탈리아 북부 파다니아 대표팀과 상대로 3:2로 승리한 후 환호하고 있다(AFP연합뉴스).

축구를 통하여 인종, 민족과 종교에 따른 차별로 고통받는 사람들이 스스로의 정체성을 발견하고 그것에 자부심을 가지고 세계를 향해 자신들의 문화를 알렸으면 좋겠다는 생각으로 설립되었으며 설립자는 VIVA월드컵에 심판으로도 참여한 적 있는 페르-안데르스 브랜드(Per-Anders Blind)이다.

NF-보드를 발전시켜 비즈니스나 규모면에서 FIFA를 따라 가기위해 노력하고있다고 하며 VIVA월드컵과 비슷한 ConIFA 월드 풋볼 컵(ConIFA World Football Cup)이라는 대회를 2년마다 개최하고 있다. FIFA 비회원국의 풋살과 비치사커 역시 규율하고 있다.

본부는 스웨덴 룰레아에 있다. 대부분 자치 국가, 속국, 티베트, 소말릴란드, 쿠르디스탄, 북키프로스, 아르차흐 공화국 등의 미승인국, 소수민족, 마이크로네이션, 혹은 국가의 한 지역 등 대부분 FIFA 비회원국들로 구성되어 있다. 드물게 FIFA에 가입하지 않은 주권국가들(모나코, 키리바시, 투발루)도 여기에 속해 있다.[100]

59. 도핑·냉전…올림픽 출전금지의 역사, '문제는 정치야'

러시아의 올림픽 출전 금지를 계기로 역대 올림픽 출전 금지 사례들도 새롭게 주목받고 있다. 러시아는 도핑 때문에 출전이 금지됐지만, 냉전시대를 비롯해 대부분의 올림픽 출전 금지 및 보이콧은 정치적 이유로 촉발됐다. 도핑을 금지해야 한다는 인식이 생겨난 데도 정치 상황이 한몫을 보탰다.

5일 국제올림픽위원회(IOC) 본부 바깥에서 한 여성이 러시아 국기를 흔들고 있다(AP 연합뉴스).

역대 올림픽 출전 금지 처분은 정치적 문제에서 비롯된 경우가 많았다. 세계대전 시기에는 전범국들의 올림픽 참가가 거부됐다. 1920년 앤트워프올림픽에서는 1차 세계대전 연루를 이유로 오스트리아, 불가리아, 터키, 헝가리, 독일의 출전이 금지됐다. 나머지 4개국은 1924년 파리올림픽 참가가 허락됐지만 독일의 출전 금지는 유지됐다. 독일은 2차 대전 전범국이라는 이유로 1948년 런던올림픽 출전도 금지당했다. 남아프리카공화국은 1964년 도쿄올림픽부터 1988년 서울올림픽까지 아파르트헤이트(흑인과 백인을 분리하는 인종차별정책)를 이유로 올림픽 참가가 금지됐다. 2000년 시드니올림픽에서는 탈레반 정권 아래 여성 억압이 문제가 돼 아프가니스탄이 출전을 거부당했다.

스포츠계에서 도핑이 문제라는 인식이 자리잡은 것도 정치 상황과 무관하지 않다. 2014년 발간된「스포츠 세계의 반도핑 정책의 전개과정」논문을 보면 1960년대 이전 도핑은 경쟁에서 이기기 위한 개인의 '선택'으로 인식됐다. 하지만 냉전시대 올림픽이 정치 체제의 우월성을 증명하는 하나의 수단으로 자리 잡으면서 경쟁적으로 선수들에게 약물을 사용하려는 시도가 늘었다. 여기에 1960년대 미국과 유럽에서 약물 남용이 사회문제로 대두되며 도핑에 대한 경각심이 커졌다. 이에 더해 약학 발전도 선수들이 약물이 훈련보다 쉽게 경기력을 향상시킬 수 있다는 유혹에 쉽게 빠지게 했다.

이런 가운데 1960년 로마올림픽 사이클 경기에 참가한 덴마크 선수 크누드 에네마르크 옌센이 경기 도중 쓰러져 사망한 것은 스포츠계에 반도핑 정책이 도입되는 데 결정적 계기가 됐다. 당시 옌센의 혈액에서는 다량의 암페타민이 검출됐다. 올림픽위원회는 1967년 산하 의무위원회(IOC-MC)를 중심으로 반도핑 정책을 본격적으로 펼치기 시작했다.

올림픽위원회는 1968년 그르노블동계올림픽부터 약물 복용에 대한 검사를 실시했지만, 도핑 사건은 끊이지 않았다. 1988년 서울올림픽 남자 육상 100m 경기에서 미국의 칼 루이스를 제치고 1위를 차지한 캐나다의 벤 존슨의 도핑 사실이 발각돼 3일 만에 금메달을 박탈당한 것이 대표적 사례로 꼽힌다. 검사 기술 발전으로 도핑 적발이 늘기도 했다. 최근에는 이전 올림픽 때 채취한 샘플도 재검사해 추후에 도핑 사실을 밝혀내기도 한다. 지난해 올림픽위원회는 2008년 베이징올림픽 및 2012년 런던올림픽 때 채취 샘플을 검사해 수십 건을 추가로 적발하기도 했다.

출전이 불허돼서가 아니라 정치적 항의 표시 등으로 올림픽 출전을 거부하는 보이콧 사례도 많았다. 이번에 평창동계올림픽 출전 금지 처분을 받은 러시아도 개인 자격 참가까지 하지 않는 보이콧에 나설 것이라는 관측도 나온다. 냉전 시대엔 정치적 대립이 극심했던 만큼 1992년 바르셀로나올림픽이 1960년 로마올림픽 이후 보이콧이 없었던 첫 대회일 정도로 보이콧이 없는 올림픽이 더 희귀했다. 가장 잘 알려진 올림픽 보이콧은 1980년 모스크바올림픽 때 소련의 1979년 아프가니스탄 침공에 대한 항의 표시로 미국 주도로 60여개국이 불참한 사례다. 소련은 4년 뒤 로스앤젤레스올림픽 때 동구권 10여개국과 함께 불참해 이를 되갚았다.

이어 1988년 서울올림픽은 8년만에 동구권과 서구권이 함께 참석하는 올림픽이 됐지만, 공동개최 무산 등의 이유로 북한은 참석을 거부했다. 북한은 하계올림픽 '데뷔'도 보이콧으로 시작했다. 1964년 인스부르크동계올림픽에 처음 출전한 북한은 이후 1964년 도쿄올림픽, 1968년 멕시코시티올림픽 출전을 거부했다. 북한의 불참은 당시 북한 최고의 육상선수 신금단의 출전 불허 및 남한이 올림픽 국호 '코리아'를 선점한 상황에서 '조선민주주의인민공화국'이 아니라 '노스 코리아'라는 국호가 부여된 데 대한 항의 표시로 여겨졌다. 북한은 1972년에야 희망하던 '조선민주주의인민공화국' 국호를 획득하고 올림픽에 참가하게 됐다.[101]

60. '몸에서 우러난' 정찬성의 말

살인적인 경쟁 도시를 살아가는 개인들은 나약하기 그지없는데, 어찌하여 그들은 광장으로 나가서 촛불을 들어 인간적 위엄을 보여주는가. 2만이 20만이 되고 200만이 되어 촛불 광장에 모이는 것은 박근혜 정부에 대한 분노, 그 이상의 어떤 사회적 근거와 심미적 갈망에 의한 것이 아닐까.

매사가 굴욕적이라고 말하기는 어려워도, 이 대도시는 하루하루 연명하는 사람들에게 노골적인 협박과 묵시적인 협력을 강요한다. 그래도 옛날보다 경제 규모가 커졌고 일상의 기본적인 도구 차원에서는 확연히 발전한 게 사실이다. 저 가난했던 시절의 수도나 위생 시설은 오늘 제법 편리하고 말끔하게 변했다. 그러나 옛날의 재래식 화장실에서 벗어나 오늘의 깔끔한 위생 시설 위에 잠시 앉았다 해서 사람이 세상과 맺는 불평등하고 불안한 '관계'가 바뀐 것은 결코 아니다.

사람들의 무기력하고 짜증 섞인 표정의 골짜기에는 차별과 불평등이 초미세먼지처럼 깔려 있다. 이 '헬조선'의 심란한 공기에 깔려 질식할 듯하면서도, 그래도 마음에 맺힌 응어리가 세상을 향한 탈출구가 되고 눈가에 아직 묻어 있는 눈물 자국이 강렬한 정서적 연대의 힘이 되어 광장으로 천, 천, 히 걸어가게 된다. 반드시 정치적 집합 행동에 대한 이론을 익히거나 사회 변동의 개념을 읽어야만 그 작은 촛불 하나를 들 수 있는 게 아니다.

누구는, 특정한 정치 상황에 격분하여 감정을 앞세워 광장에 모여드는 행렬을 걱정한다. 역사의 어떤 국면이 보여준, 넘실대는 열정의 일부 과잉된 행동이 그런 우려를 낳는다. 그러나 이는 어떤 점에서, 공안적인 관점이다.

국내외를 막론하고, 공안당국은 '평소 사회에 불만을 품던 중 화를 참지 못하고' 하는 식으로 저항의 행렬을 제 감정조차 추스르지 못하는 한낱 소동으로 격하해왔다. 심지어 스스로는 판단 못하고 용기도 없는데 우연히 선배나 친구를 '잘못 만나서'라고 폄훼하였는데, 실은 이 모두가 정교한 치안 전술이다. 불가피하게 체포된 자들에게 그런 식의 모멸을 줘서, 스스로 판단하지 못하고 스스로 결정하지 못하고 스스로 행동하지 못하는 자가 돼 평생 고개 숙인 채 살아가도록 강요하는 것이다.

그러나, 2만의 촛불이 200만의 광장이 되는 것은 한강의 소설 『소년이 온다』에 묘사된, 결연한 감정의 심미적 저항이다. "당신들을 잃은 뒤, 우리들의 시간은 저녁이 되었습니다. 우리들의 집과 거리가 저녁이 되었습니다. 더 이상 어두워지지도, 다시 밝아지지도 않는 저녁 속에서 우리들은 밥을 먹고, 걸음을 걷고 잠을 잡니다." 삶도 죽음도 아닌 희미한 시공간 속에서 주눅 든 삶, 그리하여 "당신이 죽은 뒤 장례식을 치르지 못해, 내 삶이 장례식이 되었습니다"라는 처절한 심정이야말로 겨울 광장의 촛불을 끝없이 일렁거리게 한 정서적 힘이었다.

지난주에, 영화배우 고수와 정우성의 인터뷰를 봤다. 고수는, 시간을 거슬러 가는 영화의 개봉을 앞둔 행사에서, 언제로 돌아가고 싶으냐는 질문에 '2014년 4월16일'이라고 답했다.

영화 〈고지전〉과 드라마 〈황금의 제국〉 등을 보면서 주변의 공기를 빨아들이는 그의 연기력에 감탄한 적이 한두 번이 아니지만, 그 대답을 하는 순간만큼은 연기가 아니었다. 침묵 다음으로 무거운 대답이었고 대답 이후 고수는 말을 잇지 못했다. '4월16일'이 '작년인가 재작년인가' 하면서 기억도 가물가물하다는 표정을 한 박근혜 정부에 의해 블랙리스트에도 오른 배우 정우성 또한 이른바 '개념 발언'을 여러 차례 했는데, 그 역시 유년기의 '가난'에 의하여 자신이 어떻게 성장하고 단련되었는지를 담담하게, 그러나 단호하게 말했다.

아차, 나는 방금 '개념 발언'이라는 표현을 썼는데, 연예인들의 확신에 찬 발언이나 행동을 '개념'이라는 말로 표현하는 것이 재미있기는 해도 적절한지는 의문이다.

연예인들은 그런 말을 할 만한 조건이나 용기나 공부가 결여된 게 아닐까 하는 선입견이 작동하기 때문이다. 스포츠에서도 마찬가지다. 어떤 선수의 결연한 발언이나 행동을 '개념 발언'이라고 하는 것은 그 행위를 한편 존중하면서도 그저 '튀는' 행동인 듯 보이게 한다.

여기 한 선수가 있다. 정찬성! 지난 5일, 미국 텍사스주 휴스턴에서 열린, 3년 6

개월 만의 복귀전을 1라운드 KO로 장식했다. 경기 직후 링 위에서 정찬성은, 인터뷰를 정리하려는 사회자의 마이크를 빼앗다시피 해서 "이번만큼은 마음이 따뜻하고 강력한 지도자가 탄생하길 기도한다"고 말했다. 그 이후 정찬성은 국내외의 대다수 팬들로부터 '개념 선수'라는 극찬을 받았다.

더 중요한 사실은 그가 이 말을 하기 전에 "제가 지금 이런 말을 해도 될지 모르겠지만"이라고 했다는 것이다. 왜 그랬겠는가. 선수들은 그런 말을 해서는 안 된다는 묵시적 강요가 한국 스포츠 문화이기 때문이다.

1월22일 열린 프로배구 올스타전에서 김희진 선수가 '최순실 패러디' 세리모니를 했다가 일부의 격렬한 비난을 받았고, 이에 한국배구연맹이 사과와 해명이 담긴 입장문을 발표한 게 엊그제 일이다. 이런 문화에서 선수들은 자기 몸을 단련하게 되는데, 그 과정에서, 적어도 굴종까지는 아니어도 어떤 경우에도 침묵할 것을 내면화하게 된다.

그러나 정찬성은 몸에서 우러나는 말을 했다. 큰 부상에 따른 3년6개월의 공백. 그 와중에 겪었을 혹독한 훈련. 그러나 정찬성은 자신의 몸에 새겨진 부상과 고통의 상흔들이 동시대의 헬조선을 짓누르는 공기와 다를 바 없음을 느꼈고 그것을 어퍼컷을 날리듯 토로했다. 가난한 자, 외로운 자, 침묵의 강요가 몸에 새겨진 자들을 대신하여 그가 고통을 이겨낸 선수 특유의 몸으로 말을 하였다. 원컨대 '이런 말을 해도 될지'라는 단서조차 이제는 사라지기를.[102]

정찬성(鄭贊成)은 대한민국의 종합격투기 선수다. 세계 최고의 종합 격투기 단체인 UFC의 페더급 파이터로 소속되어 있으며, 별명은 '코리안 좀비'(The Korean Zombie, 약칭 KZ)다.

한국인 선수로는 최초로 UFC 타이틀전을 벌이게 되었는데, 2013년 8월 3일 경량급의 최강자로 군림하던 조제 알도와의 팽팽한 경기 도중 어깨 관절이 탈구되는 부상을 입어 아쉽게도 패배한다.

61. 차선의 상황, 최선의 선택

"기성용의 파트너만 찾아야 하는 이유를 모르겠다. 다른 선수들의 의욕이 떨어질 수 있다." 1시간 가까이 진행된, 국가대표팀 명단 발표 및 기자회견 과정에서, 신태용 감독이 한 말이다. 다른 질문들에서는, 신태용 감독이 특유의 '어~' 하는 간투사를 습관적으로 쓰면서 신중하고 조심스럽게 답변을 했는데, 이 질문에서는 고개를 들어 특히 강조하였다.

해당 기자의 질문 의도는, 기성용을 중심으로 한 미드필드 라인의 전술과 조율에 관한 것이었지만 어쨌든 '기성용 파트너' 라는 단어가 활용되었고, 이에 관하여 대표팀 감독으로서 분명한 뜻을 밝힐 필요가 있었다. 마저 인용한다.

"기성용의 파트너를 찾기 위해 대표팀을 운영하는 건 아니다. 다른 선수들에게 예의가 아니다. 23인 엔트리를 똑같이 대우해줬으면 한다."

중요한 발언이다. 대표팀을 구성하고 훈련하여 일단 조별리그 3경기 270분 동안 격전을 벌여야 하는 감독으로서는, 설령 그러한 질문이 없다 하더라도, 모처럼 생중계되는 과정을 통해 선수들에 대한 자신의 책임과 신뢰를 이렇게 선언적으로 밝혔어야 한다.

현실적인 이유도 있다. 기자회견에서 신 감독 스스로 누누이 밝혔듯이 이번 대표팀 명단은 그가 생각한 '최선의 선택' 은 아니었다. 부상과 컨디션 난조로 인하여 유력했던 선수들 몇몇이 빠졌다. 수비의 핵심인 김진수 선수처럼, 일단 발탁은 했지만 걱정되는 자리가 한둘이 아니다.

그 자리를 다른 선수들이 채웠다. 꽤 오랫동안 소속팀의 벤치에 머물고 있는 이청용 선수에 대한 질문이 거듭되었고 이에 대하여 신 감독은 몇 차례 비슷한 말을 되풀이해야 했다. '플랜 A'만 고집할 수는 없고 여러 경우의 수에 대응해야 한다는 말도 덧붙였다. 함께 가지 못하게 된 선수들에 대한 신 감독의 마음도 불편했을 것이다. 특별히 김민재, 염기훈, 이창민에 더하여 전술적인 고려에 의해 선발하지 못한 최철순에 대한 아쉬움도 표현했다.

그러나, 여기까지다. 막판까지 고심하여 최종 명단을 발표하였으므로 이제부터는 다른 판단과 다른 발언이 필요하다. "선수층이 두꺼운 것은 아니다. 변화무쌍하게 가져갈 수 있는 부분도 아니다"라는 말은, 오늘 이후로는 감독의 입에서는 더 이상 나오지 않아야 한다. 그게 막판에 가서야 승선하게 된 "선수들에게 예의이며 대우"이다. 이를테면 이승우와 문선민 선수. 회견 중에 신 감독은 "선수들 수준이 두터우면 이 선수 저 선수를 교란작전으로 끌고 갈 수 있지만 사실 그런 것이 아니"라고 했는데, 듣기에 따라서는 어쩔 수 없이 '최선이 아니라 차선'을 택했다는 뜻이 된다. 이런 말은 오늘 이후로는 생각하지도 말아야 한다.

어느 감독이든 최악의 상황에서 차선의 선택을 하기 마련이다. 그게 축구고 그게 인생이다.

아니, 신 감독 스스로 이승우와 문선민에 대한 상당한 판단과 기대를 말하지 않았던가. 이 두 선수는 기성용, 구자철, 권창훈 등으로 구성되는 미드필드 라인에 예기치 못한 활력을 불어넣을 수 있다. 나이와 경험 부족을 염려하는 시각도 있지만 이동국, 이천수, 박주영이 처음 대표팀에 발탁될 때도 그 같은 비판이 있었으나 이들 모두 한국 축구를 한 단계 발전시켰다. 축구의 세계화 현상에 따른 것이기는 하지만, 이승우는 바르셀로나에서 제대로 배워서 이탈리아의 1부리그에서 뛰고 있다. 문선민은, 스스로 길을 찾아서, 스웨덴의 3부리그를 시작으로 하여 1부리그까지 뛴 후, 현재 인천의 중심에 섰다. 신 감독 스스로 말했듯이 "스웨덴 선수들의 장단점을 파악해 보니 요긴하게 쓸 수 있는" 회심의 카드다.

속도!

금세기 축구의 최대 화두가 바로 속도다. 축구에서 말하는 속도는, 단순한 주파 능력이 아니라 능란한 기어 변속을 뜻한다. 과거처럼, 지칠 줄 모르고 뛰다 보면 결국 지친다. 이영표 해설위원이 예언적으로 말한 '스웨덴전 후반 막판 15분' 같은, 그런 결정적인 순간에, 결정적인 공간을 향하여 파괴적으로 돌진해야 한다. 그 시공간은 겨우 10초 내외 10m 정도다. 우리 팀에는 반드시 그 순간에 그 공간을 침범해버리는 선수가 필요하다.

이미 이근호, 손흥민, 황희찬, 권창훈은 공격 진영 전체를 자신의 영토로 맘껏

누비는 능력을 유감없이 증명해왔다. 여기에 이승우 카드까지 더하면, 언제든지 급가속과 급선회가 가능한, 창의적인 속도의 축구가 펼쳐질 수 있다.

신 감독은 '반란'이라는 표현을 쓰면서 "러시아에서 통쾌한 반란을 일으킨 뒤 귀국해 국민들과 팬들에게 따뜻한 환영을 받고 싶다"고 했다. 역사의 우연인 듯, 러시아는 반란과 혁명의 나라다. 더욱이 스웨덴과 1차전을 갖는 니즈니노브고로드는 반란의 작가 막심 고리키의 고향이며 독일과 맞붙는 3차전의 장소는, 혁명아 레닌이 대학을 다닌 카잔이다. 반란의 작가 고리키는 "인간은 노동의 동물이다. 노동을 통하여 끝없는 힘이 솟아난다. 하려고 한다면 무슨 일이든지 해낼 수 있다"고 말했다.

레닌은 더 말해 무엇하랴. 그는 절망이란 "악에 맞서 싸울 능력이 없는 사람에게나 어울리는 것"이라고 했다.

신 감독이 불편한 기색을 내비치며 인용한 대로, 인터넷에서는 더러 고약한 사람들이 '3전 3패가 뻔하다'며 마치 축구공이 세모나 네모처럼 생긴 듯 말한다. 그러나 분명한 것은 이번 대회의 공인구 역시 둥글다.

카잔의 혁명가 레닌은 "조직을 달라. 그러면 러시아를 뒤집어엎겠다"고 했다. 신 감독에게도 조직이 주어졌다. 비록 상황은 차선이었으나 그 자신은 최선의 선택을 한 조직이다.[103]

[2018 러시아월드컵 로고(FIFA)]

스포츠투데이(2018.07.06.) 이상필 기자

62. '3천만 감독'이라도 있을 때 잘해라

미국 스포츠전문 매체 '스포츠일러스트레이티드(SI)'가 월드컵을 앞두고 우리 대표팀에 대해 이렇게 표현했다. "한국은 들러리".

아, 화가 난다. 어쩌다 이런 촌평까지 듣게 되었나, 자괴감이 들고 괴롭다. 정작 당신네 팀들은 지역예선 5위로 탈락했잖아, 라고 소리치고 싶다. 아무튼, SI는 러시아 월드컵 32개국 전력을 6개 등급으로 분류했다.

우리 대표팀은 최하위다. 호주, 이란, 파나마, 러시아, 사우디아라비아, 튀니지와 함께 말이다. 그런데 가만히 생각해보면, 만약 우리가 저 6등급 팀들과 한 조가 되어 맞붙는다고 해도 16강이 가능할까, 조심스럽다. 개최국 러시아, 아시아의 강호들, 더욱 굳세고 빨라진 호주를 이길 수 있을까.

오스트리아 레오강 캠프에서 들려오는 소식 또한 상큼하지 않다. 사실상 1.5군인 볼리비아를 돌파하지 못했다. 신태용 감독은, 무기력한 모습을 보인 투톱 김신욱과 황희찬을 '트릭'이라고 했다. 트릭? 셰익스피어의 〈햄릿〉에서 주인공이 내뱉는 마지막 대사만큼이나 난해하다. 어느 팀을 상대로 한 연막작전인가.

2002 한·일 월드컵 때 마지막 평가전은 스코틀랜드, 잉글랜드, 프랑스였다. 잉글랜드의 미드필더 솔 캠벨과 경합했던 우리 선수는 '콘크리트 벽에 부딪히는 느낌'이었다고 했다. 솔 캠벨은 전성기 때 신장 189cm에 무려 100kg의 거구로 100m를 10초대에 주파했다. 스웨덴이나 독일과 맞싸운다면 그런 정도의 평가전

상대여야 했다.

마지막 평가전은 세네갈인데, 장외 정보전이 벌어지는 상황에서, 비공개는 어쩔 수 없다 해도, H조에서 일본과 맞붙는 세네갈에 조금 이로울 뿐, 이 평가전을 '가상의 멕시코전' 이라고 하기는 어렵다. 우리와 일본이 많이 다르듯, 세네갈과 멕시코는 달라도 너무 다르다.

곧 대회가 열리는데 무슨 불평의 소리냐고, 모두가 한마음 한뜻으로 응원을 해도 시원찮은 마당에, 라고 생각할 사람도 많을 것이다. 당연히 그렇다. 그 점에서는 정말 '모두가 한마음' 이다. 9회 연속 월드컵 진출은, 전 세계 6개 나라뿐이다. 게다가, 지난번 칼럼에 썼듯이, 공은 둥글다. 신태용 감독도 스웨덴의 평가전을 본 후 그랬다. "공은 둥글다. 자신감을 많이 얻었다" 고 말이다. 기본적인 태도는 이렇게 모두가 같다.

그럼에도 신태용 감독이, 그리고 이영표 해설위원이 한 말은 생각해 볼 필요가 있다. 신 감독은 5월19일, 국내 언론과의 인터뷰에서 "국민이 평상시에도 축구를 좋아하고 프로리그 관중들 꽉 차고 그런 상태에서 대표팀 감독을 욕하고, 훈계하면 난 너무 좋겠다" 면서 "그러나 축구장에 오지 않는 사람들이 월드컵 때면 3000만명이 다 감독이 돼서 죽여라 살려라 하는 게 아이러니하다" 고 지적했다.

또한 덧붙이기를 "무조건 이겨야 한다고 말한다. 이런 게 너무 힘들다" 고 했다. 이영표 해설위원도 "솔직히 한국 사람들은 축구를 좋아한다고 생각하지만 그렇지 않다. 한국 사람들은 축구를 좋아하지 않는다. 이기는 것을 좋아할 뿐" 이라고 말했다.

과연 그러한가. 객관의 지표는 그렇다고 말한다. 한국프로축구연맹의 자료에 따르면 2010년 이후 관중은 지속적으로 급감했다. 오르고 내리는 게 아니라, 계속 감소. 그때까지는 연평균 1만명 안팎이었으나 그 이후 8년 가까이 7000여명 수준이었고 올해 상반기는 5000명 정도다. FC서울이나 수원삼성 같은 '리딩 클럽' 의 관중 수도 줄었다.

이유는 무엇인가? 정말로 우리 국민이, 축구팬들이 '무조건 이겨야 한다' 고 해서 이렇게 되었는가. 쾌활하고 독창적이며 선진적인 마케팅은? 부재했다.

승부조작이나 심판 판정 같은 문제도 있었다. 각 팀들이 창조적인 플레이를 했는가? 아니다. 오히려 '이기는 것만 좋아' 한 것은 구단과 감독들 아니었을까, 이렇게 자문해보길 바란다. 이른바 '졌잘싸', 즉 졌지만 잘 싸웠다는 자조적인 표현의 이면에는, 이기면 더 좋지만 납득이 가는 패배, 다음 경기를 기대하는 패배, 그런 경기를 해달라는 뜻이다. 과연 각 프로팀들과 신태용의 대표팀이 그리해왔는가, 의문이다.

그렇지 않다 해도, 그것이 축구의 한 부분이다. 월드컵 때라도 3000만이 감독이 되는 게 자연스럽다. 축구의 특성상, 전문가 수준의 정보와 판단력이 있어야 응원단 자격증을 취득하는 게 아니다. '남녀노소' 모두 응원하고 열광하고 때로는 비판도 하는 게 축구다. 평범 속에 깃든 비범, 단순성에 녹아 있는 복잡성, 열광 안에 숨어 있는 비판, 비판에 담긴 절실한 열망. 그것이 축구다. 그것을 읽어야 한다.

예전에는 월드컵 때문에 지방선거 투표율이 낮아진다고, 축구를 비난하는 사람들이 있었다. 나는 반대했다. 정치 무관심은 월드컵 때문이 아니라 정치 그 자체 때문이라고. 이제는 반대 현상이다. 지방선거와 북·미 정상회담 때문에 월드컵 관심이 줄지 모른다고 한다. 틀렸다. 각각은 각각의 내러티브로 움직인다. 월드컵 열기가 저조하다면 그것은 축구하는 사람들이 자초한 결과다. 게다가 난 그런 판단조차 반대한다. 월드컵이 열리면 다들 밤을 샐 것이고 16강을 염원한다. 제발, 어느 한 팀이라도 이기기를, 나는 간절히 바란다.

문제의 원인을 뒤죽박죽 섞어서, 마치 다른 조건들 때문에 곤란하다는 식으로 말해서는 안 된다. 탄생 200주년이 되는 어느 사상가가 말했다. 문제의 원인은 내부에 있으며, 문제는 그 해결의 열쇠까지 안고 태어난다고. 한국 축구 내부의 상황에 의한 문제를 '3000만이 감독이 되어 무조건 이기기만 바라는 이상한 현상'이라고 단정하지 않기를 바란다. 잘못 하면 정말 무플의 고립무원으로 추락해 축구 산업 자체가 붕괴할 수도 있는데, 이 무슨 안이한 진단인가.

21세기 인터넷 시대의 최고 명언, 무플보다는 악플이 낫다는 말을, 거듭 생각하자. 쓰디쓴 비판에도 달라지지 않는다면 "남은 것은 침묵일 뿐"(『햄릿』의 마지막 대사).[104]

63. 리우 올림픽 그리고 영웅의 행진

날짜는 2016년 10월 17일과 18일, 장소는 맨체스터와 런던. 리우 올림픽에 출전했던 영국선수들이 두 도시에서 재회하였다. 올림픽에서의 성과를 기념하기 위한 가두행렬에 참가하기 위해서다.

그 이름인즉 "영웅의 행진 (Heroes Parade)." 금년 대회에서 영국은 기대이상의 성적을 거두었다. 메달 집계에서 지난 2012년 런던 올림픽 때 보다 두개가 더 많은 총 67개의 메달을 획득, 종합 2위를 차지한 것이다. 이전대회 개최국으로 차기대회 출전 시 4년 전 홈에서 거둔 기록을 뛰어넘기 힘들다는 통념을 깬 부분과, 부정할 수 없는 올림픽 강국 중국을 제치고 2위로 등극한 사실은, 충분히 자축할 만한 성과임에 틀림없다. 시가행렬 "영웅의 행진" 은 이러한 성공을 기념하기 위해 준비된 행사다.

올림픽 선수들의 카퍼레이드는 영국이 올림픽에서 다시 두각을 나타내기 시작한 2004년 아테네 올림픽 때부터 매번 진행된 이벤트다.

하지만, 일일행사였던 지난번과 달리 올해는 17일과 18일 이틀에 걸쳐 맨체스터와 런던 두 도시에서 선수단 환영식이 열렸다는 점이 특이하다. 런던이야 영국의 수도이고 2004년부터 연이어 올림픽 가두행진이 펼쳐졌던 곳이라 특별할 것이 없겠지만, 무엇보다 북부의 산업도시 맨체스터가 "영웅의 행진" 개최도시로 선정된 점은 주목할 만하다.

영국 올림픽 위원회는 공식적인 이유로 선수단의 올림픽 훈련시설이 대부분 맨체스터 인근지역에 밀집되어 있다는 점을 들고 있다. 그럴 수도 있겠다. 하지만, 맨체스터는 이보다 중요한 상징성이 있는 도시임을 상기할 필요가 있다. 바로 브렉시트다.

지난 6월 23일 영국에서는 유럽연합 탈퇴여부를 결정하기 위한 국민투표가 실시되었다. 전국의 브렉시트 투표 집계가 모두 집결된 곳은 다름 아닌 맨체스터 시청. 다음날 새벽 이곳에서 공식적으로 최종 선거결과가 공표되었다. 이러한 까닭에 맨체스터는 유럽연합으로 부터의 독립선언이라는 정치적 함의를 내포하고 있는 도시이기도 하다. 올림픽 메달리스트들의 가두행진은 근본적으로 민족주의적 성격을 지닌다.

국민투표로부터 약 4개월 후인 10월 17일, 영국 선수단은 맨체스터 중심가를 가로질러 브렉시트의 공식발표가 있었던 바로 그 장소인 시청 앞 광장으로 다시 모였다. 동시에 영국의 국기인 "유니언 잭" 의 물결이 이곳에서 파도쳤다. 올림픽을 통해 재현되는 민족주의와 브렉시트로 표출된 국가주의의 여파가 시차를 두고 묘하게 겹쳐지는 순간이다.

더불어 런던에서의 가두행렬이 오후 1시에 시작된 반면, 맨체스터의 시가행진은 오후 4시부터 진행되었다. 약 1시간 정도 시민들의 환영행사를 마친 후, 5시부터는 선수들이 오픈카에 올라 시내 중심가로 들어서기 시작하였다. 6시 즈음에는 화려한 조명을 받으며 시청 앞 특설무대 위로 모두 등장하였으며, 시청광장은 선수들을 맞이하기 위한 인파로 가득 찼다.

BBC는 맨체스터에서 열린 "영웅의 행진" 을 2시간이 넘도록 생중계 하였다. 영국에서 6시는 저녁 메인뉴스가 방송되는 소위 황금시간대이다. 이 시간 대부분을 BBC는 맨체스터에서 열린 선수단 환영식을 위해 할애하였다.

다음날 점심시간대에 개최된 런던 퍼레이드와 대조되는 부분이다. 이러한 사실은 맨체스터의 영웅 퍼레이드가 훨씬 비중 있는 "미디어 이벤트" 였음을 반증한다. 브렉시트와 관련된 도시의 상징성과 스포츠에 의해 발현되는 민족주의, 그리고 미디어를 통한 국가 이데올로기의 전파라는 3박자가 절묘하게 맞아 떨어지는 부분이다.

마지막으로 "영웅의 행진" 이라는 이름 그 자체 역시 영국의 스포츠 민족주의를 뚜렷하게 보여준다. 영국에서 히어로즈 (Heroes)란 단어는 전쟁영웅과 같은 군사주의적인 의미를 함축하고 있다. 때문에 선수들을 영웅이라 칭함은 스포츠와 정치의 결합을 암시하고 있는 것이다.

2012년 환영행사가 "최고의 우리 선수들 (Our Greatest Team)" 로 불렸던 것과는 적지 않은 차이가 있다. 더불어 주목할 점은 올림픽 개막 수개월 전부터 영국에서는 "토종 선수들을 응원 합시다" 를 뜻하는 "서포팅 홈그로운 히어로즈 (Supporting Homegrown Heroes)" 캠페인이 유행하였다는 사실이다. 이러한 "토종" 선수들의 강조는 브렉시트 이후 영국에서 창궐한 배타적 민족주의와 그 맥을 같이한다. 즉, 유럽연합에서 탈퇴한 주체적 자주국가로서의 정체성이 올림픽 선수단을 매개로 표현되고 있는 것이다.

리우에서 우수한 성적을 거둔 올림픽 영웅들의 맨체스터 퍼레이드가, 탈(脫)유럽연합의 맥락에서 영국의 "우수한" 국가정체성을 상징적으로 보여주기 위한 행사로 비춰지는 이유다.

브렉시트, 리우 올림픽, 그리고 영웅의 행진. 이러한 일련의 사건들은 스포츠를 통해 읽을 수 있는 영국의 정치적 상황에 대한 2016년의 키워드다. 결국, 리우 올림픽이 영국에 남긴 주요 레거시를 하나 꼽으라면 단연 배타적 민족주의라는 망령의 재생이라 해도 과언이 아니다.[105]

64. 문(文)의 나라 한국, 무(武)의 나라 일본?

얼마 전 일본의 한 신문이 설문조사를 했더니 남자 어린이 희망 1순위는 놀랍게도(!) 학자, 박사였다(한국 남자 어린이는 운동선수). 흔히 한국은 문의 나라, 일본은 무의 나라라고 한다. 그러나 출판, 신문시장 규모가 말해주듯 인구비율을 감안한다 해도 독서 인구는 일본이 압도적으로 많다.

스마트폰이 책을 초토화시킨 현재도 공공장소에서 독서하는 일본시민들을 쉽게 볼 수 있다. 일반 독서 말고 학문은 어떠한가. 매년 연말 노벨상 시상식 때가 되면 새삼스레 일본 학문의 저력에 놀란다. 노벨상을 누워서 떡 먹듯 받기 때문이다. 노벨상은 주로 이과계통 학문에 주어지는데, 문과계통 학문의 수준은 어떨까. 아마도 사회과학이 세계 최고 수준이라고 말하기는 어려울 것이다.

그러나 내가 속한 분야인 역사학, 혹은 동아시아학에서는 20세기 세계 학계를 이끌어 온 것은 일본학자들이었다. 이 말은 맞기도 하고 틀리기도 하다. 왜냐하면 그들의 학문수준은 세계를 압도했지만, 영어(구미어)가 아니라 주로 일본어로 작업했기 때문에, 영향력은 그 가치의 몇십 분의 일에 머물렀다. 그러니까 수준은 세계 최고였으나 영향력은 간접적이었고, 때로는 묻혔다.

내가 동양사학을 배우던 대학원에서도 일본의 벽은 높았다. 그건 꼭 내가 일본을 전공했기 때문은 아니었다. 중국사도 그랬다. 대학원 끝 무렵 국제적으로도 명성이 높았던 중국사 교수님이 수업 중에 "지금은 아니지만 옛날에 도쿄대학에 콤플렉스를 느낄 때는…"이라고 말씀하시던 게 기억난다. 그 뒷얘기는 뇌리에서 사라졌지만 그 단락만은 선명하게 남아있다. 나는 그때 왠지 모를 뿌듯함을 느꼈다. 물론 그건 중국사의, 혹은 그 특출난 분의 독립선언일 뿐이었겠지만. 그동안 영어권의 동아시아사 연구도 약진했고, 무엇보다 중국인의 연구가 대국굴기의 형세다. 한국의 연구도 많이 발전했다. 반면 일본의 중국사나 일본사 연구는 예전 같지는 않다. 그래도 마치 일본 제조업이 여전히 단단한 것처럼 일본학문은 여전히 단단하다.

서설이 너무 길었다. 내가 이번 글에서 얘기하고 싶은 것은 도대체 사무라이 나라, 무의 나라 일본이 어쩌다가 세계가 주목하는 문의 국가가 되었느냐는 것이다. 그 연원을 찾으려면 조금 거슬러 올라가야 한다.

퇴계가 고봉 기대승과 수준 높은 철학적 논쟁을 벌이고 있던 시대에 일본에서는 오다 노부나가, 도요토미 히데요시 같은 무장들이 군웅할거하고 있었다(전국시대). 서원이나 향교, 과거나 상서 같은 것이 있을 리 만무했다. 있는 것은 오로지 근육과 칼, 힘과 전투뿐이었다. 과연 양국은 문의 나라, 무의 나라라고 불릴 만했다.

그런데 끝날 거 같지 않던 전쟁이 마침내 끝났다. 모두 무기를 내려놓았다. 하지만 언제 다시 전투가 벌어질지 알 수 없으니, 사무라이는 대기상태였다. 칼도 허리춤에 차고 군대도 유지한 채 이게 그대로 행정조직이 되었다.

군주인 쇼군(將軍)은 이름 그대로 최고사령관이었고, 이하 사무라이들은 계급별로 신분이 고정된 채 자신의 직무를 세습하며 수행했다(가업). 그런데 문제가 생겼다. 전쟁이 좀처럼 일어나지 않았던 거다. 조만간 일어날지도 모른다는 기대(?)조차 할 수 없을 정도로 세상은 태평시대로 접어들었다.

1600년경 1200만명 정도였던 인구는 1720년경 3000만명을 가볍게 넘었고(조선은 1000만명 정도), 얼마 안 있어 에도 인구는 100만명(한양 30만명)에 이르렀다. 경제는 농업혁신과 상업발달에 힘입어 약진했다.

누구도 전쟁을 원하지 않았다. 세상은 점점 군인인 사무라이들에게 무예 대신 지식을 요구했다. 전투능력은 아무 쓸모가 없는 시대였으므로. 아닌 게 아니라 차고 다니던 칼도 다 녹이 슬었고, 궁한 김에 상인에게 팔아치우고 목도(木刀)를 대신 차고 다니는 자들도 있었다. 때마침 막부나 번(藩·봉건국가) 정부도 번교(藩校)를 세우고 향교를 지원하며 학문을 장려했다. 이전부터 있던 사숙(私塾)들은 더욱 번성했다. 요즘으로 치면 지방 국립대학에 해당하는 번교들이 우후죽순처럼 세워졌다(막부 말기에 이미 200개가 넘었다). 그 속도는 어느 학자가 '교육폭발의 시대'라고 칭할 정도로 놀라웠다.

19세기 초 다산 정약용은 벌써 일본의 학문수준이 범상치 않음을 간파하고 일본 유학자들의 고전주석을 인용했다. 이미 유학교육이 한풀 꺾이고 심지어는 사회적 병폐로까지 변질되었던 조선, 중국과 달리 19세기 일본은 유학(중심은 주자학)을 비롯하여 학문과 교육열풍에 휩싸였다. 번 정부는 사무라이들의 번교 출석을 엄격하게 체크했다.

한편 무예로 전투에서 공을 세워 출세하는 것이 더 이상 불가능해진 현실에서 젊은 사무라이들은 학문과 학교에서 돌파구를 찾으려 했다. 이렇게 해서 생겨난 사무라이 간의 학적 네트워크가 결국 정치화되어 메이지유신의 촉매제가 되었다. 〈1987〉이라는 영화가 히트 중이지만 1980년대 이념 서클 같은 역할을 한 것이다.[106]

65. 무술과 스포츠의 차이점

일반적으로 스포츠의 개념은 화합이다. 축구, 야구, 그 외에 수많은 스포츠들이 있다. 스포츠는 서로간의 화합을 도모하는 목적이 모태이다. 하지만 무술은 무엇이냐? 바로 그 나라의 기상이 서려있으며 옛날 같았으면 바로 그것으로써 외적에 대항하고 그리고 무력으로써 영토를 확장하는 정신이 바로 무술이다. 어느 나라 무술이든지 각 나라의 기상과 정신이 서려있는 것이다. 하지만 요즘 우리나라 무술이랍시고 다른 나라의 기상과 정신이 서려있는 무술의 본을 따서 흉내 내는 여러 무술을 보면서 참으로 안타까운 생각에 개념만이라도 확실히 했으면 하는 생각이 든다.

다른 나라의 무술을 배우더라도 우리나라의 기상과 자부심만은 잃어서는 안 된다. 그 무술을 배우고 우리나라 사람이라는 자각만 가지고 있으면 그것은 그 순간부터 우리나라의 역사요 무술인 것이지만 무술의 정신까지 다른 나라의 무술을 따라간다면 그것은 그 나라도 우리나라도 아닌 여기도 저기도 끼지 못하는 허울만 있는 것이다.

무술이 스포츠가 될 수는 없다. 스포츠면 스포츠답게, 무술이면 무술답게 스포츠를 무술이라 해서는 안 된다고 생각한다. 무술의 근원은 인을 해하고 살 하는 데 있는 것입니다. 이는 명확히 구분되어야 한다.

1950년대에 서울에서 당수부를 만들고 나중에 수박도를 만들었던 황기는 "무술이란 원래 인간의 생명을 직접적인 대상으로 하는 것임으로 시합이 불가능하다."고 하면서 "시합을 하게 되면 기술이 형태나 방법에서 근본적으로 변하게 될 것이므로 경기화는 신중히 고려되어야 한다." 지적하였다.

南鄕繼正은 무도의 본질을 논하면서 일반적 또는 본질적으로 무도는 '武技를 사용하여 생명을 걸고 싸우는 승부'라고 말하고 있다 이들은 무도를 스포츠와 구별된 생명을 대상으로 하는 승부라고 생각하고 있다. 그러나 오늘날 이러한 무도의 본질에 대하여 누구나가 동의하는 것은 아니다. 아니 오히려 이러한 무도의 생명을 걸고 싸우는 승부란 전쟁이나 폭력배들의 죽음을 건 싸움에서나 가능한 일이다.

최근에 무도를 주장하는 이들은 생명을 걸고 싸우는 승부보다는 무도철학을 강조하고 있다.

Dreger는 무술은 道란 개념을 갖기 이전에 전투술로써의 목적을 담고 있어 수련자들이 무술을 하는데 있어서의 근본 목적은 실제적 유용성 즉, 전투술이었다고 말한다. 그러나 문명이 발전함에 따라 전투의 수단으로써의 무술의 의미와 역할은 축소되어 무도의 근본 특성과 목적은 필연적인 변천과정을 겪게 되는 무술되었고, 그 결과 무술의 목적은 인간의 실제적 무도 연마를 통한 인간교육의 과정으로 그 모습이 바뀌었다고 한다.

Angelika F rster는 동양 무술에 대한 관심은 최근에 스포츠 철학과 수련 중심의 극동무술과 전통적 서양 스포츠와의 통합에 나타난다고 하면서 특히 일본 무술은 소위 도(道)에 속하며 권투, 펜싱과 같은 서양 무술과 근본적으로 다른 매우 정제된 교육전통과 철학을 가지고 있다고 하였다. 그러나 이러한 정제된 교육전통과 철학은 무도에만 있는 것은 아니다.

토마스 아놀드(Thomas Arnold)는 1828년부터 1842년까지 영국 럭비학교의 교장으로 근대 올림픽의 이상을 구축하는데 중요한 몫을 담당했던 사람이다. 그는 영국의 럭비학교에서 조직적인 운동경기를 통하여 학생들에게 종교 도덕적 원리, 신사다운 행동, 지적인 능력 개발이라는 이념을 투입시켰다. 그의 이러한 사상은 근대 올림픽을 태동시킨 쿠베르탕에게 감명을 주게 되었다.

쿠베르탕은 아마추어 헌장을 해석하기 위해 올림피즘(Olypism)이라는 말을 만들면서 올림픽 운동의 특징은 종교, 평화, 미(美)를 추구하기 위한 것이다라는 스포츠 철학을 만들게 되었다. 이처럼 스포츠 정신과 무도 철학과의 차별성은 크게 부각되지는 못하는 것 같다.

또한 1964년 국제스포츠협의회(I.C.S.P.E)는 스포츠선언에서 스포츠를 다음과 같이 말하고 있는데 그 의미 속에서도 스포츠가 무도이상의 그 어떤 것이 있음을 말하고 있어 무도와 스포츠를 구별한다는 것은 쉽지 않아 보인다.

놀이적 성격을 갖고 자기와의 싸움(경쟁)의 형식을 취하거나 또는 타인과의 경쟁을 포함한 활동은 모두 스포츠에 포함한다. 이 활동은 항상 스포츠맨쉽을 갖고 행해야 하며 페어플레이를 통해서만 진정한 의미의 스포츠를 행할 수 있다. 이상과 같은 스포츠는 하나의 의미 있는 교육의 수단이다.

무술과 스포츠의 공통점은 무엇인가.

무술과 스포츠는 최초에는 실전성이 지상목적인 대인전투기술이었으나 무인들은 생명을 걸고 타인과 대치하고 대결을 하면서 자연스럽게 기술적인 발전과 더불어 인간의 내면에 대한 탐구도 이루어졌다. 무술과 스포츠는 단순한 싸움기술이 아니라 여러 가지 신체적인 움직임과 수련과정에서 오는 극기의 요구 그리고 간접적인 생사의 결투를 통해서 보다 정신적으로 성숙되고 육체적으로 건강함을 추구하는 교육적인 성격이 있다. 서구문화가 성숙시킨 스포츠를 중심소재로 한 체육문화(physical culture)가 적지 않은 한계점을 노출시키고 있는 현실과 궤를 같이하여 심신이원론이라는 자기 패러다임의 비판적 인식의 강한 흐름 속에서 동양적 체육관(體育觀)의 발견이라는 문제의식을 갖고 진행되는 무술 또는 무도에 대한 논의는 그들에게 세로운 패러다임의 발견 가능성을 비춰주는 것처럼 보인다.

스포츠가 노출하고 있는 문화·역사적 요인에 연유한 교육적 가치실현의 한계, 현대 상업주의 스포츠의 타락상, 그리고 자신들의 지적 전통 속에서 체육에 대한 적절한 철학적 기반 마련의 난감성 등에 반해서 동양의 무술교육이 보여주고 있는 교육인 만큼 철저한 도덕성과 진지한 철학적 분위기 등이 그들에게 신선하고 주목할 만한 것들이었는지 모른다.

무술의 정신에 대해 살펴보자. '무술은 깊고 깊은 심연이며 높고 높은 고봉이라. 많은 사람이 입문하나 그 득도함이 쉬지 않고 칼처럼 위험해서 쓰기에 따라 이와 해가 되나니 무인일수록 마음을 대자비에 두어 사랑을 부릴지니라. 활인검(活人劍)의 대의가 바로 여기에 있나니 생명이 있는 모든 것을 사랑하고 의를 위하여 칼을 쓰라. 그러나 칼을 쓰지 않음이 훨씬 지혜로우며 말은 반드시 깊이 생각해서 하고 남의 말을 전치 않으며 타인이 인격을 중히 여기고 항상 득도와 수련에 힘쓰라. 몸을 편히 하면 마음이 게을러지다니 언제나 고행에 몸을 두어 더 많은 정진을 꾀하라. 인간도 본시 자연일지어니 자연을 가까이 하고 마음을 순하게 가지며 악을 멀리하고 선에 속하라. 인간 병통중에 거짓과 욕심이 크나니 이에서 헤어나 예지의 힘을 얻고 무인은 무술을 통하여 인내와 극기를 배우며 자아를 성찰하고 외유내강하여 인류사회에 이바지 하는 덕을 기르라. 이것이 무술의 근본이니라.' [107]

무술의 정신은 단지 참다운 무술에게만 관련된 것이 아닌 것 같다. 참다운 무술인이 되는 것은 물론이며 좁게는 가정에서 넓게는 인류 사회에까지 이바지할 것을 가르치고 있다. 무술을 하는 사람들은 물론이며 현대인들에게 정말로 무술의 참다운 정신이 오늘날 절실하게 필요하다. 하지만 무술인 조차도 참다운 무술의 정신을 알지 못하는 무술인들이 많아 참으로 안타까운 현실이다.

무술의 정신은 단지 무술에 대한 정신만을 가르치는 것이 아니라 참다운 사람이 되는 것을 더욱 중요시한다. 무술의 정신은 단지 참다운 무술에게만 관련된 것이 아닌 것 같다.

참다운 무술인이 되는 것은 물론이며 좁게는 가정에서 넓게는 인류 사회에까지 이바지할 것을 가르치고 있다. 무술을 하는 사람들은 물론이며 현대인들에게 정말로 무술의 참다운 정신이 오늘날 절실하게 필요하다. 하지만 무술인 조차도 참다운 무술의 정신을 알지 못하는 무술인들이 많아 참으로 안타까운 현실이다. 무술의 정신은 단지 무술에 대한 정신만을 가르치는 것이 아니라 참다운 사람이 되는 것을 더욱 중요시한다.[108]

[조선시대에 편찬된 『武藝圖譜通志』의 검법]

66 대학 운동선수들의 운동 정체감

정체감(正體感, identity)은 개인의 영속성, 단일성, 독자성, 불변성, 동질성에 대한 의식적 감각(conscious sense of individual identity)이나 주관적 느낌이다. 주로 어떠한 경험을 하였는가에 따라 정체감이 달라질 수 있기 때문에, 운동선수의 경우 지나친 실패의 경험은 자신의 정체감에 대하여 부정적인 영향을 끼칠 수 있다. 교사나 보호자는 운동선수가 부정적인 정체감이 아닌 긍정적인 정체감을 갖을 수 있도록 과제의 수준을 조절하여 성공의 경험을 적절히 경험할 수 있도록 하여야 한다.

우리나라는 2008, 2012년 베이징, 런던 하계올림픽과 2010, 2014년 벤쿠버, 소치 동계올림픽에서 소기의 목적을 달성하는 성과를 이루며 스포츠 강국으로 세계인의 주목을 받고 있다. 2015 광주 유니버시아드와 2018년 평창 동계올림픽 유치는 진전한 스포츠 강국뿐만 아니라 선진국가로 도약할 수 있는 좋은 기회를 마련했다고 생각할 수 있다.

이처럼 대한민국이 스포츠 강국으로 발전할 수 있었던 계기는 스포츠 외교와 행정뿐만 아니라 발전된 스포츠 과학을 바탕으로 지도자와 선수 모두의 헌신적인 노력이 큰 역할을 했다고 할 수 있다. 특히 우수한 학생 성수의 체계적인 발굴과 육성을 바탕으로 한 엘리트 학생 선수들은 대한민국 스포츠 발전에 중요한 역할을 했다고 할 수 있다.

2012년 대한체육회 조사 결과에 따르면 우리나라에서 정식으로 등록된 엘리트 대학 운동선수들은 남자는 50개 종목에 9,644명, 여자는 48개 종목에 2,239명으로 총 11,883명이 엘리트 대학 운동선수로 활동하고 있는 것으로 조사되었다. 그러나 이 가운데 종목별 국가 대표로 선발된 선수는 0.04%정도인 500여명에 불과했으며 0.04%의 선수들을 제외한 나머지 선수들의 미래와 진로에 대한 대안이 시급한 실정이다.

2010년 대한체육회에서 발표한 내용에 따르면, 운동선수의 취업률은 매우 낮은 수준이며 대학교 졸업 후 해당 종목과 관련된 분야로 취업하는 경우는 2007~2009년에 걸친 3년 동안 41.6%에 불과했고, 일반 4년제 대학생들의 취업률인 68.4%에 비해서도 여전히 낮은 수치에 불과하다고 밝혔다. 이처럼 체육특기자 제도다 학생 경기력 향상이라는 측면에는 많은 공헌을 했지만, 진로 및 교육적 측면에서 볼 때에는 상급학교가 진학 특례가 빚어낸 부작용으로 몸살을 앓고 있다. 초등교육부터 이어져 온 운동선수로서의 생활은 학업에 대해 소홀해 질 수 밖에 없고, 운동 이외의 또 다른 사회에 대한 사회와 과정을 겪지 못하게 만든다.

2009년 국가인권위원회의 '중도탈락' 학생선수의 인권상황 실태조사 보고서에 의하면 학생선수가 학업을 병행한다는 것은 학업 성적이 높고 낮은 것에 국한하지 않고, 학생선수의 진로를 다양화 할 수 있고, 교사와 교유관계에서 믿음과 신뢰를 가져온다고 한 바 있다. 따라서 학생선수에게도 '배움의 장'을 보장해 주어 성적과 상관없이 학교에서 얻을 수 있는 교육의 참의미를 맛보게 해야 할 것이다.

청년기는 어떤 직업을 가질 것인지에 대한 의사 결정을 해야 하는 결정적 시기로 어떤 직업을 선택하느냐에 따라 앞으로 남은여생이 크게 좌우된다. 이렇게 진로 선택의 중요성에도 불구하고 현재 대학 운동선수에 대한 낮은 진로 의식은 물론 이들에 대한 진로 지도는 거의 이루어지지 못하고 있을 뿐만 아니라 많은 한계점을 드러내고 있다.

우리나라 대부분의 대학생 운동선수들은 많은 시간을 치열한 경쟁을 위한 훈련 시간으로 소모하였고, 개인의 진르호를 위해 필요한 기술과 학문을 습득하고 개발하는 시간에는 매우 소홀하였다. 그러므로 점점 변화하는 사회 속에서 진로의 결정을 위한 진로 의식과 정보의 수집과 합리적 의사 결정의 능력이 매우 필요하다고 하겠다. 일부 대학에서는 규칙을 정하고 규칙에 어긋나거나 정해진 학점에 미달된 선수들에게 장학금 혜택 중단 및 대회 출전 금지 등의 규칙을 실행하고 있다. 이외에도 운동 중도 포기 선수들을 위한 대책 마련 등 다양한 발전적 방안이 제시되고 있다.

이러한 시점에서 대학 운동선수들의 진로를 결정하는 데 있어 보다 적극적으로 대처할 수 있도록 진로의식을 신장시켜 줄 필요성이 요구되며, 개인의 특성과 적성에 맞는 진로 교육 및 운동선수들을 위한 차별적 정책 방안의 필요성이 제기된다고 할 수 있겠다.

박장근의 대학 운동선수들의 운동정체감, 진로의식, 자긍심의 관계를 살펴보면, 첫째, 운동정체감의 하위요인인 사회정체감은 진로의식의 하위요인인 진로정체감에 부적영향을 진로합리성에는 정적영향을, 운동정체감의 하위요인인 자아정체감은 진로의식의 하위요인인 진로 준비도에 부적영향을 미친다.

또한 운동정체감의 하위요인인 사회정체감은 자긍심의 하위요인인 우월감에는 정적영향을 열등감에는 부적영향을, 자아정체감은 우월감에 정적영향을 미친다.

결론적으로 대학 운동선수들의 운동정체감은 진로의식에 부분적으로 영향을 미치고 있으며, 자긍심은 우월감에 영향을 미친다고 볼 수 있다.[109]

67. 체육요원 병역 특혜

체육 분야의 특기를 가진 사람에 대하여 현역 군 복무 대신 공익근무요원으로 해당 특기 분야에서 지속적인 활동을 하게 함으로써 국위 선양에 기여할 수 있도록 한 것이다.

체육 분야 우수자는 징병검사 및 입영 등을 연기하거나, 현역병이 아닌 국위 선양을 위한 체육 관련 분야에서 공익근무요원으로 복무할 수 있다. 현행 병역법에서 규정한 체육 분야 병역특례 대상자는 다음과 같다.

올림픽대회에서 3위 이상으로 입상한 사람, 아시아경기대회에서 1위로 입상한 사람, 단, 단체종목선수는 한 경기에라도 실제로 출전하여 팀의 메달 획득에 기여해야 이 자격을 얻을 수 있다. 병역특례 대상자는 군대에 가는 대신 4주간 기초 군사훈련만 받고 해당 분야에서 2년 10개월의 의무종사 기간만 채우면 된다.

당초 체육분야 병역특례는 올림픽, 아시안게임, 세계선수권대회, 세계청소년선수권대회, 유니버시아드대회, 아시아청소년대회, 아시아선수권대회를 대상으로 하다가 1990년부터 '올림픽 3위 이상 입상자와 아시안게임 우승자'로 그 대상이 축소됐다.

그러다 2002년 한국 축구 대표팀이 월드컵 16강에 진출하자 법 개정을 통해 2002년 6월 '월드컵 축구경기에서 16위 이상의 성적을 거둔 사람'을 추가하였고, 2006년 9월에는 '월드베이스볼클래식 대회(WBC)에서 4위 이상의 성적을 거둔 사람'을 추가하였다.

이에 따라 한국 축구와 야구대표팀이 2002년 월드컵과 2006년 WBC에서 각각 4강에 진출해 병역혜택을 받았다. 하지만 2008년 이후 예외 없는 병역의무 이행과 병역 이행의 형평성 제고를 위한 대체복무제도 폐지 및 축소 정책에 따라서, 월드컵과 WBC는 병역혜택이 주어지던 대회에서 제외되었다.[110]

우리나라에서는 지금껏 여러 차례 스포츠 선수의 병역특례를 두고 단순히 기준 강화 문제를 넘어서는 다양한 의견 충돌과 논란이 있어 왔다. 일례로 2002년 한일 월드컵과 2006년의 월드베이스볼클래식 대회 참가 선수들에게 예외적인 규정을 통해 병역특례를 제공한 사실이나 런던올림픽 축구 대표 팀에서 나타난 박주영 선수 발탁과 김기희 선수의 1분에 걸친 경기 투입은 병역특례에 대한 선수들의 자격 문제가 거론되는 계기가 되어 병역특례 혜택 부여에 대한 반대 의견을 자극하기도 하였다.

　이처럼 스포츠 선수의 병역특례는 과연 특정 국제대회 입상을 근거로 병역특례 혜택을 주는 것이 타당한 것인지, 이미 연금포상금 등의 혜택이 주어진 상황에서 국민의 4대 의무 중 하나인 국방의 의무를 면제해 주는 것이 공평하고 적절한지 등 제도의 형평성, 적절성, 타당성에 대한 의문이 제기되어 왔다. 그리고 병역특례 혜택을 받은 성수가 추후 국가대표로 선발되는 것을 회피할 경우 어떻게 대처할 것인지, 선수들이 국가대표 발탁을 병역면제의 수단으로 인식하고 있는 것은 아닌지 등 선수들의 병역특례 혜택을 받을 자격이 있는가에 대한 도덕적 차원의 문제가 제기되기도 하였다. 특히 체육요원 병역특례가 국위선양과 국내 스포츠 발전이라는 미명 하에 나타난 성과 위주 엘리트 체육 정책의 산물이라는 지적도 존재하고 있어 병역특례라는 제도 자체의 정당성마저 의심받기도 하였다.

　동시에 국내의 스포츠가 발전하는 데에는 여전히 국제대회에서 스포츠 선수들의 역량과 성과가 가시적으로 나타날 필요가 있음을 주장하며 이를 위한 선수들의 참여와 희생의 동기부여 수단으로서 체육요원 병역특례가 국방의 의무를 면제해 주는 것이 아닌 공익근무요원으로서의 복무를 의미하기 때문에 실제로는 스포츠를 통해 국방의 의무를 다하고 있는 것이라는 지적도 있다.

　하지만 체육요원 병력특례에 대한 지속적 논란은 체육요원의 봉사활동을 통해 그 역량을 사회로 환원하도록 하는 운영 제도의 개선이나 그 존속 여부에 대한 여론 수렴 등을 통해 그 근본적 해답을 찾을 수 없을 것으로 보인다. 그렇다고 해서 체육요원 병역특례의 형평성과 타당성 및 필요성을 국방의 의무와 국가적 업적 사이의 산술적인 계산을 통해 결론을 내릴 수도 없는 일이다. 또한 국민의 정서를 기반으로 그 결론을 내릴 경우, 명확한 기준 보다는 대중의 정서에 휩쓸린 감정적 결과가 우려되기도 한다. 스포츠 선수의 국제대회 성과에 따른 병력특례의 문제는 사회적 합의에 의거한 가치 기준을 바탕으로 그 옳고 그름을 판단하고 이를 근거로 그 제도의 존치 여부와 개선의 방향을 모색하는, 보다 근본적이고 가치판단적인 논의가 필요한 문제이기 때문이다.

　동양적 관점에서 정의는 인간을 사랑하는 따뜻한 마음에 대한 인식과 이를 실행하고자 하는 의지, 그리고 인간 행실의 기준을 제시하여 올바른 사회를 추구하는 지침이 된다. 즉 정의란 구성원 모두가 충분히 행복할 수 있는 효율적이고 효과적이며 안정적인 사회를 만드는 근원적 가치 기준이다. 또 무엇이 옳고 그른지, 무엇을 추구해야 하는 지에 대한 준거이자 지침으로서의 역할을 수행한다.

　정의가 가지는 사회적 준거로서의 가치와 이상향에 대한 지침으로서의 역할을 체육요원 병역특례 문제에 대입할 경우, 정의는 스포츠 업적과 그 보상에 대한 사회적 평가의 가치 기준으로서 그 정당성과 평형성 및 타당성을 논하는 준거의 역할을 할 수 있을 것이다. 도한 현재의 체육요원 병역특례가 사회적으로 더욱 바람직한 제도가 되기 위해 어떻게 개선되어야 할지에 대한 이상향을 제시할 수도 있을 것이다. 나아가 이러한 논의를 토대로 체육요원 병역특례를 넘어 과연 스포츠라는 사회 현상이 그 사회 속에서 정당한 것으로 받아들여지고 바람직한 역할을 수행하는지에 대한 근원적 의문의 해답에 실마리를 제공할 수도 있을 것이다.

체육요원 병역특례는 제도의 목적을 기준으로는 정의롭다고 할 수 있으나 관련 운영 주체와 스포츠 선수들의 도덕성을 구현하기 위한 노력이 필요하다. 또한 현 사회의 제도인 병역법에 의해 만들어진 것으로써 정의로운 제도라 할 수 있으나 운영 주체와 스포츠 선수의 도덕성을 이끌어 낼 제도적 규범의 보충이 필요하다고 본다.[111]

예술·체육 특기자들이 입대하지 않고 해당 분야에서 군 복무를 대체하는 제도를 놓고 병무청이 여론수렴에 나섰다. 지난해 인천 아시안게임에서 축구와 야구 국가대표팀이 금메달을 따면서 병역 특례 대상자가 대거 발생한 것에 대한 과다 특혜 논란이 계속되고 있는데 따른 것이다.

당시 금메달을 딴 남자선수는 143명이고 이 가운데 병역특례 대상자는 66명이었다. 축구 20명과 야구 13명이 포함되면서 '무임승차' 논란까지 제기됐다.

병무청은 이런 특혜 논란에 따른 형평성 제고 차원에서 오는 23일까지 '국민 신문고 정책토론'(www.epeople.go.kr) 코너를 통해 예술·체육요원 제도 유지와 개선방안에 대한 찬반 의견을 수렴한다고 9일 밝혔다. 국제예술경연대회 1, 2위 입상자 중 입상 성적순으로 2명 이내 해당자와 국내예술경연대회 1위 입상자 중 입상성적이 가장 높은 사람, 5년 이상 중요무형문화재 전수교육 이수자이면 병역 특례를 받게 된다. 올림픽 대회 1~3위 입상자, 아시아경기대회 1위 입상한 체육 특기자들도 입대하지 않고 해당 분야에서 34개월을 활동하고 544시간 봉사 활동을 한다.

현재 예술 특기자 102명, 체육 특기자 58명 등 160명이 병역특례를 받아 해당 분야에서 활동하고 있다. 제도 시행 이후 모두 1566명이 혜택을 봤다. 그러나 야구, 축구 등 단체 종목의 예비 선수들에게까지 혜택을 부여하고 체육 요원에 편입됐다고 해도 국가대표 차출을 거부하는 사례가 늘며 논란이 됐다.

병무청은 무임승차 논란 해소를 위해 축구, 야구 등 단체 종목은 본선 1게임

이상 출전하는 경우에 병역 특례 혜택을 부여하는 방안으로 개선을 검토 중이다.

하지만 선수 개개인이 출전경기 이전 훈련 등을 통해 팀에 이바지한다는 논리로 반대하는 의견도 있다. 또 체육 요원으로 편입되면 국가대표 차출에 무조건 응하도록 개선하는 방안도 고려 중이다. 이들 개선안에 대해 '국민신문고 정책토론' 코너에서 찬반 의견을 개진하면 된다.

이와 함께 예술·체육요원 제도를 아예 폐지 또는 유지해야 하는지도 찬반 의견을 수렴하고 있다.

1973년 처음 도입된 이 제도에 대해 OECD(경제협력개발기구) 가입국 중 국위선양을 이유로 병역 혜택을 부여하는 국가가 없으며 국제대회 우승자 고액연봉 등 보상 변화로 이중 혜택 논란이 있어 폐지해야 한다는 주장도 있다.

반면 올림픽 등 국제경기에서 대한민국의 위상을 높이고 국제적인 스포츠 스타 발굴에 기여하기 때문에 제도를 유지해야 한다는 의견도 만만치 않다.[112]

68. 한국 스포츠와 지도자

문화체육관광부는 2013년 11월부터 12월까지 전국 10세 이상 9,000명을 대상으로 국민 생활체육 참여 실태를 조사한 결과 주 1회 이상 규칙적으로 운동하는 사람은 2012년에 43,2%, 2013년에는 45.5%로 나타나 2.3%가 증가한 것으로 조사결과가 나타났다. 또한, 국민생활체육회는 일주일에 세 번 이상, 하루 30분 운동하자는 스포츠 참여 범국민 캠페인인 '생활체육 7330캠페인'을 통하여 생활체육 참가를 유도하고 있어 더욱더 증가할 것으로 예상된다.

한국 지도자급인사 가운데 학창시절 공부와 운동을 병행한 사람은 거의 없다고 해도 지나치지 않다. 책만 끼고 살고, 대학가서는 오로지 고시 패스를 위해 법전을 달달 외우고 그랬던 학생들이 한국의 정치 및 재계 지도자들이 됐다. 물론 이 가운데는 이른바 스포츠권(운동권)도 있다. 니들 모두에게 스포츠는 가끔 운동하다가 몸이 뻐근할 때 소일거리로 하는 놀이에 불과하다. 나중에는 이것도 학창시절 운동했다고 둔갑한다. 이건 운동이 아니다. 특별활동이다. 숨이 턱에 차고 하늘이 노랗게 될 때까지 뛰어 보지 않은 것은 운동이라고 할 수 없다.

미국에서는 운동을 하지 않은 학생은 절대로 리더가 될 수 없다. 명문대학을 나온 지도자들 가운데 이름을 나열하기 힘들 정도로 그들은 모두 한 가지씩 운동을 병행했다. 2007년 작고한 제럴드 포드 대통령은 명문 미시건대학 미식축구 팀 '올 아메리카 센터'였다. 대학교 총장도 마찬가지다. 부시 대통령은 리틀리그 선수 출신이다. 아버지는 아이비리그 예일대학 야구팀 주장이었다. 단순히 특별활동 수준이 아니다.

미국 정치인들에게 균형 있는 사고가 나올 수 있는 배경이 바로 스포츠의 힘이다. 스포츠는 희생, 협동, 에어플레이 정신이 담겨 있다. 나홀로 독불장군은 인정될 수 없다.

한국에서는 공부만 잘하면 된다. 나만 최고가 되면 된다. 남을 짓밟고 올라가면 되는 게 한국 교육방식이다. 남을 배려하는 수준이 후진국과 다를 게 하나도 없다. 한국의 정치가 이런 풍토 속에서 성장했기 때문에 페어플레이가 실종돼 있다.

한국의 지도자급 인사들의 '노블리스 오브리제' 부재도 같은 맥락이다. 특권은 있지만 책임은 없는 사회다. 스포츠의 몰이해는 한수 더 뜬다.[113]

☞ "학부모가 지도자 급여 지급은 병폐"

지도자가 학부모로부터 급여를 받는 형태는 현 학원축구의 병폐다. 반드시 사라져야 한다. 학부모가 지도자에게 급여를 줄 때는 보이지 않는 입김이 작용할 수도 있다.

지도자가 그 선수와 학부모에게 얼마나 자유로울지 의문이 든다. 현행 지도자 급여 문제점은 대학 진학의 또 다른 뒷거래를 양산 할 수 있는 검은 연결고리다.

개인의 도전이 땀 흘려 정당한 평가를 받아야지 부모의 입김과 돈으로 결정된다는 것은 도전의 가치를 돈으로 사는 것이다. 지도자는 선수에 대한 냉정한 판단이 필요한데 선수 부모의 눈치를 볼 수밖에 없다.

이를 개선하기 위해선 지방자치단체 체육회가 지도자에게 보조금을 지원하는 것도 대안이다. 이는 지자체가 지원하는 클럽팀으로 전환되는 기준점이기도 하다.

일본의 경우 지도자 자격증 소지자가 물값 정도의 비용만 받고 지역 유소년을 가르친다. 거기서 주민들의 호응과 실적이 쌓이면 한 단계 더 높은 지도자가 되는 평가를 받는 기준이 된다. 우리나라도 이런 시스템을 따를 필요가 있다.

대한축구협회도 앞장서 학원 축구의 문제점 개선에 앞장서야 한다. 협회는 연간 700억이 넘는 기금이 조성돼 있다. 학원 축구의 문제점을 팔짱만 끼고 방관하지 말고 전문가 조직을 구성해 학원축구에 지원해야 한다. 그것이 한국 축구의 앞날을 밝게 할 것이다.[114]

☞ 프로구단 지원으로 클럽 전환 절실

축구를 비롯한 학원스포츠의 정상화 모델은 없을까. 축구 선수 학부모들은 연고 프로구단과 학교간의 유기적 관계 설정이 절실하다고 주장했다.

프로구단에서 지원하는 고등학교 축구클럽팀은 모범적 사례로 꼽힌다. 프로 구단이 연고지역 학교 축구부를 위탁 운영, 경제적·기술적으로 지원하는 것이다.

학부모가 부담하는 비용을 없앨 수 있고, 축구를 둘러싼 비리도 사라지는 방안이다. 프랑스·잉글랜드·스페인·이탈리아·브라질 등 축구 강국은 이미 이런 제도를 정착 시켜 학원 축구 선수를 육성해 왔다.

조관섭 풍생고 감독은 "유소년부터 체계적으로 육성하기 때문에 탄탄한 기본기를 갖출 수 있다" 면서 "가정형편이 어려워도 능력만 있다면 부담 없이 축구에 전념 할 수 있다" 고 주장했다. 이어 "학부모가 회비를 내지 않기에 학교를 찾는 일도 없다. 코치도 학부모 눈치안보는 소신 있는 지도로 축구 발전의 원동력이 되고 있다" 고 언급했다.

이재근 숭실고 축구팀 부장은 "학원체육이 클럽형식으로 바뀌어야 한다. 현재 독립학교(체고.공립고)체제는 대부분 클럽 형식이다. 이것은 학부모와 연결고리가 없어 학원 지도자들의 위상도 높아지는 형태이다"고 지적했다.

현재 고등학교 중 프로축구단의 지원을 받는 학교는 서울FC-동북고, 성남-풍생고, 울산-현대고, 인천-대건고, 부산-동래고, 포항-포항제철공고, 전남-광양제철공고, 수원-메탄고 등 8개 고교다. 유망주 발굴을 위해 울산·포항·전남은 2002년부터, 나머지 구단들은 2006년부터 연고 학교를 지원하는 중이다.

구단도 지원에 따른 상대적 혜택을 누린다. 지원하는 학교 선수 4명에 대한 지명 우선권을 갖는다. 해당 선수는 구단의 우선지명에 따라야 한다. 본인이 대학 진학을 원할 경우 구단은 졸업 후 해당선수에 다시 우선 지명권을 갖는다.[115]

충남 당진에서 열리고 있는 2018년 제51회 대통령금배 전국 고등학교 축구대회 예선경기 장면(디트news24(http://www.dtnews24.com), 2018. 06. 05, 천기영 기자.

69. 금메달 많이 딴다고 스포츠 선진국인가

4년 전 베이징올림픽에서 한국 선수단은 금메달 13개를 획득, 종합순위 7위를 기록했다. 중국과 미국이 저만큼 앞서간 것을 제외하면 영국, 독일, 호주, 이탈리아, 프랑스 등과 나란히 10위 안에 들었으니 가히 스포츠 선진국이라고 할 만하다. 그런데 네덜란드나 캐나다의 순위를 아시는지? 10위권이었다. 그 밖에 노르웨이, 덴마크, 핀란드, 스웨덴 같은 나라는 중위권이었고 아일랜드는 62위였다. 우리는 스포츠 선진국이란 표현을 즐겨 쓴다. 미국, 영국, 프랑스 등과 7위권에 안착했으니 틀림없이 우리도 스포츠 선진국에 들어갈 것이다. 그러나 10위권의 네덜란드는 물론 60위권의 스웨덴을 스포츠 후진국이라고 단정할 수 있을까. 난 결코 그런 말을 쓸 자신이 없다.

이 두 나라에서는 거의 모든 학생이 스포츠를 일상적으로 즐기고 그 가운데 직업 선수를 꿈꾸는 학생도 교실에서 즐겁게 공부하는 모습을 쉽게 찾아볼 수 있다. 두 나라가 올림픽에서 금메달 한두 개밖에 따지 못해 34위(스위스)나 62위(오스트리아)에 머물렀다고 해서 스포츠 후진국이라고 깎아내릴 수 있을까.

☞ 10위 네덜란드, 7위인 우리보다 후진국?

지난 2007년 유럽연합(EU)은 'EU 스포츠백서'를 발간했다. 하나의 공동체가 되고 있는 유럽을 포괄하는, 다시 말해 EU에 포함된 나라라면 지켜야 할 스포츠 정책과 원칙을 제시한 백서인데 주요 골자는 스포츠의 공공성, 교육성, 환경성, 직업성, 소수자 보호 등이다. 그들은 인식하고 있는 것이다. 스포츠가 특별한 재능과 각고의 노력으로 뛰어난 성취를 드러낸 유능한 선수에게만 주어지는 '가시면류관'이 되어선 안 되고 사회 구성원 전체가 함께 누려야 할 공공의 권리라는 점을 말이다.

여기에는 두 가지 원칙이 항상 따라다닌다. 뛰어난 재능을 가진 선수라 해도 그 사회의 평균적인 교육과 문화와 직업 선택의 기회를 평등하게 누려야 하고 그것이 가능하도록 '정상적인 교육'을 반드시 제공해야 한다는 것이다. 동시에 장차 선수가 될 가능성이 없거나 그럴 마음이 없는 학생이더라도 스포츠를 통해서 배울 수 있는 유·무형의 가치와 정서를 절대 박탈당해서는 안 된다는 것이다.

한때 우리의 스포츠 저널리즘은 그야말로 '2등은 아무도 기억하지 않는다.' 는 가혹한 메달 지상주의로 일관한 적이 있다. 저산업화 시절의 강력한 '국가주의 스포츠정책'이 드리운 짙은 그림자였다. '국위선양 대한건아'가 통치이념 처럼 작동했다. 그래서 은메달을 딴 선수가 비탄의 눈물을 쏟는 일까지 있었다. 이제는 많이 변했다. 우선 선수들 자신이 변했다. 지난 베이징올림픽 때 보여 준 배드민턴의 이용대나 수영의 박태환 선수는 강박증 같은 것이 조금은 옅어졌음을 보여 줬다.

개회를 열흘 앞둔 이즈음, 방송사들도 많이 변했다. 올림픽을 앞두고 주요 방송 사들이 내보내는 짤막한 예고 영상들은 그 옛날 '대한건아'를 되풀이하는 대신 선수 개인의 땀방울에 주목하고 있다. 어떤 점에서 이번 대회는 과거의 국가주의 강박에서 벗어나 선수 개인의 열정에 환호하고 그들의 성취나 아쉬움이 우리의 고된 일상에 던질 다양한 의미를 생각하는 첫 올림픽이 될 것이다. 아니, 그렇게 되어야만 한다.

☞ 학생선수 극소수… 공부보다 운동 치중

극소수만 운동을 하고 나머지 청소년들은 학교와 학원을 오가며 지쳐가는 나라, 그 극소수는 훈련장이나 경기장을 맴돌고 교실에는 단 한번도 들어가지 않는 나라. 그런 나라가 10위권에 들어가는 건 참 이상한 일이다.

문대성의 '복사 학위 파문'이나 김연아의 '대학 수업 정상 이수' 논란은 다 이런 '이상한 나라'에서 빚어진 일이다. 물론 우리 선수 모두 빛나는 성취 를 이뤄 저마다의 꿈을 실현하기를 간절히 바란다. 그러나 우리는 이번 올림픽을 통해 우리의 '근대적 삶' 전체를 복기해 봐야 한다.[116]

[스포츠, 우리들의 일그러진 영웅]

http://blog.daum.net/jncwk/13748453

☞ 올림픽과 나

남미 대륙 최초로 열리는 2016 리우올림픽의 막이 올랐다. 리우올림픽은 '미래의 땅' 브라질의 도약대가 될 수 있을까, 아니면 8만5천 군경이 나설 수밖에 없는 '치안 올림픽'의 치부만 고스란히 드러낼까. 이런 질문은 권력과 이데올로기, 상업주의에 의해 오염된 올림픽에 대한 반성적 성찰에서 나온다.

국제올림픽위원회(IOC)도 올림픽 등 메가 스포츠 이벤트 개최 뒤의 부작용을 최소화하기 위해 비용 절감과 환경 보호를 통한 지속가능한 올림픽을 지향하는 '어젠다 2020'을 내놓은 바 있다. 생활 스포츠의 기반 위에서 선수가 나오고, 시민이 기꺼이 지갑을 여는 것에 동의하고, 대회의 경제효과와 문화적 유산까지 고려할 때 비로소 성공적인 올림픽이 가능한 시대다.

2년 뒤엔 평창올림픽이 기다린다. 리우는 곧 평창이다. 〈한겨레〉는 올림픽 선수 출신 지도자와 시민, 전문가가 참여한 좌담과 기고를 통해 국가 주도에서 시민 중심으로 패러다임 전환기를 맞은 올림픽의 새로운 가능성을 모색해봤다.

올림픽사진공동취재단이 지난 1년여 전부터 선수들의 땀과 열정을 담은 사진들로 리우올림픽의 상징들을 표현했다.[117]

['국가' 올림픽에서 '시민' 올림픽으로 리우는 평창의 희망일까, 재앙일까]

리우데자네이루/올림픽사진공동취재단(2016. 08. 05), 한겨레신문사.

70. 뒤로 가려 하는 한국 스포츠

얼마 전 일본이 육상 남자 100m에서 '마의 10초 벽'을 깼다. 처음 뉴스의 제목만 봤을 때 당연히 혼혈 선수인 줄 알았다. 아버지가 가나 사람인 사니 브라운 압델 하킴이나 자메이카 2세인 케임브리지 아스카일 것이라 짐작했다.

아니라 더 놀랐다. 9초98을 끊은 기류 요시히데의 부모는 일본인이다. 그에 앞서 9초대를 기록한 아시아 선수는 5명이었는데 이 중 4명은 자메이카 등에서 귀화했다. 순수 아시아인은 쑤빙톈(중국)뿐이었는데 기류는 쑤빙톈의 기록을 0.01초 앞당겼다.

일본 엘리트 스포츠는 2020년 도쿄 올림픽을 앞두고 무섭게 성장하고 있다. 2008년 베이징, 2012년 런던 올림픽 메달 레이스에서 한국에 뒤졌던 일본은 지난해 리우데자네이루에서 금메달 12개를 얻어 다시 한국(금 9개)을 앞섰고 2020년에는 금메달 30개 등 총 80개의 메달로 종합 3위에 오르는 것을 목표로 하고 있다.

일본은 1964년 도쿄, 1968년 멕시코시티 올림픽에서 잇달아 3위에 오른 뒤 생활체육으로 눈을 돌렸다. 학교와 클럽체육을 활성화시켰고 체육시설을 크게 늘려 노인들도 맘껏 운동할 수 있게 했다. 생활체육에 양분을 몰아주는 동안 엘리트체육은 주춤했다. 1992년 바르셀로나에서 17위에 그치더니 1996년 애틀랜타에서는 23위까지 추락했다. 생활체육 기반을 다졌다고 판단한 일본은 '두 토끼' 잡기에 나섰다. 한국스포츠개발원(옛 체육과학연구원)과 유사한 일본국립스포츠과학센터(JISS)를 2001년에, 태릉선수촌과 비슷한 내셔널트레이닝센터(NTC)를 2007년에 설립하며 올림픽 메달 '도' 겨냥했다. 넓은 저변의 생활체육이 수많은 꿈나무를 배출하고, 거기서 선발된 엘리트 선수들이 집중훈련을 통해 경쟁력을 높이는 시스템을 갖춘 것이다. 기류도 초등학교 때 축구 클럽에서 운동하며 가능성을 발견한 선수다.

가난했던 시절 올림픽 메달에 목숨을 걸었던 한국도 변화하기 시작했다. 생활체육 기반을 제대로 갖춰야 엘리트체육이 더 발전할 수 있다는 것을 깨달았다. 그러나 한국스포츠개발원을 둘러싼 최근 상황은 '깨달음'과 '실천'은 별개일 수 있다는 것을 알려준다. 한국 스포츠를 대표하는 기관인 대한체육회가 이 가운데 스포츠과학실 인력만 떼어내 스포츠개발원 조직을 찢어 놓으려는 움직임을 보이고 있기 때문이다. 스포츠개발원은 크게 정책개발실, 스포츠과학실, 스포츠산업

지원센터로 구성돼 있다. 정책 연구(개발실)와 현장 지원(과학실)이 분리되면 제 기능을 하기 힘들다.

체육과학연구원이 국가대표 지원 목적으로 1980년대 출범한 것은 맞지만 시대가 변하면서 그 역할이 크게 달라졌다. 지금은 학교체육, 생활체육, 장애인체육 등 국민 모두를 위한 연구기관으로 자리를 잡았다. 현장 지원 인력만 필요하다는 것은 엘리트체육만 강조하던 과거로의 회귀다.

2012년 런던 올림픽에서 러시아를 제치고 3위에 올랐던 개최국 영국은 2015년 '미래 스포츠: 활기찬 국민을 위한 새로운 전략'을 발표했다. 데이비드 캐머런 당시 총리는 "올림픽과 패럴림픽 성과를 최우선으로 삼았던 것에서 벗어나 장기간에 걸쳐 선수들을 육성해야 한다. 그동안 쌓아온 스포츠과학의 성과는 올림픽 이외의 종목도 공유할 수 있도록 할 것"이라고 강조했다. 탄탄한 생활체육 기반 없이는 엘리트체육 발전도 기대할 수 없는 시대다. 눈앞의 메달만 욕심낼 게 아니라 멀리, 넓게 생각해야 한다.[118]

71. 체육계만 '출신 대학 제한' 필요한가

김연아 선수가 소치 겨울올림픽에서 아깝게 은메달에 그친 날 다른 신문사 사람들 몇몇과 점심을 함께했는데 참석자 한 사람이 이런 말을 했다. "금메달을 놓친 게 박근혜 대통령 때문이라는 것은 알고 있겠지?" 이게 무슨 뜬금없는 소리여? 아무 데나 대통령을 갖다 붙이면 되나. "아니 정말로 그렇다니까. 대통령이 안현수 선수 문제를 언급하면서 한국 빙상계가 '멘붕'에 빠진 탓에 아무리 편파 판정을 해도 이의제기를 제대로 못 할 것을 알고 한 짓이라니까." 뭐 약간 그럴듯한 해석이긴 하지만 그래도 견강부회가 너무 심하네. 이런 억지 논리로 존엄하신 대통령을 능멸하거나 여기에 동조하는 것을 보니 아무래도 자네들은 종북 언론인이 분명해.

며칠 뒤 이번에는 한 아마추어 체육단체 관계자를 만났더니 이런 말을 했다. "요즘 각 체육단체들이 정관과 규약 개정 작업을 하느라고 난리입니다. 같은 대학 출신자가 협회 임원의 20%를 넘으면 안 된다는 조항을 넣으라는 대한체육회 지시가 떨어져서요. 파벌을 없애라는 박 대통령의 뜻이 워낙 강하답니다." 어, 이건 또 무슨 소리래? 체육계 파벌 문제의 심각성이야 잘 알지만 그렇다고 대학 출신의 퍼센트까지 명문 규정으로 제한하는 극약처방을? "정말 그렇다니까요."

확인해 보니 맞았다. 대한체육회 산하 56개 가맹단체들은 지난달 말까지 대의원총회를 줄줄이 열어 '동일 대학의 출신자 및 재직자가 재직 임원의 20%를 초과할 수 없다'는 규정을 정관(규약)에 신설했다. 대한체육회 관계자에게 전화를 걸어 물어보았다. 그게 대한체육회 아이디어인가요, 아니면 문화체육관광부 지시 사항인가요? "제 입으로 어떻게 말을 합니까. 잘 아시면서…."

참으로 혁명적인 조처다. 거기다 상의하달의 일사불란함과 신속함이라니! 박 대통령이 애초 약속한 탕평책과 국민화합은 바로 체육계의 탕평·화합을 지칭했던 것이었나 보다. 이제 체육계의 고질병인 파벌 현상은 사라지고 앞으로 각종 국제경기에서 더 많은 금메달, 은메달이 쏟아져나올 게 분명하다.

그런데 슬그머니 의문이 든다. 파벌이니 출신 대학의 편중 문제니 하는 게 단지 체육계만의 문제인가. 실력에 관계없이 선수 선발이 이뤄지고, 자기네 편끼리는 서로 끌어주고 밀어주지만 반대편은 철저히 배척하고 불이익을 주는 병폐는 관료사회나 공기업 쪽이 훨씬 더 심해 보인다.

체육계는 그나마 국가대표 선발을 위한 공식적인 평가대회라도 있지만, 이쪽 동네는 그런 것도 없다. 형편없는 선수가 1등을 차지해도 어떤 객관적 기준이 작동해 그런 결과가 나왔는지 알 길조차 없다.

박근혜 정부 들어 영남, 서울대, 육사 출신 등의 편중 현상이 더욱 심각해졌다는 것은 이제 진부한 이야기다. 사정라인을 비롯한 곳곳의 권력 핵심은 '영남 향우회' 차지가 됐고, 안보 관련 고위급 회의는 '육사 동창회'가 됐다. 유도, 태권도, 빙상 등에서 용인대, 경희대, 한국체육대 등의 출신 비중이 높다는 것 정도와는 비교도 되지 않는다. 지금 한국 사회에는 러시아로 귀화하고 싶은 마음이 굴뚝같은 사람이 한둘이 아니다.

공직사회의 이런 부조리를 없애는 방법은 간단하다. 정부조직법이나 국가공무원법 등 관련 법규와 규정을 체육단체의 정관·규약과 똑같이 개정하는 것이다. '특정 지역 및 특정 대학 출신자가 고위 간부직의 20%를 초과할 수 없다'는 규정을 명문화하는 일이다. 그렇게 하면 관료사회와 공기업의 경쟁력이 쑥쑥 자라나 외국과 겨뤄도 금메달과 은메달이 거뜬할 것이다. 관련 법 규정 개정은 시간이 좀 걸리니 일단 쉬운 일부터 손을 대는 것도 한 방법이다. 국가정보원이 서울시 공무원 간첩혐의 증거조작 사건에서 저지른 조직적인 거짓말과 진실 은폐에 대한 책임을 물어 남재준 국정원장을 해임하는 일부터 시작하자. 이번 기회에 가뜩이나 많은 육사 출신 '안보 임원' 비율도 좀 줄일 겸 말이다.

언론계의 대선배 한 분이 오래전에 쓰신 칼럼 제목이 하나 생각난다. '그쪽 말고 이쪽을 보라.' 각종 시시콜콜한 문제를 챙기면서도 막상 중요한 국가 현안은 외면하는 '선택적 만기친람'의 지도자 박 대통령에게 꼭 전하고 싶은 말이다.[119]

빅토르 안(러시아어: Виктор Ан, 1985년 11월 23일 ~)은 귀화 전 이름은 안현수(安賢洙)였으며, 대한민국 출신의 러시아 쇼트트랙 선수이다. 빅토르 안은 여전히 한국 선수들과 친하다.

지난 10월 한국의 한 예능 프로그램에 딸(제인)과 출연해 일상을 공개하기도 했다. 그는 '옛 조국' 한국에서 선수 일생을 마치고 싶어 한다. 원래 소치올림픽 이후 은퇴를 생각했다. 메달을 딸 만큼 몸 상태가 좋은 것도 아니다. 30대 들어 체력이 달려 2017~18시즌 월드컵에선 메달을 하나도 따지 못했다.

그는 이렇게 말했다. "평창올림픽에는 꼭 나가고 싶다. 내가 태어난 나라에서, 내 딸이 보는 앞에서, 달리는 모습을 보여주고 싶다." 빅토르 안이 오륜기를 달고라도 올림픽에 나가려는 이유다.[120]

72. 스포츠 와 몸

몸에 관한 관심은 눈 여겨 볼만한 변화로 보여 진다. 학문이 관심을 갖는다는 것은 이론적 체계화를 서두르고 있다는 의미이기도 하기 때문이다. 동시에, 몸에 대한 이해의 폭을 증대시킬 수 있기 때문이다.

특히, 최근의 학문적 관심은 과거의 전통적인 몸에 대한 관심 학문 분야 즉, 의학, 생물학과 같은 분야들이 아니라 사회학, 철학, 여성학, 스포츠학 등 그 영역의 제한이 없을 정도로 전범위적이다. 스포츠 영역은 육체적 활동을 통한 성숙한 인격 완성이라는 대전제가 바뀌어 가고 있는 혼란의 과정에 있다.

몸에 대한 인지학적 접근의 출발은 이 영역의 독보적 존재인 슈타이너의 이론적인 틀을 활용한다. 슈타이너는 자신의 인지학적 세계 인식을 토대로 인간론을 전개하고 있다. 인지학의 관점의 시작은 초감각적 인지에서 본성이 무엇인가를 탐구해 가는 것이다. 세계는 감각적 세계와 초감각적 세계가 있고 감각적 세계를 연구한다는 것이 인류학이고 초감각적 세계를 연구한 것이 인지학이다.[121]

슈타이너는 인간에 대한 인식의 근거들을 객관화 하고자 하였다. 인간으로 자연과학의 세계를 넘어서 정신의 세계로 시선을 돌리게 하는 것이지만 그 자연과학에서의 사실들처럼 정신의 세계를 하나의 객관적인 실제로 경험하게 해주려는 것이다.

슈타이너(Rudolf Steiner)는 인지학을 통해서 인간에 대한 인식의 폭을 '신체', '영혼'과 '정신'의 세 부분으로 확대하였다. 인지학에 대한 슈타이너의 사상은 결국 인간성에 대한 총체적인 이해라고 할 수 있으며, 이를 위해서 육체는 물론이고 영혼과 정신세계에 대한 인식을 새로이 해야 한다고 생각하였다.

☞ 다양한 몸에 대한 상상이 필요한 이유

최근 한 걸그룹 아이돌 멤버에게 살을 빼라는 충고를 하는 게시글이 커뮤니티에 반복적으로 올라오고, 관련 기사의 댓글에도 자꾸 언급되어 논란이 되고 있다. 커뮤니티 사이트에는 "요즘 걸그룹 아이돌 외모"와 같은 제목으로 여러 걸그룹 멤버들의 사진을 한꺼번에 올리면서 비하하는 경우도 있다.

한국 사회의 외모지상주의를 문제 삼을 때 이제 남녀를 불문하고 사회적인 압력이 행사된다고 말하지만, 이처럼 특별히 걸그룹의 외모를, 더 나아가 여성의 외모를 지적하는 경향 역시 분명하게 나타나고 있다.

우리 사회에서 여성의 신체가 늘 평가의 대상이 되는 상황은 미디어를 통해 매개되면서 자연스러운 일처럼 여겨지고 있다. 프로듀스101 시즌2에 출연한 한 남성 출연자가 자신을 심사하는 지위인 여성 프로듀서의 외모에 대해서 평가하듯 발언한 것이 논란이 되었고, 한 중년 남성 배우는 걸그룹에서 활동하다 영화배우가 되어 같은 영화에 출연한 배우에게 백치미라는 단어를 썼다가 사과를 하기도 했다. 심지어 가장 공적 공간인 정치의 장에서, 여성 장관의 외모가 품평 대상이 되기도 했다.

이 사례들은 논란이 되면서 사회적 관심을 받았을 뿐, 사실 한국 사회의 미디어나 온라인 공간에서 여성의 신체와 외모에 대한 평가 및 지적은 매일 만날 수 있을 정도로 흔한 현상이다. 여성 가수가 자신의 집을 민박으로 제공하는 프로그램에서는 남성 일반인들이 집주인을 평가하는 말을 하고 이것이 그대로 전파를 탄다. 주말 드라마에서는 중년과 노년층은 날씬하지 않은 것으로 묘사되면서 그 사실로 인해 비하되곤 한다. 이러한 사례들 대부분은 큰 문제라고 생각되지도 않는다.

영국의 비평가 존 버거는 이미지에 대한 글에서 여성 이미지가 남성의 시선과 욕망에 맞추어진 '대상'으로 제시되는 것에 대해 비판한 바 있다. 여성들 스스로가 자신의 외모에 대해 신경 쓰고 있는 것처럼 보이지만 사실 이 과정에서 여성이 온전한 주체가 되기 어렵다는 것을 함의하는 말이다. 지하철 내부의 광고에서 성형외과를 알리는 광고를 자주 볼 수 있고, 여성 커뮤니티에서도 다이어트 정보와 성형 정보를 교환하기 때문에 여성들이 아름다움의 기준을 선택하는 자유를 가진 것처럼 보인다.

하지만 미디어가 재현하는 마르고 젊은 여성상이 어느새 사회적 기준이 되어 있기 때문에, 이는 자유로운 선택이라기보다는 일종의 억압에 가깝다.

게다가 이 억압의 범위가 날로 확장되고 있다. 건강과 상관없이, 얼굴의 크기 자체가 문제가 되기 시작하더니, 팔뚝 안쪽의 살이나 쇄골 같은 특정한 신체 부위로 확장되어 세세하게 여성의 신체가 평가 대상이 되고 있다. MBC 프로그램 〈복면가왕〉에서는 한때 패널들이 가면을 쓴 여성 출연자의 무릎 모양으로 나이를 판단하기도 했다.

특히 '걸그룹 주사'라는 표현에서 단적으로 드러나듯, 걸그룹은 여성의 신체에 대한 직접적이고 이상적인 모델로 제시되고 있다. 지난 7월부터 Mnet에서 방송 중인 '아이돌학교' 프로그램에서 오디션 참가자들이 만나자마자 몸무게가 얼마인지를 묻는 장면이 나오는 것은 이 직업군에서 신체 관리에 대한 강박관념이 얼마만큼 자리 잡고 있는지를 단적으로 보여준다. 걸그룹을 겨냥하여 외모에 대한 평가를 하고 살을 빼야 된다고 충고하는 사람들은 이들이 당연히 외모를 상품으로 파는 존재이므로 그에 대해 언급하는 것은 전혀 문제가 아니라는 반응을 보이곤 한다.

하지만 걸그룹이 외모를 상품화하여 팔기 때문에 소비자에게 평가 권리가 있다고 생각하고, 더 나아가 마음대로 비하표현을 사용하는 것은 인권 침해일 뿐이다. 아이돌 스타와 연예인은 자신의 재능을 대중에게 보여주는 직업인이며, 그 직업인이 가진 고유한 자신의 몸에 대한 권리를 침해할 수 있는 소비자의 권리란 없다. 걸그룹의 외모에 대해 평가가 가능하다고 생각하는 것은 여성을 동등한 인간이자 주체가 아닌, 대상으로 여기기 때문이다. 게다가 자신이 평가할 때 사용하는 기준 자체의 윤리성과 적절성에 대한 질문도 하지 않고 있다. 몸에 대한 현재의 기준은 몸의 다양성을 인정하지 않는다는 점에서 적절하지도, 윤리적이지도 않다.

여성의 신체와 외모에 대한 평가 문제는 한국여성민우회 등 시민단체가 꾸준히 문제 제기를 해서 이에 대한 비판 담론을 형성하여 왔지만, 이 비판에 대한 답으로 다양한 몸 이미지를 보여주는 프로그램, 무엇보다 날씬하거나 사회적 미의 기준에 맞지 않아도 행복할 수 있다는 것을 자각하게 할 수 있는 통로가 아직 많지 않다.

몸에 대한 상상이 너무나 제한적이다 보니 자신의 몸 자체를 편안하게 여기지도 못하며, 주어지는 기준에 자신을 비교하는 것에 익숙해져서 남에 대해서도 그런 일을 반복하게 된다. 다양성은 이제 미래를 위한 가장 중요한 가치 중 하나가 되고 있다. 미디어가 맡아야 하는 중요한 공적 역할 중 하나는 다양한 몸이 존재하는 것을 보여주는 것이며, 몸에 대한 하나의 기준을 절대적으로 제시하지 않는 것이다.[122]

☞ 스포츠의 몸과 종교적인 몸

우리의 중심 주제는 '몸의 테크닉(body technique)'이다. '몸의 테크닉'이란 인간이 몸을 조작하고 사용하는 방식과 기술을 가리키는 표현이다. '몸의 테크닉'을 이야기하기 위해 우리가 선택한 예는 근대 스포츠이다. 스포츠는 '몸의 테크닉'의 순수한 모델을 제공한다고 생각되기 때문이다. 우리는 "스포츠가 '몸의 테크닉'을 통해 어떻게 '몸의 상상력'을 제한하는가"라는 질문을 던질 것이다. 이 물음의 답을 찾기 위해서 우리는 줄곧 스포츠와 종교의 경계선에 서서 작업할 것이다. 스포츠의 몸과 종교적인 몸은 얼마나 같고 또 얼마나 다른가? 둘 사이에 도대체 어떤 관계가 있는 것일까? 적어도 표면적인 질문은 이러한 것들이다. 이글은 스포츠를 통해 '몸의 테크닉'을 분석하는 데서 출발하지만 근대문화의 무의식적인 심층 하나를 건드릴 것이다. 그런 연후에 '몸의 테크닉'이라는 용어를 통해 현대의 종교문화에 대한 비판적 성찰의 지점을 확보하는 것이 목표이다.

근대적인 스포츠는 운동선수가 최소한의 옷차림을 한 채 관객에게 최대한의 몸동작을 보여주는 것을 특징으로 한다. 스포츠의 중심에는 항상 인간의 몸이 놓여 있다. 선천적인 신체 조건과 후천적인 신체 연마가 적절히 결합될 때 스포츠의 몸은 완성된다. 스포츠는 '몸의 교과서'를 만들어내며, 각각의 스포츠 종목은 가지각색의 몸을 전시하는 '몸의 박물관'처럼 느껴진다. 스포츠는 본질적으로 신체적인 불구와 기형이라는 관념을 철저히 배제한다. 스포츠는 표준적인 몸, 이상적인 몸, 완벽한 몸을 제시하는 현장, 즉 '몸의 원형'이 전시되는 현장이다.

스포츠의 몸은 분명히 일상적인 몸이 아니다. 우스꽝스러운 걸음걸이 때문에 보기만 해도 웃음이 나오는 경보(競步)를 떠올려보자. 도대체 무엇 때문에 저렇게 걷는 것일까? 스포츠 경기가 아닌 일상생활에서 경보 선수처럼 걷는 사람이 있다면, 그 사람은 신체장애를 가진 사람으로 여겨질 것이다. 그러나 경보 선수는 무릎을 곧게 편 채 한쪽 발이 항상 땅에 닿게 한 채로 뒤뚱뒤뚱 걸어야만 한다. 그는 걷기 동작을 극도로 확대해서 보여준다.

다시 말해, 경보는 '다리'라고 하는 몸의 특정 부분에 초점을 맞춘다. 집중적인 훈련을 통해 걷기 동작만을 '반복'하고 '과장'한다. 이처럼 스포츠의 몸은 매우 비일상적이고 반복적인 과장된 몸이며, 경기 규칙에 의해 철저히 지배되는 규칙적인 몸이다. 경보의 걷기 규칙을 지키지 않는다면 그것은 이미 경보가 아니다. 이처럼 경보는 '걷기의 테크닉'에 기반한 것이다.

그렇다면 종교의 몸은 어떠한가? 성당이나 교회나 법당과 같은 종교공간에 들어설 때, 우리의 몸동작은 확연히 달라진다. 기도하고 절을 할 때 종교적인 몸동작은 세세한 '규칙'에 의해 지배된다. 종교의례에서는 눈을 감고, 호흡을 고르고, 외부의 소리에 귀를 닫고, 입을 가지런히 모으고, 손바닥을 겹쳐 모으고, 허리를 일정한 각도로 굽히고, 머리를 바닥에 대는 등 세세한 몸동작을 규정된 순서에 따라 반복적으로 행해야만 한다. 이때 눈, 귀, 코, 입, 손, 허리, 머리, 발 같은 신체의 특정 부위에 '예법의 초점'이 맞춰지며 몸짓은 최대한으로 과장된다. 스포츠의 몸처럼 종교적인 몸 또한 비일상적이고 규칙적이며 반복적이고 과장되어 있다.

　이처럼 스포츠와 종교의례의 몸은 모두 특수한 '몸의 테크닉'에 의해 훈련된 몸이다. 물론 근대종교에서는 외면세계보다는 내면세계를 강조하고 몸보다는 정신을 중시하기 때문에, 그만큼 몸동작의 중요성이 현저하게 줄어든 것도 사실이다. 이에 대해서는 차후에 다시 자세히 이야기할 수 있을 것이다.[123]

73. "국민을 바보로 아는 체육회에 아들 못 맡겨"

김마그너스(Magnus Kim, 노르웨이어: Magnus Bøe) 어머니 '1인 시위' 속사정, 그것이 알고 싶다. 크로스컨트리 국가대표 김마그너스의 어머니 김주현 씨가 지난 달 30일 본보와 인터뷰에서 '1인 시위'를 시작한 배경을 설명하고 있다.

크로스컨트리 국가대표 김마그너스의 어머니 김주현 씨가 지난 달 30일 본보와 인터뷰에서 '1인 시위'를 시작한 배경을 설명하고 있다(한국일보, 2017. 06. 01, 윤태석 기자).

지난달 29일, 김주현씨는 서울 송파구 올림픽로에 있는 대한체육회건물 앞에서 '1인 의사 표시 발언'을 시작했다. 그가 입은 흰 모시적삼에 '불공정한 대한체육회로부터 지급되는 모든 수당, 포상금의 수령을 거부 한다'는 문구가 또렷했다. 보통 '1인 시위'라 표현되지만 김 씨는 "뭔가를 쟁취하기 위해서 하는게 아니라 부당함을 알리고 싶을 뿐이니 시위가 아니라 '1인 발언'이라고 해달라"고 요청했다. 김 씨는 크로스컨트리 국가대표 김마그너스의 어머니다.

크로스컨트리는 한국 스키에 불모지나 다름없는 종목이지만 노르웨이인 아버지와 한국인 어머니 김 씨 사이에서 태어난 김마그너스가 내년 평창 동계올림픽의 희망으로 떠올랐다. 김마그너스는 평창올림픽에 태극마크를 달고 출전하기 위해 2015년 한국 국가대표 자격을 취득해 큰 화제를 모았다. 국가대표 유망주를 아들로 둔 김 씨가 '1인 발언'을 시작한 이유는 대한체육회의 원칙 없고 형평성에 어긋난 징계 때문이다.

승마선수 김동선은 지난 1월 만취한 상태로 술집 종업원을 폭행해 법원으로부터 징역 8월, 집행유예 2년을 선고 받았고 체육회로부터 국가대표 4년 정지 징계를 받았다.

반면 승마협회는 같은 사안을 두고 지난 3월 견책이라는 징계 유형 중 가장 가벼운 징계를 내렸다. 김동선 측은 "국가대표 4년 정지면 해당선수에겐 사망선고나 다름없다"는 입장이지만 논란은 끊이질 않는다. 승마협회 징계가 솜방망이라는 비판이 일자 체육회는 지난 11일 스포츠공정위원회를 열어 재심의 했지만 징계를 그대로 유지하기로 결론 내렸다. 김 씨를 지난 30일 서울 강남 한 카페에서 만났다.

- '1인 발언'을 통해 체육회가 주는 국가대표 수당을 받지 않겠다고 선언했는데.

"승마선수의 징계와 관련한 체육회의 판단은 불공정합니다. 그렇기 때문에 체육회에서 지급하는 수당에는 명예로움이 없어요. 국가대표 수당은 급여 개념과는 다릅니다. 국가대표로 공식 인정받는, 일종의 내 '명예의 영수증'입니다. 그러면 이 돈에 명예를 느껴야 하는데 오히려 수치를 느낀단 말이에요."

승마협회와 체육회의 징계는 지난 4월 스키협회 중징계와 대조된다는 게 김씨의 주장이다. 삿포로 동계아시안게임에 출전했던 크로스컨트리 남자 대표팀 선수 5명 중 4명이 대회 기간 맥주를 마신 사실이 드러나자 스키협회는 실업 선수 2명에게 6개월, 대학 선수 2명에게는 4개월 출전정지 징계를 내렸다. 이들은 2017~18 시즌 국가대표에서도 제외됐다. 김마그너스는 술을 마시지 않아 징계 대상은 아니었다. 김 씨가 작정한 듯 말을 이어갔다.

"스키협회는 원칙을 지키기 위해서 뼈아픈 제 살 깎기를 감수한 거잖아요. 평창올림픽을 코앞에 두고 기량이 가장 좋다는 네 명을 내칠 때는 엄청난 아픔을 감수한 겁니다. 그런데 체육회는 뭐죠? 하부 조직이 원칙을 지키는 데 상부 조직은 왜 안 지키는 거죠?"

-승마협회가 '국정농단' 사건에 휩싸인 지 얼마 안 된 시점인데...

"모든 국민에게 치욕을 안긴 겁니다. 그 사건이 벌어지고 1년이라도 지났으면 모르겠어요. 아직도 너무 생생하잖아요. 불과 얼마 전까지 국정농단의 중심에 있던 승마협회가 이렇게 나온다는 건 정말 국민을 바보 취급하는 것 아니겠습니까. 우리가 그냥 이렇게 가만히 당하고만 있어야 합니까."

- '1인 발언'에 대한 체육회 반응은?

"직원들이 나와서 윗사람들이 심기 불편해하니 가라고 하더라고요. 제가 '윗사람들은 나의 종이니까 주인이 왔다고 아뢰라'고 말했어요. 종이 불편하면 주인한테 와서 어디가 불편하냐고 직접 고하지 왜 나보고 나가라는 거냐고요. 난 이곳의 주인이니까 건드리지 말라고 했습니다."

　-아들에게 불이익이 돌아갈 거란 염려는 안 하셨는지.

　"마그너스는 사심 없이 한국 대표를 택했습니다. 국가대표로 뛰기 수월해서 온 게 아니에요. 지금도 얼마든지 노르웨이 국가대표 할 수 있어요. 그런데 마그너스는 한국을 너무 사랑해요. 한국에서 열리는 올림픽에 대표로 뛰고 싶은 것뿐입니다. 크로스컨트리나 바이애슬론 같은 종목이 한국에서 워낙 열악하니 개최국 얼굴을 알리는 데 조금이라도 기여하고 싶다는 마음 하나에요.

　한국에서는 어떨지 모르지만 동계올림픽의 꽃은 크로스컨트리입니다. 그 꽃밭에 마그너스도 꽃을 하나 심고 싶은 겁니다. 한국 스키 발전에 마그너스가 작은 주춧돌이 되고 조금이라도 좋은 영향을 주고 싶어 해요. 그러려면 체육회가 눈을 떠야 합니다. 이런 체육회에 난 아들을 맡길 수가 없어요."

　-아들은 '1인 발언'에 대해 어떤 말을 했는지.

　"걱정이 많죠. 하지만 하지 말라고는 안 하더라고요. 제가 그랬어요. '나는 이 돈(수당) 못 받겠다'고요. 우리가 '목구멍이 포도청'도 아니고 설사 '목구멍이 포도청'이라 해도 '이 돈은 못 받겠다'고요."

　김 씨는 지난 23일 노르웨이에서 귀국했다. 지극히 개인적인 일정을 소화하기 위해 들어왔지만 귀국길에 체육회 뉴스를 보고 마음을 바꿨다. 거의 모든 일정을 취소한 채 '1인 발언'을 시작했다. 31일부터는 서울 광화문이나 명동 그리고 지하철 안에서 자연스럽게 사람들에게 체육회 징계의 부당함을 알리고 있다.

　6일 노르웨이로 돌아가는 그는 "체육회 결정이 바뀌지 않으면 앞으로 1주일에 한 번씩 노르웨이에 있는 한국대사관에서 1인 발언을 이어갈 것이다. 노르웨이에 국가 공공기관이 대사관뿐이라 그 방법 밖에 없다"고 목소리를 높였다.[124]

74. 국가대표의 의미

'KOREA'

1998년 9월. 왼 가슴에 태극마크를 처음 달았던 날의 설렘을 기억한다. 인도에서 열린 ABC(Asia Basketball Challenge)대회에서 나라를 대표하는 농구선수로 타국 선수와 실력을 겨뤘다. 나라를 대표하여 국가의 명예를 위해 뛸 수 있다는 자긍심과 사명감이 앞섰다. 태극마크에 대한 설렘과 두려움을 안고 경기에 임했다. 아쉽게도 9위라는 초라한 성적으로 대회를 마무리했다. 결과와는 달리 왼 가슴의 태극마크는 내 자랑거리가 됐다.

2015년 대한체육회 '스포츠역사발굴사업단' 프로젝트에 참여했다. 스포츠 원로의 구술채록(oral history)이 목적이다. '농구의 신동파' '사이클의 이홍복' '검도의 이종림' 대한민국 스포츠 발전에 지대한 역할을 한 기라성 같은 선배의 이야기를 듣고 글로 써내는 것이 내 역할이다. 구술채록은 선수출신 예비 스포츠교육학자인 내게 큰 영광이었다.

'국가대표'란 일정한 분야에서 우수한 기능이나 기량을 지닌 자. 심사를 통해 선발해 국가대항전에 나라를 대표하여 출전하는 사람을 의미한다. 구술채록 기간 동안 운동선배의 목소리를 통해 들은 태극마크는 사전적 의미 이상의 치열하고 간절한 의미였다.

'일제강점기' '6.25전쟁'을 겪으며 사회 문화 경제적 어려움의 소용돌이에서 허우적 되던 시절. 먹는 것 입는 것, 사는 것 모두가 걱정거리였다. 이러한 맥락에서 스포츠는 강대국과 겨루어 승리할 수 있는 유일한 수단이었다. 국제대회에서 금메달 획득을 통한 국위선양은 못 먹고 못 입고 못 살아야 하는 국민의 한(恨)을 풀어내는 역할도 했다. 그래서 더 치열했고, 간절했다. 나라를 대표한다는 사명감은 기본이었다. 그들(his)의 운동 희로애락(喜怒哀樂) 이야기(story)는 대한민국 스포츠의 역사(history) 자체였다.

2018년 평창올림픽을 앞두고 국가대표팀 구성에 대한 논의가 활발하다. 귀화(naturalization, 歸化)국가대표 운동선수에 대한 이야기다. 종목에 따른 차이는 있지만 올림픽 아시안게임 등 굵직한 메가 스포츠 이벤트가 개최될 때면 어김없이 등장한다. 국제경쟁력, 높은 성적, 그리고 일본, 대만, 필리핀 등 아시아 많은 국가의 귀화사례가 이유다.

　2013년부터 2017년까지 평창올림픽과 관련해 귀화한 국가대표선수는 총 20명이다. 이중 스키 김마그너스(노르웨이/한국), 김미현(23, 미국/한국), 아이스하키 박윤정(한국)의 국적회복사례를 제외하면 17명의 외국인이 태극마크를 가슴에 달았다. 특별귀화 대상인 이들에게는 이중국적(二重國籍)이 허용된다. 이들 사례를 두고 갑론을박(甲論乙駁)이 한창이다. 국제대회에서의 승리. 승리를 통한 국위선양. 그동안 국가대표 선수들이 당연히 짊어져야 했던 금메달의 무게였다. 필자는 이러한 당연함에 물음을 던진다.

☞ 국제 경쟁력 확보를 위한 당연한 조치 VS 승리지상주의에서 비롯된 임시방편

　대한민국체육은 지금껏 '승리'에 대부분의 것을 투자해왔다. 돈, 시설, 관심까지. 스포츠 원로의 삶의 맥락에서 드러나듯 국가에 의한 육성과 국가의 명예를 위한 승리였다. 국가에 대한 자긍심과 이에 따른 맹목적 희생은 덤이었다. 국가주도로 소수의 엘리트선수를 압축·성장시키는 구조였다. 그런 국가가 이젠 다른 방식으로 국가에 의한, 국가를 위한, 국가에 대한 '승리'를 달성하고자 한다. 문득 올림픽에서 은메달을 따고도 눈물을 흘려야했던 유도 국가대표 왕기춘 선수가 생각났다.

　우수선수 영입은 스포츠의 국가경쟁력을 단기적으로 향상시킬 가능성이 있다. 이를 통한 국내선수들의 기술향상 효과도 기대할 수 있다. 하지만 대부분의 절대다수의 학생선수 혹은 전문운동선수는 이러한 혜택의 대상이 아니다. 이제는 체육, 스포츠를 대하는 자세와 바라보는 관점이 바뀌어야 할 시점이다. 장기적 관점에서 대한민국 체육발전을 위한 세부적 계획과 실행이 필요하다. 단기적 성과만을 위한 조치와 시행. 그로인한 성과보다 중요한 것이 있다는 것을 잊지 말자.[125]

☞ 인천, '국가대표' 김주성이 최고가 되었던 곳

　김주성(205cm)의 은퇴투어 일정이 어느새 절반을 넘어섰다. 다섯 번째 은퇴투어로 그가 찾아온 곳은 인천. 그는 이곳에서 '국가대표'라는 자격으로 최고의 자리에 올랐던 기억을 되새기며 또 하나의 좋은 추억을 만들었다.

　원주 DB는 지난 7일 인천삼산월드체육관에서 열린 2017-2018 정관장 프로농구 인천 전자랜드와의 5라운드 맞대결에서 80-93으로 패배하며 시즌 3번째 2연패에 빠졌다. 팀은 패배했지만 김주성은 이날 2014 인천 아시안게임을 추억하며 값진 시간을 가졌다. 그의 다섯 번째 은퇴투어, 과연 김주성의 마지막 인천행은 어땠을

지 함께 되돌아보자.

☞ GAME STORY : 김주성의 시간 조절, DB의 잔여시즌 과제

이날 경기에 앞서 이상범 감독은 앞으로 김주성의 출전 시간을 더 줄여나갈 것을 예고했다. 이 감독은 "(김)주성이가 무릎에 노화현상이 왔다. 시즌 시작하기 전에 3라운드까지 버틸 줄 알았는데 지금까지 버틴 것을 보니 정말 고맙다. 이제 10분 미만으로 시간을 조절할 것이기 때문에 3쿼터에 쓰기가 힘들 것이다"라며 구체적인 내용까지 밝혔던 상태.

이 감독의 말대로 김주성은 이날 4쿼터 7분 13초를 남기고 처음으로 코트에 모습을 드러냈다. DB는 김주성의 합류로 추격의 끈을 놓지 않았지만 4쿼터 후반 경기의 분위기는 좀처럼 뒤집힐 생각을 하지 않았다. 결국 김주성은 경기 2분 28초를 남기고 벤치로 물러났다. 이날 김주성은 4분 45초를 뛰는 동안 1점 2리바운드를 기록했다. 3점슛 시도는 없었다.

한편 김주성은 이번 시즌 후배들의 맹활약을 지켜보면서 "이제 내가 없어도 되겠다"라는 말로 팀원들을 다독여왔다. 다음 시즌에는 김주성이 정말 팀에 남지 않는다. 남은 11경기에서 어떻게 새로운 팀을 꾸려나가야 하는지에 대한 숙제를 안겼던 은퇴투어 경기였다.

☞ 전자랜드's PRESENT : 인천에서 완전체가 된 사인볼

전자랜드는 이날 경기 시작에 앞서 김주성의 은퇴투어를 축하하기 위한 기념식을 열었다. 기념식의 시작을 알리는 헌정 영상에는 2014 인천 아시안게임 국가대표팀에서 한솥밥을 먹었던 동료들(김종규, 이종현, 조성민, 오세근, 양동근, 박찬희)의 응원 메시지에 이어 전자랜드 주장 정영삼의 인사도 담겨있었다.

정영삼이 먼저 팀을 대표에 김주성에게 당시 아시안게임 영광의 순간이 담긴 기념 액자를 전달했다. 이후 박찬희가 전달한 선물은 김주성의 가슴을 울리는 특별한 것이었다. 바로 2014 인천 아시안게임 이란과의 결승전에 사용되었던 공인구. 하지만 그저 경기에 사용되었던 공인구가 아니었다. 전자랜드 구단은 이 공인구에 유재학 감독을 비롯해 당시 코칭스탭과 선수들의 사인을 모두 받아왔다.

동료들의 소중한 사인이 담긴 공인구를 건네받은 김주성은 본인의 사인을 즉석에서 새겨 넣으면서 비로소 선물을 완전체로 만들었다. 모든 기념식 식순을 마친 김주성은 "인천은 아시안게임 덕분에 더욱 특별한 곳이다. 원정팀 선수에게 이런 자리를 마련해주신 전자랜드 구단과 오늘도 경기장을 찾아 응원해주시는 팬분들에게 정말 감사하다. 저희 팀뿐만 아니라 전자랜드도 많은 응원 부탁드린다"
며 소감을 전했다.

☞ LEGEND's MEMORY : '국가대표 김주성', 전무후무한 2개의 AG 금메달

'원주 동부' 김주성은 지난 2015년 1월 6일 이곳 인천삼산월드체육관에서 대
기록 하나를 추가했다. 바로 정규리그 통산 3,830번째 리바운드를 잡아내며 당시
이 부문 공동 2위였던 조니 맥도웰(3,829개)을 제치고 단독 2위로 올라선 것. 김주
성은 자신이 리바운드로 잡아낸 그 당시의 공인구에 사인을 하며 역사적인 순간
을 간직했다.

하지만 그에게 인천이라는 곳은 '국가대표'로서의 추억이 더욱 진하게 남아
있었다. 바로 2002년 부산 아시안게임에 이어 2014년 인천에서도 우승을 차지, 한
국 프로농구 선수 최초로 2개의 아시안게임 금메달이라는 영광스러운 업적을 달
성했기 때문이다.

7일 전자랜드와의 경기에 앞서 만났던 김주성은 이때를 회상하며 "정말 특별
한 추억이다. 앞으로 나올지 안 나올지 모르겠지만 지금까지는 나 혼자 가지고
있는 기록이지 않나. 더욱이 마지막 대표팀 생활이었기 때문에 더 의미가 깊었던
추억이다"라고 말했다.

당시 대한민국 국가대표팀은 예상보다 더 뜨겁게 팬들의 환호를 불러일으켰다.
객관적으로 더 강팀이라 평가됐던 상대를 모두 물리치며 홈에서 정상에 올랐기
때문.

김주성도 많이 힘들긴 했었다는 솔직한 모습을 보이면서 "강팀을 워낙 많이
만났다. 하지만 한국에서 하는 대회였기 때문에 일단 결승을 꼭 가고 싶었다. 그
런데 결승에서 우리가 중요할 때 많이 졌었던 이란을 만났고, 설욕하고 싶은 마
음이 더 컸기 때문에 이길 수 있지 않았나라고 생각한다"며 당시 결승전을 회
상했다.

대표팀이 금메달을 획득한 이후 우승 세레모니에서 가장 인상적인 장면 중 하
나는 팀원들이 김주성을 위해 헹가래를 쳤던 순간이다. 이에 김주성은 "정말 좋
았다. 후배들이 내가 마지막 대표팀인걸 알고 배웅을 잘 해준 것 같다(웃음). 정말
감사하게 생각하고 있다"며 동료들을 향해 다시 한 번 감사의 메시지를 전했다.

'국가대표' 김주성은 항상 이기고자 하는 마음이 컸다. 그에게 국가대표의
의미를 묻자 "다른 설명이 필요 없이 부르면 언제든지 달려갔던 곳이다. 아프던
아프지 않던 불리면 무조건 가야하는 곳이라고 생각했다. 항상 대표팀에 가는 것

에 만족하지 않고 성적을 내고 이기고 싶은 마음이 컸던 것 같다. 허무한 모습을 보여주고 싶지 않았다. 가슴에 태극마크가 있었기 때문에 더 투지 있게 싸웠던 것 같다”며 진심이 담긴 모범답안을 내놓았다.

한편 그의 소속팀에서도 최근 또 한 명의 국가대표 후배가 나왔다. 김주성은 새로운 도전을 앞둔 두경민에게 “배우고 오겠다는 건 아닌 것 같다. 잘하고 와야 한다(웃음). 잘해서 이기고 오길 바란다. 나라를 대표하는 것이기 때문에 어떤 팀을 만나더라도 투지 있게 뛰어서 이기고 왔으면 좋겠다”며 응원의 한 마디를 전했다.[126]

☞ 그들이 말하는 '국가대표의 의미'

결전의 날이 밝았다. 음울한 날씨, 부족한 시간, 원정 경기의 피로, 홈 관중의 일방적 응원 등 수많은 외부 요소가 슈틸리케호를 괴롭힌다. 그러나 승부에선 반드시 결과를 가져와야 한다. 그래야 '국가대표'다.

23일(이하 한국 시각) 저녁 8시 35분, 한국 국가대표팀이 중국 후난성 창사에 위치한 허룽 스타디움서 2018 FIFA 월드컵 아시아 지역 최종 예선 A조 6라운드 중국전을 치른다. 한국은 3월 치를 월드컵 예선서 중국과 시리아를 연달아 상대하는 데, 중국전은 러시아로 향하는 티켓을 획득할 확률을 대단히 높일 수 있는 절호의 기회다.

승점 3점을 챙긴다면 더할 나위 없다. 그러나 가뿐하게 승리를 얻을 만치 슈틸리케호에 충분한 시간이 주어졌던 건 아니다. 물론 매번 그랬다. 중국은 자국 리그를 일찍 끝내 합숙 훈련을 하는 등 한국전을 잘 치르기 위해 노력을 기울일 여건이 됐지만, 한국 국가대표팀은 달리 방도가 없었다. 중국처럼 국내서만 많은 선수들이 뛰는 것도 아닌 터라 세계 각지서 뛰는 선수들을 A매치 기간 이전에 소집할 명분이 없기 때문이다. 대다수의 국가대표팀이 겪는 고충이지만, 발을 맞출 시간 자체가 적다는 점은 항상 한국을 괴롭게 한다. 장현수도 “준비 시간이 단 이틀뿐이었다”라고 중국전을 앞두고 어려움을 토로했다.

외부 요인은 국가대표팀 경기를 앞두곤 늘 발생한다. 평소 함께 뛰지 않던 이들이 그라운드 안에서 급작스레 볼을 나눠야 하기 까닭이고, 지구촌 곳곳에서 숨 가쁘게 모였기에 여독 또한 만만치 않다. 그래도 국가대표팀이라면 책임감을 머금어야 한다. 이 자리는 그런 의미를 갖는다. 나라를 대표한다는 사실이 어깨를 짓누르겠으나, 그 점을 극복하고 무언가를 남길 수 있어야 진짜 국가대표다. 중국전에 임하는 선수들도 이런 부분을 명확하게 인지했다.

김신욱은 국가대표팀 내 자신의 역할에 대해 언급하며 나라를 대표한다는 것의 의미를 설명했다. 김신욱은 "국가대표팀은 단기간에 성적을 내야 한다. 개인적 욕심보다도 나라가 먼저다"라면서, "국가대표팀서 교체 출전이 많았던 건 사실이다. 그러나 시선을 분산시켜 동료들에게 볼을 건네는 게 내 임무라면 당연히 앞으로도 이를 지속해야 한다"라고 그라운드에서 어떤 미션을 부여받든 국가대표로서 책임감을 다할 뿐이라 말했다.

기성용은 보다 허심탄회하게 국가대표의 의미를 전달했다. "솔직히 말하자면, 우리도 사람이다"라고 이야기를 시작했던 기성용은 "예컨대 손흥민은 작년 9월 좋은 모습을 보이던 와중 국가대표팀에 다녀가면서 그 흐름이 떨어진 감이 있다. 개인적으로는 이런 부분이 아쉽다. 장거리 비행을 한 뒤 경기를 치렀을 때 몸 상태는 선수들이 잘 안다. 정말 쉽지가 않다. 선수가 흐름을 이어간다는 건 어려운 일인데 국가대표팀 경기를 치르고 이를 다시 잇는 건 더욱 어렵다. 하지만 국가대표팀에 오는 건 또 다른 문제다. 여긴 내가 오고 싶다고 오는 자리가 아니다. 과거 많은 선배들도 책임감을 가졌다. 우리도 이 자리를 자신만의 숙명이라고 생각해야 한다. 국가대표로 뽑히면 각자의 가치도 올라가지 않나. 양면성은 존재하는 법이다"라고 국가대표의 의미를 규정했다.

두 선수가 말했듯, 국가대표팀은 개인과 각자의 사정을 앞세우는 자리가 결코 아니다. 축구라는 분야서 나라의 얼굴로 인정받았기에 어떠한 어려움에도 굴하지 않아야 한다. 이를 유념해 결과를 쟁취할 수 있어야 한다. 국가대표가 아닌 모두가 국가대표에게 바라는 부분이 이런 점일 것이다.

월드컵 예선이라면 더욱 긴장의 끈을 조여야 한다. 한 경기를 치를 때마다 시시각각으로 본선을 향한 길목이 좁아지느냐 넓어지느냐가 결정되는 데, 국가대표라면 자신이 그 길목을 넓히거나 좁힐 수 있다는 점을 기억해야 한다. 부담스럽겠지만 극복해야 한다. 선택받았기 때문이다. 특히 이번 중국전엔 많은 이목이 쏠렸다. 각 국가 간 승점 차가 크지 않은 가운데 원정에서 배수진을 친 중국을 상대로 승리를 따야 한다. 설령 지기라도 한다면 슈틸리케호는 심대한 타격을 받을 것이다. 결국은 책임감과 사명감을 바탕으로 상황을 타개할 뿐이다.

준비 시간은 늘 부족하다. 과거에도, 현재에도, 앞으로도 마찬가지일 것이다. 그러나 국가대표팀의 의미는 시일이 지나도 결코 변하지 않는다. 자리가 선사하는 명성은 항시 압박감을 동반한다. 이를 넘어서야 한다. 중국전 또한 국가대표가 무엇인지를 다시금 보여줬으면 하는 경기가 됐으면 한다.[127]

신태용호(STN, 2017. 09. 29), 윤승재 기자

75. 박태환과 대한민국

"약물로 속임수를 쓰는 선수에게 관심 없다."

리우 올림픽 남자수영 400m에서 우승한 호주의 맥 호튼이 경기 전 한 말이다. 그는 기자가 약물복용자인 중국의 수영선수 쑨양과 같이 경기하는 소감을 묻자 위와 같이 말했다고 한다.

런던 올림픽 금메달리스트이기도 한 쑨양은 2014년 말, 국내 대회 참가 도중 도핑테스트에 걸렸다. 그가 먹었던 트리메타지딘(trimetazidine)이란 약은 협심증에 쓰이는 약으로, 쑨양은 심장 치료를 위해 이 약을 먹었다고 했다. 실제로 그는 2008년부터 심장약을 먹었으며, 국제대회에서 심장 문제로 1500m 경기를 포기한 적도 있으니, 그의 심장이 좋지 않은 건 사실인 모양이다.

하지만 이 약은 흥분제 역할을 할 수 있다는 이유로 2014년 1월 금지약물 리스트에 올랐기에, 그는 졸지에 부정한 약물을 사용한 선수, 일명 '약쟁이'가 됐다. 중국수영연맹은 그에게 3개월의 출장정지처분을 내렸다. 쑨양에게 약을 처방한 의사에게 자격정지 1년이라는 중벌이 내려진 걸 보면, 중국 측에서는 의사의 잘못이 더 크다는 판단을 내린 모양이다. 그렇다고 해서 쑨양이 '약쟁이'라는 사실은 변함이 없기에, 수영 전문지에 실린 관련 기사에는 다음과 같은 댓글이 달렸다.

"쑨양, 정말 실망했다." "난 더 이상 네 팬이 아니다."

팬들이 이럴진대 같이 뛰는 선수들의 생각은 어떨까? 4년 전 쑨양을 보며 자신의 꿈을 키웠을 맥 호튼의 발언은 약물에 대한 수영계의 입장을 잘 보여 준다.

중국 팬들은 호튼 선수의 트위터에 몰려가 그를 욕하고 사과를 요구하는 글을 남기고 있지만, 그런다고 '약쟁이'가 '약쟁이'가 아닌 게 되는 건 아니다.

"그동안 충분히 연습할 수 있는 여건이 아니었다." 박태환이 400m 예선에서 결승진출에 실패하자 해설을 맡은 노민상 전 감독이 한 말이다. 실제로 그랬다. 박태환은 2014년 9월 불시에 시행된 도핑검사에서 금지약물인 네비도가 검출되는 바람에 아시안게임 메달 박탈은 물론, 1년 반 동안 선수자격이 정지되는 중징계를 받았다

징계 기간을 다 소화한 후에는 약물을 사용한 이에게 국가대표 자격을 3년간 박탈하는 대한체육회 규정 때문에 전전긍긍해야 했다. 게다가 박태환은 우리 나이로 28세, 수영선수로서는 이미 전성기가 지난 나이였다. 훈련에만 매진해도 메달을 딸 수 있을지 모르는 일이었는데, 이런저런 일로 신경을 썼으니 좋은 성적을 거두긴 어려웠다.

런던에서 은메달을 땄던 200m에서 조 최하위에 그친 걸 보면 그의 몸 상태가 어떤지 짐작이 간다. 하지만 이 모든 것은 본인이 자초한 일이다. 그는 약물검사에 걸린 게 의사의 실수라고 주장하나, 그 의사가 운영하는 병원은 원래 중년 남성들에게 남성호르몬을 주사하는 게 주 업무였다. 이런 병원을 찾아가 주사를 맞은 건 고의성을 의심받을 수밖에 없다. 게다가 네비도는 쑨양이 먹은 약과는 차원이 다른, 반도핑기구가 최우선적으로 금지하는 약이니, 설령 모르고 맞았다고 해도 변명의 여지가 없다.

대한체육회가 규정을 내세워 박태환을 리우에 보내지 않으려 했을 때, 여론의 절대다수는 박태환 편을 들었다. 그들의 논리는 다음과 같았다.

첫째, 박태환은 고의로 주사를 맞은 게 아니다. 둘째, 이미 처벌을 받았는데 출전을 못 하게 하는 건 이중처벌이다. 셋째, 박태환 말고 우리나라 수영선수 중 메달 딸 사람이 누가 있느냐.

첫 번째에 대해선 이미 얘기했고, 두 번째 주장은 이미 체육회가 규정을 철회했으므로 언급하지 않는다. 내가 문제 삼는 건 바로 세 번째다. 그들 말대로 박태환은 당분간 우리나라에서 나오기 힘든 걸출한 수영선수다.

선수로서 환갑이 지난 나이임에도 국가대표 선발전에서 커다란 격차로 1위를 차지한 걸 보면, 그를 대표팀에 선발하는 게 당연해 보인다. 혹시 아는가. 메달이라도 하나 딸 수 있을지. 박태환이 국제스포츠 중재재판소(CAS)에 제소하는 등 대표로 나가기 위해 모든 수단을 동원할 수 있었던 것도 자신에 대한 여론이 우호적이라고 믿었기 때문이리라.

하지만 우리나라는 더 이상 못살고 내세울 것이 없는 나라가 아니다. 그가 올림픽에서 금메달을 하나 더 딴다고 해서 세계가 우리를 더 높이 평가하는 것도 아니다. 호튼의 발언에서 보듯 부정한 방법으로 이기려고 한 선수가 태극마크를 달고 나간다면 그거야말로 나라 망신이 될 수 있다.

그럼에도 불구하고 우리는 규정을 철회해가며 박태환을 리우로 보냈다. 그걸 보면 우리나라의 국민의식은 소위 글로벌 스탠더드와 동떨어져 있다. 과정이 어떻든 결과만 좋으면 떠받드는 후진적인 풍토, 그것이 이 나라의 온갖 부정부패를 낳는 이유였다. 논문을 조작해도 수백조원 국익을 창출할 원천기술이 있다는 이유로 영웅시하고, 선거에 부정이 있어도 일단 당선되면 다들 고개를 조아리는 나라에서 나만 떳떳하게 산들 무슨 이득이 있겠는가?

한 누리꾼이 쓴 댓글이다. "외국에서 태어났다면 훨씬 대단한 선수가 됐을 텐데, 못난 나라에서 태어나서 이 꼴을 당하는구나." 사실이 아니다. 박태환이 지금 영웅일 수 있는 건 이 못난 나라에서 태어났기 때문이다.[128]

2014년 인천 아시안게임 이전 스테로이드 계열의 약물인 네비도를 투약한 것으로 드러나 큰 논란을 불러일으켰으며 이로써 인천 아시안게임에서 획득한 모든 메달이 박탈되었다.

대한체육회 규정상 금지 약물 징계를 받은 선수는 징계 만료일로부터 3년 간 대표 선수로 뛸 수 없기 때문에 현 대한체육회 규정상 2019년까지 대한민국 국가대표팀 발탁이 불가능해 리우 올림픽에 출전할 수 없었다.

징계기간은 2014년 9월 3일부터 2016년 3월 2일까지이며 자격정지로 인해 선수 자격으로 훈련을 할 수 없어 일반인 자격으로 노민상 수영교실에 등록해 서울 방이동 올림픽공원 올림픽수영장에서 훈련을 재개했다.

우여곡절 끝에 박태환은 국제스포츠 중재재판소(CAS)에 대한체육회와 수영연맹을 상대로 이중처벌 철회에 대한 소송을 걸었고 결국 국제스포츠 중재재판소(CAS)가 박태환의 손을 들어주면서 박태환은 우여곡절 끝에 리우 올림픽에 출전할 수 있게 되었다.

76. 월드컵에서 히딩크와 신태용 사이

벌써 16년을 훌쩍 넘긴 일이다. 2001년 프로축구 K리그 성남 일화에서 뛰던 신태용은 '그라운드의 여우'로 불렸다. 플레이가 영리했다.

그해 그는 36경기에서 5골 10도움을 기록하며 팀 우승을 이끌고 최우수선수(MVP)의 자리까지 올랐다. 그러나 신태용은 이듬해 거스 히딩크 당시 축구대표팀 감독의 선택을 받지 못했다. 한·일 월드컵이 끝난 뒤였다. 신태용은 "당시 월드컵 본선에 올랐던 32개 나라 선수 중에서 직전 시즌 자국 리그 MVP가 대표팀에 뽑히지 않은 건 나까지 딱 2명이라고 들었다"며 입술을 깨물었다.

신태용은 감독으로나마 월드컵 무대에 서기를 갈망했다. 비록 자의 반 타의 반이었지만 울리 슈틸리케 전 감독의 지휘봉을 넘겨받아 대표팀 '소방수'로 투입된 뒤 그는 "감독으로서 선수 시절 쌓였던 월드컵의 한을 풀겠다"며 의욕을 불태웠다. 그는 마침내 낭떠러지 같았던 최종예선 마지막 두 경기를 무사히 넘겨 대한민국의 9회 연속 월드컵 본선 진출에 방점을 찍었다.

히딩크는 사실 네덜란드 특유의 장사꾼 기질이 넘쳐나는 감독이었다. 자신에게 넘어온 기회를 그냥 놓치는 법이 없었다. 월드컵에 관한 한 '변방'에 불과했던 대한민국에 묵직한 유럽식 축구를 심어 주고 서울시청 앞 광장의 붉은 물결 속에 '4강'이라는 눈부신 꽃을 피게 한 그는 '히딩크'라는 자신의 이름 석 자를 한국 사람들의 머리에 아주 깊이 새겨 놓았다.

한·일 월드컵 무렵 태어나 올해로 15세가 된 학생들 가운데 히딩크라는 이름을 모르는 아이들은 과연 몇이나 될까. 불과 몇 년 전까지 한국 축구는 곧 히딩크 축구였다.

2002년 한·일월드컵의 가장 큰 성과는 4강 진입이 아니었다. '변방 팬'들의 축구 눈높이를 한 키만큼 끌어올리고 세계 축구에 대한 눈을 뜨게 했다는 사실이었다. 그러나 부작용도 만만치 않았다. 히딩크 신드롬이다. 축구 하면 히딩크이고, 월드컵 하면 역시 히딩크였다. 아무리 좋다는 외국인 감독을 앉혀 놓아 본들 성에 차지 않았다. 우리나라에서 치른 월드컵 4강의 화려한 꽃다발이 부메랑으로 둔갑해 비수처럼 꽂혔고, 그걸 맞은 한국의 축구 팬들은 언제부터인가 '히딩크 바라기'가 됐다.

히딩크 감독과 신태용 감독 사이에는 15년의 간극이 있다. 15년이면 강산이 한

번 하고 절반은 바뀌는 시간이다. 그동안 두 사람이 어떻게, 또 얼마나 다른 길을 걸었는지는 중요하지 않다. 그보다는 월드컵 본선 그라운드에 설 23명 대표팀 선수들의 생각과 성정(性情)이 분명 15년 전과 같지 않다는 게 더 중요하다. 공자 말씀이 아니고서야 가르침이 시대를 넘나들 수는 없다.

가라앉는 듯했던 '히딩크 추대론'이 다시 고개를 들 조짐이다. 신태용 감독의 대표팀이 두 차례의 유럽 평가전에서 거푸 참패를 당했기 때문이다. 러시아에는 4골을 넣고도 2-4로 졌다. 사흘 뒤 1.5군의 모로코에는 1-3으로 무릎을 꿇었다. 신 감독이 실패할수록 히딩크는 살아난다.

15년 동안 축구를 '쇼'로 팔아 자신을 살찌운 대한축구협회는 이러지도 저러지도 못한 채 여전히 외줄 타기다. 애먼 이 땅의 축구 팬들 가슴만 또 무너진다.[129] '큰 경기일수록 경험이 중요하다.' 종목을 막론하고 모든 스포츠계에서 통하는 속설이다. 중요한 경기 혹은 결정적인 승부처에서 다가오는 압박감, 각종 돌발 상황에 대한 대처능력을 이야기할 때 '겪어본 자'와 그렇지 못한 자의 차이는 하늘과 땅이다.

2018 러시아월드컵에 출전하는 축구대표팀 선수들이 6일 오후(현지시간) 오스트리아 레오강 슈타인베르크 스타디온에서 몸을 풀고 있다. 신태용 감독이 이끄는 대표팀은 12일까지 2번의 평가전을 치른 뒤 월드컵 베이스캠프인 러시아 상트페테르 부르크로 이동한다(2018. 06. 06, 연합뉴스).

4년 전 브라질 월드컵에서 한국축구는 큰 대회에서의 경험 부족이 얼마나 치명적인 약점인지를 절감했다. 당시 홍명보호의 평균 연령은 25.9세로 역대 월드컵 대표팀 중 최연소였다. 홍명보호는 비교적 쉬운 조편성(알제리, 벨기에, 러시아)라는 평가에도 불구하고 조별리그에서 1무 2패에 그치며 탈락의 수모를 피하지 못했다.

아직 큰 대회 경험이 부족한 젊은 선수들이 월드컵이라는 무대의 중압감을 이겨내지 못하고 위기 상황에서 속수무책으로 무너진 것이 아니겠냐는 추측이 많았다. 특히 조별리그 두 번째 경기였던 알제리전에서 한국은 전반에만 세 골을 내주며 선수들이 단체로 '멘붕'에 빠지는 모습을 보이기도 했다. 위기 상황에서 선수들을 다독이고 팀 분위기를 다잡아 줄 리더나 베테랑은 보이지 않았다.

☞ 벤치만 지키더라도... 베테랑 필요한 이유

강팀일수록 당장 재능이 있다고 젊은 선수들만 중용하는 것이 아니라 경험 많은 베테랑 선수들을 적절히 배치해 '신구 조화'를 중시하는 데는 이유가 있다. 16강에 진출했던 2010 남아공월드컵의 경우 대회 직전 허정무호의 평균 A매치 출전수는 56.3경기였다. 2002 한일월드컵부터 3회 연속 본선무대를 밟았던 박지성-이영표 같은 경험많은 선수들이 팀의 중심을 이루고 있었고, 김남일-이운재-안정환 등 베테랑들은 월드컵에서 많은 시간을 뛰지 않거나 아예 벤치만 지켰지만 묵묵히 팀 분위기를 잡아주는데 중요한 역할을 했다.

브라질 월드컵에서는 당시 대회를 앞두고 대표선수들의 평균 A매치 출전횟수가 25경기에 불과해 남아공 대회 멤버들의 절반에도 미치지 못했다. 박지성-이영표가 은퇴한 이후 대표팀의 무게중심을 잡아줄 리더가 없어 보였다.

차두리와 이동국은 현역이었지만 월드컵 최종명단에서 제외됐고, 그나마 최고참급이었던 곽태휘(당시 33세)가 최종명단에 오른 게 전부였다. 역대 월드컵 대표팀 최연소 주장인 구자철을 비롯하여 기성용-이청용 등이 나름 분전했지만 월드컵이라는 무대의 중압감은 차원이 달랐다.

2018 러시아월드컵에 나서는 신태용호 역시 비슷한 불안요소를 안고 있다. 러시아월드컵에 나서는 신태용호 최종명단 23인의 평균연령은 27.8세(32개국 중 14위)로 4년 전 브라질월드컵보다는 두 살 정도 높아졌다. 하지만 A매치 경험은 평균 27.9경기에 불과하다. 브라질 때보다는 다소 낮지만 여전히 본선 참가국중 하위권(32개국 22위)에 속한다. 이는 다시 말하여 4년 전에 비해 선수들의 연령대가 자연스럽게 올라간 것에 비하면 꾸준히 대표팀에 승선하는 선수들의 경험치는 많이 쌓이지 않았다는 것을 의미한다.

염기훈-이근호-권창훈-김진수 등 지난 몇 넌간 한국축구의 주력으로 활약해왔거나 월드컵 경험이 있는 베테랑들이 부상으로 대거 낙마한 것도 대표팀의 평균치가 깎이는 데 영향을 미친 것으로 보인다. 참고로 한국이 월드컵 본선에서 상대해야 할 멕시코(61.5경기), 독일(40.3경기), 스웨덴(30.6경기) 등은 A매치 경험에서 모두 한국보다 앞선다.

물론 단순히 경험이 많다고 다 좋은 것은 아니다. 한국과 본선에서 만날 멕시코는 주축 선수들의 경험이 많은 만큼 평균 연령도 28.9세로 코스타리카(29.1세)에 이어 두 번째 높은 고령팀이다.

아시아의 라이벌 일본은 28.2세로 3번째로 높은데다 역대 일본 자국 월드컵 대표팀 중에서는 최고령 기록을 세웠다. 할릴호지치 감독이 경질되고 니시노 아키라 감독이 등장하면서 혼다 케이스케, 가가와 신지 등 전임 감독 체제에서 홀대받는 베테랑들을 대거 복귀시킨 탓에 주축 선수들의 연령대가 높아지며 자국 언론으로부터 '아저씨 재팬'이라는 우스꽝스러운 별명을 얻기도 했다. 나이가 지나치게 많은 팀들은 경험이 많은 대신 부상이나 체력적인 변수에 취약해진다는 단점도 있다.

☞ 월드컵이 아니면 강팀 상대할 기회 없는 한국 대표팀

러시아 월드컵 본선 참가국 중에는 우승후보로 꼽히는 프랑스(25.3경기)를 비롯해 세르비아(24.4경기), 나이지리아(24.9경기)처럼 강팀이지만 한국보다 A매치 경험이 적은 팀들도 있다.

심지어 '축구종가' 잉글랜드는 튀니지와 함께 최종명단에 오른 선수들이 A매치 경험이 가장 적은 평균 20.2경기에 불과한 어린 팀이다. 영국 현지에서도 대표팀의 경험부족을 우려할 정도다.

문제는 A매치라도 평가전이나 비중이 낮은 대회에만 나섰는가 아니면 메이저대회에 서 본 경험이 있느냐는 천양지차다. 잉글랜드나 프랑스는 주축 선수 대부분이 자국 혹은 유럽의 빅리그에서 활약 중이며 젊은 나이에도 유로 2016과 유럽 챔피언스리그 등 굵직한 토너먼트 경험을 갖춘 선수들이 많다.

반면 한국은 월드컵을 제외하면 타 대륙의 세계적인 강호들을 상대해 볼 기회가 상대적으로 부족하다는 점은 아킬레스건이다. 신태용호 최종 엔트리 23명 중 월드컵 경험을 갖고 있는 선수는 8명(기성용·구자철·손흥민·김영권·김승규·김신욱·박주호·이용)이다. 2014 브라질 월드컵에서 유경험자가 5명(박주영·김보경·정성룡·기성용·이청용)에 불과했던 것에 비하면 그나마 늘어난 것이다. 하지만 유럽파의 비중은 9명에서 5명으로 오히려 줄었다. 신태용호 최고참은 32세의 이용이고 주장 기성용은 이번 대표팀에서 유일한 센추리클럽 가입자이자 3회 연속 본선무대를 밟게 된 선수다. 고기도 먹어본 사람이 먹는다는 말처럼, 월드컵같은 큰 무대일수록 결국 경험자들의 역할이 중요하다.

　'주장' 기성용은 스웨덴전 준비에 대해 "80~90%는 됐다고 생각한다" 고 밝혔다. 이어 "나머지 10%는 정신적, 육체적으로 가다듬는 것" 이라며 "컨디션이 중요하다. 훈련에서 최대한 집중하고, 편하게 몸이 준비돼야 한다" 고 덧붙였다. 경험이란 단순히 눈에 보이는 수치로 환산할 수 없기에 정작 실제 대회에서 어느 정도의 변수가 될 지는 속단하기 어렵다. 하지만 객관적인 전력에서 앞서는 강팀들을 연이어 상대해야하는 신태용호에게 월드컵에서 위기 상황이 찾아오리라는 예상은 피할 수 없다. 4년 전의 아픔을 교훈삼아 어려운 때일수록 선수들이 얼마나 노련하게 대처할 수 있느냐가 이번 월드컵의 운명을 결정지을 것이다.[130]

77. 폭력 쓴 고교생 투수 '3년 자격 정지'

대한야구소프트볼협회가 후배와 제자에게 폭력을 행사한 고교생 투수와 초등학교 감독에게 각각 '대표팀 자격정지 3년'과 '지도자 자격정지 1년 6개월 처분'을 내렸다.

협회는 "고교 A 선수의 후배 폭행 건은 '자격정지 3년' 처분을 결정했다. 해당 선수는 협회 국가대표선발규정에 의거, 향후 올림픽과 아시안게임을 포함해 협회가 파견하는 각종 국제대회 국가대표팀에 선수로 선발될 수 없다"고 밝혔다.

대한야구소프트볼협회가 후배와 제자에게 폭력을 행사한 고교생 투수와 초등학교 감독에게 각각 '자격정지 3년'과 '지도자 자격정지 1년 6개월 처분'을 내렸다.

대한야구소프트볼협회는 21일 "협회 스포츠공정위원회가 선수 폭력 행위에 연루된 선수와 지도자에 대하여 사실관계를 확인하고 징계 대상자에 대해 징계를 의결했다"고 밝혔다.

문제는 폭력을 쓴 고교생 A에 대한 실질적인 처벌이 불가능하다는 점이다. A는 고교 3학년이던 올해 공과 배트 등을 사용해 후배를 폭행한 혐의를 받고 있다. 이 사건이 외부에 알려졌을 때 A는 이미 프로 지명을 받았다. 협회 관계자는 "고교 3학년인 A 선수는 후배 폭행으로 '자격정지 3년' 처분을 받았는데 해당 선수는 협회 국가대표선발규정에 의거, 향후 올림픽과 아시안게임을 포함해 협회가 파견하는 각종 국제대회 국가대표팀에 선수로 선발될 수 없다"고 밝혔다.[131]

☞ 체육(폭력 쓴 고교생 투수, 실효성 없는 '3년 자격 정지')

대한야구소프트볼협회가 관리 단체로 지정됐던 때 벌인 토론회(연합뉴스).

　대한야구소프트볼협회가 후배와 제자에게 폭력을 행사한 고교생 투수와 초등학교 감독에게 각각 '자격정지 3년'과 '지도자 자격정지 1년 6개월 처분'을 내렸다.

　대한야구소프트볼협회는 21일 "협회 스포츠공정위원회가 선수 폭력 행위에 연루된 선수와 지도자에 대하여 사실관계를 확인하고 징계 대상자에 대해 징계를 의결했다"고 밝혔다. 문제는 폭력을 쓴 고교생 A에 대한 실질적인 처벌이 불가능하다는 점이다.

　A는 고교 3학년이던 올해 공과 배트 등을 사용해 후배를 폭행한 혐의를 받고 있다. 이 사건이 외부에 알려졌을 때 A는 이미 프로 지명을 받았다.

　협회 관계자는 "고교 3학년인 A 선수는 후배 폭행으로 '자격정지 3년' 처분을 받았는데 해당 선수는 협회 국가대표선발규정에 의거, 향후 올림픽과 아시안게임을 포함해 협회가 파견하는 각종 국제대회 국가대표팀에 선수로 선발될 수 없다"고 밝혔다.

　협회는 '자격정지 3년'을 처분했으나, A 선수의 KBO리그 출전에는 아무런 문제가 없다. 선수 신분이 바뀌는 시점에서, 선수를 관리하는 단체도 달라지면서 나오는 맹점이다. 대현초교 전 감독의 1년 6개월 자격정지 처분도 수위가 약하다는 지적이 나온다. 이에 협회는 "훈육 과정에서 발생한 경미한 폭행으로 판단해 '자격정지 1년 6개월'을 처분했다"고 전했다.

　대한야구소프트볼협회 공정위원회(이하 위원회)는 21일 "선수 폭력행위에 연루된 선수 및 지도자에 대하여 사실 관계를 확인하고 징계 대상자에 대해 징계를 의결했다"고 밝혔다.

MK스포츠 DB(2017. 11. 22)

협회는 "향후에도 훈련과 경기 도중에 발생하는 각종 폭력행위와 증거가 명확하고 사실로 확인된 사안에 대해 무관용 원칙을 적용하여 연루자에 대해 규정에 입각한 처분을 내려 폭력행위를 엄단할 예정이다"고 덧붙였다.

이번 징계 처분을 받은 선수와 지도자는 징계에 이의가 있을 경우 스포츠공정위원회 규정 제36조(이의신청 등)에 의거 대한체육회 스포츠공정위원회에 재심을 요청할 수 있다.[132)

78. 평창올림픽, 평화올림픽 그 뒤는

세계 최대 검색엔진 구글에 '평창(PyeongChang)'을 검색해봤다. '평창 2018', '평창 지도(map)', '동계올림픽(winterolympics)', '평창 티켓', '평창 호텔' ……. 일반적으로 동계올림픽을 검색했을 때 사람들이 궁금해 할 법한 연관검색어들이 줄줄이 이어 나왔다. 그러나 딱 하나 다른 점이 있다. 바로 연관검색어에 '북한', 'North Korea'가 꼭 따라붙는다는 점이다.

미국 언론을 비롯한 세계 언론들의 관심도 여기에 쏠려 있다. '남북한 군사분계선에서 불과 80㎞밖에 떨어지지 않은 평창이 과연 안전한가'라는 의문을 수없이 제기한다. 15일(현지시간) 뉴욕 코리아소사이어티에서 열린 평창올림픽 행사에서도 관련된 질문이 쏟아졌다. 북한 문제에 대한 질문이 쏟아지며 행사는 30분이나 지연되기도 했다. 혹여나 국지전이 벌어질 경우 북한에서 미사일 사정거리에 충분히 속하는 것 아니냐는 등 꽤 노골적인 질문들도 오갔다.

이쯤 되면 두 번의 실패 끝에 겨우 따낸 평창올림픽의 상황이 꽤 열악해 보인다. 특정 게임이나 선수에 집중되지 않고, '안전'에 이슈가 온통 쏠리고 있어서다. 그러나 올림픽 자체만으로 보면 그렇지는 않다. 참가국, 메달 수, 참가선수단 규모 면에서 동계올림픽 역사상 최대 규모다. 세계 정상급들도 31개국에서 이미 참석하겠다고 통보해왔다. 그럼에도 불구하고, 북한 문제로부터 자유롭지 않은 평창올림픽의 상황이 안타깝다. 평창올림픽 홍보를 위해 뉴욕을 찾은 도종환 문화체육부장관의 "우리가 짊어지고 가야 할 몫"이라는 말이 무겁게 다가오는 이유다.

오죽하면 해외에서 'Pyeongchang'과 'Pyeongyang'이 다른 곳 맞느냐는 우스갯소리까지 나왔을까 싶다.

우리 측 정부 관계자들은 해외를 바쁘게 오가며 외신들이 긍정적인 보도를 낼 수 있도록 공을 들이고 있다. 미 뉴욕에서만 열린 행사도 여러 가지다. 올해 4월, 현지 여행사들과 티켓 판매대행사들을 초청해 연 '평창동계올림픽 미주 홍보설명회'를 시작으로, 평창올림픽 홍보를 위한 템플스테이 행사, 미국을 방문한 문재인 대통령의 홍보 행사, 타임스퀘어 광고 등 다양하다. 심지어 테러가 벌어진 직후인 지난 1일에도 해외 주재관들은 평창 알리기에 애를 쓰는 모습이었다.

그러나 주재관들을 만나보면, 평화올림픽을 만들어야 한다는 굳은 다짐 뒷편에 있는 약간의 무력감을 느낄 수 있다. 희망하고 염원할 뿐, 능동적으로 문제를 해결하긴 어렵다는 무력감이다. 유엔에서 휴전결의안을 채택했고, 북한의 참여를 마지막까지 기다리고는 있지만 더 이상 적극적으로 나서기 어렵다는 것. 올림픽 관련 협상채널도 직접 가동하지 못하고 국제올림픽위원회(IOC)를 통해 의사를 전달해야 하는 상황이다.

한국이 능동적으로 행동할 수 있는 일이 없는 상황이 안타깝지만, 그나마 다행인 것은 더 이상 한반도 상황이 악화되는 흐름이 만들어지지 않고 있다는 점이다. 아시아 순방을 마친 트럼프 대통령은 이날 백악관에서 순방 결과를 발표했지만, 예상과 달리 북한을 테러지원국으로 재지정하진 않았다. 한반도에 미묘한 정세 변화가 감지되는 가운데 북한을 자극하진 않아야 한다고 판단한 것으로 보인다. 강력한 메시지를 전달하면서도 강경 발언은 자제한 것이다.

전문가들의 우려를 반영한 트럼프 대통령의 성명은 다행스럽다. 사실상 북핵 사태의 열쇠를 쥔 미국이 현명한 선택을 지속하길 바란다. 평화 올림픽을 만들기 위해 분주하게 움직인 우리 정부 대표단의 노력이 무색해지지 않도록 말이다.[133]

☞ 평창올림픽, '평화' 뒤 '올림픽'이 안 보인다

평창동계올림픽이 지향하는 평화올림픽이 북한 참가로 현실의 길로 바짝 들어섰다. 북핵 문제가 해빙기를 맞으며 평창올림픽에 대해 미지근했던 세간의 관심도 덩달아 수직상승했다. 그러나 '평화'라는 크나큰 수식어가 전면에 부각되면서 '올림픽'이라는 목적어가 가려지고 있는 것은 아닌지 냉정하게 돌아봤으면 한다.

남북한 단일기와 '평화올림픽'을 촉구하는 손피켓, 방남한 현송월 북한 삼지연관현악단장이 인사하는 모습, 쇼트트랙 선수들의 연습 장면.

평창올림픽 관련 최근의 국내 언론보도를 보면 온통 '북한'에 쏠려 있다. 김정은 위원장이 신년사에서 평창올림픽을 거론한 직후부터 북한의 올림픽 참가 가능성→남북 고위급 회담→남북한 동시입장 여부→남북 단일팀 구성 논의→여자 아이스하키 단일팀 확정→한반도기 앞세운 공동입장→북한 사전 점검단 방한→현송월 단장 일행의 행보까지 숨 가쁘게 관련 뉴스를 접하고 있다.

물론 평창올림픽이 남북한 관계 복원의 출발점이 되고 있다는 점은 대단히 고무적이고 반가운 일이다. 그러나 '북한 참가'라는 빅이슈에만 집중한 나머지 올림픽 자체에는 포커스가 맞춰지지 않는 현실은 짚고 넘어가야 할 부분이다.

실제 대회 개막 20일을 채 남겨 놓지 않은 상황임에도 동계올림픽 종목이나 선수들에 얽힌 이야기, 성공적 개최를 위한 홍보 콘텐츠가 도무지 드러나지 않고 있다. 경제·환경·평화·문화라는 4대 가치 아래 국가홍보 차원에서 오랫동안 준비해 치르게 된 대형 스포츠 이벤트가 북한과 평화라는 두 가지 화두 속에 갇혀 있는 느낌이다. 올림픽 성공개최를 위한 최종점검, 막판 담금질에 힘쓰는 선수들 모습, 올림픽 이후를 염두에 둔 건설적 논의 등은 실종됐다. 좀 더 정확히 얘기하면 언론의 관심 밖이다. 미디어에서 주목하지 않으니 우리 국민들에게도 관련 내용이 전달될 리 만무하다.

이에 대해 한 전문가는 "평창올림픽이 성공적인 평화올림픽이 되려면 평화와 올림픽이란 두 바퀴가 함께 굴러가야 하는 것인데, 지금은 한 바퀴는 멈춰 있는 듯하다"고 안타까워했다. 더 큰 문제는 정치권에서 평창올림픽을 '정쟁 대상'으로 삼고 있다는 점이다. 야권에선 "평창올림픽이 아니라 평양올림픽"이라며 문재인 정부를 강하게 비판하고 있다. 심지어 나경원 자유한국당 의원은 국제올림픽위원회(IOC) 및 국제장애인올림픽위원회(IPC)에 여자 아이스하키 남북단일팀 구성 반대 서한을 보내기까지 했다.

남북한이 소통하며 '스포츠를 통해 세계 평화에 이바지하자'는 올림픽 정신을 구현해나가려는 중요한 시점에 정작 한 집안에선 온갖 파열음과 갈등이 불거지는 상황을 맞고 있는 것이다. 내부에서 봐도 한심스럽기 짝이 없는데 IOC나 외신, 해외 선수단과 관광객 등 외부자 시선에서 평가하면 이해하기 힘든 촌극이다.

개최국인 우리가 북한을 놓고 소모적인 싸움을 벌이고 있을 때, 주한미국대사관에선 평창올림픽 및 패럴림픽 G-30일을 기념해 영상 한 편을 공개했다.

부채춤을 추고 해금을 연주하고 하회탈을 쓴 미국대표팀 선수들이 한국말로 인사하는 해당 영상은 시종일관 흥겨운 분위기 속에서 평창올림픽에 참여하는 개개인의 감동적인 이야기를 들려준다.

그리고 영상 후반부에는 "저는 한국에 세 번 방문했어요. 저는 한국을 정말 사랑해요" "제가 좋아하는 건 벼룩시장, 노래방 또는 미국인들이 가라오케라고 부르는 거요" "저는 갈비와 비빔밥을 사랑해요" "갈비 정말 맛있어요" "빨리 한국에 직접 가서 진짜 한국음식을 한국에서 먹고 싶어요" 등 한국에 대한 선수들의 기대와 "제 대회전 타이틀을 방어할 날을 고대하고 있어요" "미국 국가대표 패럴림픽 선수로 평창에서 경기를 하게 되어 정말 신나요" 라는 올림픽 참가에 대한 기쁨을 담아냈다.

사람(선수)을 통해 평창과 올림픽, 동계스포츠, 휴먼스토리, 그리고 한국의 문화를 버무려낸 멋진 작품이었다. 개최국인 우리나라에서 선보였으면 하는 생각까지 들게 했다.

IOC의 최종 승인 아래 북한의 평창올림픽 참가는 확정됐다. 그리고 현송월이 방남 중 뭘 입고 뭘 먹었는지에 대해서도 넘치게 알았다. 그러니 이제부터라도 평창올림픽을 위한 이런 식의 다채로운 콘텐츠가 부각되었으면 한다. 2전 3기 끝에 거머쥔 올림픽 개최의 기쁨과 성공 개최를 위해 노력하는 실무진, 4년간 흘린 선수들의 땀방울이 멋진 성과를 맺는 데 도움을 줄 수 있도록.[134]

79. 더 선(the Sun), 리버풀 FC 그리고 시민사회운동

더 선(the Sun)은 영국의 대중 일간지다. 황색저널리즘으로 둘째가라면 서러울 영국의 대표적 타블로이드판 신문이 바로 더 선. 판매부수 또한 매우 높으며, 노동계층 남성이 주 독자를 이룬다. 때문에 스포츠, 특히 축구와 관련된 뉴스는 이 신문에서 빼놓을 수 없는 부분이다. 더욱이 신문사주인 미디어 재벌 루퍼트 머독(Rupert Murdoch)은 스포츠 기사를 통한 독자확보를 중요한 경영전략으로 삼고 있기에, 영국에서 가장 인기 있는 스포츠인 축구 보도는 더 선의 지면에서 큰 비중을 차지한다.

리버풀 FC. 두 말이 필요 없는 잉글랜드 프리미어리그의 대표적 명문구단이다. 스티븐 제라드를 비롯한 수많은 스타선수들이 이 팀을 거쳐 갔으며, 프리미어리그는 물론 UEFA 챔피언스 리그의 우승도 수차례나 이뤘다. 그런데 이러한 메이저 클럽이 올 2월 더 선 신문기자의 구단출입을 영구적으로 금지하는 파격적인 결정을 내렸다. 때문에 더 선 기자들은 앞으로 리버풀 FC의 홈구장인 엔필드 스타디움은 물론 훈련구장인 멜우드 그라운드에서 마저도 취재활동이 불가능하게 되었다. 당연히 해당신문의 기자는 리버풀에서 벌어지는 감독 및 선수와의 기자회견에서도 배제된다.

왜 그랬을까? 이는 바로 1989년에 발생한 힐스버러 참사 취재 시, 더 선이 보여준 악의적인 보도행태에 기인한다. 힐스버러 사태는 1989년 리버풀 FC와 노팅햄 포레스트의 FA컵 준결승 경기에서, 관중석 수용 가능인원을 훨씬 초과하여 관객들의 입장을 용인한 나머지, 96명의 팬들이 압사하고 766명이 부상당한 비극적 사건을 말한다. 당시 더 선은 술 취한 리버풀 훌리건들의 무질서한 행동을 불상사의 원인으로 지목하고, 비참한 상황이 벌어지는 가운데 리버풀 팬들이 사상자들의 지갑을 훔쳐가는 등 비윤리적 행위를 일삼았다고 보도한 바 있다. 특히 그러한 내용을 1면 특집 심층보도 형식으로 발간하여, 영국사회에서 이 사건과 관련 축구팬들에 대한 부정적인 프레임을 만드는데 결정적인 영향을 미쳤다.

1989년 당시 영국경찰과 법원은 리버풀 응원단의 경기장 불법진입 그리고 이들의 난동이 대규모 인재를 일으킨 주범이라고 결론지었다. 하지만, 피해자 가족들은 이러한 판단의 부당성을 알리기 위해 20년이 넘도록 포기하지 않고 정부에 재조사를 요구해 왔다. 장기간에 걸친 유가족들의 노력, 그리고 이들을 지지하는 리버풀 시민단체들의 항거로 말미암아 영국정부는 지난 2015년 26년 만에 사건의 전면 재조사를 허용하였다. 이후 1년이 넘는 조사 끝에 경기 당일 무책임한 관중석 관리, 그리고 이에 대한 경찰의 방관이 참사의 근본적인 이유였음이 밝혀졌다. 아울러 사건직후 담당경찰 일부는 책임회피를 위해 거짓으로 진술했다는 점 역시 세상에 드러났다. 그 결과 근무태만 및 관리 소홀을 묵인한 책임자들이 처벌을 받게 되었고, 불행하게 목숨을 잃은 리버풀 팬들에 대한 명예도 응당 회복되었다.

26년이 넘는 항변기간 동안 피해자 가족은 정부에게만 그 억울함을 호소한 것이 아니다. 시민단체들과 함께 더 선 불매운동(the don't buy the Sun campaign)을 동시에 진행해 왔던 것이다. 이로 인해 리버풀 전반에 걸쳐 유명 슈퍼마켓을 포함한 210개가 넘는 상점들이 더 선의 판매를 중단하였으며, 많은 시민들 역시 해당신문의 구독거부에 동참했다. 2004년과 2012년 두 차례에 걸쳐 더 선은 오보에 대한 사과문을 지면에 싣기도 했지만, 시민단체는 이를 위기모면을 위한 형식적인 행동으로 규정하고 불매운동을 지속해 왔다. 급기야 2016년에는 리버풀 시의회까지 시민들의 더 선 불매운동을 지지하는 결정을 내리고, 시내의 모든 상점에서 이 신문의 판매를 중지해 줄 것을 공식적으로 권장하였다.

이와 관련 리버풀 시장 조 엔더슨(Joe Anderson)은 심적으로는 시내에서 더 선의 판매를 전면 금지하고 싶지만, 이것이 법적으로 불가능하기에 권고수준에서 그치고 말았다는 견해를 언론을 통해 피력하였다.

이러한 흐름에 맞추어 리버풀 FC도 지난 2017년 2월 10일 더 선의 부적절한 보도내용을 들어 해당신문사 취재기자의 구단접촉 금지라는 강력한 조치를 취했다. 프로스포츠에서 미디어가 차지하는 역할, 그리고 영국 언론시장에서 더 선이 가지는 파급력을 고려해 볼 때 쉽지 않은 결정이란 판단이다.

하지만 힐스버러 사건에 대한 공식적인 재조명이 이루어진 상황에서 팬들의 성화에 무관심으로 응수하는 것 역시 어려웠을 것이다. 결국 올바르지 못한 한 신문사의 행위를 바로잡기 위한 시민사회의 장구한 투쟁이, 주류매체와 프로구단의 견고한 관계를 단절케 한 것이다. 아울러 신문구독 거부운동에 대한 지자체의 동의를 이끌어낸 것도 축구팬과 참사 피해자 가족 그리고 시민단체들의 지속적인 저항운동의 결과로 봐야 할 것이다.

오늘날 개인이 거대언론과 싸우는 것은 결코 쉽지 않다. 시작부터 체급이 다른 매치인 것이기 때문이다. 하지만, 일부 방송과 신문의 무책임한 권력남용 그리고 몇몇 기자들의 비윤리적 보도행태를 좌시한다면 사회정의를 실현하는 길은 요원할 것이다. 때문에 부정확한 정보와 편향된 기사들이 난무하는 작금의 상황에서,

언론에 대한 시민사회의 감시는 무엇보다 중요하겠다. 이러한 점에서 더 선을 상대로 한 리버풀 시민들의 오랜 다툼과 이를 통해 쟁취한 성과는 주목받아 마땅하다. 더불어 이는 우리네 체육시민운동 나아가 사회운동 전반에도 큰 울림을 주는 사건임에 틀림없다.[135]

권력이란 다른 사람들을 자신이 원하는 대로 행동하게 하는 능력을 뜻한다. 권력이란 우리가 입에 담기 불편해하고, 솔직히 터놓고 이야기하기 꺼리는 대상이다. 그러나 권력이라는 단어 자체는 불이나 물리학의 법칙과 마찬가지로 선과 악의 의미를 갖고 있지 않다. 문제는 우리가 그것을 어떻게 이해하고 스스로 이용하려 노력하느냐다.

권력은 강제성을 갖기도 하지만 또 그만큼 설득이나 전파를 뜻하기도 한다. 그리고 '시민'이라는 표현은 통용되는 신분증이나 서류를 갖춘 사람들만을 의미하는 건 아니다.

시민 생활에서 권력은 폭력과 물리적인 힘, 부, 국가 행위, 발상, 사회규범, 수치 등 여러 가지 형태를 띤다. 그리고 제도, 조직, 네트워크, 법과 원칙, 담론, 이념 같은 다양한 도관을 통해 흐른다. 이런 형태와 도관을 지도처럼 그려보면 우리가 소위 '권력구조'라고 부르는 것이 만들어진다.

오늘날 우리 사회에서 권력을 가진 사람이나 기관은 모두 우리가 그것을 그들에게 주었기 때문에 권력을 갖게 된 것이다. 우리 대부분은 그 사람이나 기관에 권력을 넘겨준 사실을 기억조차 하지 못한다. 하지만 우린 그렇게 했고 지금도 그렇게 하고 있다.[136]

권력이란 우리가 허용하는 대로 움직인다. 우리가 다른 사람의 부나 힘, 도덕성에 의해 위협받거나 얼어붙지 않는다면, 우리 각각이 그리고 우리가 함께일 때 갖고 있는 무한한 힘의 원천을 명심한다면, 힘의 역학을 바꿀 수 있다.[137]

80. 근대스포츠의 문화적 성격

18세기는 흔히 이성의 시대라고 부르는 데서도 드러나듯이, 이성의 능력에 대한 믿음과 자연관의 변화와 급격한 과학 기술의 진보를 통해 더욱 촉진될 수 있었던 교위(敎義)이다.

18세기 초에서 19세기 말에 이르기까지 확립된 근대 스포츠는 영국에서 태동하여 유럽, 북미, 남미 등의 여러 나라로 전파되었다. 구트만(Allen Guttmann)은 근대스포츠의 성립을 맑스(Marx)와 웨버(Weber)의 관점에서 이해한다.

맑스(Marx)의 시각에서 근대스포츠가 자본주의의 발생지인 영국에서 발달한 것은 자본주의가 근대스포츠의 등장을 가져온 중요한 원동력이라고 볼 수 있다. 그러나 웨버(Weber)의 관점에서 보면 자본주의보다는 산업사회가 가지고 있는 합리성의 측면과 밀접하게 관련되어 있다고 본다.[138] 따라서 스포츠의 합리주의 정신의 수속을 받고 비합리주의적 측면은 차츰 제거된다. 특히 유혈스포츠(blood sports)의 쇠토닌 신흥 중산층을 중심으로 건설한 근대국가의 입장에서 볼 때 그것이 비합리적이었기 때문에, 이성과 합리성의 바탕하에 체계적인 게임규칙을 만들어 내고 이것이 근대스포츠 성립의 배경이 되었다.[139]

더닝(Dunning)은 노베르트 엘리아스(Nobert Elias)의 『궁정사회 문명화 과정 이론과 역사(Courty Society Civilizing Process Theory and History)』의 관점에서 고대스포츠, 중세스포츠, 근대스포츠의 전개과정 동안 폭력이 감소되고 있다고 보았다. 문명화 이론에 의하면 역사적으로 수백 년에 걸친 스포츠 및 여가 관행의 추세를 보면 점차 폭력성이 감소하는 현상이 나타나고 있다고 주장한다.[140] 이것은 근대국가에서 이후 문명화라는 과제가 스포츠의 폭력성을 감소시키는 계기가 되었음을 의미한다.

독일의 스포츠 문화학자 알렌 구트만(Allen Guttman)은 각 시대 스포츠의 특성을 문화적·시대적으로 규명하기 위한 증거들로서 다음과 같은 특수범주를 제시하였다.

근대스포츠의 특성에 대한 논의는 구트만(Guttmann)과 아델만(Adelman) 그리고 베일(Bale)의 연구에서 대표적인 예를 찾아 볼 수 있다.

알렌 구트만(Allen Guttman)은 근대스포츠의 특성을 세속화(Secularism), 평등(Equality),   전문화(Specialization),   합리화(Rationnalization),   관료제도화

(Bureaucracy), 계량화(Quantifition), 기록지향(Records)으로 제시하였다.[141]

또한, 아델만(Adelman)은 근대와 근대 스포츠 간에는 조직(Organization), 규칙 (Rules), 경쟁(Competition), 역할(Role differentiation), 대중정보(Public information), 통제와 기록(Statistics and records)의 면에서 지역과 국가 단위에 걸쳐 포괄적이 고 체계적으로 구성되어 있다고 주장한다.[142]

☞ 세속성(secularizotion)

원시인들의 스포츠활동은 대개 실용적인 목적을 위한 활동이었다. 예컨대 원시 시대 사람들도 달리기경주를 하였는데 그들의 달리는 그 자체를 즐기기 위한 활 동이 아니라 풍작을 기원하기 위한 활동이었다. 원시스포츠는 흔히 종교적 축제 나 의식(儀式) 속에서 배양되었다. 원시시대의 삶은 성(聖)과 속(俗)의 확실한 구분 이 이루어지지 않았으므로, 원시의 스포츠 역시 성스럽고 정신적이며 종교적인 성격을 지녔을 것이다. 이에 비해, 근대스포츠는 승리, 경제적 보장, 명예 등을 추 구하는 것으로 세속화되었다. 근대 스포츠는 즐거움, 건강, 경제적 이득, 명예 등 세속적 관심의 충족을 추구하는 성격이 지배적이다. 근대 스포츠에서 종교적 신 념이나 종교적 의식과는 직접적인 관련성을 찾아보기 힘들다.

근대 스포츠는 봉헌의 수단이라기보다는 여흥의 수단이다. 즉 근대스포츠는 신 에게 봉헌하기 위한 것보다는 오히려 여흥의 수단이다. 즉 근대스포츠는 신에게 봉헌하기 위한 것 보다는 개인적인 동기에 의해 행해진다. 이는 근대스포츠의 세 속성을 대표적으로 보여주는 것으로 시간이 흐를수록 더욱 확대, 심화되고 있기 도 하다.

☞ 평등(equality)

원시사회에서 달리기나 레슬링경기 참가자를 선발할 때 참가자의 순발력이나 힘은 중요한 요소가 아니었다. 선수의 선발기준은 그가 속해있는 계층이나 씨족 이었다.

전근대적 스포츠의 참여는 매우 제한되어 있어서, 여성의 참여는 금기시 되었 으며 귀족과 같은 유한계급에서만 허용되었다. 계급귀속성으로 인한 배척은 확실 히 근대스포츠의 구조 내에서는 비정상적인 것이다.

근대스포츠에서는 여성과 일만 대중의 참가가 확대되는 것을 교학하여 평등의 원칙이 강조되고 있다. 이러한 평등의 원칙은 게임규칙 및 경쟁조건의 평준화에 도 적용된다. 근대 스포츠는 참가의 성취지위에 의하여 규제되어서는 안 된다는 사상에 기초를 두고 있다. 더구나 스포츠 종목에 있어서 모든 경쟁자는 똑같은 경쟁적 조건에서 맞서야하며 모든 사람은 현재 그들의 직위나 출신지역에 구애받지 않는다.

☞ 전문화(specialization)

전문화 또는 프로화 경향은 스포츠의 발달 초기부터 존재한 것이었다. 그리스인들은 어떤 사람이 육체적으로 달리기에 적합하고 어떤 사람이 레슬링 또는 원반던지기에 적합하다는 관심에 두었다. 그러나 전문화 경향은 근대스포츠에서 두드러지는 것이다.

근대 스포츠는 고도의 전문성을 특징으로 하고 있다. 높은 수준의 운동수행을 위해서는 전문화가 필요하고 이 전문화가 더 높은 수준에 대한 요구와 결합하면서 프로화가 추진되었던 것이다.

☞ 합리화(rationalization)

원시스포츠는 금기(taboo)와 전통에 의해서 제한받고 규제되었다. 즉 규칙이 경쟁을 지배하는 것이다. 근대 스포츠는 명시된 규칙에 의해서 규제된다. 즉 규칙이 경쟁을 지배하는 것이다. 근대규칙의 차이는 근대 스포츠가 전통에 의해서 자극받기 보다는 합리화된다는데 있다. 이 말은 목적과 수단 사이에 합리적 관련이 있다는 뜻이다.

근대 스포츠는 규칙과 전략의 완전한 것으로 구성되어 있다. 규칙은 스포츠의 목표와 목표달성을 위한 수단을 규정한다. 즉 규칙은 장비, 경기기술, 그리고 참가의 제한 등을 명시화한다. 전략을 훈련의 열서, 경험을 규정하는 근거로 제공한다.

☞ 관료제도화(bureaucratization)

원시사회는 관료화되지 않았다. 스포츠의 관료화는 그리스 때부터 시작되었고 행정을 중시한 로마시대에도 유지되어 왔다. 관료화는 보편주의, 원칙과 통제의 규준화, 효율성을 촉진시킨다.

근대 스포츠는 국제화, 국내적, 지리적 수준의 복잡한 조직화의 설립에 의해서 조절된다. 이러한 조직이 있는 사람들은 운동팀, 경기를 두루 살피고 참가한다. 그들은 규칙을 만들고 강조한다. 즉 그들은 경기를 조직하고 기록을 보증한다.

☞ 계량화(quantification)

그리스인들은 모든 현상을 계량화하려고 하지는 않았다. 그들에게 만물의 척도는 숫자가 아니라 인간이었으며, 인간은 계량화 대상이 될 수 없었다. 우리는 고대 올림픽경기에서 그들이 창 또는 원반을 얼마나 던졌고 얼마나 빨리 경기장을 주파했는지는 모른다.

근대스포츠는 측정과 통계에 깊은 관계가 있다. 시간, 거리, 기록 등을 간단하게 정리할 수 있는 모든 것은 측정되고 기록된다. 성취의 표준은 설명하게 측정할 수 있는 용어로 검토되었고, 통계는 성취의 증명으로 사용된다. 근대 스포츠는 모든 운동을 수량화하고 측정할 수 있는 것으로 바꾸려는 경향을 가지고 있다. 이러한 경향은 초시계와 다양한 전자계산기의 등장과 통계치의 작성을 가져오게 되었다.

☞ 기록지향(records)

근대 스포츠는 기록을 세우고 깨뜨리는 것에 대한 강조를 포함한다. 경기 결과는 한 종목으로부터 다른 종목까지 비교가 되며 그 결과 조직, 리그, 단체, 국가, 지방 대륙에 있어서 팀과 개인을 위한 기록이 바탕이 된다. 물론 가장 중요한 것은 세계 기록이다.

기록하는 것은 통계처리를 통하여 경기의 결과를 일목요원하게 유지하고자 다른 경기 결과와의 비교를 용이하게 하고자 하는 관심과 밀접한 관련이 있다. 결과적으로 기록은 시간과 공간을 초월한 무형의 경쟁 대상이 된다.[143]

81. 스포츠 용어의 의미 규정

스포츠(과)학이 학문의 반열에 위치하기 위해서는 그 학문의 성격을 해명해야 하며, 그 성격의 해명은 스포츠라는 용어의 의미규정에서 출발한다. 스포츠의 본질(nature, essence)→스포츠의 개념(concept)→스포츠의 정의(definition)의 방식이다.[144] 이는 스포츠의 정의는 고정불변한 스포츠의 본질에서 진모(眞貌)가 있음을 주장하고 있는 것이다. 스포츠란 그 자체로 고정되어 통일된 하나의 의미로 규정되는 것이 아니라, 다의적(多義的)으로 규정될 수 있음을 인정할 수밖에 없다.[145]

☞ 스포츠 체험과 이해

그렇다면 스포츠란 도대체 무엇이며 어떻게 알 수 있는가?

스포츠(엘리트스포츠, 프로스포츠, 아마추어스포츠, 대중스포츠), 체육(학교체육, 생활체육, 엘리트체육, 사회체육), 운동경기, 레크리에이션 등의 유사 개념은 넘쳐나고 있다. 그러나 용어의 개념을 명확히 이해하고 사용하는 사람은 많지 않다.

스포츠를 안다는 것은 개념뿐만 아니라 인간 움직임과 신체활동을 통해 얻어지는 신체 활동적 지식 혹은 체육적 지식이라는 것에 대한 이해가 필요하다.[146] 스포츠는 특수한 유희의 형태를 조직하여 유희를 초월한 또 다른 유희의 형태를 취한다. 인간은 유희를 언어화하였고, 그 동안 결국에는 본래 놀이와 유희, 게임 등의 개념과는 다른 모습으로 진화(進化)해 버린 특수한 형태를 가려내서 규칙화시켜서 스포츠를 만들어 나갔다.[147]

원래 스포츠의 어원(語源)은 중세 로반스어에서 출발하여, 불어 동사 deporter, desporter로 변해 남성 명사 desport가 만들어 졌다. 그 후 11세기경에 영국으로 들어가서 disport로 변형되었으며, 16세기경에 'sport'라는 영어가 탄생하였다. 이와 같이 성립된 'sport'란 용어는 영국으로부터 다시 프랑스로 역수입됨에 동시에 19세기 이후 독일, 미국, 일본, 한국 등에서 외래어로 유행하게 되었다.[148] 스포츠(sport)란 용어는 어원이 영국의 고어인 'disport(즐기는 것, 기분을 경쾌하게 하는 것)'에서 유래하였고, 불어의 'desporter'나 라틴어 'disportare'란 용어와 함께 심신의 전환, 오락의 뜻을 담고 있다. 스포츠라는 용어는 그 개념이 다양하고 광범위하게 쓰이고 있다. 스포츠의 기원을 찾다보면 이 용어는 유희(play)라든가 오락(pastime)을 뜻하는 것을 알 수 있다. 이처럼 스포츠의 본질은 유희의 요소를 지니고 있다. 그렇기 때문에 유희의 요소를 잃는다면 스포츠라고 할 수 없을 것이다.

스포츠의 명제적 정의에 의하면 "스포츠는 경쟁, 유희, 기술성과 자발성, 규칙이 총체적으로 결합하여 작용하는 신체활동의 총칭이다. 따라서 스포츠는 자발적인 신체활동을 통하여 유희로 동반하는 것으로 탁월한 기능과 경기 규칙의 총체라고 정의할 수 있다." [149]

☞ 스포츠의 잠재적 이해

스포츠의 잠재적 의미는 탁월성 추구, 지배와 우월, 개인적 한계의 도전, 모험 표현, 의식의 변용 상태와 신비적 통합 탁월성 등을 말한다. [150]

 # 탁월성 추구. 선수가 획득하려는 탁월성은 이전에 획득한 것보다 더욱 훌륭한 것이다. 그는 이미 수행한 것 이상의 것, 아무도 지금까지 이룩하지 못한 것을 바란다. 이것은 인간이 타인과 경쟁하는 한 확실히 존속된 진실이다. [151] 어떤 동작을 끊임없이 시도하는 것은 탁월성을 향한 자기만족을 위한 행동이라 할 수 있다. 전문적인 운동선수에게 스포츠는 고통과의 싸움이다. 그럼에도 불구하고 중단하지 않고 지속적인 훈련을 거듭하는 것은 탁월성 추구의 욕망을 실현하려는 것이다.

 # 지배와 우월. 성공에는 '힘'과 '지배'의 감정이 존재한다. 승리자에게는 다른 사람이 받아들이기 어려울 정도의 특권을 부여한다. 그렇기 때문에 우리 모두는 승리자가 되고 싶어 한다. 운동하는 많은 사람에게 승리자의 지위를 나타내는 복장은 대단히 중요하다. 시합에서의 우월에 사회경제적 지위의 향상과 밀접하다는 신념은 바람직한 사회집단에의 입회권을 제공하거나 인기를 제고한다. 눈에 띄는 일, 혹은 그 일로 인한 보장은 스포츠 체험의 유의미한 측면을 제공한다.

 # 개인적 한계의 도전. 많은 사람에게 스포츠체험은 스스로 결정한 도전을 만족시키기 위한 실험장이 된다. 그런 시합은 관중을 염두에 두지 않으며 형식적인 상대도 없이 행해진다. 스포츠의 비경쟁적 형식에 종사하는 많은 사람들에게는 "내가 할 수 있는지 시험해 보고 싶다"는 태도가 일반적인 동기이다. 그들의 계속적인 노력을 표시함과 동시에 개인의 한계를 스스로 확인하고자 하는 욕구를 반영한다. [152]

 # 모험. 위험을 찾아나서는 동기는 도전을 성취하는 것과 개인이 한계를 정할 필요성과 깊은 관계가 있다. 과거로부터 지금까지 자기 자신을 위험이나 스릴에 빠뜨리거나 모험을 추구하는 스포츠가 수없이 발생하였다. 우리가 추구해야만 할

원천이 있다. 즉 간단히 체험해서도 안 되고 눈을 뜨지 않으면서도 쉽게 굴복하지 않는 정신이다. 더구나 최종적으로 위험한 경기란 그게 전부이다. 그것들은 자기 자신의 생활을 명료하게 반영한다는 것으로 거기에서 모든 본질적인 것이 집약되고 정의된다. 신중하게 상황을 설정하고, 살아남기 위해서는 어떻게 해야 될지 최선을 다해야만 한다. 상황 그 자체는 모두가 인위적이다. 즉 산에는 반드시 정상을 향한 쉬운 길이 있다.

＃ 표현. 스포츠에서 표현은 많은 형식을 취한다. 선수가 지향하는 것, 무엇이 달성되고 그것이 어떤 의미를 가지며 그 체험이 어떻게 느끼는가에 대해 언어라는 상징을 이용하는 것은 스포츠 체험 속에서 무엇을 행하고 있는가 하는 사실을 표현하는 가장 일반적인 수단이다. 스포츠 체험은 과정을 중시한 두 가지 표현 형식이 있는데 '스타일'과 '창조성'이다.[153] 개성적인 스타일은 때때로 같은 일을 하는 다른 사람과 그 자신을 구별하며, 행위가 제대로 되면 그 결과가 좋아 스타일이 별로 문제가 되지 않는다.

＃ 의식의 변용상태와 신비적 통합. 이론가들은 의식의 변용 상태를 '플로우', '절정체험', '정체성', 내적게임 '완전한 순간'이라 불렀다. 우리는 때로 그것을 체험이 개인적인 활동, 즉 달리기, 테니스, 스키에 원인이 있다고 생각한다. 그러나 대부분의 경우 단체 선수도 집단의 일인이지만 동시에 단독으로 행위할 수 있다. 절정체험의 실제적 특징은 스포츠에서 의식의 변용상태 혹은 초월적 체험이라 부르는 모든 체험 속에 발견되는 것이다.

환경과 시간에는 강렬함, 마치 '하나의 작은 세계의 일부가 그 순간 세계의 전부로서 지각되는 것'과 같은 '정체감'이나 '완전함'이 존재한다. 거기에는 지금이란 감각, 과거와 미래로부터의 자유, 그리고 그 체험을 바로 즉각적인 것으로 하는 '여기에 그리고 지국'이란 특징이 있다.[154] 개인은 더욱 통합된 더욱 전체적인 존재, 그리고 자신이 힘의 절정에 있는 듯한 기분을 느낀다.[155]

82. 히틀러에게 영혼을 판 독일 지식인의 운명 밴드

슈페어는 히틀러의 건축가가 되었다. 한 때 화가를 꿈꿨던 히틀러는 슈페어라는 붓을 통하여 자신의 정치적 미학, 즉 파괴적인 정념의 스펙터클을 보여주고자 했다.

나는 지금 동부독일의 여러 도시를 돌아보고 있다. 뮌헨에서 뉘른베르크로, 거기서 바이로이트를 거쳐 바이마르, 라이프치히로 이어지는 여정이다. 최종의 목표는 베를린과 드레스덴이다. 그 중에서도 뉘른베르크! 아무래도 나는 70·80년대에 자아가 형성되고 세상을 보는 감수성이 버무려진 세대다. 독일에 오면 전쟁과 그 기억, 분단과 그 후유증부터 생각하는 낡은 세대인 듯하다. 그러니까 필기구 애호가들에게 뉘른베르크 하면 파버카스텔의 도시다.

그렇기는 해도 나는 오늘의 뉘른베르크가 아니라 이 도시의 과거, 그러니까 2차 세계대전 전후의 뉘른베르크를 찾는다. 아닌 게 아니라, 뉘른베르크 구도심지의 건물들은 대체로 잿빛으로 어두웠고, 자신들의 기나긴 역사를 담은 박물관으로 가는 입구에는 흰색 기둥이 도열해 있으며, 기둥마다 세계인권선언문을 29개 언어로 새겨놓았다. 이 도시는 히틀러가 자신의 야심을 독일 전역에 펼친 곳이다. 1933년 10일부터 16일까지 독일 국민 50만여명이 참가한 뉘른베르크 나치 전당대회가 열린 도시이며, 바로 그 나치의 주요 인물들이 1945년부터 1948년까지 전범재판을 받은 장소다.

히틀러는 자살하였으니, 이 도시와 종막을 같이 한 사람으로 알베르트 슈페어를 생각해본다. 그는 건축가 집안에서 태어났다. 그의 아버지는 막대한 부와 명예를 이룬 건축가였고, 그의 아들 또한 2008 베이징 올림픽 스타디움에 참여하는 등 현재 건축가로 활동하고 있다. 독일인들의 독특한 이름 붙이기 전통에 따라 세 사람 모두 이름이 알베르트 슈페어다.

알베르트 슈페어가 자신의 저서 「기억」에서 '빛의 대성당'이라고 칭했던 독일 뉘른베르크의 당시 나치 전당대회장 전경(뉘른베르크, 정윤수).

히틀러의 건축가 알베르트 슈페어. 그가 연출한 뉘른베르크 전당대회는 강렬한 빛이 수직의 힘으로 치솟는 장관이었다. 그 자신이 이를 '빛의 대성당'이라고 불렀다. 회고록 〈기억-제3제국의 중심에서〉에서 슈페어는 이렇게 썼다.

"12m 간격으로 비행장 주위에 늘어선 130대의 가늘고 긴 광선은 6000m, 8000m 상공까지 닿아 빛의 해면(海面)을 만들어냈다. 광선은 무한으로 뻗어나가 외벽의 열주(列柱)가 거대한 공간을 이루어내는 것을 느꼈다. 때때로 빛다발 가운데로 구름이 통과하면 장대한 광경에 초현실주의적 비현실감이 더해졌다."

☞ 뉘른베르크 나치 전당대회 연출

지금 내가 내려다보고 있는 장소! 뉘른베르크 나치 전당대회장은 슈페어를 통한 히틀러의 폭력적 낭만주의의 전시장이다. 오늘날 독일인들은, 두 사람의 광기 어린 열망을 생생하게, 그리고 무엇보다 충격적인 영상과 인상적인 공간 구성으로 보여주고 있다. 전당대회를 전후로 한 히틀러의 광기가 어떻게 전쟁으로 이어지고, 대량학살과 각종 전범을 낳았으며, 결국 바로 이곳 뉘른베르크에서 전범재판을 받았는지 정교하게 보여준다. 관람자들은 숨막힐 듯이 구성한 폐허와 잔해와 좁은 통로 사이를 겨우 지나간 끝에 압도적인 스케일의 대회장을 내려다보게 된다. 그런 후에 다시 비좁은 통로를 내려오면 슈페어에 관한 각종 기록을 마주하게 되고, 광기어린 벽 위로 영사되는 질문들을 마주하게 된다. 그 질문들은 다음과 같다. "슈페어는 유대인 박해에 어떻게 협력하였는가?" "슈페어는 비정치적인 건축가인가?" "슈페어는 독일연방에서 어떻게 인지되고 있는가?" "가짜 슈페어들은 어떻게 폭로되었는가?" 단순하지만, 누구도 쉽게 답하기 어려운, 이른바 '악의 평범성' 혹은 '악의 진부함'을 날카롭게 찌르는 질문들이다.

슈페어는 베를린 샤를로텐부르크 공과대학의 건축과에서 조교를 할 때 히틀러를 처음 보았다. 1931년 겨울의 일이다. 히틀러의 연설은 젊은 건축가의 심장을 뒤흔들어 놓았다. 26살 때 일이다. 〈기억〉에서 슈페어는 히틀러의 연설 모습을 이렇게 쓰고 있다. "어느덧 음성이 높아졌다. 그는 다급한 듯 말했고, 마치 최면을 거는 듯한 설득력을 발휘했다. 그가 풍기는 분위기가 연설 내용보다 훨씬 심오했다. 나는 그의 열정에 빨려들어갔다." 그로부터 2년 뒤인 28살 때 슈페어는 히틀러의 선택을 받았다. 악마에게 영혼을 판 독일 지식인들의 운명을 묘사하는 오래된 문장을, 그도 썼다. "나는 나의 메피스토펠레스를 찾았다"라고.

슈페어는 히틀러의 건축가가 되었다. 한때 화가를 꿈꿨던 히틀러는 슈페어라는 붓을 통하여 자신의 정치적 미학, 즉 파괴적인 정념의 스펙터클을 보여주고자 했다. 베를린의 주요 도시를 거대하게 직립한 온갖 조각과 구조물로 채웠다. 뉘른베르크 전당대회 및 그밖의 수많은 열병식이나 행진에서 나치의 휘장이 온갖 형태로 찬란하게, 강력하게 휘날리도록 했다. 파리를 점령한 후 수치심에 시달리는 파리 시민들을 제3제국의 상징인 거대한 독수리 조각상으로 한 번 더 짓누르고자 했다.

슈페어의 저서 『기억』의 표지 사진.

이미 히틀러에게 베를린올림픽 경기장을 신축하여 선물한 그는 베를린 자체를 허물고 새 도시를 짓는 일에 착수한다. 세계를 장악하고자 한 히틀러는 그 야심을 실현하기도 전에 베를린을 허물고 거대한 건축물들이 일제히 들어서는 신도시

'게르마니아'를 짓고자 했다. 이 모든 일을 슈페어가 주도하고 실현했다. 나치당 주임 건축가, 건축부 수장, 제국의회 의원이었던 슈페어는 1937년에 또 다른 직함, 즉 '제국 수도 건설 총감독관'을 갖게 된다.

뉘른베르크는 슈페어가 전당대회장과 체펠린 비행장을 건설한 곳이며, 전후에 전범재판을 받은 곳이다. 그는 전범재판에서 나치 지도자들 가운데 유일하게 사형을 선고 받지 않았다. 슈페어는 법정에서 자신의 혐의를 대부분 인정했고 과오를 반성했다. 패전의 불안과 광기에 사로잡힌 히틀러는 연합군에게 함락당하기 전에 수도 베를린의 도시 기반시설을 파괴하라고 명령했다. 슈페어는 이 명령을 은밀하게 거부했다. 그가 사형을 면한 이유 중 하나다. 20년형을 선고받았다. 지금 내가 스쳐지나가듯이 머물고 있는 뉘른베르크에 대하여 슈페어는『기억』의 서문에 이렇게 쓴다. "뉘른베르크에서 나는 20년형을 선고받았다. 뉘른베르크 전범재판은 역사를 정리하는 데는 성공하지는 못했지만 죄의 대가는 치르도록 했다. 비록 역사적 무게에 비해 형량은 미미했다 하더라도, 시민으로서의 내 존재에 종말을 고하기에는 충분했다. 뉘른베르크는 나의 삶을 파괴했고, 선고한 형량을 넘어 아직도 나를 벌하고 있다."

☞ 제국 수도 건설 총감독관 역임

슈페어는 감옥 안에서 자신의 기억 및 수집 가능한 자료들을 나름대로 망라하여 출옥 후 자서전『기억』을 냈다. 이 책은 냉정하게 읽어야 한다. 일각의 비판처럼 '길게 쓴 변명'일 수도 있기 때문이다. 지난호에 언급한 소설가 귄터 그라스는 문제의 자서전 발간 이전부터, 자신이 어렸을 때 나치가 전쟁에서 승리하리라 믿었고 뉘른베르크 재판이 벌어지기 전에는 나치가 저지른 범죄를 '사실이 아니라고 생각'한 '완전히 눈이 먼 나치'였다고 여러 번 언급한 적이 있다. 그는 당시 소년이었고 세상을 잘 몰랐다. 그러나 슈페어는 다르다. 숱한 전쟁범죄의 기획자이자 수행자이자 책임자였다. 그렇기 때문에『기억』의 서문에 쓴 슈페어의 다음 문장은 유의해서 읽어야 한다.

"작업 내내 과거를 왜곡하지 않으려고 노력했다. 그 시절에 화려함이나 잔혹함을 치장하지 않으려고 무엇보다 애썼다. 당시의 동지들이 나를 비난한다면 어쩔 수 없는 일이다. 나는 진실하기 위해 노력했을 따름이니." [156]

83. 체육학에 세분·통합화에 대한 담론

1960년대부터 체육학은 학문의 조건인 '연구의 초점(focus of study)', '연구 방법(mode of inquiry)', '지식의 총체(body of knowledge)' 등을 만족시키기 위해 Rudolf Laban(1970년)이 주장한 human movement 이론에 따라 공간, 힘, 시간, 흐름(flow) 등 4가지 요소를 이용한 다양한 움직임과 신체활동의 경험을 무용, 게임, 스포츠에 적용하는 시도를 하게 되었다.[157]

체육학의 성립에 따른 가장 시급한 과제는 체육학을 대변할 수 있는 용어의 개발이었다. 많은 체육학자들이 'physical education'으로서는 체육학을 대변하기는 어렵다고 보았기 때문에 어떠한 경우든 "합리적인 미래의 예측을 위해서는 여러 개념 속에서 공통 요소를 추상하여 종합하는 하나의 관념, 즉 '개념'을 명확하게 설정한 후 관념이나 대상을 지시하는 명칭"을 정확하게 도출시켜야 했다.[158] 이는 "하나의 개념을 전재하기 위해서는 모든 이에게 동일한 현상을 지시할 수 있는 언어적 상징을 명료하게 정의해야 하는 작업이 필요하다는 맥락이다."[159]

그리하여 "R. Cassidy는 'physical education' 대신 'the art & science of human movement'로의 전환을 주장하였고"[160], 그 외에 sport science, human performance, sport studies, human dynamics, health education, kinesiology 등의 주장이 있었으며, 국내에서도 '운동학', '스포츠학' 등의 도입을 주장하는 경우가 있었다.[161]

이제 체육 계열학과의 명칭으로서 'physical education'은 사라져 가고 있는 실정이 된 것이다. 이와 관련하여 체육·체육학 영어 표기로 'physical education'으로 통일해야 한다는 주장의 근거로는 '교육'과 '교육학'의 영어 표기가 동일하게 'education'일 뿐 아니라, 의학에서도 'medical science'라는 용어를 큰 울타리로 하고 있음을 상기할 필요가 있다.[162]

체육학의 세분화 현상에 대해서는 '체육학'이라고 하는 모체를 흩뜨려 하위 영역들이 모학문으로 불리는 기초학문의 영역에 흡수될 수 있다는 염려가 주류를 이루어 왔다. 그러나 일부에서는 "학문의 분화는 지금까지 방식으로는 관찰할 수 없는 대상을 관찰할 수 있게 해주고, 이를 통해 새로운 지식을 창출하며, 대상세계에 대한 이해의 폭을 넓혀줄 수 있다."[163]는 긍정적인 입장도 있다. 전자는 체육학이 분화될수록 학문적 정체성은 모호해진다는 주장이고, 후자는 그러한 주장이 설득력이 없다는 입장이다. 김동규는 "학문별 장르가 깨지는 추세는 갈수록 강해질 것이라는 예측을 지지하지 않을 수 없는 것 같다." [164]고 했으며, 소흥렬은 "아름다운 얼굴을 세포의 차원으로 환원하여 본다면 그 얼굴의 아름다움을 그대로 볼 수 없는 것이다." [165]라고 언급하고 있다.

통합연구의 성취를 위해서는 '체육학은 응용학문이다.' 라는 고정관념의 틀을 벗어나보려는 노력도 필요하지 않을까 한다. 이는 체육학이 모학문에서 개발된 지식과 연구방법에 대한 의존도를 낮추고 독자적인 이론과 연구방법을 구축하려는 자구책이 될 수 있다. 교육철학의 위상에 대해 "철학을 기초이론의 위치에 두고 교육철학을 응용이론의 위치에 두면 교육의 활동과 제도적 과정을 이해하기 위한 보편적 질문을 성립시킬 수 없다." [166]라고 한 교육학자 이돈회의 주장을 경청해 볼 필요가 있다. 따라서 체육학을 응용학문으로 볼 때 우리가 말하는 모학문들은 체육의 내용적 대상일 수는 있으나 체육학적 판단의 원천이 될 수 없는 것이다.[167]

20세기를 지나 21세기로 이어지는 현대의 학문체계는 "특수화되고 분화되더라도 동일한 대상을 다루거나 동일한 이념을 지니는 한, 하나의 학문으로 묶일 수밖에 없을 것" [168]이라는 대전제를 수용하지 않을 수 없을 것 같다. 이는 환원주의에 근거한 과학주의의 한계와 학문 세분화 현상에 따른 영역 간 단절이라는 부작용의 우려에 의해 나타난 반대급부라고 볼 수 있다. 따라서 "체육학의 극단적인 세분화 현상을 보완할 수 있는 방안으로서 통합연구, 즉 학제간 연구가 되어야 함을 주장한다. 학문영역이 극히 세분화되고 전문화된 상황에서는 반성적이고 전일적인 사고, 즉 철학적 사유가 더욱 절실하다고 본 것이다." [169]

이에 대한 접근방법으로서 체육학은 '분화' 에서 '덜 분화' 로, '덜 분화' 에서 '부분 통합' 으로 그리고 종국적으로는 '전체 통합' 의 길을 점진적으로 가야함을 강조하였으며, 이를 실현하기 위해서는 '하위 영역간 소통' 의 활성화가 전제되어야 함을 제시한다. 소통의 방법 또한 영역간 '경계를 허무는 접촉' 이라는 조급하고 극단적인 처방보다는 '경계에 다리를 놓는 접촉' 이라는 덜 충격적인 처방이 현실적으로 합당하다고 본다.

이러한 과정이 실현되기 위해서는 '세분화' 와 '통합화' 는 양자택일의 문제가 아니라 조화의 길이라는 사상, 통합연구의 문호를 개방하는 학회지 및 학술발표회의 편집과 형식, 체육학자들의 통합연구에 대한 열린 마음과 태도, 그리고 체육학 학위영역의 모학문, 즉 기초학문은 '체육학' 이라고 하는 인식의 전환 등이 체육학이 통합연구로 가는 초석이 된다고 본다. 결국, 체육학 연구의 '세분화' 와

'통합화'의 길은 택일적 선택의 과정이 아니라, 이의 조화를 이루려고 하는 진지한 성찰의 과정이라는 인식이 중요한 것이 된다.[170]

84. 스포츠 단체와의 교총 업무 협약

한국교총이 지난 12일 한국프로경기연맹과 2011-2012 시즌부터 2013-2014 시즌까지 총 3시즌동안 10인 이상 사제동행 시 학생가의 30% 추가 할인 및 인솔교사 입장료 무료, 한국교총 회원(동반 3인 포함) 30% 할인 혜택 등을 골자로 하는 MOU를 체결했다. 교총은 앞으로 프로축구, 프로배구 관련단체와도 유사한 내용의 MOU를 추진할 계획이다. 이렇게 교총이 스포츠 단체와의 업무협약 사업을 추진하는 것은 교원의 복지 향상이라는 측면에서도 의의가 더욱 크다.

교총이 스포츠 단체와의 사업을 추진하는 것은 교원의 복지 향상이라는 측면에서도 의미가 있지만, 교육적·사회 경제적 측면에서 의의가 더욱 크다.

먼저 학생과 교원이 함께 경기장을 찾을 수 있는 계기가 마련돼 사제 간의 정을 돈독하게 할 수 있고, 이를 통해 스승 존경 풍토 조성에 크게 기여할 것으로 기대된다.

인성교육면에서도 그 효과는 크다. 요즘 우리 아이들은 한 자녀 가정이 늘어나면서 부모들의 과잉보호로 인해 자기만을 생각하는 경향이 강해지고 있다. 그러다 보니 건강한 사회 구성원으로 성장하는 데 걸림돌이 된다.

이러한 아이들에게 단체 경기 관람의 기회를 주는 것은 협동성과 사회성을 스스로 체득하고 건전한 가치관을 지인 성인으로 성장해나가는 데 도움을 줄 것이며, 궁극적으로 사회의 건강성 회복에도 기여할 것이다.

우리나라 스포츠 저변도 많이 확대된다. 어릴 때부터 다양한 스포츠 경기를 접함으로써 운동과 가까워져 보는 것에 그치지 않고 직접 참여하는 계기가 늘어나기 때문이다. 그러다 보면 자연스럽게 운동을 즐길 것이고, 체육영재도 조기에 발굴하게 될 것이다. 이외에도 주5일제 수업 대비, 아이들의 건강 보호, 가정과 사회 갈등 치유 등 공익적 측면에서 교총의 스포츠복지 사업 추진은 의미가 크다.

앞으로 정부와 사회 각계는 스포츠뿐만 아니라 문화·예술 분야에서도 교원과 학생이 많이 참여할 수 있도록 노력과 관심을 기울여야 할 것이다.

☞ 체육공단·교총 업무협약…스포츠 통한 인성교육 실천

한국교원단체총연합회는 10일 서울 송파구 방이동 올림픽회관에서 스포츠를 통한 인성교육 실천과 스포츠 복지 증진을 위해 업무협약(MOU)을 맺었다.

업무협력 협약식(연합뉴스, 2013. 09. 10, 배진남 기자).

두 기관은 인성교육 및 국민체육 활성화를 위한 연수 프로그램 개발, 새 정부 주요 교육·체육 정책 과제의 효과적 추진을 위한 인력·시설 및 프로그램 활용, 학교·생활체육시설의 보급과 활용 극대화를 위한 방안 수립, 소외·낙후지역 청소년의 체육활동 활성화 및 인성함양 등을 위해 협력하고 함께 사업을 추진할 계획이다.

정정택 국민체육진흥공단 이사장은 "스포츠와 교육 분야의 협력으로 국민행복과 문화융성의 시대를 더욱 앞당길 수 있기를 기대한다"고 밝혔다.[171]

한편, 한국교총(회장 안양옥)은 15일 신촌 K-Trutle에서 한국스포츠문화재단(이사장 이우현)과 업무협약을 맺고 학교체육을 통한 스포츠문화 확산과 교원·청소년의 올바른 인성함양을 위해 협력하기로 했다.

이날 한국스포츠문화재단은 업무협약에 앞서 '스포츠문화, 창조한국의 미래를 열다'를 주제로 학술세미나를 진행했다.[172]

☞ 교총-광주하계U대회조직위원회 업무협약(MOU) 체결

한국교원단체총연합회(회장 안양옥)와 2015광주하계유니버시아드대회 조직위원회(공동위원장 윤장현 광주광역시장·김황식 전 국무총리)가 지난 23일 서울 서초구 태봉로 114 교총회관 2층 외솔홀에서 업무협약을 체결하고 7월 3일부터 12일간 광주에서 열리는 하계유니버시아드대회의 성공적 개최를 위해 상호교류와 협력증진에 노력하기로 했다.

이번 협약을 통해 양 기관은 스포츠정신으로 만난 세계의 대학생들이 인류의 소중한 가치를 향한 도약대가 될 수 있도록 전국 초·중·고 및 대학 교원을 비롯한 교육계의 적극적 동참 및 협력과 더불어 대회 기간 동안 건전하고 정정당당한 스포츠맨십의 경쟁이 생생한 체험(현장)학습의 장이 될 수 있도록 일선 초·중·고 교원과 학생들의 대회 체험활동 및 관람을 적극 돕기로 했다.

협약식에서 안양옥 교총 회장은 "스포츠를 통해 교육과 문화의 발전, 세계인의 우정의 장이 될 광주하계유니버시아드대회는 학생 선수들의 경쟁의 장이라는 점에서 여느 세계 스포츠 빅 이벤트와 비교해 깨끗하고 배움과 문화가 강조되는 대회"라며 "올림픽 메달리스트의 48%가 유니버시아드메달리스트라는 점에서 미래의 스포츠 리더를 미리 볼 수 있는 장이라는 점에서 매우 의미 있는 대회로 우리 초·중·고 및 대학 교원과 학생들에게는 많은 것을 배울 수 있는 대회"라고 말했다.

한국교원단체총연합회-2015광주하계유니버시아드대회 조직위원회 업무협약(MOU) 체결(사진, 한국교원단체총연합회).

김황식 광주하계유니버시아드대회조직위원장도 "도전 정신을 가진 세계의 청년들이 어우러지는 축제의 장을 만들기 위해 정성껏 대회를 준비했다"며 "성공적인 국가행사로 치러질 수 있도록 일선 초·중·고 및 대학의 교원과 학생들이 많은 관심과 참여를 부탁한다"고 밝혔다.[173]

85. 東醫寶鑑 養生法의 몸 수행

　인간은 누구나 건강하고 행복하며, 장수하기를 기원하고 있다. 이는 인간 본연의 욕망이라고 볼 수 있다. 그러나 현대사회는 과학 기술과 의료 기술의 발달에 의해 인간의 수명은 늘어나고 있는 반면, 사회 환경의 변화에 의해 건강하고 행복하게 살자고 하는 인류의 소망은 위협을 받고 있다. 특히 가족 공동체의 해체와 자연 생태계의 위기로 인해 현대인의 정신력 스트레스는 날로 높아져 편안한 휴식을 불가능하게 하고 있다. 그러한 결과 누구를 막론하고 운동을 생활화 하지 않고는 건강한 생활의 영위가 어렵게 되었다.

　인간은 신체활동의 주체로서 생명 존재를 전제로 신체활동을 펼친다. 생명을 벗어난 몸은 존재 의미가 없다. 인간을 대상으로 하고 있는 체육 또한 생명 유기체를 벗어나서는 존재 의미가 없다. 신체활동의 잠재적 가치를 최대한 발현시킴으로써 인간을 바람직한 방향으로 유인하려는 노력이 체육인 것이다. 『東醫寶鑑』의 양생도 인간의 신체적 생명을 중시하고 있다. 『東醫寶鑑』 양생법 중에는 호흡, 도인, 방중, 식이, 명상 등이 있으나, 건강한 몸 인식을 통해 건강한 신체활동을 추구한다는 점이 체육의 목적과 일맥상통한다.

　인간은 이세상(此岸)에 왔다가 저세상(彼岸) 으로 가게 마련이다. 生·老·病·死, 이는 누구나 겪어야 하는 인생 여정이다. 그러면 건강하게 산다는 것은 무엇인가? 참으로 건강하게 사는 방법이란 어떠한 것인가 하는 것은 인류가 끊임없이 제기하고 있는 문제이다. 인간은 전체적 존재이다. 그렇게 때문에 인간은 신체활동, 즉 움직임을 통하여 신체적, 사회적 및 도덕적 가치를 동시에 체험하게 된다. 그러한 면에서 체육에서의 신체활동은 사람의 존재 가치를 고양시켜 줄 분만 아니라 보다 나은 삶의 추구를 목적으로 하는 통합적 행위이다.

　인간의 생명을 다루고 있는 허준(1546-1615)의 『東醫寶鑑』養生法이 몸의 움직임을 통하여 건강을 다루고 있다는 측면에서 체육활동의 건강법과 맥을 같이 하고 있다. 아울러 운동의 예방 의학적 측면은 물론 부분적으로 치료 의학적 측면에서까지 건강에 도움을 줄 수 있다는 전제는 체육인 이외의 집단에서 더욱 강조되어 발전되었다.

　『東醫寶鑑』은 대부분 중국과 고려 및 조선초기의 醫書들을 인용하여 재정립하였음에도 오늘날 세계 문화유산으로 기록될 수 있었던 것은 우리 몸을 이루는 물질을 精·氣·神이라는 구성으로 보았음으로 인해 독자성을 자질 수 있기 때문이다. 『東醫寶鑑』은 序와 目錄 2권, 內景篇 4권, 外形篇 4권, 雜病篇 11권, 湯液篇 3권, 鍼灸篇 1권 등 총 5편 25권으로 구성되어 있다.

다섯 개의 大篇 중 내경편과 외형편, 그리고 잡평편에 양생을 통한 몸의 움직임이 실용적으로 구술되어 있다. 이 중 질병과 관련된 잡병편과 치료와 관련된 탕액편, 침구편을 제외한 내경과 외형을 온전히 몸에 대한 인식을 다루고 있다.

내경편은 몸 내부의 생이 운용을 다르고 있으며, 특히 身形에서는 각종 양생의 원리와 방법, 처방 등을 제시하고 있다. 여기에서 몸은 精·氣·神이라는 三寶로 구성되어 이 삼보가 몸 안에서 서로 영향을 미치면서 각각 해당 역할을 담당하는 생리적 단위가 된다고 서술하고 있다. 이 점이 질병을 주요 주제로 다루고 있는 다른 醫書와 구별되는 요소이다. 『東醫寶鑑』集例에서 사람의 몸이 비록 안으로는 五臟六腑, 밖으로는 筋, 骨, 肌, 肉, 血, 脈, 皮膚로 되어 있지만 그 주체는 精·氣·神이라고 주장하고 있다.[174]

☞ "동의보감 양생법은 곧 몸 수련", 체육과 일맥상통

"건강하게 사는 방법이란 무엇인가. 인간의 생명을 다루고 있는 허준의 동의보감 내경(內景)에 내재된 양생법은 몸의 움직임과 관련한 건강문제를 다루고 있다는 측면에서 체육과 일맥상통하고 있다."

이는 지난 23일 강서구 소재 허준박물관(관장 김쾌정)의 개관 13주년을 맞이해 개최된 '4차 사업시대의 『東醫寶鑑』 재조명' 주제의 학술세미나에 앞서 허준연구비 1천만원을 받은 윤태기 박사의 말이다.

허준연구비는 김병희 강서문화원장이 사재를 털어 운영하고 있는 연구지원금이다. 의성 허준(許浚) 또는 『東醫寶鑑』을 주제로 매해 석·박사학위를 받는 연구자들에게 지급되고 있다. 단, 의학적 접근이 아닌 인문학적 접근으로 관련 학문을 연구했을 때만 지급된다.

박사학위는 1천만원, 석사학위는 300만원의 연구비가 주어진다. 올해까지 모두 3300만원이 전달됐다.

올해는 영남대학교에서 '『東醫寶鑑』 內景에 내재된 양생사상과 몸 수련'을 주제로 박사학위를 받은 윤태기 박사(명지대 외래교수)에게 1천만원의 연구비가 지급됐다.

윤 박사는 "이 연구는 동의보감의 양생과 건강, 그리고 몸주체가 정기신(精氣神)으로 구성되었음을 탐색한 후, 동의보감 양생법이 체육학의 새로운 연구영역이 될 수 있음을 조망하는데 목적이 있다"고 밝혔다.

이에 앞서 윤 박사는 경찰청 무도연구관으로 재직하며 한의학과 동의보감에 대한 깊은 관심을 바탕으로 '韓方氣功에 대한 새로운 인식과 수련 효과 연구', '『東醫寶鑑』養生法의 몸 수행' 등에 관한 연구 논문들을 발표한 바 있다.

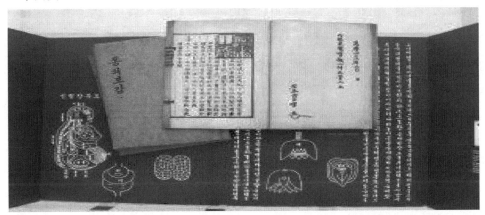

[동의보감], 한의신문(2018. 03. 24)

윤 박사는 이날 발표에서도 동의보감 양생사상을 체육학적 접근을 통해 양생의 범위가 훨씬 다양한 학문과 접목돼 통합적으로 연구될 수 있음을 나타내 보였다.

윤 박사는 "동의보감의 양생사상이 지닌 신체적 의미는 정기신의 합일과 조화의 과정"이라며 "동의보감에서의 양생(養生)은 인간의 신체적 생명을 중시하여 일상적인 삶을 자연의 법칙에 맞게 정기신(精氣神)을 보양하고 병을 예방하여 건강하게 장수하는 것을 목표로 '운동(運動)'을 강조하고 있다"고 강조했다.

윤 박사는 또 "동의보감에서 제시하고 있는 최고의 양생관은 도(道)를 얻어서 도(道)와 하나가 된 인간으로 살아감으로써 무병장수할 수 있다는 것이다. 그 방법으로 수련을 통해 도(道)와 기(氣)의 흐름에 하나로 합일될 수 있는 인간이 되어야 한다"고 말했다.

그는 또 "동의보감의 생명관에서 생명이란 정신(마음)과 육체의 결합이며 이 둘은 '氣'에 의해 매개된다. 또한 생명은 정기신의 세 요소가 생명활동의 요소로서 유기적인 연관을 맺으며 지속적으로 순환과 소통으로 이루어진다"고 덧붙였다.

이와 함께 "동의보감의 신체관에서는 질병 중심에서 인간 중심으로, 약물이나 침·뜸을 통해 질병을 치료하는 기존 치료의학을 비판하면서 인체(human body)보다는 인간(human being)을 중시하는 신체관을 형성하였다"고 강조했다.

또한 "동의보감 내경에 내재된 양생사상은 건강을 증진하고 병을 예방하는 방법을 정신과 신체의 상호작용 속에서 환경과 사회와의 무형적 관련성에서 찾음으로써 학문적 의미와 관점을 보다 더 확장했다"라고 밝힌 뒤 "동의보감의 양생, 즉 정기신 수련의 몸 다스림은 체육(體育)이 지향하는 바와 일치하며 체육학 연구 영역에서의 재정립이 가능하다"고 덧붙였다.

윤 박사는 "몸 수련, 즉 운동 요법을 적용한 실제적인 양생운동을 개발하고 제시하여 건강을 도모하는 것은 동의보감에서 펼치고자 했던 예방의학의 가능성을 증진하는 계기가 될 것"이라고 말했다.

그에 따르면, 동의보감 양생을 현대적으로 표현하면 세 가지로 귀결된다. 약과 섭생, 그리고 운동(수양)이다. 건강한 신체를 위해서는 운동으로 몸을 다스려야 하며, 그것이 곧 동의보감의 양생법과 맥을 같이한다는 요지다.

이 같은 윤 박사의 체육학적 접근 방법은 향후 허준과 동의보감을 연구하고자 하는 많은 학자들에게 또 다른 형태의 연구 모형을 낳게 할 수 있다는 점에서 큰 주목을 끌고 있다.[175]

86. 체육 · 스포츠 정책

스포츠정책연구원은 국민체육진흥법에 따른 국민체육진흥계획의 수립 및 평가와 법, 재원, 인력, 조직, 시설 등 체육 기반조성과 전문체육, 생활체육, 학교체육 진흥을 위한 부문별 정책에 관해 연구한다.

또한 체육지표 개발 및 관련 통계자료를 조사하고 분석하며 스포츠의 사회경제적 효과에 대해 연구한다. 그 외에 연구원(일반)이 수행하는 일반적인 업무를 수행한다.

세상에 보이지 않는 아름다운 일들이 많듯이 스포츠 정책에도 고상한 이상과 아름다운 목표가 분명히 존재한다. 이상뿐 아니라 현실로서의 정책에도 그것은 분명히 존재한다. 현실의 '악한' 정책을 줄이고 참된 '선한' 정책을 구현하는 것이 인류의 이상이며, 글쓰기 역시 바라는 바이다.

결국 정책은 사람의 행복을 증가시켜야 하는가. 체육 · 스포츠를 실현을 통한 행복한 사회의 구현, 이것이 체육정책의 참된 목표가 되어야 할 것이다.

체육은 '다양한 신체활동을 통하여 학생 개개인의 움직임의 욕구를 실현하고, 운동을 수행하는 데에 필요한 기능과 체력을 증진하며, 운동과 건강에 관한 다양한 지식을 이해하고 활용하는 방법을 익히는 것을 주목표로 한다.' 이에 전제되는 생각은 국익과 구별되는 사사로운 이익, 곧 '사익' 이 있다는 점이다. 대부분 사람들은 국익보다는 사익을 먼저 생각한다. 이는 모든 사람들의 더 나아가 모든 생명체의 본성이다. 그런데 사익을 먼저 추구하는 것은 사람의 보편 본성이기 때문이다. 따라서 지배 구조의 변화와 국가의 체육 · 스포츠 정책과의 관계를 밝히고, 지금까지의 가시화된 체육 · 스포츠 정책의 분석을 위해서는 한국사회의 지배 체제의 변화와 그에 따른 특수한 조건하에서의 체육스포츠 정책의 지배 이데올로기적 기능의 변화를 전체적으로 사고하는 스포츠 상황의 검토가 중요하고 이에 대한 활발한 연구가 필요하다.

지금까지 연구들은 실질적으로 한국사회에서의 지배 구조와 체육스포츠 정책간의 관계를 충분히 밝히지 못하고 있는데, 그렇기 때문에 가시화된 체육스포츠 정책의 분석을 위해서는 그 사회의 지배 체제의 변화 - 정치, 경제, 사회부문의 변천 - 와 그에 다른 체육스포츠정책의 관계를 검토하여야 한다.[176]

체육은 인류의 생활과 더불어 그 연대와 방법, 수단에 따라 차이를 나타내며 발전해 왔다. 어느 나라, 어느 민족을 막론하고 그 역사를 통해 체육이 행해진 것을 알 수 있다. 또한 체육은 시대의 흐름에 따라 중요시 되기도 또는 등한시되기도 하면서 우리 생활과 밀접한 관계를 맺으며 경제적, 사회적 그리고 정치적 의미를 가지며 발전되어 왔다.

이러한 체육은 '체육에 관한 행정' 또는 '체육을 위한 행정' 이라는 2가지의 관점에서 바라볼 수 있는데, 우리나라 체육행정은 갑오경장 이후인 1895년 고종 32년 전국에 내린 교육조서에서 국민에게 체양(體樣)을 강조하고 권장한 내용을 교육행정의 효시라고 볼 수 있다. 그 후 8·15해방 당시, 조선총독부 관제를 보면 학무국 아래 학무과에 학교체육계를 포함하여 6개의 계가 있었으며, 청소년 수련과에 일반체육계가 있었는데 이것이 우리나라의 체육행정을 관장하는 최초의 정부 산하 체육행정 조직이라고 할 수 있다.

일제 강점기에 민족 독립을 위한 근간으로서 우리의 민족 체육을 증진시키고자 시작되었다. 당시의 기록을 종합해 보면, 민족의 흥망성쇠는 정치나 경제보다는 민족의 건전한 의기가 체육에서 비롯되므로 남녀노소 모두 그들에게 맞는 과학적 방법으로 건강한 신체를 만들고 위생사상 보급운동, 스포츠 정신함양, 민족 전통 경기의 보급, 스포츠 대중화 운동을 전개해 다른 민족의 지배에서 벗어나야 한다고 주장하고 있다.[177]

이러한 시대적 배경에서 3·1운동 이후인 1926년 11월 30일 동경대학 유학생인 서상천, 이병학, 이규헌 등이 민족의 독립을 위해서는 힘을 길러야 하며, 그 실천 방안으로 체육의 학문적 체계를 갖추고 이의 과학적 보급을 목적으로 조선체력증진법연구회를 만들었다.[178] 이 연구회는 체육운동의 과학화에 관한 홍보와 실천을 계속하였으며, 1930년 9월에 중앙체육연구소로 개칭되었다.

지금까지 우리나라의 체육행정은 수단적 가치에 치중하여 체육 발전 기초를 형성하는 생활체육, 학교체육의 진흥을 위한 정책이 미흡하고 낙후 된 시설 여건, 후진적 체육 풍토, 편중된 체육인구, 미약한 스포츠 과학, 폐쇄된 활동 기회, 자율성과 전문성이 결여된 체육행정, 빈약한 재정 등이 체육활동 참여의 저해요인으로 작용하였다. 하지만 우리나라는 국가체육 정책을 건민부국을 지향한 근대 선진의 기본 정책으로서 적극 추진되어 왔으며, 1960, 1970년대에 '체력은 국력'이라는 구호아래 국가발전의 토대를 마련하였다. 더욱이 1980년대에 1986 아시안게임과 1988 서울올림픽대회를 성공적으로 개최할 수 있었던 원동력이 되었다.

한국이라는 브랜드가치를 상승시키려면 엘리트스포츠가 그 선봉에 서야 한다. 이것이 지금까지 지속된 한국의 문화코드였다. 그러나 엘리트스포츠를 이끄는 선수들이 더 이상 국가나 기업, 학교의 홍보 수단으로만 이용되어서는 안 된다.

전술된 바 있는 선수 개개인의 문제와 더불어 이로 인해 파생되는 종목별 엘리트스포츠의 비발전과 관련된 문제들을 해결하기 위한 사회적 비용이 너무 크기 때문이다. 이러한즉, 엘리트스포츠의 문제들은 거시적인 관점에서 볼 때 생활체육이나 학교스포츠를 기반으로 해결해야 한다는 결론에 이른다.

하지만 엘리트스포츠 및 학교스포츠의 기반인 생활체육는 다양한 문제를 안고 있다. 영구결과를 통해 확인된 경제적 미발전은 생활체육 미확산의 직접적인 원인이며, 이는 아직도 전쟁이 진행형인 분단국가라는 사회적 상황에서 비롯됨을 밝힌 바 있다. 빈익빈과 부익부라는 소위 양극화의 심화문제는 진정한 생활체육의 발전을 가로막고 있는데, 전자의 생활체육 참여가 용이치 않으므로 인한 소수 전유물화가 문제시되는 것으로 분석되었다.

현재 공공체육시설이 점진적으로 늘고 있기는 하지만 다수가 사용하기엔 절대적으로 부족한 것이 사실이다. 이와 관련해서 한국형 평등주의 사고의 전형인 각종 시민단체의 관심이나 움직임이 생활체육로 전이될 필요가 있다고 판단된다.

생활체육는 건강, 행복이라는 개인적 가치 외, 보건, 의료, 사회질서, 문화사업, 교육 등으로 비추어 볼 때 무한한 공익성을 가지고 있기 때문이다. 그럼에도 불구하고 전사회적으로 생활체육의 가치를 크게 부각 또는 인정받지 못하고 있기에, 이 같은 가치를 전파하기 위한 노력이 제반 여건을 마련하는 것과 동시에 이루어질 필요가 있다고 판단된다.

사실 이와 같은 인식의 문제는 학교체육의 각종 부실에서 파생되었을 개연성이 크다. 전통적으로 논란이 되었던 학원스포츠의 문제들 - 체육교사의 자질, 수업, 평가, 시설, 학교 엘리트선수 등 - 을 직·간접적으로 경험한 사람들에게는 이것이 부정적 인식을 고착화시키는 토대가 되었을 가능성이 적지 않기 때문이다. 입시문화와는 별개로 현재 학교스포츠가 주요과목의 대상에서 멀어지게 하는 또 다른 변수로 작용한다는 점에서 간과될 수 없는 사안일 것이다.

여기에서 예술은 지고지순한 정신문화로, 그리고 체육은 예술과는 상반된 개념인 육체문화로 치부하는 정신우위의 이분법적 사고가 이직도 사회 전반에 잔존하고 있음에도 불구하고, 입시문화 즉 학연과 관련된 출세주의는 이와 관련된 대표적인 교과목인 음악, 미술, 체육이 동일선상에서 해석되고 있다는 점이 특징이다. 이것은 한에서 스포츠인에 한정하여 결론으로 제시하는 스포츠문화의 확산 방안은 다음과 같다.

첫째, 스포츠가 복지 또는 봉사와 직결된 서비스 분야라는 마인드를 가져야 한다. 단 서비스는 장기적인 안목에서 꾸준히 진행되어야 하며, 따라서 정책상의 조류에 일희일비한 필요가 없다고 보여진다. 스포츠 문화의 발전을 위해선 '건강한 사회 만들기'의 첨병인 이른바 스포츠지도자의 역할이 중요하다. 그러나 그에 앞서 이들을 양성하는 관련 교육기관 및 교육자의 사명의식 고취가 더욱 필수적일 것이다.

둘째, 생활체육이 엘리트스포츠와 학교스포츠 발전의 기반임을 인지하여야 한다. 각종 엘리트스포츠의 제문제는 클럽스포츠와 뿌리 깊은 생활체육 속에서, 입시문화에 물든 학교스포츠의 제문제도 생활체육에 근거해서 해결점이 모색되어야 한다. 스포츠가 개인적·사회적·문화적·국가적 공공의 가치를 창출하는 주요 수단이라는 것을 인지하고 이른바 '사회적 공감대'를 얻을 수 있는 근원적인 방법론을 찾는데 주력해야 할 것이다. 한편, 생활체육의 확산은 스포츠종목별 인기주의와 관련된 양극화 문제를 푸는 또 다른 방편이라는 점에서 중요시된다.

셋째, 스포츠가 육체의 대변문화라는 선입견을 타파하는데 주안점을 두어야 한다. 주지우월주의 사고가 팽배한 문화 속에서, 그리고 입시라는 한국의 문화코드 속에서 쉽지는 않겠지만, 특히 엘리트선수들의 학업소홀과 관련한 문제들을 해결할 수 있는 효율적인 방안이 강구되어야 한다. 최근 연예인을 포함한 예·체능인의 개인적·사회적 문제의 파생은 이와 결코 무관하지 않기 때문이다.

넷째, 스포츠문화의 사대주의를 경계해야 한다. 종속국 또는 미선진국이라는 국가적 상황은 그 동안 선진 스포츠문화의 무분별한 습득을 부채질하는 요인이자 한국인의 문화코드였다. 사대주의적 사고를 지양하고 선진 스포츠문화를 한국의 실정에 맞게 효율적으로 절충할 수 있는 혜안이 필요하다.

엘리트스포츠, 학교체육, 생활체육이라는 각 영역이 균형적으로 발전해 나갈 때 비로소 스포츠문화의 선진국이라 할 수 있을 것이다. 소위 '건강한 사회 만들기'의 일환인 스포츠는 전사회적으로 다양한 가치를 창출함에도 '한국인 코드'에 비추어 볼 때 그 가치가 그다지 크게 부각되지 못하고 있다는 점에서 안타까운 일이 아닐 수 없다. 따라서 스포츠인들은 먼저 한국인의 문화코드를 직시함과 동시에 이른바 '한국형 스포츠 문화'를 구축, 확산하기 위한 현실적인 방법을 모색해야 한다. 그래야만 각계각층의 다양한 사람들이 스포츠로 숨을 돌릴 수 있다.

전통적으로 깊숙이 뿌리박힌 심성, 즉 '한국인의 코드'를 예의주시하는 것만으로도 상기의 스포츠문화와 관련된 구조적인 모순점을 해결하는 하나의 방편이될 것이다.

87. 스포츠복지와 정치는 무관한가

　오늘날 세계 각국은 복지국가의 실현을 최우선적인 과제로 삼고 있으며, 이를 실천하기 위해서는 문화·사회·경제·정치 등 모든 부문에서 새로운 역할과 기능이 요구되고 있는 실정이다. 특히 스포츠와 같은 체육활동은 삶의 질 향상을 통한 복지국가 실현의 궁극적인 목표 달성을 위해 필수적인 부문임에 틀림없다.

　이러한 체육활동은 인류 역사의 시작부터 인류의 다른 활동과 더불어 전개되어 왔다. 그것은 체육활동이 인간의 신체활동을 기반으로 이루어지기 때문에 인류의 시작과 더불어 체육활동은 전개되었다고 볼 수 있다. 이렇게 인간의 생활 속에 전개된 체육활동이기 때문에 체육활동은 인간이 이룩하여 놓은 역사 속에서 그 구체성을 갖게 되었다.

　이와 같이 체육활동이 특정한 시기와 지역의 상황 속에서 구체화된다면 체육활동에 대한 폭넓은 이해를 위해 체육활동이 처해 있는 구체적 상황 속에서, 체육활동과 다른 제반 요소들과 같은 관계 속에서 체육활동을 파악해야 할 것이다. 또한 체육활동은 사회의 변동과 함께 변화를 겪어왔다고 볼 수 있는데, 사회 변동이란 사회와 변동에 관한 두 개의 개념으로 구성된다고 볼 수 있다.

　일반적으로 사회란 사회 구성원간의 상호작용의 복합체로서 상호 성원은 어느 한 특정한 여건 하에서나, 주어진 역할 수행에 합당한 행동을 하도록 규범에 의하여 규제되어 사회적 상호작용의 맥락에서 개개 성원의 행위가 일정하게 양식화되었다고 볼 수 있다.

　사회 성원간의 상호작용이 집단, 집합체와 사회, 또는 문명과 같은 포괄적인 사회적 실체를 구성하는 기본단위가 되는데 이와 같은 맥락에서 사회 변화를 정의하면 일정한 기간에 있어서의 사회 실체 구성상의 변화와 사회 실체간의 관계의 변화를 가리킨다.

　이러한 사회 변동과 체육활동과의 관계를 살펴보면, 체육활동은 사회 변화를 반영하고 강화하며 사회 변화에 저항하는 역할을 수행하는데, 이와 같은 역할 수행이 시대의 변화에 따라 보다 강해지고 있다고 할 수 있다. 또한 체육을 유사한 사회의 경제, 사회적 조건과 직접적으로 결부되어 특정 사회 환경과 시기에 나타나는 사회적 현상으로서의 발전 과정은 거친다고 하여 사회 변화와 체육의 밀접한 관계를 설명하고 있다.

이와 같이 체육활동은 사회 변화와 매우 밀접한 관계를 가지고 있다고 할 수 있으며 이와 같은 맥락에서 스포츠도 사회 변화와 역사적 사건들에 의해 변화되어지고 발달하고 있는 것이다. 따라서 사회의 변화 또는 역사적 사건들에 영향을 받아 시대의 흐름에 따라서 변화되어지고 있다.

몇 세기에 걸쳐 진행된 쇠락의 시기에 로마 제국이 시민을 다독거리기 위해 동원한 책략을 사람들은 흔히 '빵과 원형경기장'이라는 말로 표현한다. 지배 계급은 몸을 만족시키기 위해 충분한 먹거리를 제공하고 마음을 즐겁게 해주기 위해 충분한 볼거리를 제공하면서 사회적 불만을 가라앉힐 수 있었다. 이러한 여가 기회를 충분히 제공하여 공동체의 붕괴를 모면하려는 현상은 로마 제국의 전유물만이 아니었다.

서양 최초의 역사가인 헤로도토스는 『페르시아 전쟁사』 소아시아의 리디아 왕인 아티스가 잇따른 흉년으로 민심이 흉흉해지자 백성의 관심을 호도하기 위해 이미 삼천 년 전에 구기(球技)를 도입하였다고 전한다. '기근에 대처하기 위해 마련한 전략은 하루 종일 경기에 몰두하게 하여 식욕조차 느끼지 못하게 만드는 것이었다. 먹을 것은 시합이 없는 그 다음날에야 나왔다. 이런 식으로 그들은 십팔 년을 끌었다.'

비잔틴 제국이 기울어가던 무렵 콘스탄티노플에서는 비슷한 양상이 벌어졌다. 지배 계급은 시민들에게 즐거움을 주기 위해 도시에서 대규모 전차 경주를 벌였다. 뛰어난 경주자들은 명예와 재산을 얻었고 원로원에 힘 안 들이고 들어갈 수 있었다. 스페인 정복이 있기 전 중앙아메리카에서도 마야인이 농구와 비슷한 정교한 시합을 발전시켜 사람들은 몇 주동안 그것을 구경하느라 정신이 없었다.

한 사회가 사회 성원에게 의미 있고 생산적인 직업을 제공할 능력이 없어지면 그때부터 여가에 과도하게 의존하기 시작한다. '빵과 원형경기장'은 사회의 붕괴를 오직 잠정적으로만 지연시키는 마지막 버팀목이었다.[179]

지난 2월에는 평창 동계올림픽을 개최하여 한국은 세계 4대 주요 스포츠 대회인 하계올림픽·동계올림픽·세계육상선수권대회·월드컵을 유치, '스포츠 그랜드슬램'을 달성한 세계 6번째 국가로 기록되면서 우리 사회의 저력과 국가 역량을 유감없이 발휘한 바 있다. 그러나 해방 이후 성장과 발전을 거듭해온 한국의 정치, 경제, 사회를 보면 아직도 나아가야 할 길이 멀다. 비약적 성과에도 불구하고 한국의 위상을 보면 2017년 OECD 38개국 대상 '더 나은 삶의 질 지수'에서 공동체지수 38위, 삶의 만족 30위, 일과 삶의 균형 35위로 나타나고 있어 양적 발전과 삶의 질 사이에 괴리가 크다.

88. 교육선진국 바탕은 학교체육… 국가적 지원 뒤따라야"

학교스포츠클럽 활성화 프로젝트 "운동장도 교실이다"

2013년 '학교체육진흥법' 공포를 계기로 획기적 전기를 맞은 학교스포츠클럽은 현재 전국 17개 시·도교육청 1만 1500여 개 초·중·고에 정착됐으며, 교내 클럽에서 지역교육청 단위 리그, 전국학교스포츠클럽대회로 연결되는 연계활동을 통해 건강한 신체와 바람직한 인성의 변화를 이끌어내는 등 학교 현장에서 희망과 긍정의 메시지를 확산시켜오고 있다.

2016년 기준 초·중·고 학생 588만 명(특수학교 제외) 중 학교스포츠클럽에 17시간 이상 참여한 학생도 총 370만 4000여 명, 전체 학생의 63%에 달했다. 명실상부 학교체육의 중심으로 자리를 잡은 것이다.

☞ 발로 뛰는 교육청

학교스포츠클럽의 효과를 확인한 전국의 시·도교육청은 매년 프로그램 개발 및 강사 지원 등 관련 사업을 확대해나가고 있다.

대전시교육청 역시 '모두가 함께 하는 학교체육'을 목표로 스포츠강사 지원, 학생건강체력평가, 초등수영실기교육, 더 좋은 체육교사 만들기 프로젝트 등 체육교육 내실화에 나서고 있다. 또한 공부하는 학생선수 육성, 여학생 체육활성화 및 건강체력 강화, 학교체육지원 인프라 구축에도 주안을 두고 있다.

특히 학교스포츠클럽과 관련해서는 각급 학교를 대상으로 토요스포츠데이 강사 운영, 우수학교스포츠클럽 지원, 학교스포츠클럽 교내리그 시범학교 및 지역리그 거점학교 지원, 학교별 자율체육 프로그램 운영, 교육장·교육감배 학교스포츠클럽대회 개최 등 남다른 심혈을 기울이고 있다.

최근에는 전국에서 세 번째로 대전학교체육지원센터를 개소하고 학교체육과 스포츠클럽 활성화를 전담하는 컨트롤타워 임무를 부여했다.

1학생 1스포츠 활동 활성화로 행복한 학교생활을 만드는 것을 목표로 학교체육 정책 개발 및 활성화 방안 연구 등 체육교육과정 내실화를 지원하고, 학교스포츠클럽대회 운영 홈페이지 구축 및 유관기관 협업체제 구축을 통해 스포츠클럽 활성화를 지원한다는 계획이다. 아울러 학생선수 대회 운영 홈페이지 구축 및 학교운동부 운영 매뉴얼을 개발해 일반화하는 등 학교운동부 선진화 지원도 추진한다.

☞ 정부 예산지원의 한계

이렇게 학교스포츠클럽이 빠른 시간 현장에 안착하고, 전국 시·도교육청이 주도적으로 활성화에 나서는 데에는 정부의 적극적인 의지가 큰 역할을 했다. 2010년 이후 학교폭력이 심각한 사회적 문제로 떠오르자 학교스포츠클럽의 긍정적 효과에 주목한 교육부가 적극적인 확대에 나섰고, 결과적으로 상당한 성과를 거둔 것도 사실이다.

한국교육과정평가원이 올해 2월 발간한 '학교체육 활성화 정책 사업운영 실태 및 성과분석 연구' 보고서에서도 "학교스포츠클럽 프로그램 실행 후 학생들의 신체적·심리적·사회적·도덕적 발달효과, 학교폭력 예방 및 인성발달, 건강하고 활기찬 학교문화 조성과 학생들의 삶의 질 향상에 긍정적 효과가 있는 것으로 나타났다" 고 평가했다.

문제는 학교스포츠클럽과 관련한 정부예산이 여전히 특별교부금 형태로 지원되면서 실제 프로그램을 진행하는 일선 교육청과 학교의 혼선을 부추기고 있다는 점이다. 특별교부금이라는 것 자체가 3년이 지나면 사업이 없어지고 처음부터 다시 설계를 해야 하는 까닭에 사업의 일관성 및 지속성을 담보하기 어렵기 때문이다. 특히나 현재 집행되고 있는 특별교부금마저 배정 및 교부 시기가 들쭉날쭉해 각 시·도교육청에서는 전년도 예산에 준해 일단 예비비로 충당하고 있으며, 그마저도 세부사업 항목이 정해져 오기 때문에 지역별·학교별 특성과 환경에 맞춘 운용이 전혀 불가능한 상태다.

교육부도 이러한 점 때문에 지속적으로 국고 예산편성을 설득하고 있지만 기획재정부가 입장을 굽히지 않으면서 난항을 겪고 있다.[180]

89. 운동선수는 머리가 나쁘다?

"운동선수는 머리가 나쁘고 공부를 못 한다." 주위에서 흔히 하는 이야기이며 한편으로 보면 맞는 말인 것 같기도 하다.

학교를 다니면서 운동을 하다가 그만둔 후 공부를 해서 제대로 된 역할을 한 사람들이 많지 않기 때문에 그런 인식이 뿌리내린 것 같다. 그렇다면 운동선수에게 해당하는 그런 환경을 개선해야 하지 않을까. 우리나라는 전통적으로 학문을 중요시하는 국가이기 때문에 공부에 대한 열정과 자부심이 대단한 민족이다. 그것이 지금의 대한민국을 만들었으며 나도 당연히 동의한다. 그리고 그 열정과 노력을 운동하는 학생들에게도 나눠주어야 한다고 생각한다.

운동하는 학생들이 공부를 못 하는 이유 중에 여러 요인이 있겠지만 정말로 운동을 하면서 공부도 하고 싶어 하는 학생들이 있다면 그들의 이야기를 들어 볼 필요가 있다.

나의 경우를 들어보겠다. 나는 서울 길동 초등학교를 졸업하고 장충 중학교로 진학했다. 내가 살고 있는 곳에서 버스를 두 번 갈아타고 대략 1시간 30분 정도 걸리는 거리의 학교였다. 당시 우리 중학교는 1학년은 전체 수업을 다 받고 2, 3학년은 5교시 수업을 마치고 운동을 시작했다. 1학년 때 학교 수업을 마치고 운동장에서 훈련을 마치는 시간이 여름의 경우 대략 밤 8시 전후다. 여름에는 해가 길기 때문에 해가 지기 전까지는 훈련을 끝낼 수 있다. 훈련을 마치고 3학년, 2학년 선배들이 순서대로 집으로 돌아가야 비로소 1학년들은 청소를 마치고 하교할 수 있었다. 그러면 보통 밤 10시가 넘어서 버스를 타는 순간부터 졸기 시작한다. 어린 학생에게 그 피로의 정도는 실로 엄청났다. 서서도 졸고, 앉으면 완전히 곯아 떨어져서 종점까지 가는 경우도 부지기수였다. 그리고 집에 돌아가면 거의 밤 12시에 가까운 시간이 된다. 숙제는 고사하고 씻고 자기에도 바빴다. 아침에는 늦어도 오전 8시까지 등교를 해야 하기 때문에 몇 시간 잠도 못 자고 6시30분에는 집을 나서야 지각을 하지 않는다. 각 과목마다 숙제가 있는데 이런 일상 속에서 숙제를 한다는 건 언감생심이지만 선생님들은 운동선수라고 눈 감아 주는 경우는 경우가 없었다. 회초리나 야단을 맞는다. 이런 생활이 반복되면 누구든 수업 시간이 두려워지며 교실에 들어가기 싫어진다. 과목의 진도를 따라가기는 더 어려워져서 결국 운동도 힘들고 공부도 힘들어진다. 그렇다 보니 운동선수들은 수업 시간에 잠이나 자고 거칠고 무식하며 공부 못하는 학생으로 낙인찍힌다. 나의 중학교 1학년 때 담임선생님은 영어 담당이었는데 매일 종례를 마치고 나면 쪽지 시험을 봤다. 대략 20문제 정도의 단어시험을 보았는데 틀리는 개수만큼 엉덩이를 맞았다. 어쩔 수 없이 온종일 영어 단어만을 외워야 했다. 그것이 무슨 뜻인지도 모르고 무작정 외웠으며 매일 공포의 시간이었다. 수업을 마치고 운동장에 나가서도 머릿속에는 온통 영어 단어가 맴돌았다. 그리고 2, 3학년이 되어서는 공부의 기본기가 떨어지다 보니 학업 성적은 점점 더 나빠졌다.

고등학교에 진학해서는 오전 수업 3시간을 마치고 점심을 먹은 뒤 운동을 시작했다. 그 때부터는 공부를 하는 것은 거의 불가능하다고 봐야 한다. 특히 수학이나 영어 같은 경우는 기본이 돼 있지 않으면 전혀 따라갈 수 없다는 것은 누구나 아는 사실이다. 때문에 운동선수는 무식하다는 이야기를 들을 수밖에 없었다.

우리는 단지 나타나는 현상만을 보고 그것에 대한 문제점을 지적하는 데 자세히 보면 더 중요한 부분이 있는 것이다. 우리나라에도 변화의 조짐이 보이기 시작했다. 주말리그를 시행해서 고등학교 야구선수들을 수업에 들어가기 한다. 하지만 과연 선수들이 수업을 제대로 따라갈 수 있는지 확인해 봐야 한다.

준비가 돼 있지 않은 상태에서 수업은 원하는 만큼 성과를 얻기 어렵다. 단지 운동선수들을 수업에 참여시킨다고 해결되는 것이 아니라는 것을 이 곳에 와서 알게 되었다. 공부를 하기 위해서는 순서가 필요하며 점진적으로 진행해야 한다. 이 곳에서는 초등학교부터 운동 시간을 일주일에 몇 번, 하루에 몇 시간 식으로 정해서 움직인다. 학년이 올라갈수록 운동 횟수와 시간을 늘려가는 방식이다. 학생들이 자연스럽게 공부와 운동을 병행할 수 있게 만드는 것이다.

우리나라는 운동을 하다가 그만 두면 선택의 여지가 별로 없다. 그렇다고 이

학생들을 낙오자로 만드는 것은 개인이나 국가적으로 큰 낭비다. 운동선수들에게
도 기회를 줘야 한다는 것이다. 운동을 하면서도 공부의 끈을 놓지만 않는다면
분명히 기회는 있다. 우리사회가 진지하게 생각해 봐야 할 문제다.[181]

90. 엘리트스포츠의 필요성과 과실(過失)

☞ 엘리트스포츠가 필요한 이유

대국굴기(大国崛起, The Rise of the Great Nations, Dàguó Juéqǐ)는 '대국이 일 어서다' 라는 뜻으로 2006년 11월 중국 국영방송 CCTV-2를 통해 방영된 12부작 역사 다큐멘터리다. 이 프로그램은 영국 프랑스 스페인 독일 미국 등 세계 근현 대사의 주역이 된 9개국이 대국으로 발돋움한 과정을 심도 있게 분석했다. 국내 에서는 교육방송이 이듬해 1월 첫 방송에 이어 시청자들의 거센 요청으로 그해 7 월 재방송까지 했다.

일본이 세계사의 전면에 나서게 된 결정적 계기는 러일전쟁으로 알려져 있다. 청일전쟁 직후 일본은 만주에서 러시아의 지배권을 인정해주는 대신 한반도에서 일본의 지배권을 요구했다. 러시아가 이를 거부하자 일본은 전쟁을 선택했고, 영 국, 프랑스, 미국 등 열강의 예상을 완전히 뒤엎고 일본이 승리했다. 1905년의 일 이다. 일본은 이 전쟁의 승리로 얻은 자신감을 바탕으로 한반도와 중국, 동남아를 향해 침략 야욕을 노골화하게 된다. 세계사를 들여다보면 한 국가가 오랜 잠을 털고 일어나는 데는 이처럼 작은 사건이 계기가 된다. 대국굴기에 나오는 국가들 이 모두 그러했다.

1347년 전 고구려가 역사에서 사라지고 드넓은 만주의 지배권을 상실한 한민족 에게 그 이후의 역사는 축소일변도였다. 근세 들어서도 일본 식민지배라는 치욕 을 맛본 뒤에는 3년간 골육상잔의 전쟁도 치러야 했다. 마치 저주를 받은 듯한 이 땅의 흑역사는 우리의 의지와 상관없이 남북 분단으로 이어졌다.

하지만 자원도 돈도 없었던 불모의 이 땅은 불과 50년 만에 세계 10위의 무역 대국으로 발돋움한다. 반만년 농업국가에서 반도체, IT, 자동차 등 첨단 산업 국가 의 일원이 된 이 나라 민초를 일으켜 세운 굴기의 계기는 무엇일까. 더러는 정치 적 리더십을 들기도 하고, 유별난 교육열을 꼽기도 한다. 하지만 소모적 논쟁으로 날을 새우는 국회 모습을 보면 정치적 리더십은 아닌 듯하고 아직 제대로 된 노 벨상 수상자가 없는 것을 봐서 교육열이 나라를 일으켜 세운 것 같지는 않다.

1988년 서울올림픽을 기억하는가. 전쟁의 잿더미를 딛고 30여년 만에 국가를 재건한 한국이 개발도상국 중 처음으로 치른 올림픽이다. 그 당시 우리 국민들은 전 세계 스포츠·문화 축제를 치른다는 올림픽 본래의 의미를 넘어 비로소 세계

314 스포츠 속의 이야기

사의 주역이 됐다는 자부심으로 한 달여의 들뜬 시간을 보냈다. 그 앞서 반쪽 대회로 치러진 1980년 모스크바올림픽과 1984년 LA올림픽의 파행 운영을 극복하고 온전히 전 인류를 한데 묶은 올림픽을 우리가 치러낸 것이다. 마치 세계사의 변방이던 일본이 러시아를 극복하고 세계사의 전면으로 부상했듯 한번도 세계사의 주역이 되지 못한 한국이 올림픽을 통해 스스로의 가치를 발견한 것이다. 이처럼 스포츠는 우리 현대사에서 남다른 의미를 갖는다. 국내 모든 영역을 총망라해 스포츠만큼 국민적 자부심과 자신감을 불어넣은 분야는 없을 것이다. 동·하계올림픽과 각종 국제 대회에서 보여준 경쟁력, 올림픽과 월드컵을 개최하면서 얻은 운영 노하우는 물론 국민의 일상생활에 깊이 파고든 스포츠는 문화 그 자체가 돼버렸다.

이 같은 맥락에서 이달 초 광주 유니버시아드에서 한국이 국제종합대회 사상 첫 종합 우승을 차지한 것은 기념비적 성과다. 국가 간 메달 경쟁이 국력 대결 양상으로 펼쳐지는 스포츠 전쟁에서 당당히 1위를 차지한 것은 체육인을 포함한 전 국민의 승리로 봐야 한다. 그것은 바로 최근 다소 느슨해지는 엘리트 스포츠 육성책에 정부가 더욱 투자를 아끼지 말아야 하는 결정적인 이유가 된다. 국민적 자부심을 키우는 데는 스포츠만한 것이 없다.[182]

☞ 엘리트스포츠(Elite Sport)), 그리고 엘리트스포츠의 과실(過失)

엘리트스포츠 (Elite Sport)란 정책적으로 특정 소수의 엘리트 선수들에게만 집중적으로 투자를 하고 훈련을 시켜 국제대회 등에서 메달획득의 가능성을 높이는 스포츠를 일컫는 용어이다. 이는 생활 체육 스포츠를 말하는 풀뿌리 체육 (Grass Root Sport)와 상업주의에 입각한 프로페셔널 스포츠(Professional sport)와 구분되는 용어이다.

대한민국 『2007 체육백서』에서는 특정 경기종목에 관한 활동과 사업을 목적으로 설립되고 대한체육회에 가맹된 법인 또는 단체인 경기단체에 등록된 선수들이 수행하는 운동경기 활동으로 정의하고 있다. 즉, 각급 학교의 경기종목별 운동부, 각 경기종목의 실업리그 등 전문적으로 운동경기를 행하는 사람들의 스포츠 경기를 포괄하는 용어이다.[183]

엘리트스포츠의 성공은 대외적으로는 국가를 위상을 과시하고 대내적으로는 국민들의 만족감을 높이는 데 효과적인 도구가 될 수 있다. 때문에 엘리트스포츠의 육성에 개발도상국 체제 선전을 위해 단기간에 효과를 볼 수 있는 힘을 기울이고 있다.

국가 차원에서 볼 때 체계적인 엘리트스포츠 육성 프로그램 중 가장 극단적인 것으로 냉전 시기인 1960년부터 동독에서 실시한 '국가 프로그램 1425(state program 1425)'를 들 수 있다.[184]

우리나라에서는 1964년 도쿄올림픽을 대비해 '우수선수 강화훈련단'이 결성되어 처음으로 합숙 훈련을 시작했으며, 이를 제도화하기 위해 1966년 태릉선수촌을 준공해 운영해 오다 2017년부터 충청북도 진천군 광혜원면 회죽리에 있는 진천선수촌(Jincheon National Training Center, 鎭川選手村)으로 옮겨 지금까지 운영하고 있다. 우리 사회가 선진화되고 올림픽 금메달에 대한 갈증이 완화되면서 체육 정책의 초점을 생활스포츠로 옮길 것을 요구하는 다양한 움직임이 나타나고 있지만 엘리트스포츠 중심의 틀은 아직도 강고히 유지되고 있다.[185]

국가는 전반적인 스포츠정책을 통해 한 사회의 지평을 형성하는 데 중요한 영향을 미친다. 엘리트스포츠인지, 생활스포츠 중심인지, 학교체육 중심인지, 클럽스포츠 중심인지, 스포츠교육이 어느 정도 강제성을 지니고 이루어지는 등이 모두 국가정책의 직접적인 영향을 받는다.[186]

호이징가(Huizinga)는 그의 저서 '호모루덴스'에서 '체육·스포츠는 본질적인 영역에서부터 떠났다'라고 말하고, 플라톤은 한 국가나 국민의 체육(Gymnastike)과 훈련(Mousike)의 편중된 인간 형성으로 인해 국민 개인은 만용적 인간과 비겁한 인간이 형성되어 이 같은 인간형성 집단에 의해 국가가 지배될 때 국가는 도덕적 문란으로 불완전한 국가가 될 것이고 했다.

그 사회에서 전문적 능력과 업적에 의하여 우월한 지위를 차지하고 있는 기능 집단을 뜻한다. 엘리트 이론은 시민주의론과 사회주의론에 대하여 비판이란 형태로 전개되는 것으로 사회를 조직한 소수 자(少數者: 엘리트)와 조직되지 않은 피지배대중의 두 계급으로 구분하여 구조적으로 파악하는 방법으로 적용된다.

현대의 스포츠 사회는 일반적인 사회 과정을 반영하여 프로 스포츠나 챔피언 스포츠로 대표되는 '엘리트 스포츠'와 보는 스포츠의 주체적 역할을 짊어지고 있는 '매스 스포츠'의 구분이 구조적으로 가능하다. 우리나라의 엘리트 스포츠는 학교나 직장·사회의 갖가지 원조, 특히 교육 조직에 의한 장기적인 경기 생활의 보장이 특징이다. 엘리트 스포츠와 매스 스포츠와의 '행하는 스포츠'에 있어서의 차별을 최소한으로 줄일 수 있는 조건을 만들어내는 것이 현재의 주요 과제라 하겠다.[187]

오늘날 소비자의 높은 신뢰를 바탕으로 하는 이른 바 명품(名品)에 대한 애착은 비단 한국인만의 독특성은 아닐 것이다. 브랜드 파워(brand power)에 휘둘려 중독

증세까지 보인다는 점에선 문제지만 그만큼 가변적이지 않으며 값으로 환산하기 어려운 무형의 가치를 지니고 있다는 방증인 까닭이다. 현대사회에서 누구 그 무엇에 대한 이미지를 홍보한다는 것은 명품의 반열에 오르기 위한 것이기도 하지만, 경쟁사회에서 살아남기 위한 처절한 몸부림이기도 하다. 여기에서 그 대상은 국가, 기업, 학교, 개인을 막론한다.

이 같은 관점에서 볼 때 엘리트스포츠는 홍보의 첨병으로서 아주 중요한 역할을 수행하였고 현재도 그러하다. 대기업, 문화, 스포츠-엘리트 - 등은 하나의 상품으로 국가경쟁력을 높인다고 인식하기 때문이다. 하지만 그 과정에서 적지 않은 부작용이 엘리트선수들에게 파생되고 있다. 학생선수의 경우에는 수업결손, 고된 훈련, 인가된 폭력, 금품수수, 비인가된 합숙, 성적조작 등 승리지상주의가 그것인데 아직도 진행형이다. 프로선수의 경우에도 폭력, 약물복용, 학생 시절 수업결손으로 인한 무지(無知) 의 대상 오인 경험, 일반적인 직업으로의 전환 어려움 등도 문제시되는데, 이 또한 한국인의 코드와 연관됨을 알 수 있다.

한편, 스포츠는 아래의 예문과 같이 소위 예술(美)성을 포함하기 때문에 문화적 가치를 인정받는다. 지극히 개인적일 수 있지만 스포츠의 직·간접 체험을 통해 발현되는 카타르시스, 몰입, 절정체험 등을 통해 예술성이 감지된다.

중국 랴오닝성 출신 소설가인 장홍제는 한국 현지 취재를 통해 '중국인이 한국인보다 무엇이 모자라는가' 라는 내용을 다룬 책을 출간했는데, 그는 중국이 한국축구를 이기지 못하는 이른 바 '공한증(恐韓症)'에 대해 '목숨을 걸고 열심히 뛰는 한국 선수들의 정신력을 중국선수들이 도저히 넘을 없기 대문' 이라고 분석했다.

스포츠는 다른 어떠한 예술 못지않은 충분한 미(美)적 요소들을 내포하고 있으며, 또한 어느 예술 분야에서도 경험할 수 없는 독특한 스포츠 세계만의 예술적 요소들을 갖추고 있기 때문에 스포츠를 하나의 예술로 취급하는 것은 가능한 일이다. 그러나 해당분야의 교육현장에서 과거에는 스포츠를 운동 기능 즉 퍼포먼스 능력의 향상이나 건강, 여가 등 실용적 가치에 중점을 두어 왔지, 위와 같은 스포츠의 문화적 가치를 설파하는 것에는 상대적으로 소홀했었다. 따라서 기성세대의 경우 스포츠의 실용성 또는 사회적 가치에 더 무게를 둘 수밖에 없었던 고로, 이 또한 스포츠문화 확산의 걸림돌이자 한국의 문화코드인 것으로 분석된다.

다른 한편, 엘리트선수의 수업결손, 체육교사의 수업불성실 등을 동료나 학생으로서 경험한 일부 사람들에겐 스포츠인이 지금까지는 무지(無知)의 대상이 되곤한다.

　또한 데카르트의 이분법적 사고(思考)는 스포츠의 문화적 가치를 크게 인정받을 수 없는 사회적 배경이 된다. 왜냐하면 정신이 상위로 육체가 하위의 대상으로 치부되기 때문이다. 이것은 관존민비라는 관료주의나 신비주의, 직업의 귀천과 관련한 출세주의 등 한국인의 문화코드와도 일맥상통한다.

　요지는 음악, 미술 등을 전자, 체육 또는 스포츠를 후자의 대표격으로 인정하는 사회적 분위기에도 불구하고, 학교의 교육적 대상에선 전자 또한 배제하려는 이중적 태도를 보인다는 것이다. 학벌주의 출세주의, 입신양명의 직접적인 수단인 한국의 독특한 입시문화가 이와 같은 문화적 특성을 양산한다는 점에서 주목된다.

　이와 같은 경쟁적 입시 문화에 자식을 내몰기 싫은 이유에서 조기 유학이 대세인 오늘날, 국외의 현지 학교에서 예·체능을 필수로 하는 교육철학으로 인해 교육과 관련한 문화적 충돌 현상을 경험하는 적지 않은 학부모의 사례를 심심치 않게 보도하고 있지만, 한국의 이 같은 문화적 특수성 속에서 예·체능은 교육 또는 행복이 아닌 건강과 재미의 수단으로만 인정받을 수밖에 없음이 확인되었다.

　이처럼 스포츠가 지속적인 관심의 대상이기는 하지만 관심만큼 다양한 가치를 인정받지 못하는 것은 한국인의 문화코드와 무관하지 않다. 따라서 스포츠와 그 가치를 확장시킴에 있어 관련분야에서는 특히 이 같은 한국의 문화코드 또한 염두에 둘 필요가 있을 것이다.

　당장의 성적을 기대하는 마음은 모두가 똑같다. 그러나 앞서 말했듯 지금은 현실을 바라보고 더 멀리 봐야 할 시점이다. 암흑기가 있으면 황금기도 언젠가는 돌아온다. 그러나 그 언젠가는 준비를 했을 때 찾아온다. 선택받은 몇 명의 학생만 운동을 할 수 있는 환경에서 좋은 선수가 얼마나 배출될까. 물론 잘못된 스포츠협회와 감독, 선수에게 비판을 가하는 것은 필요하다.

　하지만 지금의 현실을 파악하고 더 넓은 시각으로 아래쪽을 살펴봐야 하지 않을까. 무엇이든 탄탄한 기반 없이는 오래 갈 수 없다. 국민 모두가 운동에 대한 긍정적인 인식이 필요하다.

91. 스포츠와 인간의 삶, 인간의 삶과 스포츠를 해부해라

일선학교에서 체육교과를 담당하고 있는 필자의 관점에서 가장 흥미로웠던 부분은 체육수업에 대한 저자의 관점이었다. 저자의 체육수업에 관점은 스포츠 제도론의 측면에서 현대의 표준화된 스포츠를 교육하는 측면에서 다루어지고 있다. 즉 체육수업은 표준화된 스포츠를 학생들에게 교육시키면서 한편으로 학생들을 사회적 틀에 적응시키는 주요한 수단이 된다는 것이다. 이는 현대사회로 들어오면서 교육과 스포츠가 결합하는 형태, 우리식으로 표현하자면 체육교육과정의 대부분이 스포츠 종목들을 다루게 되면서 이루어지는 과정으로 이해될 수 있다. 어쩌면 필자의 이러한 관점은 최근의 스포츠중심의 교육과정을 비판하고 새롭게 대두되는 문화, 생활, 또는 학생의 체험을 강조하는 체육교육과정의 흐름과 맥을 같이 할 수 있다고 생각된다.

『열광하는 스포츠, 은폐된 이데올로기』는 비록 사회학자의 사회학적인 분석 틀에 의해서 걸러진 현대사회의 전형적인 스포츠에 대한 분석 이론이지만 스포츠 사회학자들의 그것 이상으로 생생한 스포츠 현장에 대한 내용과 해석을 풍부하게 담고 있다. 특히 오늘날 스포츠가 우리에게 가져다주는 의미를 그저 보고 즐기는 여가의 수준에서 부여하는 일반적 흐름에 대한 나름의 자성의 계기를 마련해주는 내용을 담고 있는 것이다.

그런 점에서 어쩌면 지난 6월 월드컵 광풍이 온 나라가 사로잡아 버렸을 때, 과연 대한민국이 사로잡혀 있던 것이 스포츠인지 스포츠를 이용한 이데올로기였는지에 대해 많은 시사점을 남기고 있다고 판단된다.

그 동안 스포츠는 스포츠를 보고 즐기는 사람들은 물론 스포츠에 대한 전문가들 조차도 월드컵이나 올림픽, 아시안게임 등 각종 엘리트스포츠 잔치들을 통해 그 이면에 배태(胚胎)되어 있는 부정적 요소들에 대해 정직하게 대면하고 말해오지 못한 것이 사실이다. 특히 이번 2006 월드컵을 통해서도 스포츠 행사에 대한 무비판적 세태에 대한 자성의 목소리가 있었으나, 사회적 이슈로 등장하여 공론화되기에는 역부족이었다. 이는 어쩌면 그 동안 스포츠에 열광하여 온 시간만큼 스포츠 속에 은폐된 이데올로기에 세뇌되어 왔던 결과일지 모른다.

우리들을 억압하고 옥죄는 객관적 권력이 겉으로 사라졌다고 하여, 우리가 진정한 자유를 누리고 있는 것은 결코 아니다. 어쩌면 그것보다 더욱 강력한 방식으로 우리들의 일상과 의식을 지배하는 이데올로기에 대해 항거해야 하는 시대가 지금인지 모른다. 그런 점에서 이 책은 그 동안 엘리트스포츠 일색의 사회 분위기에 젖어있던 우리 스포츠 문화를 비판적으로 조명하고 우리의 일상을 지배하는 스포츠 문화에 대해 재성찰 할 수 있는 계기와 함께 새로운 스포츠 문화의 대안을 제기하고 있는 책이 아닌가 싶다.

"나는 스포츠를 전혀 좋아하지 않아" 라고 말하기가 점점 어려워지고 있는 현실을 의식하며, 스포츠를 둘러싸고 있는 문화 곳곳을 탐색해야 한다.

현대 스포츠의 성립 과정과 특성, 그것이 지니고 있는 다양한 의미, 스포츠와 인간의 삶, 인간의 삶과 스포츠에 대한 관계 등을 살펴봄으로써 개별 스포츠 종목을 넘어 스포츠 일반에 대한 사회문화적 접근을 시도할 필요가 있다.

☞ 비판적 관점에서 스포츠란 우리에게 무엇인가?

캐시모어(Eliss Cashmore)의 이론이 스포츠 수요자의 관점에서 설명되고 있다는 점을 비판하면서 스포츠 공급자의 관점에서 살펴보면, 우선 스포츠가 훌륭한 사회 통제의 도구가 될 수 있다는 점이다. 스포츠의 규율은 공정성과 공평성에 대한 신뢰성을 받아들이도록 한다.

그러나 대부분의 스포츠 규율은 과학적 원리와 상관없이 자의적으로 만들어진 것들이다. 그리고 이러한 규율이 자의적인 것들이라 하더라도 '스포츠 활동에 참여하려면 먼저 규칙에 절대 복종' 해야 하는 것이다. 이렇게 '규율에 순종하는 태도는 스포츠를 통해 형성되는 신체 속에 각인' 된다. 흔히 특정 스포츠에 적합한 신체 구조를 갖추어야 한다는 것, 즉 '몸을 만든다' 는 말은 특정 스포츠에 참여하기 위한 과정에서 근육의 통증이나 고된 고통의 과정들에 순응할 것을 요구하는 것이다.

이것은 한편으로 스포츠의 표준화와 관련되는데 마치 신입 사원의 용모 기준에 맞춰갈 수밖에 없는 입사 지망생의 경우처럼 현대인들은 개인의 특질을 무시한 채 스포츠의 일반화된 표준화에 의해 규정된 신체의 규율에 복종하는 존재로 탈바꿈한다는 것이다. 또한 스포츠는 참여자들에게 즐거움을 부여해줌으로써 '사회 비판의 칼날을 무디게 하는 데도 효과적' 이라고 한다. 즉 매일 쏟아지는 스포츠 소식이나 활동의 즐거움에 빠져 '일희일비하다보면 정작 중요한 사회 문제에 관심을 제대로 쏟지 못하게 된다' 는 것이다.

한편 스포츠는 현대 자본주의 체제의 상업주의와 밀접한 관련을 맺고 있다. 즉 오늘날 스포츠는 거대한 산업이 되고 있다는 것이다. 현대인이 열광적으로 스포츠를 즐기게 된 데에는 더 많은 스포츠를 끊임없이 제공해줌으로써 그들의 소비를 부치긴 산업의 역할이 적지 않았다. 이 같은 스포츠 공급의 확대는 결국 스포츠 활동의 기회를 증가시켰고, 이에 따라 높아진 수요의 결과로 인한 전문 스포츠 선수들의 몸값이 치솟아 사회적 유명 인사의 반열에 오르게 된다. 이는 결국 스포츠를 통한 사회 이동의 기회라는 인식을 가져와 특히 하층 계급에게 효과적 사회 이동의 길로 인식되게 된다. 이렇듯 스포츠 공급자의 측면에서 보더라도 스포츠는 인기를 구가할 수밖에 없는 것이다.

스포츠는 일종의 사회문화적 현상으로 인간 사회의 다양한 영역들과 복합적으로 관련을 맺고 있다. 즉 스포츠는 인류가 발생하고 진화하는 과정 속에서 시대별로 다양한 관점을 반영하면서 발전하였다. 또한 대중매체의 발달은 대중문화 발전의 중요한 요소가 되었으며 그 중 스포츠는 최근에 가장 주목받는 대중문화 요소 중의 하나가 되었다. 스포츠 문화는 사회제도 내에서 대중문화의 특성을 강하게 나타내면서 다양한 형태로 현대사회 속에서 그 영향력을 발휘하고 있으며 대중매체의 발달과 더불어 스포츠 문화는 대중문화로 더욱 발전을 거듭해 나아가고 있다. 그러나 지나친 스포츠 상업화는 승리 지상주의를 발생시켜 도박이나 불법 내기, 승부 조작 등의 사회적인 문제를 일으켜 순수한 아마추어리즘을 위협하고 있다. 따라서 스포츠 상업화의 폐해를 줄이고 건강한 스포츠 산업을 육성하려는 노력이 더욱 중요해지고 있다.

현대사회에서의 스포츠에 의한 세련된 사회 통제 수단으로서의 측면을 헉슬리(ALDOUS HUXLEY)가 그의 소설 『멋진 신세계(Brave New World)』에서 묘사한 "쾌락에 의한 지배" 사회에 모든 인간의 존엄성을 상실한 미래 과학 문명의 세계를 신랄하게 풍자하고 있는 의미와 비유하게 된다.[188]

92. 잊을 만하면 되살아나는 스포츠계의 고질병

칼바람이 매서운 이맘때면 어릴 적 즐겨 찾던 만국기로 치장한 스케이트장이 생각난다. 지금은 고인이 되신 할머니의 손에 이끌려 신나게 스케이트를 탔던 장면은 지금도 눈앞에 선하다.

초등학교 2학년 때로 기억된다. 복숭아뼈 밑에 생긴 물집이 터지는 것도 모르고 열심히 스케이트를 타던 어느 날, 체육선생님으로부터 "스케이트 선수가 되어보지 않겠느냐"는 권유를 받았다. 부모님은 기뻐하셨지만 어린아이의 눈에 비친 운동부는 '외인부대'처럼 보였다. 노는 시간이 부족했던 나에게 수업을 마치고 훈련하는 건 가혹한 형벌과도 같았다. 나는 육상 릴레이 대표로 뽑히고도 훈련이 싫어 학교 대표를 포기해 부모님께 꾸중을 들은 적도 있었다.

지금 생각해보면 운동부를 포기한 건 놀기 바빠서가 아니라 트라우마 때문이었다. 큰 소리로 스케이트 선수를 지도하는 코치의 격앙된 언행은 다소 충격으로 받아들여졌다. 방과후 릴레이 연습에서 공개적 핀잔을 받은 경험은 소심하고 두려움 많았던 초등학생에게는 극복하기 힘든 상황이었다. 아마 체육계열 전공자라면 선배나 지도자로부터 집합과 폭언을 당한 경험은 한두 번 있을 것이다.

최근 평창동계올림픽 쇼트트랙 간판스타 심석희가 코치로부터 폭행당했다는 소식을 접했다. 잊을 만하면 고개를 드는 스포츠계의 고질병에 한숨이 나온다. 드러나지 않았을 뿐이지 폭언·폭행·성추행과 같은 인권침해는 스포츠계 전반에 잠재해 있다고 할 수 있다.

이 기회에 다시 한 번 문제의 본질을 되짚어 볼 필요가 있다. 재발 방지를 위한 제도적 기틀도 마련해야 한다. 선수 시절 '내가 지도자가 되면 저렇게 하지 말아야지'라고 생각하다가도 정작 자신이 지도자가 되면 폭언과 폭력을 되풀이하는 게 현실이기 때문이다. 이러한 가장 큰 이유 중 하나는 승리 지향주의 또는 성적 지상주의이다. 경기 실적은 지도자나 선수에게 가장 큰 스트레스이다. 폭언과 폭력은 나(지도자)를 위한 게 아니라 너(선수)의 성적을 위한 것이며 나아가 국가를 위한 것으로 포장되고 정당화돼 왔다.

또 하나의 문제는 선수나 지도자 모두 윤리의식에 대한 인식과 교육이 매우 부족하다는 데 있다. 과거 많은 운동선수가 학창시절 운동에만 전념하느라 정규수업을 제대로 듣지 못했다. 결과적으로 기본적 소양이 부족한 채로 지도자가 된 경우가 상당수다.

얼마 전 미국 프로야구 메이저리그에서 활약했던 선수가 음주운전과 성추행 물의를 일으키고도 진정성 있는 반성보다 "야구로 보답하겠다"고 한 것은 엘리트 선수에게 잠재된 '결과 지향주의'를 잘 드러낸 사례라고 할 수 있다. 이런 현상은 '경기실적만 좋으면 돼. 운동만 잘하면 돼'라고 강조하는 성적 우선주의 경향과 지도자에게 1차 책임이 있다. 사회적 논란이 불거지면 선수의 이탈을 개인의 과실로 떠넘겨 버리는 종목별 경기단체도 책임을 벗어날 수 없다.

우리는 스포츠를 전인교육이라고 한다. 스포츠는 신체 활동뿐 아니라 규범과 윤리도 포함한다. 스포츠맨십과 페어플레이·예절 등 여러 가지 교육적 요소 모두가 스포츠의 범주에 속한다. 아무쪼록 '심석희 사태'를 계기로 정부와 대한체육회·경기단체는 폭언·폭행·성추행이 재발하지 않도록 제도적 기반과 사회적 분위기를 만들어야 한다. 되풀이되는 고질병은 결국 평생을 운동에만 바친 우리 선수와 지도자 모두를 잃게 하는 결과를 가져오기 때문이다.[189]

그런데 문제는 해당 선수나 지도자에 대한 대표선수단에서의 제외 여부를 연맹의 재량적 판단에 맡기고 있다는 것이다. 또한 형사사건으로 기소유예 이상의 처분을 받더라도 위 규정에 따르면 제약 없이 대표팀 지도자 또는 선수가 될 수 있다. '제 식구 감싸기' 논란에서 자유롭지 못한 스포츠단체가 과연 해당 선수나 지도자에게 엄중한 책임을 물을 수 있을까?

성폭력이나 부정·비리와 관련된 스포츠단체 임원이나 지도자가 사퇴서를 제출하더라도 이를 받아들이지 않고 징계를 내릴 수 있도록 관련 근거를 마련해야 한다. 문제가 발생한 경우에 진상을 조사하여 당사자에게 책임이 있다면 그에 따른 징계를 내리고, 성폭력 등 책임의 정도가 무거운 사람은 영구히 또는 어느 기간 동안 자리에 앉지 못하도록 하는 징계규정을 마련하여야 할 것이다. 근자에 확산되고 있는 미투 운동(영어: Me Too movement)처럼.

문대성 의원이 "체육계의 근본적인 문제점이 무엇인지, 문제의 본질이 무엇인지 스포츠인을 탓하기 전에 '스포츠 정책과 지원에 대해 정부와 정치권은 무엇을 했으며, 무슨 문제가 있는가' 란 반성적 자각이 선행되어야 할 것"이라고 오히려 정치권을 탓할까.[190]

93. 몽양 여운형, 한국 체육도 이끌었다!

(사)몽양여운형선생기념사업회(회장 이부영)는 오는 7월 18일(월) 오후 1시부터 한국프레스센터 기자회견장(19층)에서 대한체육회, 양평군과 공동 주최로 제9회 몽양 학술심포지엄을 개최한다. 몽양 여운형 선생 서거 제69주기를 맞이하여 개최하는 이번 학술심포지엄의 주제는 "한국 체육의 선구자 몽양 여운형의 발자취"이다.

몽양 여운형은 흔히 독립운동가, 통일운동가 혹은 중간파 정치인으로만 알려져 있지만 그가 우리 근현대사에 남긴 업적은 언론, 교육, 체육, 종교 등 다양한 분야에 걸쳐 있다. 이번 심포지엄은 그 중에서 선생이 한국 체육계에 남긴 업적들에 대해 재조명한다.

여운형의 체육계 활동은 청년시절 황성기독교청년회(현 서울YMCA) 운동부 부장을 맡아 1912년 YMCA 야구단을 이끌고 일본 원정에 나서 일본 야구 명문인 와세다 대학 팀과 친선경기를 가진 것을 시작되었다. 중국으로 망명한 후에는 독립운동에 헌신하는 한편 동포들의 체육활동을 장려하기 위해 상해한인체육회를 조직하여 위원장을 맡았으며, 푸단대학교 명예교수로 체육부를 담당하여 대학 축구팀을 이끌고 싱가포르, 필리핀 등을 순방하기도 했다.

1929년 일본 경찰에 체포되어 국내로 압송되어 수감되었다가 1932년 가출옥 한 후에는 조선중앙일보 사장을 역임하면서 조선체육회 이사, 조선축구협회, 조선농구협회, 서울육상경기연맹 회장 등 각종 체육단체 임원을 맡아 조선 체육 발전에 많은 기여를 했다. 특히 1936년 손기정 선수가 베를린 올림픽에서 우승을 하자 그가 사장으로 있던 조선중앙일보는 8월 13일자 신문에 기사를 보도하면서 가슴에 있는 일장기를 삭제한 사진을 실었다. 이러한 일장기 말소 사건으로 인해 조선중앙일보는 폐간되고 그도 사장직에서 물러나게 되었다.

해방 후에는 조선체육회(현 대한체육회) 초대 회장과 조선올림픽위원회(KOC, 대한올림픽위원회 전신) 초대 위원장을 맡아 1947년 6월에 국제올림픽위원회에 가입했다. 그 덕분에 우리는 정부가 수립되기도 전인 1948년 런던에서 제14회 하계올림픽 대회에 대표단이 태극기를 앞세우고 출전할 수 있었던 것이다.

이번 심포지엄에서는 한국 체육학계 연구자들이 주제 발표를 맡고, 토론은 한국 근현대사 연구자들이 맡아 학제간 교류, 융합이라는 새로운 접근을 시도한다.

손환 중앙대 체육교육학과 교수가 "몽양 여운형의 한국 체육 발전에 미친 영향"을, 하정희 한양대 스포츠산업학과 교수가 "몽양 여운형과 일장기 말소사건"을, 조준호 서해대 스포츠복지과 교수가 "몽양 여운형과 체육인들의 건국치안대 활동"을, 김재우 중앙대 스포츠과학부 교수가 "몽양 여운형과 제14회 런던올림픽 대회"를 발표한다.

종합토론은 서중석 성균관대 명예교수를 좌장으로 독립기념관 한국독립운동사연구소장으로 있는 장석홍 국민대 국사학과 교수, 광주교대 사회과교육과 류시현 교수, 강혜경 숙명여대 역사문화학과 교수, 이준식 근현대사기념관 관장이 참가하여 발표자들과 함께 토론에 나선다.

다음 날인 7월 19일(화) 오전 11시부터는 서울시 강북구 우이동 서라벌 중학교 입구에 위치한 몽양 여운형 선생의 묘소에서 서거 제69주기 추모식이 열릴 예정이다. 독립운동 관련 단체장 등 각계 인사 300여명이 참석한 가운데 이부영 기념사업회 회장의 추모식사를 시작으로 박주선 국회 부의장, 이만열 전 국사편찬위원장, 박겸수 강북구청장의 추도사와 봉도가 제창, 유가족 인사, 헌화·분향의 순으로 진행된다.[191]

☞ 손기정 금메달에 결정적 영향을 끼친 혁명가

1933년, 출옥하자 몽양은 민족의 영웅으로 추앙, 『조선중앙일보』 사장에 취임하였다. 그때 몽양은 조선체육회 회장으로 각종 체육대회를 개최 후원했고, 우리나라 최초로 신문에 스포츠란을 만들었다.

1936년, 베를린올림픽대회를 앞두고 둘째 아들 친구 손기정은 몽양에게 물었다. "아버님, 이번 올림픽에 나가야 합니까? 나가지 말아야 합니까?" "가슴에 일

장기를 달고 나가는 것은 원통하지만 나가야 해. 나가서 조선 민족의 우수성을
전 세계에 보여줘야 해."

손기정은 몽양의 당부대로 베를린올림픽대회에 출전해 마라톤에서 세계를 제패
했다. 몽양은 『조선중앙일보』에 호외를 발행해 손기정 선수의 쾌거를 국내에 최
초로 전했다. 그때 손 선수 가슴의 일장기를 지워 일제에 의해 『조선중앙일보』
가 강제 폐간되자 사장직에서 사임했다. 이후 몽양은 일본이 태평양전쟁을 도발
하자 신사참배나 국방헌금, 징병 권유 따위의 강요를 일체 거부하면서 1944년 비
밀결사인 조선건국동맹을 조직했다.

1945년 8월 15일, 일본은 연합국에 항복하면서 조선의 치안권을 몽양에게 넘겨
줬다. 일본은 실질적으로 조선 민중들에게 지도력을 행사할 수 있는 사람은 몽양
이라고 판단했기 때문이었다. 몽양이 결성한 '건국준비위원회'는 보름 만에 전
국에 145개 지부가 결성됐다. 이는 우리 민족이 독자적으로 국가를 세울 수 있다
는 의지와 역량을 보여준 증거였다. 1945년 12월에 발표된 여론조사에서, 몽양은
'조선을 이끌어 갈 양심적 지도자' '생존 인물 중 최고의 혁명가' 제 1위로
뽑힐 만큼, 해방 공간에서 백성들에게 가장 존경받는 인물이었다.[192]

[몽양(夢陽) 여운형(呂運亨) 선생]

II. 나가는 글

"오늘날 스포츠란 우리에게 무엇인가?" 사실 우리가 너무나 가까이 보면서 접하고 있는 스포츠에 대해 이 같은 물음을 던지는 것이 매우 새삼스럽다. 그러나 가만히 따지고 보면 우리가 매일 TV나 신문지상, 혹은 직접 관람하며 익숙하게 접하고 있는 스포츠에 대해 과연 보고 즐기는 것 외에 그다지 심도 있는 물음을 던져본 것 같지 않다. 아마도 스포츠에 대해 갖는 대다수 사람들의 생각은 그저 보고 즐기는 여가활동의 일부 정도일 것이다. 그러나 과연 그러한가?

지난 2006년, 2010년과 2014년 월드컵 때 길거리로 몰려나온 수백만의 시민들, 그리고 이 같은 호기를 놓치지 않고 끼어드는 자본의 손길, 매스컴의 상술 등 스포츠로서의 월드컵은 그저 현대사회에서 보고 즐길 수 있는 여가활동 정도로 한정시키기에는 너무나 막대한 영향력을 행사하고 있다. 뿐만 아니라 올림픽을 비롯하여 연중 끊임없이 매스컴을 넘나드는 각종 대회의 소식과 스포츠 스타에 대한 뉴스들은 그저 일상적 사건들로만 바라보기 어려울 정도로 우리의 삶과 밀착되어 있다. 물론 일상적인 것에 대해 불필요한 심각한 물음을 던지는 것이라고 반문할 수 있으나, 우리는 너무 익숙해져 있기 때문에 그것의 본질을 보지 못하고 그것에 얽매여 있는 경우를 볼 수 있다. 어쩌면 우리의 삶에 일상적으로 밀착되어 있는 스포츠가 우리의 삶을 그 자신에게 종속시키고 있는 기재일 수 있다.

미디어와 고도의 정보기술이 지배하는 현대사회는 권력독재에 항거하고 민주화를 열망하는 선구자들의 희생에 힘입어 객관적인 억압기재들이 거의 완전히 해체된 사회이다. 그러나 눈에 보이는 객관적 억압기재들이 사라졌다한들 진정한 자유가 도래한 것이라 할 수 없다. 우리가 자유로운 시민사회의 일원으로서 살아가기 위해서는 이제 우리의 일상을 억압하고 있는 기재에 대해 반성하지 않으면 안 된다. 그러나 일상을 돌아보기 어려운 것은 인간이 지극히 일상적인 것에 안주하기를 원하기 때문이다.

우리의 일상과 밀착되어 있는 스포츠에 대한 사회학적 측면의 반성적 성찰이 요구되는 시점에 와 있다. 바로 그런 점에서 너무나 일상적인 것이었기 때문에 그동안 당연한 것으로 받아들여 왔던 스포츠에 대해 새로운 관점에서 재음미할 수 있는 계기를 마련해야 한다.

60년대와 70년대를 살면서 TV에 비쳐진 스포츠에 대한 흥분과 열정의 반면에

80년대의 암울한 시기를 보내면서 군사 독재 정권의 대표적 우민화 정책의 수단이라는 스포츠에 대한 이미지가 교차되는 이율배반적인 태도를 극복하고 체험을 통해서 스포츠를 일상의 생활처럼 향유할 수 있어야 한다. 아마도 80년대에 민주화 과정을 경험했거나 보아왔던 사람들의 경우에 스포츠에 대한 이미지가 필자의 경우와 크게 다르지 않을 것이다.

현대의 삶에서 스포츠란, 현대인들이 스포츠에 열광하는 이유에 대해 캐시모어(Ellis Cashmore)의 '왜 스포츠는 우리를 매혹시키고 사로잡는가(Making sense of sports)'의 이론을 빌어 스포츠의 예측불가능성이 너무나 뻔한 현대 사회의 예측가능한 삶에 청량제가 된 측면, 지나치게 예의바른 현대사회에 인간의 동물적 본성을 발산할 수 있는 장치로서의 측면, 너무 안전한 현대사회에 모험에 대한 인간의 욕망을 충족시켜 준다는 측면 등이 산재해 있다는 점이다.

캐시모어(Eliss Cashmore)의 이론이 스포츠 수요자의 관점에서 설명되고 있다는 점을 비판하면서 스포츠 공급자의 관점에서 살펴보면, 우선 스포츠가 훌륭한 사회 통제의 도구가 될 수 있다는 점이다. 스포츠의 규율은 공정성과 공평성에 대한 신뢰성을 받아들이도록 한다.[193]

그러나 대부분의 스포츠 규율은 과학적 원리와 상관없이 자의적으로 만들어진 것들이다. 그리고 이러한 규율이 자의적인 것들이라 하더라도 '스포츠 활동에 참여하려면 먼저 규칙에 절대 복종' 해야 하는 것이다. 이렇게 '규율에 순종하는 태도는 스포츠를 통해 형성되는 신체 속에 각인' 된다. 흔히 특정 스포츠에 적합한 신체 구조를 갖추어야 한다는 것, 즉 '몸을 만든다' 는 말은 특정 스포츠에 참여하기 위한 과정에서 근육의 통증이나 고된 고통의 과정들에 순응할 것을 요구하는 것이다.

이것은 한편으로 스포츠의 표준화와 관련되는데 마치 신입 사원의 용모 기준에 맞춰갈 수밖에 없는 입사 지망생의 경우처럼 현대인들은 개인의 특질을 무시한 채 스포츠의 일반화된 표준화에 의해 규정된 신체의 규율에 복종하는 존재로 탈바꿈한다는 것이다. 또한 스포츠는 참여자들에게 즐거움을 부여해줌으로써 '사회 비판의 칼날을 무디게 하는 데도 효과적' 이라고 한다. 즉 매일 쏟아지는 스포츠 소식이나 활동의 즐거움에 빠져 '일희일비하다보면 정작 중요한 사회 문제에 관심을 제대로 쏟지 못하게 된다' 는 것이다.

한편 스포츠는 현대 자본주의 체제의 상업주의와 밀접한 관련을 맺고 있다. 즉 오늘날 스포츠는 거대한 산업이 되고 있다는 것이다. 현대인이 열광적으로 스포츠를 즐기게 된 데에는 더 많은 스포츠를 끊임없이 제공해줌으로써 그들의 소비를 부치긴 산업의 역할이 적지 않았다. 이 같은 스포츠 공급의 확대는 결국 스포츠 활동의 기회를 증가시켰고, 이에 따라 높아진 수요의 결과로 인한 전문 스포츠 선수들의 몸값이 치솟아 사회적 유명 인사의 반열에 오르게 된다. 이는 결국 스포츠를 통한 사회 이동의 기회라는 인식을 가져와 특히 하층 계급에게 효과적 사회 이동의 길로 인식되게 된다. 이렇듯 스포츠 공급자의 측면에서 보더라도 스포츠는 인기를 구가할 수밖에 없는 것이다.

스포츠는 일종의 사회문화적 현상으로 인간 사회의 다양한 영역들과 복합적으로 관련을 맺고 있다. 즉 스포츠는 인류가 발생하고 진화하는 과정 속에서 시대별로 다양한 관점을 반영하면서 발전하였다. 또한 대중매체의 발달은 대중문화 발전의 중요한 요소가 되었으며 그 중 스포츠는 최근에 가장 주목받는 대중문화 요소 중의 하나가 되었다. 스포츠 문화는 사회제도 내에서 대중문화의 특성을 강하게 나타내면서 다양한 형태로 현대사회 속에서 그 영향력을 발휘하고 있으며 대중매체의 발달과 더불어 스포츠 문화는 대중문화로 더욱 발전을 거듭해 나아가고 있다. 그러나 지나친 스포츠 상업화는 승리 지상주의를 발생시켜 도박이나 불법 내기, 승부 조작 등의 사회적인 문제를 일으켜 순수한 아마추어리즘을 위협하고 있다. 따라서 스포츠 상업화의 폐해를 줄이고 건강한 스포츠 산업을 육성하려는 노력이 더욱 중요해지고 있다.

그 동안 스포츠는 스포츠를 보고 즐기는 사람들은 물론 스포츠에 대한 전문가들 조차도 월드컵이나 올림픽, 아시안게임 등 각종 엘리트스포츠 잔치들을 통해 그 이면에 배태(胚胎)되어 있는 부정적 요소들에 대해 정직하게 대면하고 말해오지 못한 것이 사실이다. 특히 이번 2006 월드컵을 통해서도 스포츠 행사에 대한 무비판적 세태에 대한 자성의 목소리가 있었으나, 사회적 이슈로 등장하여 공론화되기에는 역부족이었다. 이는 어쩌면 그 동안 스포츠에 열광하여 온 시간만큼 스포츠 속에 은폐된 이데올로기에 세뇌되어 왔던 결과일지 모른다.

우리들을 억압하고 옥죄는 객관적 권력이 겉으로 사라졌다고 하여, 우리가 진정한 자유를 누리고 있는 것은 결코 아니다. 어쩌면 그것보다 더욱 강력한 방식으로 우리들의 일상과 의식을 지배하는 이데올로기에 대해 항거해야 하는 시대가 지금인지 모른다. 그런 점에서 이 책은 그 동안 엘리트스포츠 일색의 사회 분위기에 젖어있던 우리 스포츠 문화를 비판적으로 조명하고 우리의 일상을 지배하는 스포츠 문화에 대해 재성찰할 수 있는 계기와 함께 새로운 스포츠 문화의 대안을 제기하고 있는 책이 아닌가 싶다.

일제강점기 목숨 걸고 떠난 여운형의 여행길
- 여운형의 또 다른 모습 엿보기-

‘개론주의’ ‘반(半) 인텔리’ ‘스포츠맨’ ‘감초사장’은 독립운동가 여운형(1886~1947)과는 영 어울릴 것 같지 않은 말이다. 그러나 이 말은 일제강점기에 항상 그를 따라다니던 별명이었다. 여운형이 박학다식하긴 하지만 체계적인 자기 이론을 갖추지 못했다고 해서 붙여진 별명이 ‘개론주의’ ‘반 인텔리’이다. 여운형은 누가 두꺼운 책을 읽고 있으면 “그거 언제 다 읽어? 서론하고 결론만 읽고 말아야지”라고 말했다 한다.

어려서부터 운동을 좋아한 그는 1912년 YMCA 야구단을 이끌고 일본 원정을 가기도 했고, 상하이 망명 시절인 1928년에는 후단(復旦)대학의 체육 코치가 되어 축구부를 이끌고 싱가포르, 마닐라로 원정 경기를 떠나기도 했다. 1933년에 발간된 『현대철봉운동법』의 모델이기도 했던 여운형을 사람들은 ‘스포츠맨’이라 불렀다. ‘감초사장’은 그가 『조선중앙일보』 사장 시절에 결혼식이니 무슨 대회니 연설회니 하여 사람이 모이는 곳에서는 항상 그의 얼굴을 볼 수 있어 붙여진 별명이다.

1919년 파리강화회의에 참석한 우리나라 대표단 일행. 첫줄 왼쪽 끝의 인물이 여운형이다(글항아리)

여운형에게는 사려 깊은 인간미도 물씬 풍겼다. 한말 그가 고향 양평에서 서울로 말을 타고 오갈 때 길가의 방죽에서 농부들이 점심을 먹고 있으면 혹시 먼지라도 날릴까 하여 반드시 말에서 내려 조심스럽게 지나갔다. 중국 망명 시절 상하이의 한 외국 서점에서 일할 때는 월급날이면 그와 매주 토요일 운동을 하던 한국 학생들에게 월급 75원을 나누어주고 자신은 전차비도 없어 집에 걸어갔다. 이를 보다 못한 학생들은 월급날이면 먼저 서점에 가서 여운형의 한 달 치 전차비와 생활비를 제하고 나머지만 주도록 서점 주인에게 사정했다고 한다.

이처럼 여운형은 다재다능하고 박학다식하면서 인간미도 넘쳤다. 그러면서도 그가 후단대학의 축구부를 이끌고 싱가포르와 마닐라를 갔을 때 이들 나라를 식민 지배 하던 영국과 미국을 제국주의 국가라고 비판하는 연설을 하여 곤욕을 치렀듯이 그에게 항상 우선한 것은 조국의 독립이었다.

여운형은 엄혹한 일제강점기인 1936년 다섯 차례에 걸쳐 월간잡지 『중앙』에 자신이 1921년 11월에서 이듬해 2월 사이 모스크바로 간 여행기를 남겼다. 이 여행기에는 여운형 자신만 등장하지만 실제로는 상하이 임시정부 초대 외무총장 김규식과 라용균이 함께했다. 여행기를 발표할 때는 일제 치하였던 까닭에 동지를 보호하기 위해 자신만 밝힌 것이다.

때문에 여행기에는 모스크바로 가게 된 과정과 그곳에서 한 일이 자세히 적혀 있지 않다. 하지만 그가 모스크바로 가는 여정에서 겪은 갖가지 에피소드나 처음 마주하는 이국땅의 낯선 풍경과 주민의 일상은 읽는 이의 호기심을 자극한다. 또한 그가 여행 도중에 만나거나 스친 동포에게 느낀 연민은 가슴 한쪽을 뭉클하게 하기도 한다.

가. 일제의 감시망을 따돌리고

1921년 가을, 그 계절은 여운형을 비롯해 상하이에 있던 많은 독립운동가들을 우울하게 만들었다. 미국 대통령 윌슨의 민족자결주의와 파리강화회의에 기대했던 독립의 희망이 물거품이 되고, 임시정부도 내부적으로 분열에 휩싸여 독립운동을 위해 임시정부의 환골탈태와 새로운 모색을 필요로 하던 때였다.

그런데 물에 빠진 사람이 지푸라기도 잡는다고, 이때 그 지푸라기 구실을 하겠다고 나선 나라가 사회주의 혁명에 성공한 러시아였다. 이미 러시아의 레닌은 한국 독립을 지지하고 독립 자금을 지원하기도 했다. 무지렁이 노동자, 농민들이 강고한 차르 체제를 무너뜨린 러시아 혁명은 당시 한국과 같은 식민지나 반식민지 약소민족에게는 '경이로운 일'이었다. 그래서 많은 독립운동가들이 이념에 관계없이 러시아의 혁명 현장을 찾아가고 싶어했고, 여운형 역시 마찬가지 바람을 갖고 있었다.

  이런 여운형에게 러시아를 방문할 기회가 찾아왔다. 러시아가 1921년 11월 미국에서 열릴 워싱턴회의에 대항하여 이르쿠츠크에서 원동피압박민족대표자대회를 열기로 하고, 한국 대표로 그를 초청했던 것이다. 이 대회는 제국주의 침략과 식민 지배에 대항하여 한국, 중국, 몽골 등 원동의 약소민족 대표들이 한자리에 모여 독립운동의 방향을 의논하는 자리였다. 상하이에서는 한국 대표로 여운형 외에 김규식, 라용균도 함께 초대받았다.

  여운형, 김규식, 라용균은 기차를 타고 펑톈(奉天)과 하얼빈을 거쳐 극동공화국으로 가서 시베리아횡단철도를 이용해 이르쿠츠크로 갈 계획을 세웠다. 당시 만주는 봉건 군벌 장쭤린(張作霖)이 지배하고 있었고 산하이관(山海關)에서 하얼빈에 이르는 철도는 일제가 장악하고 있었다. 자칫하다가는 중간에 일제에 체포될 위험이 도사리고 있었다.

1907년 촬영된 시베리아철도의 풍경(글항아리)

1907년 촬영된 시베리아철도의 풍경. 여운형 일행은 이 철도를 타고 이르쿠츠크로 들어갈 계획이었다(글항아리)

1921년 10월 드디어 여운형, 김규식, 라용균 등은 상하이를 출발해 러시아를 향한 여정의 첫발을 내딛었다. 텐진(天津)에 온 여운형 일행은 11월 초 평텐행 기차 삼등실에 몸을 실었다. 일제의 감시를 피하려고 모두 중국인으로 변장한 터였다. 그런데 텐진을 출발한 지 얼마 되지 않아 역시 중국인 복장을 한 한국인이 일행을 예의주시하며 한국말로 수작을 걸어왔다. 그는 일제가 풀어놓은 밀정이었다. 눈치를 챈 일행은 곧바로 탕산(塘山)역에서 내려 텐진으로 돌아왔다.

여운형 등은 텐진에서 사흘을 보낸 뒤 다시 평텐행 기차에 올라탔다. 이번에는 일등실을 이용했다. 그러나 이것도 헛수고였다. 지난번 보았던 밀정이 다시 나타난 것이다. 일행은 하는 수 없이 기차에서 내려 텐진으로 또다시 되돌아왔다. 이후에도 밀정이 텐진역에서 감시하고 있었던 터라 여운형 등은 기차여행을 포기했다. 대신 이들은 베이징에서 장자커우(張家口)로 가서 그곳에서 고비사막을 건너 고륜(庫倫, 지금의 울란바토르)을 거쳐 이르쿠츠크로 가는 길을 택했다. 이 길이라면 일제의 감시망을 벗어날 수 있지만, 험난한 고비사막을 건너야 하고 중간에 마적의 공격을 받을 위험을 감수해야 했다.

나. 막막한 고비사막의 모래바람과 싸우며

김규식은 1914년 이태준(李泰俊), 서왈보(徐曰甫)와 함께 비밀군사학교를 건설할 목적으로 고륜을 간 적이 있었다. 이 계획이 불발로 그친 뒤 김규식은 이곳에서 서양인을 상대로 피혁 장사를 했고, 이태준은 동의의국(同義醫局)이라는 병원을 개업했다. 이후 김규식은 장자커우로 돌아와 그곳의 앤더슨 마이어 회사에 입사했고, 2년 뒤에는 이 회사의 지점 개설을 위해 다시 고륜으로 갔다. 그리하여 여운형 등은 이런 인연으로 이 길을 택했던 것이다.

장자커우는 만리장성의 북쪽 제1관문으로, 이곳에서 고륜까지는 1000킬로미터나 되는 여정이었고 그 중간에 험난한 고비사막이 가로놓여 있었다. 겨울 사막을 가다가 밤이 되면 그대로 노천에서 잠을 자야 했기에 많은 준비가 필요했다.

텐진에서 베이징을 거쳐 장자커우로 간 여운형 일행은 닷새 동안 장자커우에 머물면서 방한구를 비롯한 준비물을 꼼꼼히 챙겼다. 다행히 눈은 오지 않아서 고륜까지는 중국 상인들과 함께 콜맨 씨의 몽골상사회사 자동차를 이용할 수 있었다. 늙은 양가죽으로 만든 자루이불(슬리핑백) 등과 같은 방한구와 여행 중에 먹을 식량 외에도 노천에서 야영할 때 맹수와 마적의 공격으로부터 지켜줄 호신용으로 피스톨, 소총, 비수 그리고 밤에 불을 밝힐 양초 몇 자루를 준비했다.

영하 10도를 밑도는 추위가 몰려온 1921년 11월 하순의 어느 오후, 여운형 일행은 고륜을 향한 고비사막 횡단 여행을 시작했다. 앞으로 어떤 위험이 닥쳐올지 몰라 두렵기도 했지만 눈앞에 펼쳐질 미지의 세계에 대한 설렘이 여운형의 가슴을 더욱 두근거리게 했다. '여행의 애호자이자 예찬자'인 여운형은 독립운동을 위한 험난한 여정 속에서도 미지의 세계에 대한 설렘을 감출 수 없었다. 여운형에게 여행은 가장 사랑하는 취미이자 오락이었다. 사람들은 여운형이 최고로 꼽는 취미가 스포츠일 거라 생각했지만, 그는 스포츠보다 여행을 훨씬 더 좋아했다. 그는 여행이야말로 가장 건전하고 인간적인 스포츠라고 생각했다.

장자커우를 출발한 첫날, 차창에 기댄 여운형은 온갖 상념에 빠졌다. 유쾌하고 흥분된 그의 뇌리를 마치 주마등처럼 지나온 일들이 달음박질치고 지나가 시간 가는 줄 몰랐고 차창 밖에 펼쳐지는 풍경의 변화도 무관심하게 흘려 보내자 어느덧 해가 지고 어둠이 사방에서 몰려왔다. 그 무렵 사막 한가운데에 있는 조그만 마을을 발견했고, 그 마을에 있는 덴마크 선교사 집에서 하룻밤을 청해 유숙했다.

"PRESIDIUM" OR EXECUTIVE COMMITTEE OF THE CONFERENCE OF TOILERS OF THE FAR EAST
Below the Oriental Banners Draped About the Chalky, Bewhiskered Bust of Karl Marx Sit the Officials of This Strange Conference Which Did Much to Interpret Soviet Ideals to Labor Leaders Throughout the Far East

여운형 일행이 여행 중 촬영한 사진. 극동노동자회의 의장단의 김규식(왼쪽 첫 번째)과 여운형(서 있는 이)으로 1922년 1월의 모습이다(글항아리)

이들 선교사는 귀찮을 법도 한 여행객이 무어 그리 반가운지 두 손을 벌려 일행을 환영했다. 아마 덴마크에서 절해고도와 같은 고비사막 한가운데로 귀양온 듯이 지냈던 이들에게 콜맨 씨를 비롯하여 여운형, 김규식 등 영어를 유창히 하는 사람들을 만난 것 자체가 즐거운 일이었을 것이다. 여운형 등은 처음에 큰 오해를 하기도 했다. 남녀 각각 두 명이 있어 두 쌍의 부부인 줄 알았는데, 알고 보니 독신자 노총각과 노처녀였다.

덕분에 노숙을 면한 일행은 이튿날 서둘러 길을 떠났다. 비록 자동차를 이용한 여행이지만 내륙 고지대로 갈수록 모래바람이 앞을 가리고 기온은 급속도로 떨어졌다. 이날 하루 종일 차를 달렸으나 민가를 발견할 수 없어 둘째 날 밤은 노숙을 했다. 장화에 방한모, 자리이불에다가 방한안경까지 무장했지만 영하 20도 밑으로 떨어지는 사막의 추위에 잠을 잘 이룰 수 없었다.

가끔 자리이불 밖으로 고개를 내밀어 바라보는 사막의 밤하늘은 손에 닿을 듯 가까이 있는 듯하여 상하이에서는 볼 수 없었던 또 다른 별천지였다. 여운형은 추위도 잊은 듯 한참 동안이나 이불 밖으로 머리만 내어놓은 채 한없이 아름답고 거룩한 사막의 밤하늘을 즐겼다. 새카맣던 하늘은 차차 그 본래의 검은 남빛을 회복하고 희미한 선으로 대지와 천공을 나누어놓았다. 하나둘씩 반짝거리기 시작한 별들은 삽시간에 온 하늘을 뒤덮었고, 그 영원히 젊은 눈동자로 밤의 땅을 향하여 영구히 풀지 못할 수수께끼를 속살거리는 듯했다.

거의 변함없는 고비사막의 밤과 낮의 풍경이 계속되던 나흘째 여운형 앞에는 뜻하지 않는 행운이 기다리고 있었다. 이날 정오쯤 멀리 보이는 사막 가운데 초원에 있는 수백 마리의 영양이 무리지어 가고 있었다. 누가 먼저랄 것도 없이 환호를 지르며 준비해간 소총으로 네 마리의 영양을 사냥했다. 그동안 마른 음식에 신물이 난 일행은 영양으로 국을 끓여 먹기로 했다.

오늘날 고비사막의 풍경. 여운형 일행은 이 고비사막을 건너며 노숙도 하고 추위에 시달리기도 했다. 그러던 중 영양 떼가 지나가자 이를 사냥해 국으로 끓여 먹어 속을 달래기도 했다(글항아리)

일행은 모래 위에 쌓여 있는 눈을 녹여서 물을 만들고 가솔린 통으로 솥을 삼고, 주변에 비바람에 썩어 버려진 전신주를 모아 불을 지폈다. 간은 가지고 있던 소금으로 했다. 몇 번을 씻은 가솔린 통은 냄새가 가시지 않았지만 국을 먹겠다는 일념을 꺾을 순 없었다. 영하 30도를 밑도는 추위 속에서 이날 밤의 국처럼 맛있는 음식을 그전에도 그 후에도 맛본 일이 없었다. 역시 한국 사람은 국물이 있어야 밥을 먹어도 먹은 듯했다.

장자커우를 떠난 지 닷새째 되는 날 마침내 목적지인 고륜 땅을 밟았다. 멀리 구릉 위로 장대한 라마교의 사원 건물이 보였다. 고륜에 도착한 일행은 일단 몽골상사회사 지점에 짐을 풀었다. 목적지에 무사히 도착했다는 안도감과 함께 지금까지의 긴장이 풀리면서 피로가 물밀 듯 밀려와 고륜에서의 첫날은 일행 모두 아무 생각 없이 잠에 곯아떨어졌다.

다. 몽골의 '한인 슈바이처', 이태준의 흔적을 찾아서

여운형 일행이 도착한 고륜은 낡은 세력과 새 세력이 교체되고 파괴와 건설이 교차하는 등 일시적인 혼란을 겪던 상태였다. 얼마 전까지만 해도 러시아 반혁명군인 울겐 부대가 점령하고 있었으나, 1921년 7월 몽골의 혁명 세력이 러시아 공산당의 도움을 받아 올겐을 체포하고 혁명정부를 세운 터였다. 혁명정부는 고륜에 '붉은 거인의 도시'(우란・바톨・호트)라는 새 이름을 붙였다.

여운형은 이튿날 러시아 대표 옥흘라를 찾아가 고륜에서 국경 소도시 트로이카삽스크(賣買城) 까지 가는 데 필요한 여권과 역마 이용권 등의 문제를 협의했다. 이 문제는 나흘 만에 해결되었지만 이곳에서 동행할 몽골의 청년 대표와 합류하기 위해 나흘을 더 머물러야 했다.

고륜에 머문 지 사흘째 되는 날, 고륜 혁명정부의 최고 고문의 한 사람인 에린치노프 부부가 여운형 일행을 초대했다. 에린치노프의 부인은 블라디보스토크 태생의 한인 남만춘(南萬春)의 누이인 얼마재(러시아 한인 2세) 마루사 남이었다. 낯선 이국땅에서 동포를 만난다는 것은 또 다른 흥분과 기쁨이었다.

이날 마루사 남은 여운형 일행을 위한 듯 치마 저고리를 곱게 차려입고 극진히 맞아주었다. 유쾌한 연회가 한창 무르익을 무렵 마루사 남은 서투른 우리말로 "동해물과 백두산이" 하는 애국가를 불러 가슴을 뭉클하게 했다. 연회가 끝날 무렵 마루사 남은 홍차를 돌리며 다가와 "차-무르, 잡수찌!" 라는 우리 말 한마디를 했는데 그것은 '찻물 잡숫지!' 였다.

고륜에서의 여정이 즐거운 것만은 아니었다. 특히 동행한 김규식에게는 너무나 가슴 아픈 일이 기다리고 있었다. 여운형 일행은 4일째 되던 날부터 '까우리(高麗) 의사, 슈바이처' 의 무덤을 찾아 나섰다. 이 땅에 있는 오직 하나뿐인 한국인의 무덤은 이곳 민중을 위해 젊은 생을 모두 바친 한 한국 청년의 거룩한 헌신과 희생의 기념비였다.

'몽골의 한국인 슈바이처'로 불린 까우리 의사는 1914년 김규식을 따라 이곳으로 왔다가 동의의국을 개업했던 이태준(몽골 이름은 리 다인)이었다. 그는 김규식의 사촌 여동생 김은식과 결혼도 하여 김규식과는 항일 동지이자 사촌(처)남매(부)지간이었다.

당시 몽골은 불완전한 위생 시설과 라마교의 영향으로 주민의 70~80퍼센트가 성병 보균자였고, 갖가지 질병이 이들 사이에 만연해 있었다. 이태준은 몽골 민중을 비참함으로 내몰았던 성병과 질병을 물리치는 데 일생을 바쳤다. 그의 의술과 정성에 감복한 몽골 국왕은 그를 어의, 즉 주치의로 삼았고 1919년에는 제3등 제1급의 높은 훈장인 '에르데나인 오치르'('귀중한 금강석'이란 뜻)를 내렸다. 이런 의술활동 외에도 그는 의열단에 가입하여 항일활동에 참여했다. 그러나 1921년 2월 악명 높은 울겐 부대가 고륜을 점령하면서 이태준은 처형되고 말았다. 2000년 몽골 정부는 울란바토르에 '이태준 기념공원'을 세워 그를 기념하고 있다.

여운형도 여운형이지만 이태준의 죽음에 가장 가슴 아파했던 이는 바로 김규식이었다. 그를 이곳으로 데려온 이가 자신이었기 때문에 그의 죽음이 마치 자기 탓인 듯하여 차마 발길이 떨어지지 않았다.

고륜에 도착한 지 8일째 되던 날 채비를 모두 갖춰 러시아를 향한 출발이 시작되었다. 몽골 측 대표 단씽을 비롯하여 청년 대표들이 함께 가게 되면서 일행은 10여 명으로 늘어났다. 여운형, 김규식, 라용균은 이태준의 무덤을 뒤로한 채 쌍두마차를 타고 12시 무렵에 다음 목적지인 국경도시 트로이카 삽스크를 향해 출발했다. 고륜에서 트로이카 삽스크까지는 모두 4일이 걸리는 여정이었다.

2000년 몽골 정부가 세운 이태준 기념공원(글항아리)

라. 미지의 세상에서 만난 색다른 문화

고륜에서 트로이카 삽스크로 가는 길은 지금까지 지나온 막막한 사막과 달리 언덕과 고원의 경사가 이어지는 초원이었다. 드문드문 유목민 부락이 있고 길도 나름 잘 개척되어 있었다. 여운형 일행은 마차를 이용했기 때문에 조선시대 역참처럼 지나는 길에 있는 유목민 부락인 태점에서 말을 갈아타기도 하고 휴식도 취했다.

고륜을 떠난 첫날밤은 한 태점에서 지냈다. 태점이 있는 부락 추장에게 고륜 정부에서 발급한 여권과 공문을 보여주고 그의 천막집인 게르에서 유숙했다.

추장은 여운형 일행을 위해 하루에 한 끼밖에 먹지 않는 유목인의 식사에 초대했다. 소금이 귀해 간도 하지 않은 삶은 양고기를 먹고 그 국물을 차처럼 마시는 것이 전부였다. 여운형 등은 익숙지 않은 음식에 쉽게 손이 가지 않았고, 그래서 준비해간 초콜릿, 삶은 닭고기 등을 꺼내어 무미건조한 식사를 보충했다.

그러나 로마에 가면 로마법을 따라야 한다고, 그들이 권하는 양고기 삶은 물은 마셔야 했다. 그런데 이들은 한 개의 나무잔으로 차례로 돌려가면서 마시는데, 먼저 먹고 난 사람은 혓바닥으로 국물 한 방울도 남지 않게 닦은 뒤 다음 사람에게 잔을 돌리는 것이었다. 이에 기겁한 여운형은 궁리 끝에 다음 날 아침 염치불구하고 잽싸게 나무잔을 차지하여 제일 먼저 사용했다.

둘째 날 태점에서는 게르 주인의 친절을 거절하지 못하다가 다음 날 예상치 못한 봉변을 당한 일도 있었다. 이날도 마찬가지로 태점에 들러 말을 바꾸고 추장의 게르에서 잠을 잤다. 게르 주인이 한사코 자기 침상에서 잘 것을 권하자 이를 거절하는 것도 예의가 아닌 듯하여 여운형은 침상에 자고 주인은 땅바닥에 자리를 깔고 잤다. 다음 날 마차를 타고 가는 내내 온몸이 가려워서 어쩔 줄 몰랐다. 날씨가 너무 추워 옷을 갈아입을 수도 없었고 손이 얼까봐 장갑을 벗을 수 없어 긁어봐야 아무런 소용이 없었다.

발광이 날 듯한 가려움을 간신히 참으며 이날 유숙할 곳인 나무 집에 도착했다. 여운형은 부리나케 방 안으로 달려가 난로 앞에서 벌거벗은 다음 온몸을 시원하게 긁고 나서 내의를 갈아입고 벗은 내의를 집 밖에 두었다. 다음 날 아침에 일어나보니 밤새 얼어 죽은 이가 내의를 덮고 있었다. 여운형은 이 얼어 죽은 '착취자'를 브러시로 털어내 활활 타오는 난롯불에 모조리 화형을 시켰다.

고륜을 출발한 지 나흘째 해가 저물 무렵 목적지인 트로이카 삽스크에 도착했다. 도시의 이름이 한자로 물건을 사고판다는 매매성(賣買城)이듯이, 이곳은 몽골과 러시아의 국경도시로 오래전부터 러시아와 중국의 교역 중심지였다. 여운형 일행은 옥홀라에게서 소개받은 러시아 대표 사파로프를 찾아가 그의 집에서 사흘을 머문 뒤 시베리아 횡단철도 연선에 있는 우딘스크를 향해 출발했다.

트로이카 삽스크에서 우딘스크까지는 썰매를 이용했다. 이제는 사막도 초원도 다 없어지고 시베리아의 울창한 처녀림과 두껍게 땅을 덮고 있는 하얀 길을 앞으로 앞으로 달리는 일만 남았다. 바퀴를 제거하고 만든 트로이카 썰매에 두 사람씩 나누어 탔다. 이곳에는 평소 얼마나 눈이 많이 오는지, 겨울에 지나가던 길옆의 나뭇가지에 장화나 옷 등을 걸어두고 이듬해 눈이 녹은 봄에 와서 장화나 옷을 찾으면 높은 나무 꼭대기 가지에 걸려 있다고 했다.

겨울인 데다 북으로 갈수록 해가 점차 짧아져 실제 여행할 수 있는 시간은 아침 11시에서 오후 5시까지 하루에 겨우 5~6시간밖에 안 되었다. 일행은 부지런히 썰매를 달리며 중간 중간 이름 모를 촌락 농가에 유숙했다. 그럴 때마다 농부들은 낯선 이방인을 위해 따뜻한 러시아식 수프와 부드러운 빵을 대접했고, 이방인을 보려고 모여든 마을 사람들은 손때 묻은 손풍금을 꺼내어 민요를 부르고 춤도 추면서 일행을 즐겁게 해주었다. 훈훈한 시골 농부들의 인심은 동서양을 가릴 것이 없었다.

서시베리아 한티족 여성들, 국립민속박물관. 전통 복장을 하고 있다. 여운형 일행도 이런 이들을 만났을 터이다(글항아리).

동시베리아의 에벤키족 소녀, 국립민속박물관. 순록을 타고 있는 모습으로 19세기 말에 촬영된 것이다(글항아리)

마. 러시아의 변방에서 스친 동포

사흘을 달려온 썰매는 드디어 미끄러지듯이 오후 3시경 우딘스크에 도착했다. 여운형 일행은 곧바로 가지고 온 여권과 공문서를 기관에 제출하고 모스크바행 기차가 올 때까지 이틀을 이곳에서 머물렀다.

모스크바에서 보면 변방 가운데서도 변방인 조그마한 시골 마을들의 문화 수준은 상상 외로 높았다. 이곳은 주로 제정 러시아 시기 체제에 저항한 진보 인사들을 내쫓은 유배지여서 이들이 뿌린 교양과 문화의 씨앗이 차츰 꽃을 피웠던 것이다.

이제 최종 목적지인 이르쿠츠크까지는 한 코스만 남아 있었다. 시베리아 횡단의 북행 열차가 우딘스크를 떠나기 전날 밤 여운형 일행은 어두컴컴하고 음산한 한 열차 차량에 숨어들어 갔다. 이제 혁명을 시작한 이곳에는 혁명을 반대하는 세력은 물론 러시아혁명을 방해하려는 각국의 스파이가 많아 조심해야 했다. 러시아는 자신들이 초대한 각 민족 대표자들을 안전하고도 비밀리에 대회장으로 안내하기 위해 세심한 주의를 기울였던 것이다.

촛불을 켜니 차량 안은 금방이라도 귀신이 나올 듯한 폐가처럼 황량하기 그지없었다. 저녁 식사 때가 되자 러시아 동무가 검은 나무토막을 가슴 한가득 안고 와서 도끼로 패기 시작했다. 일행은 난로에 땔 땔나무인 줄 알았는데 알고 보니 저녁 식사인 '흑빵'이었다. 추운 겨울에 흑빵이 돌덩이처럼 꽁꽁 얼은 것이었다. 이 흑빵 몇 조각과 소금에 절인 생선 및 이름 모를 차 한 잔이 식사의 전부였다. 혁명 직후 열악한 러시아의 경제 사정을 단번에 알아챌 수 있었다.

그러나 여운형 일행은 이 형편없는 식사에 결코 불평할 수 없었다. 혁명 직후 러시아 전국을 휩쓴 대기근에 이어 발생한 극도의 식량 부족을 이해할 수 있었고, 또 그 조악한 식량에도 능히 역사가 그들의 어깨 위에 얹어주는 모든 짐을 하나도 거절하지 않고 씩씩하게 나아가는 새로운 민중 정신이 주는 감화력이 컸기 때문이다.

러시아는 혁명의 나라였다. 볼셰비키와 이를 둘러싼 세력, 반대 세력 등이 각축전을 벌이면서 피로 물든 도시였고, 세계열강 역시 러시아혁명을 방해하고자 스파이 활동을 벌였다(글항아리)

다음 날 아침 일행은 드디어 모스크바행 열차를 탔다. 단셩과 여운형은 특별히 이등실에 초대되었고, 도끼 없이 먹을 수 있는 흑빵과 각설탕, 고기 등이 식사로 나왔다. 우딘스크를 떠난 기차가 한참을 달려 음울한 북극의 황혼이 어슬렁어슬렁 땅을 덮기 시작할 무렵 여기저기서 "바이칼!" "바이칼!" 하는 환호 소리가 터져나왔다. 창밖으로 그동안 말로만 듣던 시베리아 광야 속의 바다, 바이칼 호가 눈앞에 펼쳐졌다.

오랫동안 바다라는 것을 보지 못하고 단조롭고 우울한 대륙 풍경 속에 질식할 듯한 우수(憂愁)의 압박을 느끼면서 여행을 해온 여운형의 눈앞에 아무런 예고도 없이 돌연히 나타나 그 광활한 푸른 가슴을 겨울 아침의 젊은 태양 아래 마음껏 벌려놓고 맞아주는 이 바이칼 호수는 마치 넓은 바다와 같았다.

뒤쪽으로 바이칼 호가 있고, 오른쪽으로는 시베리아횡단철도가 있다. 여운형 일행은 바이칼 호를
보고 흥분을 감추지 못했다(글항아리)

기차가 조그마한 시골 역인 오-제르나야를 지나자 바이칼 호에서 흘러나온 앙
카라 강이 기차를 따라 흘러갔다. 이때 저 멀리 보이는 한 풍경이 여운형의 눈을
의심케 했다. 그의 시야에 들어온 것은 동포의 모습이었다. 다 쓰러질 듯한 시베
리아식 농가에서 조선옷을 입고 물동이를 인 아낙네가 가까이 있는 우물로 물을
길러 가고 있었다. 불현듯 달려가 그 아낙네를 붙들고 '어떻게 해서 이곳에 살
고 있는지' 그 구구절절한 사연을 들어보고 싶었다. 하지만 일제강점기 지주의
등쌀에 못 이겨 그리운 고향 땅을 뒤로하고 압록강을 건너 타국 멀리 이곳까지
떠밀려왔을 동포들을 생각하니 그 기구한 민족의 운명이 마치 칼날처럼 가슴 한
쪽을 저며왔다.

아련한 동포애에 젖어 있던 차, 이날 오후 기차는 마침내 이르쿠츠크에 도착했
다. 역에 도착하자 앞서 와 있던 한국 대표와 중국 대표들이 환영하러 나왔다. 국
내와 연해주 등지에서 온 30여 명의 한국 대표는 누가 먼저랄 것도 없이 반가워
서로 부둥켜안으며 러시아가 정해준 숙소에서 밤이 깊도록 이야기꽃을 피웠다.

여운형 일행이 마침내 당도했던 이르쿠츠크의 전경(글항아리)

　다음 날 한국 대표들은 곧 개최될 원동피압박민족대표자대회 준비에 들어갔다. 여운형 등 한국 대표들은 역할을 나누어 분과위원회를 구성하고 본대회에 보고할 보고서 작성에 들어갔다. 그 내용은 한반도를 강탈한 일제의 침략을 폭로하고 이에 맞서는 한국 독립운동의 상황과 미래를 전망하는 것이었다.

　12월 하순 한창 바쁘게 대회 준비를 하는 사이 뜻밖의 명령이 내려왔다. 이곳에서 열릴 예정인 대회를 동방피압박민족대회로 이름을 바꾸어 모스크바에서 열겠으니 그곳으로 오라는 것이었다. 원래 워싱턴회의에 대항해 열 계획이지만 이미 기한이 늦어졌으니 원동의 각 민족 대표자에게 건설기에 있는 새 러시아의 모습을 보여주려는 의도였다.

　비록 대회 장소가 바뀌고 행사 시일이 늦어져 아쉬움은 남았지만 모스크바로 간다는 사실에 여운형은 흥분을 감출 수 없었다. 혁명의 심장부인 모스크바, 레닌이 살고 있는 곳, 신흥 러시아의 공산당 지도자들을 눈앞에서 볼 수 있는 모스크바! 여운형 등 한국 대표들은 뛰는 가슴을 누르면서 마음은 벌써 모스크바로 향하고 있었다.

　아, 마투-슈가 모스크바!

　해가 바뀐 1922년 1월 7일 아침 여운형 일행을 태운 기차가 모스크바에 멈춰 섰다. 이르쿠츠크에서 모스크바로 오는 열흘 남짓 동안 한국 대표들은 이르쿠츠크에서 구성한 분과위원회를 중심으로 대회 준비에 총력을 기울였다. 여운형은 몇몇 동지와 함께 탄 일등실을 총사무소로 정하고 전체 회의는 식사 시간 이후 식당칸을 이용했다. 매일 저녁 시간 이후 밤마다 전체 회의를 열었고, 열띤 토론 속에서 얼마 남지 않은 시간을 매우 바쁘게 보냈다.

모스크바역에 도착하자 대표단을 환영하러 나온 수많은 군중의 환호성은 이들의 피를 끓게 했다. 전혀 예상하지 못한 뜻밖의 성대한 환영이었다. 군악대의 연주가 우렁차게 울리고 기차에서 내린 대표단은 악수 세례를 받았다. 곧이어 연단에 러시아 각 기관 대표와 대회 주최측 인사들이 나와 차례로 환영 연설을 했다. 이들의 환영사가 끝나자 한국 대표단에선 여운형이 연단에 올라 영어로 답사를 했다. 영하 30도의 강추위였지만 뜨거운 환영 열기 덕인지, 그가 연단에서 내려올 때는 온몸에 상쾌한 땀이 축축하게 배어 있었다.

한국 대표단의 사무소는 동방피압박민족대회장인 제정 러시아시대 희랍교 신학교의 제3기숙사로 정해져 있었고, 숙소는 크렘린 궁을 마주하고 있는 호텔 룩쓰였다. 대회가 열리는 동안 여운형은 틈틈이 모스크바 시내를 관광하고 때로는 트로츠키의 연설장을 찾아가 그의 연설을 듣기도 했다.

모스크바에 도착한 여운형은 러시아 혁명의 주자인 트로츠키의 연설을 듣기도 했다(글항아리)

일찍이 러시아의 인민이 바친 '마투-슈가 모스크바', 즉 어머니 모스크바라는 이 옛 도시에는 전 유럽에도 비할 데 없는 대규모의 하얀 벽과 붉은색 및 푸른색이 뒤섞인 지붕이 즐비하고 그 틈에 우뚝우뚝 솟아 있어 가지가지 양식의 교회 사원 건축이 이상스럽게도 반(半) 동양적인 특색을 띠고 있었다. 그러니 처음 보는 순간부터 친밀함과 매력을 느낄 수밖에 없었다. 확실히 장엄하고 아름다운 도시였다. "모스크바를 모르는 사람은 아름다움을 모르는 사람"이라고 한 러시아 속담이 결코 공허한 과장은 아니었다.

동방피압박민족대회는 크렘린 궁전 안의 극장에서 1월 21일 밤에 시작되어 2월 2일까지 계속되었다. 여운형과 김규식이 의장단의 한국 대표로 뽑혔다. 대회에서는 한국 문제와 관련해서 "한국 혁명은 임시정부를 지원하고 그 정부를 격려하며 수정되어야 한다. 한국은 공산주의에 관한 지식이 없는 농업국이기 때문에 민족주의를 강조해야 하며 제1차적 목표를 농민에게 두어야 한다" 는 결의를 다졌다.

동방피압박민족대회가 열렸던 모스크바의 크렘린(글항아리)

대회가 끝난 뒤 여운형 등은 레닌과 트로츠키 등 러시아 공산당의 주요 간부들을 직접 면담하고 귀로에 올라 1922년 4월 무렵 상하이로 돌아왔다.

여운형을 비롯한 한국 독립운동가들이 러시아가 주최하는 동방피압박민족대회에 간 이유는 오직 하나였다. 그 이유는 레닌을 만났던 여운형의 이야기가 함축적으로 보여준다.

나는 모스크바에서 레닌을 만났소. 그때까지는 러시아가 조선에 공산주의를 그대로 선전하는 것이 아닌가 걱정했지만, 레닌이 조선의 교통·국어에 관해 물었을 때 교통은 자동차로 하루 만에 (끝에서 끝까지) 달할 수 있는 정도, 언어는 하나라고 대답하자, 레닌은 조선은 이전에는 문화가 발달했지만 현재는 민도가 낮기 때문에 지금 당장 공산주의를 실행하는 것은 잘못이고, 지금은 민족주의를 실행하는 편이 낫다고 했소. 이는 나의 이전부터의 주장과 일치하는 말이었소.

여운형이 방문했던 20세기 초반 모스크바 거리의 풍경. 메트로폴 호텔 앞(글항아리)

여운형이 동방피압박민족대회에서 만났던 레닌(글항아리)[194][195]

평창올림픽 선수 178명, 모국이 아닌 나라 대표해 출전

- '민족적 뿌리' '문화적 바탕' '올림픽 출전 꿈' 위해 귀화-

13일 오전 클로이 김이 2018 평창겨울올림픽 스노보드 하프파이프 종목에서 금메달을 따자 한·미 양국이 난리가 났다. 이날 오전까지 1만 5000명에 불과하던 클로이의 트위터 팔로워 수는 불과 몇 시간 만에 14만명을 넘어섰다.

팔로워들을 살펴보면, 영문은 물론 한글 계정도 심심치 않게 보인다. 하프파이프 백투백 1080도(연속 공중 3회전)에 성공한 유일한 여성 선수이자, 15살에 스노보드의 전설 켈리 클라크를 꺾은 '천재' 클로이 김은 미국의 국가대표. 덩달아 한국에서도 난리가 난 이유는 그의 부모가 모두 한국 핏줄이기 때문이다.

클로이의 아버지 '김종진' 씨는 1982년에 미국 캘리포니아로 건너갔고, 최저시급을 받아가며 돈을 모아 공과대학을 졸업했다. 김씨는 역시 한국 출신인 윤보라 씨와 결혼했고, 2000년 클로이를 낳았다. 딸에게 4살 때부터 스노보드를 가르친 아빠는 클로이의 첫 감독이기도 하다. 김씨는 13일 클로이가 금메달을 따기 전 한 언론과의 인터뷰에서 "우리 애가 용띠라 '오늘은 네가 천 년의 기다림 끝에 이무기에서 용이 되는 날' 이라고 문자를 보냈다"고 밝혔다. 영락없는 한국 사람의 말투다.

클로이의 정체성은 미국 언론의 관심사이기도 하다. 클로이는 "어디 출신이냐" 는 질문을 수도 없이 받아왔다. 그는 〈엔비시〉(NBC)와의 인터뷰에서는 "제가 어떤 면에서는 두 나라 모두를 대표할 수 있다고 생각해요. 얼굴은 한국 사람이지만, 미국에서 나고 자랐기 때문이죠" 라고 답했다.

당황스러운 경험도 많았다. 〈워싱턴포스트〉와의 인터뷰에서는 "사람들이 저한테 '어디서 왔냐' 고 자꾸 물어봐요. 로스앤젤레스라고 대답하면 '아니, 진짜 어디서 왔냐고' 라고 물어봐요. 롱비치에서 태어났다고 하면 '아니 진짜 진짜 진짜 어디서 왔냐고' 또 물어봐요" 라고 밝혔다. 클로이는 자신이 "분명히 미국 사람" 이라며 "정확하게는 한국계 미국인" 이라고 정의한다.

클로이가 미국에서 태어난 미국 시민임에도 미국은 그의 '정체성' 을 묻는다. 〈워싱턴포스트〉는 "점점 더 많은 나라가 미약한 연결점만 있어도 국외의 선수를 귀화시키려고 하는 상황이라 올림픽에서는 항상 정체성을 궁금해한다"고 밝혔다.

　〈시엔엔스포츠〉의 보도를 보면, 귀화의 이유와 목적은 저마다 다르다. 국제 이동성 시장조사회사 캡릴로(CapRelo)의 조사 결과를 보면, 2018 평창겨울올림픽에 출전하는 전체 선수의 6%인 178명의 선수가 모국이 아닌 나라를 대표한다. 이 가운데 가장 많은 귀화 선수를 선출한 국가는 한국이다. 캡릴로는 한국이 18명, 캐나다가 13명, 독일이 11명으로 각각 1~3위를 차지했다고 전했다. (실제 확인 결과, 한국으로 귀화해 이번 올림픽에 출전한 선수는 총 19명으로 캡릴로의 조사보다 1명이 더 많다.)

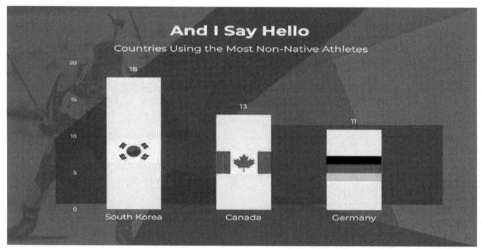

귀화 선수가 가장 많이 출전한 국가. 캡릴로

　한편, 가장 많은 선수를 국외로 보낸 국가는 미국이다. 모두 37명의 선수가 미국에서 타국으로 국적을 바꿔 출전했다. 미국인이었던 37명 선수들의 행보를 살펴보면, 캐나다가 6명으로 가장 많고, 그 다음이 한국(4명)이다. 남자 아이스하키의 마이크 테스트위드, 여자 아이스하키의 랜디 그리펀, 아이스댄싱 듀오인 알렉산더 겜린과 민유라 등이다. 특히 캡릴로는 한국의 남자 아이스하키팀 가운데 7명이 국외 출신이라고 지적했다.

　이들 중에는 '민족적 뿌리'나 '문화적 바탕'을 찾기 위해 귀화한 선수들이 흔하다. 나이지리아 스켈레톤 선수 시미델레 아데아그보는 캐나다 토론토에서 태어났다. 또, 나이지리아의 여자 봅슬레이팀 선수 세 명 전원은 미국 출신이다. 그러나 〈시엔엔 스포츠〉의 보도를 보면, 이들은 모두 나이지리아인이 되어 뿌리를 찾은 데 큰 자부심을 느낀다고 밝혔다.

　뿌리를 찾다 보니 함께 자란 자매가 다른 국적으로 올림픽에 참가하게 된 특이한 경우도 있다. 한국 여자 아이스하키 국가대표팀의 에이스 박윤정(귀화 전 이름

'마리사 브랜트')은 미국 여자 아이스하키 대표팀의 공격수 한나 브랜트의 언니입니다. 둘의 피부색이 다른 데는 이유가 있다. 연합뉴스를 보면, 박윤정은 1992년 한국에서 태어난 지 4개월 만에 미국 미네소타주로 입양됐다. 동생 한나는 "언니가 처음 (귀화를) 제의받았을 때 약간은 주저했다. 우리는 이에 대해서 대화를 나눴지만 나는 그때 언니가 (귀화를) 원한다는 것을 알았다. 언니가 해내서 기쁘다"라고 말했다. 예선에서 조가 갈린 한국과 미국이 본선에서 만날 가능성은 희박하다. 그러나 만약 만나게 된다면 한·미 양국은 이 드라마를 절대 놓치지 않을 것이다.

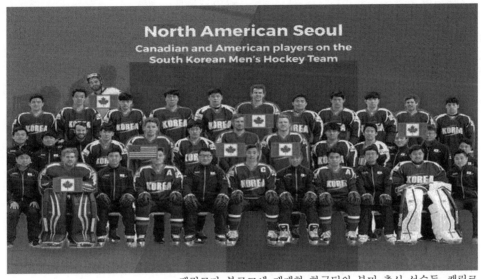

캐릴로가 블로그에 게재한 한국팀의 북미 출신 선수들. 캐릴로

선수들이 국적을 바꾸는 또 다른 중요한 이유는 '올림픽의 꿈'을 이루기 위해서다. 한국 언론이 '기적의 질주'라며 추켜세우고 있는 에일린 프리쉐는 한국과 독일에서 주목을 받았다. 금발의 파란 눈을 가진 그는 2016년 올림픽 출전의 꿈을 이루기 위해 독일에서 한국으로 국적을 바꿨다. 주니어 시절 루지 종목 세계 선수권 2관왕에 오르기도 했던 그녀는 성인이 되어 독일의 국가대표 선발에서 탈락하자, 한국을 찾았다. 대한루지연맹의 섭외가 있었다.

러시아에서 귀화한 바이애슬론 국가대표 안나 프롤리나와 티모페이 랍신도 비슷한 경우다. 안현수 선수가 러시아로 귀화한 이유도 마찬가지다. 안현수는 2017년 티비엔(tvN)의 토크쇼 '택시'에 출연해 "내가 설 곳이 없었다. 부상으로 국내 대회에서도 성적이 저조했다. 왼쪽 무릎 골절 수술을 4번이나 했다. 시청 팀 해체 뒤 날 받아주는 곳이 없었다"고 밝힌 바 있다.[196]

세계는 왜 흑인 수영챔피언에 열광하나

26일 광주광역시 광산구 남부대 시립국제수영장에서 열린 2019 광주세계수영선수권대회 경영 여자 자유형 100m 결승에서 우승한 미국 시몬 매뉴얼이 관객에게 인사하고 있다.

인사하는 시몬 매뉴얼(광주=연합뉴스, 2019. 7. 26, 서명곤 기자)

지난해 8월 미국 사우스캐롤라이나주 서머밀의 한 수영장에서 이해하기 힘든 일이 벌어졌다. 38세의 백인 여성 스테파니 세비 스트렘펄 씨는 수영을 즐기던 15세 흑인 청소년을 불러 수영장을 떠나라고 요구했다.

해당 수영장은 주민들을 위한 공간이라는 것이 이유였다. 흑인 청소년은 친구로부터 초대를 받은 것이라고 항변했지만 소용없었다.

흑인 청소년은 짐을 싸며 과거 흑인 노예의 말투로 "예 마님"이라고 비꼬았고, 격분한 백인 여성은 이 청소년을 무차별적으로 폭행해 경찰에 체포됐다. 이 사건은 미국 사회를 발칵 뒤집어 놓았다. 뉴욕타임스는 이 사건을 두고 "미국의 수영장은 인종차별의 오랜 역사를 갖고 있으며, 그 갈등이 표출된 것"이라고 설명했다.

20세기 중반까지 미국에서 백인과 흑인이 함께 수영하는 모습은 찾기 힘들었다. 흑인과 같은 물에 몸을 담근다는 것을 받아들일 수 없다는 게 보수적인 백인 사회의 인식이었다.

세상이 변하면서 인종차별법이 강화되고, 흑인들이 마음껏 수영장에 출입할 수 있는 환경이 조성됐지만, 사회적인 인식은 여전했다.

흑인들은 백인보다 수영할 기회가 적었다. 수영을 할 수 없다는 것은 스포츠를 즐길 수 없다는 것 이상의 큰 문제였다. 수영은 생존 문제였다.

2010년 미국 루이지애나주에선 6명의 흑인 청소년이 강에 **빠진** 친구를 구하러 들어갔다가 모두 물에 **빠져** 숨지는 일이 발생했다.

당시 익사한 6명의 청소년 중 수영을 할 수 있는 사람은 한 명도 없었다. 수영을 못하는 흑인들이 익사하는 사건은 끊이질 않고 이어졌다.

지난 6월 미국 신시내티 닷컴의 '흑인 아이들의 치명적인 익사율'이라는 칼럼에 따르면, 미국 내 5세에서 14세 사이의 아프리카계 미국인 아이들의 익사율은 같은 연령대의 백인 아이들의 3배에 달했다.

26일 광주광역시 광산구 남부대 시립국제수영장에서 열린 2019 광주세계수영선수권대회 경영 여자 자유형 100m 결승에서 메달을 따낸 선수들이 기념사진을 찍고 있다.

왼쪽부터 호주 케이트 캠벨(은메달), 미국 시몬 매뉴얼(금메달), 스웨덴 사라 셰스트룀(동메달).
여자 자유형 100m 메달리스트(광주=연합뉴스, 2019. 7. 26,　윤동진 기자)

26일 2019 국제수영연맹(FINA) 광주세계수영선수권대회에서 금메달을 목에 건 미국 대표팀 시몬 매뉴얼(23)의 웃음은 그래서 더 의미 있다.

매뉴얼은 2016년 리우데자네이루 올림픽에서 흑인 여자선수로는 처음으로 수영에서 금메달을 획득했다. 그리고 이번 대회에선 폐회를 이틀 남기고 여자 자유형 100m 결승에서 52초04의 기록으로 우승해 경영 종목 첫 흑인 금메달리스트가 됐다. 흑인 선수가 세계수영선수권대회 2연패에 성공한 것은 처음이다.

매뉴얼은 리우올림픽 당시 "이 금메달은 단순히 개인을 위한 것이 아니다. 큰 의미를 지닌다"며 눈물을 흘려 큰 울림을 남겼다.

이번 대회에선 눈물을 흘리지 않았지만, 환한 웃음으로 빛고을에 모인 많은 이들에게 감동을 안겼다.[197]

"한국 체육은 모든 선수를 김연아·류현진처럼 훈련시켜"

스포츠혁신위원회가 지난 5월부터 체육계 구조 개혁을 위해 발표하고 있는 권고안에 대해 엘리트 체육계의 반발이 거세지는 가운데 전국 체육학과 교수들이 국가 스포츠패러다임 혁신과 체육개혁을 촉구하고 나섰다.

2일 서울 중구 프레스센터에서 열린 체육개혁을 촉구하는 스포츠 관련 학과 교수 기자회견에서 임용석 충북대 교수가 모두 발언을 하고 있다(박지환 기자).

국내 대학 스포츠 학과 교수들은 2일 서울 중구 프레스센터에서 기자회견을 열고 국가주의와 승리지상주의의 스포츠 패러다임을 민주주의와 인권, 공정, 평등, 다양성으로 전환할 것을 촉구하는 선언문을 발표했다. 교수 194명은 선언문에서 "대한체육회는 스포츠개혁에 반하는 일련의 매도와 왜곡을 당장 멈추라"고 직설적으로 비판했다.

강신욱 단국대 교수는 "체육계가 동의하는 것은 현재 한국 스포츠에 문제가 있으며 이를 바꿔야 한다는 것"이라며 "엘리트 체육인들이 합숙 폐지나 주말대회로의 전환에 왜 반대하는지 이해할 수 없다"고 말했다. 김상범 중앙대 교수는 "우리 국가의 위상에 비춰볼 때 현 체육 시스템은 더이상 어울리는 옷이 아니며 이제 새로운 옷으로 갈아입어야 한다"며 "불행한 사태가 되풀이되는 건 막아야 한다"고 강조했다.

　농구선수 출신인 임용석 충북대 교수는 "운동선수 가운데 김연아나 류현진처럼 되는 건 10%도 안 된다. 하지만 한국 체육은 모든 선수를 김연아나 류현진처럼 훈련시킨다. 결국 90%의 운동선수들을 불행으로 내몰고 있다"고 비판했다. 그는 기성 체육인들이 주장하는 '기존의 성과를 무시한다'는 지적에 대해 "많은 학생 선수들이 성적을 내기 위해 많은 걸 포기해야 한다. 혁신위가 (비정상적 상황을) 정상화시켜야 한다"고 반박했다.

　최재원 중앙대 교수는 "엘리트 체육 양성 시스템을 바꾸자는 것이지 엘리트 체육인들을 쫓아내자는 게 아니다"라면서 "학생 선수들이 즐기고 성장하는 시스템 속에서 엘리트 선수들이 배출돼야 한다"고 말했다.[198]

'선수 폭행' 코치 재임용한 지자체… "반대하면 향후 재계약 불이익" 경고도

소속 선수를 폭행한 코치를 다시 채용한 지방자치단체의 행위가 인권침해라는 국가인권위원회의 판단이 나왔다.

4일 인권위는 시청이 소속 실업팀 A코치의 선수 폭행·음주 강요·폭언 등의 전력을 알고 있었음에도 1년 만에 A코치를 다시 채용한 것은 인권 침해 행위라고 판단했다. 이에 운동부 지도자 등을 채용할 때 폭력·성폭력의 전력이 있는 사람에 대한 자격요건을 강화할 것을 권고했다고 밝혔다.

서울 중구 저동 국가인권위원회에 출범한 스포츠인권 특별조사단 사무실(연합뉴스)

지난 3월 청와대 국민청원게시판에는 "김해시청 필드하키팀을 구해주세요" 라는 청원이 올라왔다. 청원인은 "김해시청 필드하키(성인팀)팀 코치에게 폭행당한 선수가 부상을 입고 선수 생활까지 그만둘 지경에 처했다" 며 "이런 코치를 김해시청에서는 지도자로 다시 채용해 현재 팀이 해체 위기에 처했다"고 주장했다.

이 사건에 대한 진정이 인권위에 접수되면서, 지난 2월 구성된 스포츠인권특별조사단(특조단)이 조사에 착수했다. 그 결과 A코치가 선수들에게 폭행과 폭언을 하거나 회식자리에서 음주를 강요했고, 시청 담당 공무원이 A코치의 채용을 반대하는 선수들에게 '향후 재계약 평가에 반영하겠다' 는 경고장까지 공식 발부했다는 사실이 드러났다.

인권위에 따르면 A코치는 2015년부터 17년까지 하키팀 코치로 재직했고 18년 팀을 떠났다가 19년 다시 채용됐다. 이 때 시청은 자체 조사 결과 2017년 12월 이미 A코치의 폭행 사실을 모두 알고 있었다는게 인권위 측의 설명이다.

이 과정에서 시청 소속 B과장은 적극적으로 A코치의 채용을 추진했다. 통상 코치진은 해당 팀 감독의 추천에 의해 채용되는데, 감독에 A코치의 추천을 강요하거나 재 채용에 반발하는 선수들에게 "살인자나 절도자가 아니면 재임용할 수 있다"는 취지의 발언을 한 것으로 확인됐다.

인권위에 따르면 A코치는 이미 2015년 선수를 폭행했다가 고소당해 폭행죄로 벌금 50만원의 처분을 받았고, 17년에는 다른 선수에게 욕설을 하고 주먹으로 가슴 부위를 친 후 멱살을 잡는 등 크고 작은 폭행 사건에 연루된 전력이 있다.

이번 조사에서 체육계 내부의 자정 시스템이 제대로 작동하지 않은 사실도 드러났다. A코치에게 피해를 입은 선수가 대한체육협회 스포츠공정위원회에 민원을 제기했으나 이는 해당 지역 체육 협회로 이첩됐고, 결국 '무혐의'로 결론났다. 인권위 관계자는 "보통 폭행의 경우 1년 이상 자격 정지 처분이 나오는데 무혐의가 나온 것은 의아한 결과"라고 말했다.

이번 사건은 인권위가 지난 2월 25일 스포츠인권특별조사단을 발족시킨 후 스포츠분야에서 제기된 60여건의 진정 사건 중 첫 번째로 권고까지 한 사건이다.[199]

"현장 의견 빠진 스포츠 혁신안, 체육인 무시하는 느낌"

　18일 서울 송파구 올림픽파크텔에서 대한민국국가대표선수협회와 한국올림픽성화회 등 체육단체들이 '스포츠혁신위 2차 권고안에 대한 대한민국 스포츠인들의 성명' 발표 기자회견을 하고 있다.

　이들은 '2차 권고안의 취지에는 공감하지만, 체육현장의 실태를 반영하지 못했기 때문에 전면적인 재검토가 필요하다'고 주장했다.

스포츠혁신위 권고안에 대한 성명 발표(서울=연합뉴스, 2019.6.18. 신준희 기자)

　전·현직 국가대표와 경기단체인, 스포츠 지도자 등 대한민국 스포츠인들이 문화체육관광부 스포츠혁신위원회(이하 혁신위) 2차 권고안에 현장 의견을 반영하라고 한목소리를 냈다(서울=연합뉴스, 최인영 기자).

　스포츠 관련 7개 단체는 18일 서울 올림픽파크텔 아테네홀에서 '대한민국스포츠인'이라는 이름으로 공동 성명서를 내고 "스포츠 현장의 목소리와 특성을 반영하지 못한 혁신위 권고안을 전면 재검토해달라"고 요구했다.

　이 자리에는 박노준 대한민국국가대표선수협회 회장, 신정희 전 대한체육회 선수위원장, 정동국 경기단체연합회장 등 전·현직 체육단체장과 제갈성렬(빙상), 봉주현(빙상) 등 국가대표 출신 체육인들이 참석했다.

　스포츠인들은 지난 4일 혁신위가 발표한 학교 스포츠 정상화를 위한 2차 권고안의 취지에는 공감하지만, 체육 현장의 경험과 체험을 바탕으로 한 목소리가 반영되지 않은 불균형적인 제안이어서 재논의가 필요하다고 주장했다.

특히 이들은 성명서에서 "혁신위 권고안은 체육인들을 잠재적인 범죄 집단으로 전락시키는 편향적 자세와 체육계 폐해를 침소봉대해 수치스러운 적폐의 대상으로 전락시키고 있다"고 불만을 표출했다.

또 권고안 내용 중 주중 대회 금지, 특기자 제도 수정, 운동부 합숙소 폐지, 소년체전 폐지 등 4개 항목은 체육 현실을 반영하지 않았다며 즉시 재논의할 것을 요구했다.

18일 서울 송파구 올림픽파크텔에서 대한민국국가대표선수협회와 한국올림픽성화회 등 체육단체들이 '스포츠혁신위 2차 권고안에 대한 대한민국 스포츠인들의 성명' 발표 기자회견을 하고 있다. 이들은 '2차 권고안의 취지에는 공감하지만, 체육현장의 실태를 반영하지 못했기 때문에 전면적인 재검토가 필요하다'고 주장했다(스포츠혁신위 권고안에 대한 성명 발표, 서울=연합뉴스, 2019. 6. 18, 신준희 기자).

박노준 회장은 "단체 종목은 합숙을 안 하면 능률이 오르지 않고, 시간을 맞출 수가 없다. 이런 현실적인 문제를 어떻게 전혀 고민하지 않았는지 이해가 안 된다. 함께 고민해주기를 간곡히 말씀을 드린다"고 당부했다.

소년체전 폐지와 관련, 초등부는 권역별 학생스포츠축전으로 전환하고 중·고등부는 학교 운동부와 학교스포츠클럽이 참여하는 '통합 학생스포츠축전'에 참가하도록 하라는 권고안을 둘러싼 성토도 쏟아졌다.

정동국 회장은 "꿈나무들을 권역별로 가두면 세계화는 언제 할 것인가. 김연아, 손연재도 외국에서 수준 높은 기량을 배워 세계적인 스포츠인이 됐다"고 반문하며 "영어를 어릴 때부터 배우는 것처럼, 체육도 어릴 때부터 해야 한다. 근육이 다 만들어진 중학생이 돼서야 체조를 시작하는 것은 말도 안 될 것"이라고 강조했다.

정 회장은 또 "주중 대회를 금지한다면, 학생 선수들은 주중에 공부하고 주말에 운동해야 하는데 언제 쉬나. 혁신위도 회의는 주말에만 하라" 라며 "혁신위는 종목별 특성에 따라 재논의할 수 있다고 여지를 남겼지만, 그런 비효율적인 권고는 아예 제시를 안 했으면 좋겠다" 고 말했다.

혁신위의 권고안은 지방 현실을 무시하고 있다는 지적도 나왔다.

최형원 전북체육회 사무처장은 "합숙이 폐지되면 축구 선수를 하고 싶어서 무주에서 전주로 진학한 학생은 매일 무주에서 전주로 통학해야 하는가" 라며 "권고안은 지방을 무시하는 것 같더라. 지방 체육의 고민도 해주셨으면 한다" 고 부탁했다.

18일 서울 송파구 올림픽파크텔에서 대한민국국가대표선수협회와 한국올림픽성화회 등 체육단체들이 '스포츠혁신위 2차 권고안에 대한 대한민국 스포츠인들의 성명' 발표 기자회견을 하고 있다. 이들은 '2차 권고안의 취지에는 공감하지만, 체육현장의 실태를 반영하지 못했기 때문에 전면적인 재검토가 필요하다'고 주장했다("스포츠혁신위 2차 권고안, 재검토하라!", 서울=연합뉴스, 2019. 6. 18, 신준희 기자).

스포츠인들은 혁신위가 기본적으로 체육인을 불신하고 무시하는 느낌을 받고 있다고 입을 모았다.

성명서에서 "현실을 무시한 일방적인 권고안에 체육인들은 공분한다" 는 표현을 쓰기도 했다.

신정희 전 선수위원장은 "학생 선수들이 '운동기계' 가 되지 않도록 하기 위해 수업을 받게 한다면서 '운동기계'라는 말을 쓰더라. '공부기계' 는 긍정적으로 바라보고 운동기계는 부정적으로 보는 게 섭섭했다" 며 털어놨다.

손범규 한국중고등학교탁구연맹회장은 "권고안을 보고 대부분의 체육인은 우리를 싫어하고 무시하고 있으며, 없어져야 하는 존재로 본다는 느낌을 받았다"며 "마치 체육인은 운동기계이고 못 하는 사람이니 바꿔준다는 느낌"이라고 부연했다.

혁신위가 민간위원 15명과 관련 부처 고위공무원으로 당연직인 위원 5명 등 20명으로 이뤄졌는데, 대다수가 선수 경험이 없는 비체육인 출신이어서 현장 의견을 반영하지 못하고 있다는 지적이다.

신 전 위원장은 "선수들이 어떻게 하면 더 행복할 수 있는지를 고민해주셨으면 한다"며 "청소년은 방탄소년단에 열광하고, '함께'를 중요시한 U20 축구대표팀에 감동했다. 어린 선수들이 보고 배울 수 있는 미래 지향적 제안을 해달라"고 요청했다.

스포츠인들은 "혁신위의 3차 권고안이 나오면, 내용을 보고 혁신위와 의견을 교환하는 것을 고려하겠다"며 오는 30일 오후 2시 한국체대에서 결의대회를 열고, 다음 달 8일 국회에서 토론회도 개최할 예정이라고 밝혔다.[200]

스포츠 혁신이 엘리트 살리기다

　지난 2월 초, 스포츠혁신위원회가 출범한 이후 항간에 '엘리트스포츠 죽이기'란 말이 떠돈다. 오랫동안 묵묵히 스포츠에 헌신해온 지도자들과 빛나는 성취를 위해 노력하는 선수들 주변으로 이런 표현이 실체도 없이 어슬렁거리는 것은 심각한 일이다. 일부 언론도 이런 자극적인 기사를 쓰고 있으니 이는 지도자의 헌신과 선수들의 노력을 왜곡할 뿐만 아니라 그 땀방울을 볼모로 폐습을 유지하려는 게 아닌가 하는 우려마저 낳게 한다. 이참에 스포츠혁신이 '엘리트 죽이기'인지 다함께, 진지하게 생각해 볼 필요가 있다.

　우선 대전제가 필요하다. 부정과 비리, 폭력과 반인권적인 상황이 개선되지 않아 대다수 지도자와 선수들이 언제라도 위험한 상태에 처할 수 있다면 그것은 '살리기냐, 죽이기냐' 이전의 문제다. 이른바 '스포츠 강국'이든, '스포츠 선진국'이든 이 반인권적인 상황은 어떠한 이유로도 방치될 수 없다. 이 대전제에 동의하지 않고 '죽이기'란 말부터 앞세우면 안된다. 다행히 대한체육회와 진천선수촌, 각 시·도연맹이나 종목단체에서도 이 거부할 수 없는 시대적 과제에 대해 제도 개선을 나름대로 도모하고 있으니, 이 점을 재론할 이유가 없다. 그럼에도 만약 이 대전제를 부정하면서 '죽이기' 같은 원색적인 표현을 쓴다면 이는 건강한 토론이나 미래지향의 동반이 어렵다.

　다음으로, 혁신적인 제도나 정책에 의하여 '올림픽 세계 10위권 유지'가 어려워질 것이라는 우려가 있다. '올림픽 10위권 유지'는 중요하다. 10위권을 유지하겠다는 목표 자체가 '국가주의'는 아니다. 그 종목에 비범한 능력과 큰 뜻을 품은 선수들을 과학적으로 육성하여 세계 무대에서 아름다운 승리와 벅찬 감동을 자아내는 것은 스포츠의 귀한 가치 중 하나다.

　2016리우올림픽의 국가 순위를 살펴보자. 20위권을 보자. 캐나다, 스위스, 덴마크가 보인다. '선진국'이면서 '강국'이다. 20위권이 무슨 강국이냐고 힐난한다면 10위권 이내를 보자. 미국과 영국이 1, 2위이고 독일, 일본, 프랑스, 호주, 네덜란드가 있다. 그야말로 '강국'이면서도 '선진국'이다. 대한체육회나 한국스포츠정책과학원이 '바람직한 해외 사례'를 연구할 때 매번 등장한다. 특히 영국은 일찌감치 인권적이고 과학적인 선진 시스템을 구축하고 그 기반 위에서 엘리트를 육성하여 중국과 러시아를 누르고 2위를 차지했다.

이렇게 '올림픽 10위권 유지'를 목표로 삼자는 것은 당연히 '엘리트 살리기' 아닌가. 이를 위하여 국가는 미래지향적인 정책을 수립해야 하며 스포츠계는 이에 적극 동의하여 폐습을 스스로 고쳐야 한다. 그럴 때, 선수의 능력은 더욱 과학적으로 증진될 것이며 지도자의 헌신은 더욱 고결해질 것이며 모든 엘리트의 꿈은 아름답게 실현될 것이다.

물론 해결해야 할 현실적인 문제가 많다. 당장 2020도쿄올림픽이 1년여로 다가왔다. 그밖에도 여러 국제대회가 쉼 없이 열린다. 헌신적인 지도자와 꿈을 위해 노력하는 국가대표를 위하여 지속성이 유지되어야 한다. 부분적인 제도 '개선'이야 이런 와중에서도 부단하게 추진하는 것이지만 '혁신'은 다르다. 중장기적인 관점에서 정책을 수립해야 하며 그 입법 과정도 혁신의 의미가 퇴색하지 않도록 꼼꼼히 추진해야 한다. 방향을 선회하려면 누구라도 알 수 있게 방향 지시등을 정확하고 지속적으로 켜야 한다. 당장의 올림픽 준비에 곤란한 일은 없다는 것이다. 그럼에도 스포츠계 일각에서 '엘리트 죽이기' 같은 말을 근거 없이 남발하는 것은 오히려 훈련 분위기를 뒤숭숭하게 할 뿐이다.

세계스포츠는 급변하고 있다. 급변한다는 것은, 직선으로 저만치 앞서가니 우리도 앞뒤 가릴 것 없이 무조건 달려가야 한다는 뜻이 결코 아니다. 그런 개발주의 상상력으로는 21세기를 살아가기 어렵다. 정치, 경제, 문화, 인종, 젠더, 환경 등의 21세기적 의제들이 스포츠 내부로 들어와 의미 있게 작동한다는 뜻이다. 이 의제들은 '만국공통어'의 속성을 지닌 스포츠에 즉각적으로 개입하여 스포츠의 가치, 내용, 형식, 산업 등에 변화를 유발한다. 누구보다 국제올림픽위원회(IOC)가 이 의제들을 활발하게 검토하고 있다. IOC로서는 2024파리올림픽에 브레이크댄싱이나 서핑을 포함시키는 것만큼이나 인권, 평화, 젠더 등의 의제가 중요하다. 요컨대 세계사적 변화로부터 스포츠가 고립되지 않도록 하고 있다.

이는 국내 엘리트 지도자와 선수들로 하여금 20세기적 스포츠 개념에서 벗어날 것을 요구한다. 한편으로는 인권이나 문화의 관점에서 스포츠를 건강하게 혁신하라는 요구이며 동시에 액체처럼 유동하는 지구촌 환경에서 스포츠 종목과 그 산업이 더욱 풍성하게 변화하여 격렬하게 펼쳐질 것이니 선진 시스템으로 준비하라는 요구다.

우리 사회를 돌아봐도 이는 확인된다. 안타깝게도 우리의 사회 안전망은 부실하고 사회 관계망은 해체되고 있다. 고령화 저출산은 1인 가구와 독거노인의 급증으로 이어진다. 노동시간은 멕시코와 더불어 가장 길고 자살률은 10여년간 1위다. 이 상황에서 스포츠는, 특히 인간 감정의 극한과 그 복합성을 깊이 익히고 있는 엘리트 출신들은 극심한 사회적 고립과 외로움이 증대되고 있는 국민의 일상을 회복하고 사회 갈등을 치유하는 데 중요한 역할을 할 수 있다. 그것은 단지 '재능 기부'가 아니라 스포츠 가치가 사회화되는 것이며 동시에 20세기의 스포츠 개념으로는 상상도 못했던 새로운 산업과 일자리로 연결된다.

　요컨대 스포츠를 혁신하여 사회를 혁신하는 것은, 고립을 피하여 연대를 구하는 '21세기식 국위선양'인 바, 이는 결코 '엘리트 죽이기'가 아니다. 오히려 모든 지도자와 선수들이 힘차게 흔들 만한 아름다운 깃발, '엘리트 살리기'다.[201]

점심시간 외 '놀이 시간 20분' 더…아이들 얼굴에 생기가 돌아왔다

지난달 31일 서울 동작구 서울영화초등학교, 오전 10시 20분이 되자 조용하던 학교가 아이들의 웃음소리로 가득 찼다. 학교 건물 필로티(벽 없이 기둥으로만 이뤄진 1층) 내에 그려진 8자 놀이와 동그랑땡, 비석치기 공간은 금세 아이들로 가득 찼다. 뒤늦게 교실에서 나온 6학년 아이들은 먼저 온 3학년 아이들이 놀이를 끝낼 때까지 기다렸다. 기다리는 시간에도 아이들은 서로 장난을 치며 웃고 떠들며 즐거워했다. "선배가 왔으니까 비켜" 식의 강압은 찾아볼 수 없었다. 김명철 영화초 교감은 "아이들은 학년과 상관없이 모두 친구처럼 지낸다. 4월 초 필로티 바닥에 전통놀이를 할 수 있는 그림을 그리고 기둥에 충돌 방지 보호재를 설치했을 뿐인데 죽어 있던 공간이 살아나고, 아이들 얼굴에도 생기가 돌았다"면서 "우리가 한 일은 아이들에게 '여기도 놀아도 되는 공간'이라는 표시를 해 준 것뿐"이라고 말했다.

지난달 31일 서울 동작구 영화초등학교 학생들이 블록 수업 뒤 이어진 20분짜리 중간휴식시간에 학교 건물 1층 필로티 공간에 그려진 8자 모양 도형을 따라 뛰어다니면서 잡기 놀이를 하고 있다. 안전을 위해 기둥에 충격 방지 완충재가 설치된 점이 눈에 띈다(이종원 선임기자)

영화초는 서울교육청이 올해부터 시범적으로 실시한 '더놀자 학교' 11곳 중 하나다. 더놀자 학교란 교육과정을 탄력적으로 운영해 점심시간 외에 놀이 시간

을 20~30분 추가 확보하고, 학교 내 공간에 아이들이 마음껏 활동하며 놀 수 있
는 시설 등을 만들도록 지원해 주는 사업이다. 지난해 초등학교를 대상으로 신청
을 받아 학교당 500만원을 지원했다. 이를 통해 아이들의 학교 생활 적응도를 높
이는 것은 물론, 전통 놀이 문화를 널리 알리고 아이들 스스로 놀이를 개발할 수
있는 창의력을 끌어올린다는 취지다. 영화초는 지난해 12월 신청서를 제출해 올
해 2월 더놀자 학교로 선정됐다. 이후 학교 내부 공간을 어떤 방식으로 활용할지
고민하다 빈 공간으로 놀리던 필로티 공간에 전통놀이를 할 수 있는 그림을 그려
넣기로 했다. 아이들이 더 마음껏 뛰어놀 수 있도록 각 기둥에는 충격 완충재도
설치했다. 부족한 비용은 동작구청을 통해 지원을 받았다.

지난달 31일 서울 동작구 영화초등학교 학생들이 사방치기를 하며 환하게 웃고 있다(이종원
선임기자)

가. 서울교육청 ‘더놀자 학교’ 11곳 시범 운영

놀이 공간이 완성된 4월 전후 변화는 확실하게 나타났다. 아이들은 학교가 즐
거워졌다고 했고, 학부모들은 이런 아이들의 변화에 만족했다. 교사들 역시 아이
들의 학교 생활 만족도가 높아지면서 지도가 더 수월해졌다며 웃었다. 이 학교 3
학년 이채원양은 “교실에만 있으면 답답하고 심심했는데, 학교에서 ‘여기서 놀
아도 된다’고 하니 너무 좋다”면서 “학교에 오는 게 재밌고 즐겁다”고 웃었
다. 6학년을 맡고 있는 김민영 교사는 “6학년 학생들은 놀이 공간이 생겨도 관
심이 없을 줄 알았는데, 저학년 아이들과 마찬가지로 적극적으로 놀이에 참여한
다”면서 “아이들이 쉬는 시간 20분을 즐겁게 뛰어놀기 시작한 뒤부터 수업 시

간 집중도도 오히려 더 높아졌다"고 말했다. 이 학교의 또 다른 교사는 "학기 초 다른 아이들과 대화도 잘 없고 혼자 지내던 아이가 놀이 공간이 생긴 뒤부터 친구들과 함께 뛰어노는 등 교우 관계가 눈에 띄게 좋아진 경우도 있다"고 말했다.

영화초는 오전 9시 수업을 시작해 1~2교시는 블록 수업으로 통합 진행한 뒤 쉬는 시간을 '중간 놀이 시간'으로 정해 20분을 쉴 수 있도록 하고 있다. 블록 수업이란 2개 수업(40분씩 80분)을 하나로 합친 뒤 교사 재량으로 쉬는 시간을 조절할 수 있도록 하는 수업이다. 김 교감은 "지난해까지 쉬는 시간에 야외 활동을 하는 학생 수가 30~40명 수준이었다면 놀이 공간을 만들어 준 이후 쉬는 시간에 밖으로 나오는 학생 수가 150명 안팎으로 늘었다"면서 "야외 활동을 하면 친구들과 부딪치는 일이 많기 때문에 서로 규칙을 정하기도 하고 양보하기도 하는 등 아이들의 사회성 발달에도 큰 도움이 된다"고 말했다. 실제 아이들은 전통 놀이를 하면서 상황에 따라 기존 규칙을 바꾸거나 새롭게 추가하면서 스스로 놀이 규칙을 만드는 등 '창의적 놀이 활동'을 하고 있다고 김 교감은 귀띔했다. 안미화 영화초 교장은 "올해 학교 내 놀이 공간이 만들어지면서 학생뿐 아니라 교사들과 학부모들의 만족도가 매우 높다"면서 "내년부터 중간 놀이 시간을 20분에서 30분으로 늘리는 방안을 검토 중"이라고 말했다.

서울교육청은 더놀자 학교 사업을 통해 중간 놀이 시간을 더 활성화한다는 계획이다. 놀이 시간 확대가 아이들 정서와 창의력 발달 등에 더 도움이 될 수 있다는 판단에 따른 것이다. 정부도 지난달 23일 '포용국가 아동정책'을 발표하고 교육과정에서 초등학교 저학년의 놀이 시간을 더 늘리는 방안을 추진하겠다고 밝혔다.

나. 놀이로 끝나지 않고 교육적 효과로 이어져야

하지만 우려의 목소리도 나온다. 일방적인 놀이 시간 확대에 따른 교사의 업무 과중이나 학교별 상황을 고려하지 않은 정책 추진에 따른 부작용 등이 있을 수 있다는 것이다. 2011년 처음으로 중간 놀이 시간을 도입해 운영했던 유현초의 한 희정(현 정릉초) 교사는 중간 놀이 시간의 긍정적 효과는 동의하면서도 정책적으로 일방 추진하는 것에 대해서는 반대했다.

한 교사는 "30분으로 중간 놀이 시간이 늘어나면 교사 입장에서는 수업의 연장처럼 아이들을 지켜봐야 한다"면서 "중간 놀이 시간에 발생한 안전사고 책임은 오롯이 담당 교사에게 전가되기 때문"이라고 말했다. 한 교사는 이어 "각 학교에서 상황에 따라 도입 여부를 판단할 수 있도록 자율에 맡기는 쪽으로 가야 한다"고 강조했다. 9년째 중간 놀이 시간을 운영했다는 상원초의 김소정 교사는 "설문 조사를 실시하면 학생들의 85% 이상이 중간 놀이 시간을 학교에서 가장 좋은 점으로 꼽을 정도로 효과는 좋다"면서 "다만 학교 내 놀이 공간이 더 확대되거나 중간 놀이 시간 내 안전사고 대책 등이 함께 추진되어야 한다"고 지적했다.

한국교원단체총연합회(교총)는 지난달 30일 정부의 초등 저학년 중간 놀이 시간 확대 방침에 대해 "취지는 공감하지만, 아동 발달 단계 고려, 안전사고 예방, 놀이 공간 확보 등 지원과 보완이 필요한 부분이 많다는 점에서 현장성과 실효성을 우선 검토해야 한다"면서 "일률적 시행보다는 학교나 지역 실정에 맞는 '학교 자율 추진'이 돼야 한다"는 입장을 밝혔다.

중간 놀이 시간을 도입하려면 하교 시간이 늦어지는 것도 해결 과제다. 초등학교 저학년의 경우 오후 1~2시인 기존 하교 시간이 중간 놀이 시간 등으로 오후 3시까지 늦어지면 교사들의 업무량도 그만큼 늘어나기 때문이다. 또 저녁까지 아이를 돌보기 힘든 맞벌이 학부모는 이미 오후 1~2시 하교 시간에 맞춰져 있는 학원에도 보낼 수 없다면서 불만을 보이기도 한다.

그럼에도 중간 놀이 시간을 시행한 학교에서는 긍정적 평가가 대다수다. 시급한 과제는 학교 내 놀이 공간 확보다. 영화초의 김 교감은 "단순한 시설 공사가 아닌 창의적 놀이 공간 설계에서 시작해야 하기 때문에 더놀자 학교사업 지원금 500만원은 금액적으로 부족한 것이 사실"이라면서 "체계적이고 지속적인 지원이 이뤄진다면 놀이 공간이 단순히 아이들의 놀이로 끝나지 않고 보다 체계적인 교육적 효과로 이어질 수 있을 것"이라고 말했다.

미세먼지 등 날씨로 인한 야외 활동이 제한적이라는 점도 풀어야 할 숙제다. 대다수 학교는 미세먼지가 심하거나 비가 오는 등 운동장 사용이 어려울 경우 체육관을 사용하는데, 학생 수에 비해 체육관 공간이 부족하다 보니 교실 밖 활동이 줄어들 수밖에 없는 것이 현실이다.

서울교육청 관계자는 "중간 놀이 시간을 강제하는 것은 아니고 학교 여건에 따라 놀이 시간 확보를 권장하고 있다"면서 "학교의 자발적인 놀이 시간 확대와 놀이 시간을 활용할 수 있는 공간 확보 등을 위한 지원을 지속할 예정"이라고 말했다.[202]

경기도장애인체육회, 전국 1호 감사팀 만든다

경기도장애인체육회가 각종 비리와 부조리를 근절하기 위해 전국 17개 시·도 장애인체육회 최초로 감사시스템을 구축한다.

도장애인체육회는 28일 수원컨벤션센터에서 감사 관련 부서신설 및 역할에 대한 규정개정을 위해 2019년도 임시 이사회를 개최한다.

도장애인체육회의 '감사 전담기구 운영안'은 사무처 및 도내 체육단체 회계·행정 등에 대한 감사계획 수립 및 모니터링 실시, 도 장애인체육회 임직원의 비위 사실 조사 및 감사, 시·군 장애인체육회 및 가맹단체의 감사, 체육단체 4대 폭력 예방 교육 및 고충상담 등을 핵심 골자로 담고 있다.

도 장애인 체육단체의 예산·조직 등 외형적인 규모는 커지고 있는 추세이긴 하나, 감사를 위한 독립기구 부재로 각종 비리와 부조리에 대한 예방·감시 기능이 취약한 실정이다.

실제 지난 14일 포천시체육회 직원이 대회 출전비와 훈련수당 등을 횡령한 혐의로 경찰 수사를 받았다.

시체육회측은 통장 출금명세 조사 등 자체조사를 통해 A씨가 체육대회 출전비와 훈련수당 명목으로 지급된 시 보조금(2017년분) 중 3억7천여만 원을 빼돌린 것으로 파악했다. 도장애인체육회측에서도 시체육회에 지급한 보조금이 약 7천만 원 상당인 것으로 알려졌다.

지난해 12월 말에는 인천시장애인체육회 부회장이 '배드민턴' 코트를 사적으로 수차례 사용했다가 논란이 인 바 있으며, 지난 2017년 12월에는 의정부시체육회 간부들이 계약직 직원들에게 갑질을 해 파문이 일기도 하는 등 전국적으로 감사 시스템 부재에 따른 크고 작은 사건·사고가 끊이지 않고 있다.

장애인 스포츠계의 불합리와 부조리를 예방·개선하고 분쟁을 조정·중재하며, 장애인체육의 책임 및 공공성 강화를 위해 관련한 제도마련은 물론, 전담기구가 필요하다는 목소리가 꾸준히 제기됐기에 감사 전담기구를 설치하게 됐다는 게 도장애인체육회측의 입장이다.

이에 도장애인체육회는 감사분야 전문 전담인력을 배치할 방침이다. 감사팀은 팀장 및 팀원 등 총 3명으로 구성될 것으로 알려졌다.

오완석 사무처장은 "매년 공기업 평가에서 내부감사, 즉 자체 전담감사 조직의 필요성이 지적돼 왔고, 실제 감사기능의 부재로 가맹단체 및 시·군 감사가 제대로 이뤄지지 않아 직원 및 관계자 비리·비위가 끊이지 않고 있다"며 "이를 개선하기 위해 독립적인 감사활동을 전개할 감사전담 부서가 필요하다고 생각, 이번 이사회를 통해 감사전담 정원을 확보하고 실질적인 감사 활동을 벌여 도민 혈세가 헛되이 쓰이지 않도록 할 것"이라고 밝혔다.[203]

"첫 타자에게 볼넷 주면 500만원" 승부조작 제의
브로커 징역 6월

프로야구 두산 베어스 이영하 선수(22)에게 승부조작을 제의한 혐의로 재판에 넘겨진 브로커가 실형을 선고받았다.

27일 법조계에 따르면 서울중앙지법 형사7단독 홍기찬 부장판사는 국민체육진흥법 위반 혐의로 기소된 대학생 임모씨(22)에게 징역 6월을 선고했다.

재판부는 "프로스포츠에 대한 신뢰를 훼손하고 관련 선수 및 야구팬들에게 큰 충격을 주는 등 죄질이 불량하다"고 지적했다.

임씨는 지난해 4월30일 두산베어스 야구단 소속 선수인 이씨에게 전화를 걸어 '선발투수로 출전해 첫 타자에게 볼넷을 주면 500만원을 주겠다'고 말해 전문 체육 선수에게 부정한 청탁을 하고 제물을 제공할 의사를 표시한 혐의를 받는다.

국민체육진흥법 제14조3(선수 등의 금지행위)은 전문체육에 해당하는 운동경기의 선수·감독·코치·심판 및 경기단체의 임직원은 운동경기에 관해 부정한 청탁을 받고 재물이나 재산상의 이익을 받거나 요구 또는 약속해서는 안된다고 규정한다.

재판부는 임씨가 다른 범행으로 집행유예 기간임에도 불구하고 자숙하지 않고 추가로 범행을 저질렀다는 점을 고려해 형을 정했다.

임씨는 지난해 4월5일 서울중앙지법에서 사기죄로 징역 6월에 집행유예 2년을 선고받고, 같은 달 13일 형이 확정됐다. 임씨는 프로 지명을 받지 못한 수도권 고교 투수 출신이라고 전해졌다.

이영하 선수는 승부조작 제의를 받았으나 곧바로 구단에 자진 신고해 지난해 한국야구위원회(KBO)로부터 포상금 5000만원을 받았다. 이 선수는 세금을 뗀 포상금 3900만원 전액을 모교와 병원에 기부했다. 한국프로야구선수협회는 이 선수를 2018 플레이어스 초이스 어워드 올해의 선수상 수상자로 뽑았다.[204]

국교위, 체육 단독교과 허하라

알리바바그룹 창립자 마윈은 2017년 과학 기술이 지배할 미래에 살아가기 위해 자녀들에게 지금 무엇을 가르쳐야 하는지 역설했다.

"교육은 큰 도전을 받고 있다. 교육이 달라지지 않으면 30년 후 우리는 어려움을 겪게 된다. 현재 교육은 200년 전 지식을 가르치기 위해 만들어진 것이다. 지금 그렇게 가르쳐서는 우리 아이들이 더 똑똑해지는 기계와 경쟁할 수 없다. 기계가 배울 수 없는 것들을 가르쳐야 한다. 믿음, 독립적 사고, 팀워크, 타인에 대한 배려 등 소프트한 가치들이다. 그래서 우리가 가르쳐야 하는 것은 스포츠, 음악, 미술이다."

과거 책이 없을 때, 미디어가 부족할 때, 배울 곳도 지도할 사람도 없을 때 우리는 학교에서 교과서로 거의 모든 지식을 배웠다. 그게 국어, 수학, 과학, 역사, 언어 등으로 명명된 교과들이다. 당시 학교는 지식을 가르치는 것만으로 역할이 충분했다. 그런데 지금은 정보가 넘치고 넘친다. 오프라인 교육 콘텐츠가 과할 정도로 풍부하다. 인터넷 사이트, 유튜브, 챗GPT 등을 이용하면 원하는 지식, 정보, 식견 등을 대부분 찾을 수 있다. 머신러닝 기반 인공지능(AI)까지 급속도로 발달하고 있다. 인공지능은 인간이 수집할 수 있는 모든 지식을 저장하고 분석하고 암기하며 답도 내놓는다. 기성세대 경쟁 상대는 사람이었지만, 우리 자녀의 경쟁 상대는 과학 기술이다. 우리 자녀에게 영어 단어, 수학 공식, 연도를 외우게 하는 게 과거만큼 엄청난 의미와 무게감을 지니지 않는다. 지금은 다양한 관점에서 얻는 수많은 지식과 해석을 어떻게 융복합적으로 이해할지, 고도로 발달한 과학 기술 시대에 인간이 어떤 가치와 존엄성을 갖고 살아갈지를 고민해야 하는 때다.

스포츠, 음악, 미술도 과학이 침범하고 있지만, 그래도 아직까지는 인간이 어느 정도 창조할 수 있는 영역으로 간주된다. 그래서 다수 선진국과 유명한 학교들은 스포츠, 음악, 미술 교육에 정성을 쏟고 있다. 그런데 유독 한국 공교육만 딴판이다. 어린이집, 유치원에서는 신체활동이 가장 중요하다고 '이론상' 명기됐지만 실제로는 뒷전으로 밀렸다. 초등학교 1·2학년은 체육을 아예 가르치지 않는다. 음악, 미술, 체육을 한데 묶어 '즐거운생활'로 편성돼 있지만 실제로 하는 신체활동은 소꿉장난, 꽃구경 등 소근육을 꼼지락거리는 게 전부다. 유치원, 어린이집, 초등 1·2학년 교실에서 노랫소리가 끊긴 곳도 많다. 그나마 미술은 형편이 조금

낫다.

정부는 초등 1·2학년 교육과정에 체육을 단독 교과로 편성하는 걸 추진하고 있다. 교육과정을 바꾸려면 국가교육위원회 결정이 필요하다. 국가교육위원회는 "통합 교육을 깨서는 안 된다"며 반대하고 있다. 미국, 독일, 영국, 프랑스, 일본, 캐나다, 호주 등은 유치원부터 연령대별로 대근육 중심 신체활동을 체계적으로 지도하고 있다. 이들이 융복합 교육을 몰라서 체육을 단독 교과로 가르치는 것일까. 아니면 신체활동이 신체적, 정서적, 심리적, 교육적으로 자녀들이 원만하게 성장하는 데 도움이 된다고 판단하기 때문일까.

노래도 못 부르고, 몸도 못 가누는데 무슨 통합 교육이 이뤄질 수 있을까. 개별적인 것에 익숙해진 뒤에야 진정한 통합이 가능하다는 걸 국가교육위원회만 모르는 것일까. 아이들의 움직임은 본능이며 권리다.[205]

기계가 야구 심판을 보니, 신기한 일이 벌어졌다!

올 시즌 프로야구에는 'ABS'가 도입됐다. 자동 볼 판정 시스템인데, 쉽게 말하면 기계 심판이다.

지금까지 스트라이크와 볼은 포수 뒤에 서 있는 주심이 눈으로 판정했는데, 이제 카메라를 이용한 투구 추적 시스템(PTS)으로 공의 움직임을 기계가 판단한다. 미리 설정해둔 '스트라이크존'을 통과했다면 스트라이크, 통과하지 못했다면 볼이다. 선수들 키를 기준으로 키가 큰 선수는 스트라이크존 영역이 높아지고, 작은 선수는 낮아진다.

개막 한 달이 지났고, 운영상 기술적 문제는 크게 도드라지지 않는다. 다만 자로 잰 듯한 '육면체' 스트라이크존이 '바람직한 것이냐'는 논란이 나온다. 한화 류현진, SSG 추신수, KT 황재균 등 베테랑들이 이견을 내놓았다. 20년 동안 몸으로 익힌 존과 기계의 존이 다르다는 얘기고, 규칙과 제도 도입에 있어 소통 과정이 부족했다는 주장이다. 왜 그렇게 느껴질까.

실제 KBO리그의 스트라이크존은 지금까지 일종의 '엘리트 편향'이 작동했다. 기술적으로 완성된 공에 후한 판정이 내려졌다. 투수가 일반적으로 던지기 어렵다고 평가받는 '몸쪽 깊숙한 공'은 스트라이크로 판정될 가능성이 높았다. 포수의 사인과 반대로 던진 공, 이를테면 바깥쪽에 앉아 있었는데 몸쪽으로 던진 공은 스트라이크존을 통과했더라도, '야구적'으로 '실수'에 가깝기 때문에 볼 판정이 내려지는 경우가 많았다. 포수가 마치 스트라이크처럼 보이도록 잡는 능력도 '고난도 기술'로 인정받았고, 대개 스트라이크가 됐다.

여기에 '균형'을 위한 심리적 편향이 더해진다. 3볼-0스트라이크 때 스트라이크존이 넓어지고, 0볼-2스트라이크 때 존이 좁아진다. 점수 차이가 많이 나 이미 승부가 끝났다면 존이 넓어지고, 포스트시즌 같은 관심이 많고 중요한 경기에는 존이 좁아진다. 기계 심판은 이 모든 편향이 제거된다. 이런 편향까지 머리와 몸으로 모두 알고 계산에 넣는 베테랑들이 다소 당황스러워하는 건 이해가 되는 대목이다.

그런데 편향이 제거되니 리그 전체에 묘한 결과가 나오고 있다.

지난해 OPS(출루율+장타율) 기준 국내선수 상위 30명 중 30세 이상 타자는 23명이었다. 34세 이상도 12명이나 됐다. 25세 이하 타자는 겨우 4명이었다. 메이저리그는 같은 기준 25세 이하 선수가 10명이나 됐다. 반면 올 시즌에는 29일 기준 30세 이상 타자가 19명으로 줄었고 25세 이하 타자가 7명으로 늘었다. 상위 10명 중에는 25세 이하 타자가 4명이나 된다.

투수 역시 규정이닝 50% 기준 스탯티즈 WAR(대체선수 대비 승리기여) 합계를 따졌을 때 국내 투수 전체 대비 25세 이하 투수들의 비중이 지난해 46%에서 올 시즌 50%로 늘었다. 리그 최고 투수였던 안우진이 부상으로 빠졌고, 문동주, 이의리가 부진과 부상으로 계산에 포함되지 않은 것을 고려하면 25세 이하 투수들의 약진은 두드러진다. 이들 3명을 제외했을 때 지난해 숫자는 31.5%로 줄어든다. 25세 이하 투수들의 기여도가 18%포인트 이상 늘어난 셈이다. 자연스러운 세대교체 현상이라고 보기 어렵다.

여기서 추론해볼 수 있는 합리적 의심과 가설. 판정의 '엘리트 편향'은 베테랑 스타에게 유리했던 것 아닐까. 그동안 '루키 헤이징'이라 불리는 신인 길들이기 편향이 작동됐던 건 아닐까.

모든 전통적 시스템은 기득권에 유리하게 작동하기 마련이다. 편향이 제거되니 25세 이하 선수들이 활약한다.

우리 사회에도 똑같은 일이 벌어지고 있는 건 아닐까. 여전히 우리 사회는 '전통'이라는 외피를 쓴 채 편향이 작동하는 '평가 기준'을 강요하는지도 모른다. 청년 세대들의 좌절은 기득권에 유리한 시스템 때문이고 툭하면 나오는 'MZ 세대론'은 편향이 포함된 '루키 헤이징'일지도 모른다. 평가 시스템을 바꾸면, 그들의 실력을 당해낼 수 없는 86세대와 X세대의 공포가 반영된, 요즘 말로 '억까'. 출신과 연줄과 간판을 지우고 ABS로 승부하면 백전백패할지 모른다는 공포가 엉뚱하게 '귀에 꽂은 에어팟'을 향하는 것일 수 있겠다는 생각이 야구를 보면서 들고 있다.[206]

한국 남자축구만 문제가 아니다

멍한 밤이었다. 그럴 수는 없었다. 자는 가족까지 깨워서 함께 지켜본 경기였다. 황금세대가 총출동했으니 전반전이면 경기가 사실상 끝날 줄 알았다. 하지만 상대는 요르단이 아니라 마치 유럽의 어느 팀 같았다. 유효슈팅 0. 지난 7일 아시안컵 준결승전은 그렇게 끝났다. 허무하기도 하고 화가 나기도 하고, 울적하기도 해 뒤척였더니 날이 밝고 있었다. 이상했던 그날의 경기는 이제 의문이 하나씩 풀리고 있다. 영국의 타블로이드 더선은 손흥민과 이강인 간 다툼이 있었다고 보도했다. 설마 했지만, 곧 사실로 확인됐다. 이른바 '핑퐁사태' 다.

어느 조직이나 갈등은 존재한다. 갈등은 조직을 변화시키는 동력이 될 수 있다. 단, 전제가 있다. 갈등을 풀 수 있는 능력이 있을 때다. 갈등의 골이 깊어지면 조직을 와해시키는 분열의 시작점이 될 수 있다. 일각에서는 요르단전 당시 이강인 선수가 의도적으로 손흥민 선수에게 패스를 하지 않았다는 의혹도 제기하고 있다. 진실은 경기장에 있었던 선수들만이 알 테지만, 이강인 선수의 손흥민 선수에 대한 패스가 극히 적었던 것만은 사실이다. 자중지란의 결과는 한국 축구의 추락이었다. 요르단 감독은 경기 직후 "한국은 그렇게까지 존경할 팀이 아니다" 라고 말했다. 무능한 한국 사령탑은 그저 웃고 있었다.

결국 클린스만 감독이 경질됐지만, 이번 주말에도 온라인은 왁자지껄했다. 핑퐁사태에 대한 대중의 반응을 보면 특이한 게 있다. 단순한 의견개진을 넘어 몹시 감정이입이 된 경우가 많다. 소위 '내가 겪어봐서 아는데' 다. 핑퐁사태는 조직생활을 하는 사람이라면 누구나 한번쯤은 겪어본, 혹은 겪고 있는 문제다. 성과를 내기 위해선 팀이 함께해야 한다는 선임세대와 자유로운 개인생활을 중시하는 후임세대 간 사고방식 차이는 곧잘 부딪친다. 조직의 허리, 또는 리더로서 부서를 이끌어야 하는 4050이라면 주장 손흥민에게 더 공감하고, 지시를 받아 실무를 이행하는 2030이라면 이강인에게 더 공감할 수 있다.

보도에 따르면 대표팀에는 92라인, 96라인, 01라인 등이 존재했다. 국내파와 국외파 구분도 있다고 했다. 과거 축구팀을 사분오열시켰던 학연과 지연 대신 새로운 편가르기가 팀을 쪼개고 있었다는 얘기다. 사령탑은 '해줘축구' 로 일관하며 갈등들을 방치했다.

그런 점에서 핑퐁사태는 한국 사회의 축소판이라고 해도 과언이 아니다. SNS의

필터버블(인터넷이 사용자가 선호하는 부류의 정보만 제공하는 것)이 심해지면서 듣고 싶은 것만 듣는 확증편향이 더 강해진 세상이다. 사회가 양극단으로 찢어지고 있는데 이를 조율할 리더는 보이지 않는다. 국민통합은 정치의 기본 역할이지만, 최고 통수권자의 입에서는 국민통합이라는 단어가 사라진 지 오래됐다. 정치는 오히려 팬덤의 목말에 올라타 혐오정치를 부추긴다. 보수정부의 정책은 진보정부에서, 진보정부의 정책은 보수정부에서 '묻지마' 지워진다. 문재인 정부 5년이 편향됐다며 이를 비판하고 정권을 잡은 윤석열 정부는 아직도 전 정부 지우기에 매달려 있다. 이런 식이라면 현 정부의 정책도 5년 후를 알 수 없다. 전 정권이 찔러주는 패스를 받을 생각도 없고, 패스를 이어줄 수도 없다는 얘기다. 연계 플레이가 전혀 되지 않았던 요르단전 한국 축구가 떠오르는 대목이다.

지난해 한국의 성장률은 외환위기 이후 처음으로 일본에 뒤졌다. 합계출산율은 어느새 0.7명대로 떨어졌다. 2012년 당시 정부는 2021~2030년 잠재성장률을 평균 2.9%로 봤다. 2031~2040년에 가면 평균 1.9%로 떨어질 것이라 예측했다. 하지만 경제협력개발기구(OECD)가 추정한 올해 한국 잠재성장률은 이미 2.0%로 내려왔다. 하락 속도가 예상보다 10년 이상 빠르다. 동남아 국가들에 한국은 이미 '그렇게까지 존경할 만한' 나라가 아닐지도 모른다. 최근 만난 박재완 전 부총리 겸 기획재정부 장관은 "한국 경제가 (재임 시절인) 10년 전 했던 예측보다 더 나빠졌다"면서 "한국 사회가 갈등과 대립, 반목이 존중, 인내, 합의보다 앞서 있어 대책을 마련하는 것이 쉽지 않다"며 안타까워했다.

67년 만의 우승 기회가 물거품 된 것은 여전히 쓰라리다. 하지만 요르단전 참패로 한국 축구의 문제점이 지금이라도 만천하에 드러난 것은 차라리 다행일 수 있다. 팀을 어떻게 재정비하느냐에 따라 오히려 반전의 기회가 될 수 있기 때문이다. 문제는 지금 한국 축구가 그런 자정능력이 있느냐 하는 점인데, 이 질문을 똑같이 한국 사회에 던져본다면 우리는 어떤 답을 할 수 있을까.[207]

요가하는 마음

난 요가 마니아다. 특별한 장비 없이 요가 매트 한 장과 그것을 깔 작은 공간만 있으면 되는 단출함이 마음에 들었다. 그래서 나는 친구들이 갱년기 극복 프로젝트로 댄스 스포츠를 예찬하거나 헬스장에서 체계적인 PT를 받을 것을 권유했을 때도 의연히 요가 중심주의 노선을 고수했다. 그렇다고 요가 생활이 늘 소박했던 것은 아니다. 나는 요가계의 샤넬이라고 불리는 고가의 M사 매트를 휴대용까지 두 개나 가지고 있으며, 여행 중 숙소 베란다에서 바다를 배경으로 나무자세를 하는 모습을 찍어 주변에 은근히 뻐기기도 한다.

하지만 내 요가 아사나(동작)에는 딱히 계보나 족보가 없다. 요가원에서 시작한 것이 아니라 주로 공동체에서 동아리 형태로 요가를 배웠기 때문이다. 물론 나의 요가 사부들은 각자 스승이 있었다. 첫 요가 사부는 감옥에서 정치범들에게 요가를 배웠다고 했다. 몇 년 후 나를 가르쳤던 또 다른 사부는 인도에서 정식으로 시바난다 요가를 배워온 학구파였다. 아무튼 나의 잡종적인 요가의 뿌리는 '하타' 요가나 '아슈탕가' 요가가 아니라 월 1만원 회비를 내던 '만원 요가'였다.

하지만 나는 그때 요가의 정수라고 할 만한 것들을 많이 배웠다. 수련은 남들과 비교하는 게 아니라 어제 나의 동작보다 단 1mm라도 더 나아지는 것이라는 점, 동작은 힘이 아니라 호흡을 통해 하는 것이라는 점을 알게 되었다. 송장 자세라고 불리는 사바 아사나(Sava asana) 역시 단순한 휴식이 아니라 〈장자〉에 나오는 '고목사회(枯木死灰)'처럼, 그 자체가 요가 수련의 기본이자 궁극인 무위(無爲)와 해탈의 경지인 것도 그때 깨달았다. 그 이후 나는 더 이상 시르사 아사나(물구나무자세)나 바카사나(까마귀자세)에 목매지 않는다.

어원적으로 요가는 'yuj'(묶다)에서 파생된 말로, 몸과 마음의 합일, 집중, 삼매를 의미한다. 그러니까 역으로 말하면 우리 대부분은 평상시 몸과 마음이 분리된 상태로, 몸은 습관에 따라 움직이고, 마음은 과거에 끌려다니거나 미래로 내달리면서 산다는 뜻이기도 하다. 그래서 우리는 매번 다이어트에 실패하고, 누군가를 미워하고, 마음에도 없는 말을 하고, '바쁘다 바빠'를 외치는 한편 끊임없이 또 다른 일들을 도모하는 산만함에서 벗어나지 못한다.

그럼 어떻게 해야 "여긴 어디? 나는 누구?"라는 미망에서 벗어나, 생활인의 의무도 다하면서 동시에 완벽한 평정에 이를 수 있을까? 삼매이기도 하고 삼매에 도달하는 기술이기도 한 인도의 세 가지 요가 전통 중 카르마(행위) 요가에서 그 답을 찾을 수 있을 텐데, 핵심은 행위에 마음을 담는 것이다. 그리고 그것을 위해 일상 전체를 리추얼로 만드는 것이다. 그래서 인도에서는 잠에서 깨는 순간 하루를 선물받은 것에 감사하고, 땅 위에 첫발을 디디면서 대지에 감사하고, 신 앞에 서기 위해 매일 아침 목욕을 하고, 신에게 꽃과 향, 그리고 첫 음식(밀크티)을 바친다고 한다. 리추얼은 일상에 성스러움을 부여하는 행위, 세속에서의 영성 탐구, 일상 속의 수행이다. (김영, 〈바가와드 기타 강의〉)

요즘 나는 제주에 내려가 사는 친구가 이끌어주는 아침 줌(zoom) 요가 동아리에서 수련한다. 작년에 좀 게을렀던 탓에 근육들이 모두 굳어서 되는 동작이 별로 없지만, 그래도 한 시간 동안 오롯이 내 호흡에 집중하는 경험은 근사하다. 그리고 호흡을 따라 몸의 구석구석 내적 시선(마음)을 보내면 눈동자에도 근육이 있다는 사실을, 나에게 골반과 허리가 있었다는 사실을 새삼 알아채게 된다. 호흡을 통해 몸과 마음을 리드미컬하게 일치시켰던 한 시간의 마무리는 가빠진 호흡을 천천히 수습하고 몸의 긴장을 완전히 털어내는 것이다. 손을 모아 합장을 한다. 창밖에는 아침놀이 물들면서 동이 튼다. 비로소 하루를 시작할 준비가 되었다. 이제 어머니의 아침상을 차리고, 친구들의 글에 댓글을 달며, 책을 읽거나 글을 쓰거나 회의를 하거나 홍보 포스터를 만들 것이다. 이 모든 일에 곡진히 마음을 담을 수 있을까? 모든 행위가 리추얼이 되기를 바라며 오늘도 나마스테![208]

지역사회의 사회적 책임과 장애인스포츠

올해는 올림픽이 열리는 해이다. 7월이면 각국의 대표선수들이 프랑스 파리에 모여 최선을 다해 경기를 펼치는 모습을 볼 수 있다.

올림픽 출전은 모든 선수의 꿈이지만 동시에 한 개인을 넘어 출전 국가와 온 국민, 선수의 고향, 그리고 지역주민의 자랑이자 희망이라고 할 수 있다.

스포츠 경기에 출전하는 선수들의 작은 시작은 학교에서, 또는 지역 스포츠클럽에서 비롯되었을 것이다. 어찌 되었든 그 시작은 지역에서부터다. 비단 선수가 되지 않더라도 체육, 즉 체육 정책이 발달한 지역의 주민들은 건강과 여가, 두 가지 측면에서 삶의 만족도와 지역 애착도가 높다고 한다.

전문성의 차이에서 엘리트체육과 생활체육을 분류한다면 장애 유무에 따라 장애인체육과 비장애인체육으로 구분할 수 있다.

장애인선수들 역시 지역사회를 기반으로 성장한다. 차이가 있다면 장애인의 대부분이 중도장애인 즉 성인이 된 이후에 장애를 갖게 된 경우가 많으므로 선수 육성 역시 학교에서의 장애인체육보다는 생활체육과 밀접하게 연계되어 있다. 특히 장애인의 삶에 있어 스포츠는 더 큰 의미가 있다. 비장애인과 달리 직업으로써 운동선수가 되는 것, 실업팀 소속으로 선수생활을 한다는 것은 장애인들에게 또 다른 차원의 의미다.

'일자리가 최고의 복지다' 라는 말이 있듯이 장애인선수들에게 실업팀은 생계 유지와 사회적 활동을 가능하게 하는 그야말로 최고의 복지라고 할 수 있다. 또한 스포츠는 장애로 지친 몸과 마음을 치유해 주고 고된 훈련과 연습을 통해 장애의 한계를 뛰어넘는 경험은 물론 달콤한 성취도 맛보게 해준다. 지역사회가 장애인체육에 더 많은 관심을 두고 적극적으로 실업팀 육성에 힘을 쏟아야 하는 이유다.

전북에는 유일하게 단 하나의 장애인체육 실업팀이 있다. 장수군 장애인체육회 소속의 탁구팀이다. 안타까운 현실이 아닐 수 없다. 다른 지역을 찾아봤더니 우리 지역이 전국에서 꼴찌였다. 전북을 제외한 모든 지역이 최소 4종목 이상의 장애인체육 실업팀을 가지고 있었으며 최소 1종목 이상은 도 체육회 소속 실업팀이었다. 우리 도는 단 하나뿐인 실업팀조차도 도 체육회가 아닌 상대적으로 열악한 군 체육회에서 창단했다는 것에 두 번 실망할 수밖에 없다.

전북의 장애인선수들은 소속팀 없이 오로지 홀로 어렵게 생계를 유지하며 운동을 이어가고 있다. 아니면 전북을 떠나 상대적으로 실업팀이 많은 다른 지역으로 연고를 옮기는 선택을 할 수밖에 없다. 지역사회의 무관심으로 지역의 좋은 선수들을 놓치고 있는 셈이다.

뜻만 있다면 전북특별자치도와 시·군, 도 체육회와 시·군 체육회 등 도내 공공기관은 물론 국민연금공단, 전북개발공사 등 전북 내 공기업들, 그리고 하림 등 지역 민간기업의 후원으로 언제든지 장애인체육실업팀을 창단할 수 있다고 생각한다.

성숙한 사회일수록 지역사회의 사회적 책임이 일반적인 인식으로 자리 잡고 있다. 사회적 책임이란 공공, 민간의 구분 없이 환경, 윤리, 인권적 측면에서 사회에 긍정적인 영향과 사익이 아닌 공동의 이익을 추구하는 책임 있는 활동을 말한다. 지역의 기관과 기업들이 사회적 책임을 실천하기 위해 노력할 때만이 더 나은 지역사회로 나아갈 수 있다.

전북특별자치도 원년을 맞아 지역사회를 구성하는 지역의 기관과 기업들이 전북자치도 장애인체육 실업팀 창단을 통해 사회적 책임을 적극 실천해 주기를 기대한다.[209]

체육의 정의

　2024년 3월 현재 체육의 정의와 체육의 올곧은 정의 실현을 위한 우리의 자세에 대하여 이야기 해보려 합니다.

　필자는 농구, 수영전공자로 경기대학교를 졸업했으며 군을 제대하고 개인과외로 시작한 체육대학진학관련 컨설팅업과 체육산업 육성, 스포츠대안학교 설립을 목표로 사업을 하고 있습니다. 2019년 교육부 인가단체인 사회적협동조합 학교체육진흥원을 설립하고 전국 17개 교육청과 체육관련 유관기관을 다니며 체육진로-진학관련 사교육과 공교육의 가교역할, 학교체육과 엘리트체육의 활성화를 위한 스포츠클럽 육성과 다양한 종목의 체육대회를 진행하고 있습니다. 그간의 소중한 경험을 많이 부족한 글이지만 체육과 체육인에 관련된 다양한 사회적위치, 시선, 처우, 비전 및 체육을 좋아하고 진로를 삼고 싶어 하는 중·고등학생, 학생선수, 학부모, 후배들, 선생님, 전문지도자, 스포츠클럽, 체대입시학원에게 작은 도움이 될 수 있도록 진심을 담아 적어보려 합니다.

가. 체육의 정의와 구분

　체육대학의 입학전형으로 학생부종합 면접 내용에 "체육과 스포츠의 정의 및 구분을 해보시요" 라는 질문이 자주 등장합니다. 체육을 전공한 전공자들이나 체육교사 심지어 대학에 전문교수들도 답변이 쉬워 보이지만 쉽게 답변하지 못 하곤 합니다. 체육의 간단한 사전적 정의와 본인의 개인적 경험을 바탕으로 구분을 해보겠습니다.

　상위 개념에 포함하는 순서로 체육, 스포츠, 게임, 놀이로 시대와 구속력(장소, 대상)에 따라 구분해 보려 합니다. 체육을 상위 개념부터 정의해 보려 합니다. 체육은 한자로 體育 몸을 기른다는 말이며, 사전적 정의는 심신을 단련하는 것과 함께 자신의 인격을 만드는 것, 영문으로 번역하면 Building one's personality along with training one's mind and body로 해석되어 집니다. 스포츠(sports)는 한글로 운동경기이며 일정한 규칙에 따라 개인이나 단체끼리 승패를 겨루는 게임 A game in which individuals or groups compete according to certain rules으로 해석되어 집니다.

E-sports는 온라인상으로 승패를 겨루는 게임 A sport that competes for victory or defeat online으로 해석되며 10년 후 체육에 있어 새로운 정의와 구분이 필요될 것으로 보입니다.

게임(Game)은 승부를 겨루는 대면/비대면(on/off line) 여가활동 및 놀이 A competitive leisure activity으로 해석하며, 놀이(Joy, Play) 는 즐거움을 찾기 위한 신체활동 Physical activity to find pleasure으로 해석 할 수 있습니다.

체육의 정의와 구분을 올곧게 정의 할 수 있어야만 체육에 관련된 다양한 이슈와 문제점을 대처하고 이로움을 전할 수 있습니다.

나. 공존

필자가 표현하고 싶은 체육의 정의는 공존입니다. 함께 나누고 공생하고 공존할 수 있음이 체육의 목적이라 생각합니다. 다양한 스포츠 활동을 통해 '같이의 가치' 와 때로는 '따로의 가치' 도 느껴보며 배려가 융합된 규칙 준수를 원칙으로 공정을 배울 수 있음 또한 체육의 순기능이며 체육의 역할이라 생각합니다.

온전히 체육활동만으로는 우리 사회는 건강해질 수 없습니다. 실력과 인성이 겸비되어 있는 자들만이 누릴 수 있는 정당한 사치인 '경쟁' 속에 더 단단해 질 수 있으며, 공정한 경쟁 속에 배려함을 배우며 진정으로 건강해 질 수 있다고 생각합니다.

우리는 우리 아이들이 정당한 사치를 누릴 수 있도록 가정, 사회, 학교에서 공정한 체육의 정의를 세워주어야만 하는 의무가 있습니다.

2024년 3월 오늘 체육의 정의는 인권존중을 바탕으로 개인의 차이는 함께 채워주며 차별없이 다양한 공간에서 체육활동을 즐길 수 있도록 '공존' 해야 하는 것입니다.[210]

축구는 나의 인생

축구는 나의 인생이다. 어려서부터 축구를 좋아하기도 했지만, 신학교(가톨릭 사제가 되기 위해 수업을 받는 학교)에 들어가면서, 신부되는 데 축구가 매우 중요한 운동이란 걸 알게 되었다. 축구는 체력 단련에도 좋지만 공동체 정신 함양에도 매우 중요했다.

유학시절 필자에게 축구는 큰 안식처였다. 타지에서 힘든 시절을 보낼 당시, '파리화랑'이라는 한인 축구회를 알게 되었고, 매주 토요일마다 축구를 하며 스트레스도 풀고 교민뿐 아니라 외국 사람들과 축구로 우애도 다졌다. 파리 한인 축구대회에서 성당 대표로 나가 두 차례 우승도 했다.

필자의 축구 사랑은 유학 후 한국에 들어와서도 이어졌다. 신학교에서 교수로 봉직하면서 학생들과 매주 축구를 하며 즐겁게 지내고 있다. 이제 움직이는 공보다 서 있는 공을 칠 나이라고 주위에서는 말들 하지만, 여전히 축구를 놓지 못하는 이유는 한국인이면 갖는 축구에 대한 애정 때문이 아닐까 한다.

이번 아시안컵 이후 한국축구에 대해 말들이 많다. 필자도 큰 기대를 갖고 이번 대회를 시청했기에, 실망감도 매우 컸다. 사실 국가대항 토너먼트의 특성상 4강 정도면 아주 낙심할 결과는 아니다. 그러나 탈락하는 과정이 너무 좋지 않았다. 4강전 패배를 보며 필자에게 가장 가슴이 아팠던 부분은 선수들의 축구하는 자세였다. 두 차례 연장전으로 인해 피로가 쌓이기도 했지만, 너무나 조심스럽게 소극적으로 축구를 하는 모습 때문이었다. 상대편 선수들은 마음껏 자기 기량을 뽐내며 신이 나서 축구를 했고 결국 우승후보인 우리나라를 상대로 승리를 거두었는데, 왜 우리 선수들은 신나고 자신감 있게 경기를 하지 못했을까? 국민의 너무 큰 기대로 인한 부담감 때문이었을까? 아이들을 신나게 놀게 하기보다, 모든 분야에서 1등이 되도록 하는 교육 풍토 때문은 아닐지. 성적만을 우선시하는 축구계의 그릇된 풍토 때문은 아닐지.

그와 함께 한국의 축구 행정에 대한 비판도 필요해 보인다. 국민의 정서나 비판을 외면하고 아시안컵이 끝나자마자 미국으로 건너간 감독도 문제지만, 이에 대처하는 축구협회의 대응도 매우 아쉽다. 협회의 행정은 왜 이러한 위기 상황에서 유연하게 대처하고 명확한 해법을 제시하지 못하는 것일까.

프랑스에서 유학하면서 놀랐던 것은 프랑스인의 일하는 모습이었다. 일로만 따지면 우리나라 사람들이 훨씬 더 열심히, 더 많이 그리고 더 효율적으로 하는데, 왜 우리나라는 프랑스 사람들보다 못 살고, 저들은 저렇게 여유 있게 일하는데도 선진국일까? 하는 의문이 들었다. 그리고 거기에는 긴 역사 안에서 지혜와 경험으로 구축된 행정 시스템이 중요한 역할을 하고 있음을 알게 되었다. 국가의 체계나 행정, 제도가 잘 갖추어져 있으면, 국민이 시간에 쫓기지 않고 여가를 즐기면서 일해도 충분히 먹고살 만하지만, 그렇지 못하다면, 혹은 중간에 누군가가 부당하게 국민의 일로 얻은 이익을 독차지한다면, 아무리 열심히 일해도 그에 따른 정당한 대가를 얻지 못할 수밖에 없는 것이다.

축구도 마찬가지가 아닐까. 아무리 좋은 선수들을 모아놓아도 그들을 움직이게 하는 시스템이나 조직, 행정이 제대로 갖춰져 있지 않으면 좋은 성적을 낼 수 없음을 이번 아시안컵이 보여주었다. 이는 감독 한 명만의 문제가 아니라, 축구협회의 행정, 나아가 나라 전체 축구계의 풍토, 문화, 시스템, 운영 방식, 행정과 상관한다. 조직이나 행정의 발전을 위해 가장 중요한 것은, 투명하고 합리적인 의사소통과 그에 따른 결정과 책임의식이다. 건강하고 유연한 체계와 행정 그리고 문화와 풍토가 갖춰져 있지 않을 때는, 아무리 손흥민이나 김민재와 같은 선수가 나온다 해도 팀으로는 좋은 성적을 거두기 어렵다.

성적만이 우선시되고 최고만 인정받는 사회에서는 진정한 발전이 있을 수 없다. 감독이 바뀔 때마다 매번 새롭게 시작한다면, 우리의 훌륭한 선수들은 새로운 감독과 전술의 희생양이 될 것이다. 이 청년들이 축구를 정말로 신나고 자신 있게 할 수 있도록 하기 위해서는 어떻게 변해야 할까. 아직까지 선수들이 죽어라 고생했다면, 이 물음에 답하는 것은 우리 모두의 몫일 것이다.[211]

초등 1·2학년에게 필요한 '체육교과'

1981년 도입된 통합 교육과정 아래 '즐거운 생활'이라는 이름으로 체육, 음악, 미술이 통합·운영됐다. 이후 지난 40여년 동안 초등학교에서 체육수업이 제대로 이뤄지지 않는 원인이 됐다. 초등 1~2학년의 신체활동 부족 문제도 여기에서 비롯됐고 부족한 신체활동은 소아비만 등 건강에 악영향을 미쳤다.

소아비만 증가는 코로나19 팬데믹 사태로 인한 일시적인 현상이 아니다. 소아비만은 적정 시기에 치료되지 않으면 고혈압, 당뇨 등 각종 성인병의 조기 발병을 유발한다. 소아비만 중 75~80%가 성인 비만으로 이어지기 때문에 우리 사회가 최우선적으로 해결해야 할 심각한 문제라 할 수 있다.

각종 통계를 보면, 우리나라 학생 10명 중 4명이 비만, 나머지 6명 중 다수가 운동 부족으로 인한 건강 문제를 겪고 있다. 굳이 통계를 찾지 않더라도 지금 아이들이 움직이는 모습만 봐도 심각한 '운동 부족증'을 확인할 수 있다. 1~2학년 아이들은 제대로 뛰지를 못한다. 절반 이상의 아이들이 운동장 한 바퀴를 완주하지 못한다. 한 바퀴를 돌면, 토하거나 두통을 호소하는 아이들도 있다.

이러한 심각한 사태는 왜 발생했을까. 1~2학년 담임 교사들이 체육을 제대로 가르치지 않고 있어서다. 교실 밖에서 하는 놀이 혹은 체육수업은 교실 안 활동과 비교할 때 피로도가 훨씬 높다. 40분 동안 체육 혹은 놀이수업 하자고 운동복으로 갈아입는 것도 여간 번거로운 일이 아니다. 설령 운동장에 나가더라도 1~2학년들이 체계적인 신체활동 수업을 받고 있는 모습을 찾아보기란 어렵다.

지난 40여년간 초등 1~2학년 아동들의 체육교육은 학교 현장에서 사라졌다. 교육과정 개정 때마다 체육계와 학교 현장 등 여러 곳에서 비판의 목소리가 끊임없이 제기됐다. 심각한 소아비만율뿐만 아니라 대근육을 쓰고자 하는 아동들의 운동 욕구, 정상적인 발육·발달, 뇌 자극 및 성장 등에 관한 문제들이 계속 나왔지만, 교육과정 변화를 이끌어내지 못했다.

전 세계에서 한국만이 유일하게 체육교과를 음악이나 미술교과와 통합해 가르치고 있다. 미국, 캐나다, 영국, 독일, 프랑스, 핀란드, 호주, 뉴질랜드, 중국, 일본, 홍콩, 싱가포르 등은 교과명에 차이가 있을지언정, 초등 1~2학년부터 체육교과를 여타 교과와 분리해서 독립적인 교육과정으로 운영하고 있다. 체육교과를 독립적으로 운영해야 논리적 타당성을 견지하며 실효성을 거둘 수 있다고 판단했기 때문이다. 유치원 교육에서도 체육을 음악이나 미술과 분리해 가르치고 있다.

체육교과를 단독 편성한 것은 초등 3·4학년부터다. 왜 초등 1~2학년 체육을 미술, 음악과 통합해 가르쳐야 할까. 교육의 일관성이나 연계성과 체계를 봐도 체육, 음악, 미술을 하나의 교과로 통합해야 한다는 것은 이해하기 어렵다.

최근 국가교육위원회는 수차례의 논의를 거쳐 '체육교과를 타 교과와 분리·독립적으로 운영해야 함'을 공식적으로 심의·의결했다. 늦었지만 다행스러운 결정이다.

교과서 개발 등을 위한 2~3년의 준비 기간이 남았다. 일부 현장의 반대 목소리도 있지만 체육활동 공간 마련 및 개선 등 실제 적용을 위한 현명한 교육적 결단이 필요한 시점이다.[212]

최경주가 보여준 것들

최경주는 헤드를 가볍게 끝까지 던졌다. 힘보다는 부드러움에 의지한 스윙이었다. 나이가 적잖아 젊은 선수들보다 드라이버샷 비거리가 짧을 수밖에 없었다. 세컨드 샷도 긴 채로 해야 했다. 젊은 선수들이 미들 아이언, 쇼트 아이언, 웨지를 들 때 최경주는 하이브리드, 롱 아이언, 미들 아이언을 들었다. 핀에 가까이 붙이기 쉽지 않았다. 자신의 무기는 정평 난 쇼트 게임이었다. 최경주는 트러블 샷을 기막히게 쳤고 퍼트도 잘했다. 최경주가 지난 19일 SK텔레콤 오픈 연장 1차전에서 보여준 트러블 샷은 일품이었다.

최경주는 그날 54세 생일을 맞았다. 골프는 30대 초반이 전성기다. 젊은 선수들과 겨루기에는 쉽지 않은 나이다. 미국에서 투어에 참여한 뒤 귀국하자마자 프로암을 뛰었다. 나흘 동안 바람 부는 날, 고온 속에서 샷을 쳤다. 그것도 메이저대회 우승을 꿈꾸는 최고 프로 골퍼들과 맞서서 말이다. 아마추어 골프 최고수 중한 명인 한국미드아마추어골프협회 김양권 회장은 "우승도 대단하지만 피곤하고 힘든 상황 속에서, 그것도 큰 대회에서 젊은 최고 프로 골퍼와 연장까지 치른 것자체가 엄청났다"고 말했다.

최경주의 우승을 예상한 사람은 거의 없었을 것이다. 최경주도 우승하고 싶은마음은 간절했지만 우승을 예상하지 못했다고 말했다. 욕심을 내면 오히려 좋은성적을 내기 힘들다고 생각했는지도 모른다. 자기 스윙, 자기 템포, 자기 셋업을끝까지 유지하면서 실수하지 않는 플레이를 하다보면 기회가 오리라고 예상했을것 같다. 그렇게 최경주는 차분하게, 요동하지 않고, 침착하게, 과욕 없이 클럽을휘둘렀다. 그런 심정으로 한 샷 한 샷에 집중하면서 찾아온 찬스를 막판 위기에서도 엄청난 노련미와 뛰어난 실력으로 잡았다. 5언더파까지 쳐본 아마추어 골퍼옥타미녹스 주학 대표는 "용기, 도전 정신도 느꼈지만 좋은 성적을 내기 위해어떻게 골프를 해야 할지 노하우, 비결을 체감했다"고 말했다.

나이 들면 힘이 떨어지고 비거리가 짧아지는 건 자연의 섭리다. 시력이 저하되면서 퍼트 라인을 읽기도, 어프로치샷 낙하지점을 파악하는 데도 어려움을 겪는다. 체력은 곧 집중력인데, 집중력을 끝까지 유지하는 것도 난제다. 날씨나 컨디션이 나쁘면 더 그렇다. 그래서 최경주는 정말 대단했다.

최경주는 거리 욕심을 내지 않았다. 욕심내도 젊은 선수만큼 멀리 공을 칠 수 없었다. 부드러운 스윙으로 페어웨이를 지키는 데 집중했다. 짧은 드라이버샷 비거리를 메우기 위해 세컨드 샷을 힘으로 치지 않았다. 본인 거리에 맞는 클럽을 든 뒤 부드럽게 스윙했다. 그렇게 그린에 볼을 올리면 원 퍼트, 투 퍼트로 마무리했다. 온그린에 실패하면 침착하면서도 노련한 트러블 샷으로 타수를 지켰다. 톰 왓슨이 2009년 브리티시 오픈에 60세 나이로 출전해 연장까지 치른 끝에 준우승한 장면을 연상시켰다.

최경주가 시니어 골퍼에게 희망, 용기와 함께 보여준 건 현명함과 지혜로움이다. 꾸준한 훈련, 유혹을 이긴 자기 관리, 자기 상황에 맞는 플레이가 최고령 우승의 원동력이었다. 그게 골프에만 해당되는 건 아닐 테다. 업무, 학업, 투자, 사업에서도 마찬가지 아닐까. 과욕을 버리고 좋은 방향으로 자기 상황에 맞춰 조금씩, 꾸준히 가는 게 누구에게나 정답이다.213)

요즘 야구, 4번보다 1번이 강한 이유

전통적인 야구 타선 구성에서 제일 강한 타자는 4번에 두는 게 일반적이다. 1번 타자 자리에는 출루율이 높고, 공을 많이 보는 선수를 놓는다. 경기 초반 상대 선발 투수의 구위 등을 확인하려면 가능한 한 1번 타자가 공을 많이 던지게 하는 게 필요하다. 장타보다는 볼넷을 골라서라도 출루를 많이 하는 타자가 1번에 어울린다.

2번 타순에는 이른바 '작전 수행 능력'이 좋은 타자를 쓴다. 1루에 출루한 1번 타자를 '스코어링 포지션'인 2루에 보낼 수 있는 타자다. 번트나 히트 앤드 런 등의 작전을 능숙하게 소화할 수 있으면 더 좋다. 3번과 4번엔 장타력이 있는 타자를 배치한다. 1번 타자가 출루하고, 2번 타자가 진루시키고, 3~4번 타자가 타점을 올리는 게 이상적이라고, 옛날에는 생각했다. 그래서 1~2번 타순을 '테이블 세터'라 불렀다. 말 그대로 득점을 위한 상차림이란 뜻이다.

그런데 요즘 야구는 달라졌다.

김하성이 뛴 지난해 메이저리그 내셔널리그의 타순별 OPS(출루율+장타율) 기록은 기존 상식을 뛰어넘는다. 1번 타순의 OPS가 0.801로 가장 높았다. 4번 타순은 0.789로 2위다. 3번 타순이 0.778, 2번 타순이 0.769로 뒤를 잇는다. 과거 '클린업 트리오' 중 하나로 꼽혔던 5번 타자의 OPS는 0.751로 2번 타자보다 낮다. 요즘 야구는 제일 센 타자를 1번에 놓는다.

배경 이론은 간단하다.

축구와 농구, 배구 등 다른 종목은 슈퍼스타의 공격 점유율을 높일 수 있다.

야구는 특정 선수에게 공격 기회를 몰아줄 수 없는 종목이다. 타순이 정해져 있어 순서대로 타석에 들어서야 한다. 득점 기회가 왔다고 해서 조금 전 아웃된 4번 타자를 다시 타석에 세울 수 없다. 순서대로 타석에 들어서고, 아웃 27개를 당하면 경기가 끝나니까 당연히 1번 타자가 가장 많이 타석에 들어선다.

메이저리그 통계에 따르면 한 시즌을 치렀을 때 1번 타자와 9번 타자의 타석 수는 약 20% 차이가 난다. 단순하게 계산하더라도 잘 치는 타자가 한 번이라도 더 많이 공격하는 게 팀 전체에 유리하다. 그러니까 1~2번이 3~4번보다 더 잘 치는 게 팀 공격력을 높일 수 있다.

LA 다저스는 무키 베츠를 1번 타자로, 오타니 쇼헤이를 2번 타자로 내세운다.

뉴욕 양키스 역시 홈런왕 출신 애런 저지가 1번 또는 2번에 선다. 과거 같으면 당연히 3번 또는 4번으로 나서야 마땅한 타자들이다. 한국 야구도 이런 흐름을 따라간다. KT 이강철 감독과 두산 이승엽 감독은 최근 1번 타자에 로하스, 라모스 등 제일 잘 치는 외인 타자를 내세운다.

강한 1~2번 전략은 단지 타석 수에 따른 통계적 유리함을 따진 결과가 아니다. 야구도, 감독의 역할도 바뀌었기 때문이다.

과거 야구 감독은 점수를 만들어내야 한다고 생각했다. 2번 타자 자리에 '작전 수행 능력이 좋은' 이라 쓰고 '감독 말을 잘 듣는' 이라 읽는 선수를 배치했다. 감독의 효과적인 '작전' 을 통해 스코어링 포지션에 주자를 보내면, 3~4번 타자가 장타로 불러들여 점수를 내는 야구였다. 이른바 '감독의 야구'.

선수별 운동 능력의 차이가 크던 예전에는 유효했지만, 모두의 체력과 기술이 상향 평준화된 시대에는 효율이 떨어진다. 잘 치는 선수들을 앞 타순에 배치하고, 감독의 개입은 최소화하는 게 요즘 야구다.

감독을 리더로 바꿔 우리 사회에 적용해도 크게 달라지지 않는다. 자본과 기술이 부족했던 산업화 시대에는 '2번의 희생' 과 '4번의 한 방' 이 필요했을지 모른다. 리더의 역할 역시 자원의 효율적 배분을 위해 누군가를 희생시키고, 누군가에게 몰아주는 것이었다. 이를 위해 '강력한 리더십' 이 필요했고, 인정됐다.

야구가 그렇듯, 우리 사회도 지금은 달라졌다. 자본과 기술이 충분히 쌓였고, 노동력 역시 상향 평준화를 향한다. 감독 야구 시대는 저물고, 선수 야구 시대다. 리더의 역할 역시 선수들이 말 잘 듣도록 몰아치는 대신, 선수들이 열심히 뛰고 싶은 마음이 들도록 만드는 게 더 중요하다. 리더가 "내가 뭔가를 해냈다" 는 유산을 남기려 하다가는 대개 상처와 부작용, 비효율성을 낳기 마련이다.[214]

나의 '낯선' 달리기 연습

달리기를 하라는 권유를 받았다. 헬스장보다 야외에서 달리는 쪽이 기분 좋고 체력도 잘 는다는 거였다. 달리기 초심자로서 이해는 하지만 공감하진 못했다. 밖을 달리다 보면 나와 몸과 세상이 얼마나 서먹한지 절감하게 된다. 바닥은 디딜 때마다 딱딱하게 굳어 나를 밀어낸다. 공기는 날카롭거나 텁텁하다. 내 다리는 의지에 반해 자꾸 땅에 달라붙으려 든다. 애써 팔다리를 통제하고 있으면 사지가 자유롭다는 개념이 거짓말처럼 느껴진다. 이상한데? 안 되는데? 물론 배부른 소리다. 하지만 나는 이럴 때나 되어야 '오체불만족' 생각에 빠진다. 몸뚱이가 물리적 실체를 지닌 구속복처럼 다가오는 순간이다.

잘 달리려면 훈련이 필요하다. 동작이 몸에 익어 알맞은 자세가 나오도록 연습을 해야 한다. 이건 체력 이전의 문제다. 그렇게 생각하면 내가 평소에 아무 생각 없이 해치우는 행동은 어찌나 많은지. 달리기만큼 힘들지는 않지만 걷기도 어려운 행위다. 오른 다리를 올릴 때 양팔이 어느 위치에 있어야 하는지 생각해보자. 그 상태에서 반대쪽 다리를 올리려면 어떤 자세를 취해야 하는지도 생각해보자. 자연스레 걸어다니던 사람이 새삼 '보행 연습'을 하면 걷는 행위가 엄청나게 어색해진다.

돌기민의 소설 〈보행 연습〉에는 '지구에 불시착한 식인 외계인을 위한 안내서'라는 문구가 붙어 있다. 외계인인 '무무'에게 이족보행은 상상을 초월할 정도로 낯선 행위다. 인간처럼 보이도록 변신할 때 무무는 매번 팔다리를 자른다. '평범한 인간'은 팔다리가 두 개씩이므로 그보다 많은 것은 잘라야 한다. 다행히 무무의 몸은 회복력이 뛰어나 며칠 지나면 잘라낸 부분도 재생된다. 이는 몸이 멋대로 꿈틀거린다는 뜻이기도 하다. 무무의 몸은 아무리 통제해도 금세 원래대로 돌아가려 한다. 집중이 흐트러지면 변신이 풀려 본래의 촉수, 이빨, 발톱이 드러나고 만다. 외출은 늘 피곤하고 힘겹다.

더군다나 무무는 '남자답게' 혹은 '여자답게' 걸어야 한다. 여자 모습일 때 구두를 또각거리며 걸을 때는 무릎을 모아야 자연스럽다. 이에 어긋나면 바로 수상쩍다는 시선을 받는다. 걸음걸이에는 미세하고 촘촘한 규범이 작동한다. 무무는 처음 10년간은 바르게 걷는 기준을 알아내려 애쓴다. 이후에는 기준이 있는 듯이 행동하느라 애쓴다. 정확한 기준은 없는데도 눈에 띄지 않으려면 통념에 맞취야 한다. "규범은 유리 같은 것"으로, "사람들이 규범을 떠받들어 떨어뜨리지 않는 이상, 그것은 깨지지 않고 굳건히 유지"된다.

무무의 몸에 알맞은 걸음걸이는 남자답지도 여자답지도, 인간답지도 않을 것이다. 그런데도 무무는 인간의 규범에 맞는 자세를 수행하느라 몸에 맞춰 걷지 못한다. 나는 예전에 '도브'에서 만들었던 '여자답게 달리기' 광고를 떠올렸다. 여자답게 달리라고 요청하자 어른들은 팔을 허우적거리며 뛴다. 자기도 우스꽝스러운 줄 안다는 듯 손을 내저으며 웃음을 터뜨린다. 아이들은 고민 없이 전력으로 달린다. 이들에겐 전력으로 달리는 자세가 여자답지 않다는 규범이 없다. 나는 어떻게 달리도록 배웠더라? 어쩌면 지금은 내 몸에 맞는 달리기를 연습할 기회인 걸까? 낯선 '보행 연습'을 보며, 나도 나를 어색하게 점검해본다.[215]

운동과 학습, 공존법은 많다

탁구 신유빈(대한항공)과 김나영(포스코에너지), 테니스 조세혁의 공통점은 무엇일까. 학교를 다니지 않고 있다는 점이다. 신유빈과 김나영은 고교 진학을 포기했다. 학교 수업을 규정대로 받으면서 선수 생활을 하기 어렵다고 판단했기 때문이다. 지난 7월 윔블던 테니스대회 14세부 남자 단식 우승자 조세혁도 중학교 학년 유예 처분이 내려진 상태다. 손흥민(토트넘)은 동북고 중퇴다. 고교 2년 때 독일로 축구유학을 갔기 때문이다. 남자골프 간판 김주형은 어릴 때부터 중국, 필리핀, 호주, 태국 등을 돌며 성장했고 15세 때 프로가 됐다. 학업에 집중하기 힘든 상황이었다. 이들은 학교 학습은 다소 부족했지만 현재 선수로서 무척 성공적인 삶을 살고 있다.

문화체육관광부는 지난달 '문체부, 스포츠혁신위 권고 중 현실과 동떨어진 학생 선수 대회 참가 관련 제도 보완·개선한다'는 제목의 보도자료를 배포했다. 2019년 스포츠혁신위원회 권고가 실효성이 떨어지고 부작용이 적잖다고 뒤늦게 판단한 것이다. 당시 혁신위는 출석 인정 일수 축소, 학기 중 주중 대회 참가 금지(교육부), 학기 중 주중 대회를 주말 대회로 전환(문체부) 등을 '권고'했다. 권고 방향은 옳았지만 시행방식에서 현장 목소리를 너무 무시한 탓에 반감과 혼란을 증폭했다.

운동과 공부는 서로 대치되는 개념이 아니다. 둘은 공존이 가능하다. 학생 선수는 운동선수를 꿈꾸는 학생이다. 기성세대는 이들이 안전한 환경 속에서 좋은 훈련을 받을 수 있도록 도와줘야 한다. 인프라 확충, 선진훈련법 개발이 필요하다. 학업은 '맞춤형'으로 마련돼야 한다. 학습은 삶과 연결될 때 자발적으로 이뤄지고 효과도 높다. 물론 돈이 많이 든다. 그런데 학생 선수 맞춤형 수업은 비용이 아니라 투자다.

운동은 누군가의 '재능'이다. 운동선수가 되고 싶은 꿈은 법조인, 의사, 과학자, 음악가, 화가가 되고 싶은 경우처럼 존중받아야 한다. 운동을 진학, 취업, 취직을 위한 '수단'으로만 보는 구시대적 선입견이 사라져야 하는 이유다.

'학생 선수가 내 자녀라면 어떻게 운동과 공부를 시킬까'를 고민하면 많은 해법이 보인다. 자녀가 축구선수라면 얼음판 축구장, 프라이팬 축구장에서 뛰지 않게 할 것이다. 수업에 조금 더 빠지더라도 날씨가 좋은 봄과 가을 대회를 더 많이 만들 것이다. 좋은 훈련 프로그램 개발에도 노력할 것이다. 수업은 자녀들이 배우고 싶은 내용과 형식으로 진행할 것이다. 직업 선수가 되지 못할 수도 있으니 어릴 때부터 기본적인 학습은 충실하게 시킬 것이다.

　대한민국 공교육은 붕괴한 지 오래다. 공교육이 뛰어나다면 고위층이 자기 자녀를 왜 미국으로, 유럽으로 보내겠나. 학생 선수 학습을 논할 때 공교육에 학생 선수를 집어넣으면 모든 게 해결된다고 생각하면 오산이다. 내적, 외적 동기가 없는 환경에서 이뤄지는 교육은 효과가 떨어지게 마련이다. 세계적인 교육학자 켄 로빈슨은 "학습권은 '교육'이 아니라 '배움'의 차원에서 접근해야 한다"며 "다양한 잠재력을 가진 씨앗들이 발아 환경을 기다리는 것처럼 교육도 명령하는 식(Command Control)이 아니라 환경을 조성해주는 식(Climate Control)으로 이뤄져야 한다"고 말했다.[216]

참고문헌

강내희(2003). 한국의 문화변동과 문화정치. 서울: 문화과학사.

강동원(1996). 한국 중세의, 군사훈련-강무제, 체육사학회지,1(1):74~85.

고문수·엄혁주(2012). 학교체육의 교육적 가치와 정책 지원 방안. 한국체육정책학
　　　　회지, 10(1), 1-18.

구강본(2005). 체육의 맥락주의적 접근. 한국체육학회지, 44(5), 79-87.

구강본(2008). 정치개입에 따른 스포츠현상 해독. 한국체육철학회 춘계학술대회.

구강본·김동규(2005). 지방 분권화와 체육정책의 목표와 과제. 한국체육철학회지.
　　　　13(1), 73-84.

김대광(2003). 한국체육정책의 변천과정과 방향 설정. 미간행, 한국체육대학교 박
　　　　사학위논문.

김대광(2007). 학교 엘리트스포츠 발전방안에 대한 연구. 한국체육정책학회지,
　　　　5(2), 17-35.

김석희(2007). '한국인 코드'로 풀어 본 국내 스포츠문화. 한국사회체육학회지,
　　　　제29호, 23-36.

김승재·박인서(2007). 체육교사의 반성적 실천에 대한 내러티브 탐구 .한국스포츠
　　　　교육학회지, 14(3), 1-20.

김달우(1986). 체육사 연구에서의 시대구분. 서울대학교 체육연구소 논집,
　　　　7(1):59-67.

김석근(2006). 한국 근대성연구의 길을 묻다: 근대성과 내셔널리즘, 그리고 국민국
　　　　가. 경기: 돌베개.

김찬호(2010). 생애의 발견. 서울: 인물과 사상사.

김오중(1984). 세계체육사. 서울:고려대학교 출판부.

김종택(1984). Canonical Correlation에 의한 운동능력 요인을 강조한 청소년체력장
　　　　과 건강요인을 강조한 청소년 체력장과의 상관관계연구. 한국체육학회지,
　　　　23(1):51~7.

김종호(1973). 한국의 씨름. 체육문화사.

김영삼(1995). 10월 6일, 제76회 전국체육대회 연설문.

김영삼(1997). 10월 8일, 제78회 전국체육대회 연설문.

김용수(2012). 돈키오테, 체육선생의 삶. 미간행, 강원대학교대학원 박사학위 논문.

김용수·박기동(2011a). 해동(海東) 선생의 체육·스포츠 이야기, 1978-1988. 한국 구술사학회. 하계학술대회자료집. 58-68.

김용수·박기동(2011b). 나의 박사 학위 논문 작성 과정에 대한 사유(思維). 강원 대학교부설 체육과학연구소논집. 제33호, 10-32.

김용수·박기동(2012). 해동(海東) 선생의 체육·스포츠 사랑 이야기. 스포츠인류 학 연구. 7(1), 27-54.

김영명(2007). 정치를 보는 눈. 서울: 도서출판 개마고원.

김종래(2005). CEO 칭기스칸 - 유목민에게 배우는 21세기 경영전략. 서울: 삼성경 제연구소.

김광용 외(1996). 참여론 바로보기. 서울: 나남.

김동국(1994). 서양 사회복지사론—영국의 빈민법을 중심으로. 서울: 유풍.

김종희(1999). 박정희 정권의 정치이념과 체육정책에 관한연구. 미간행, 한양대학 교 박사학위 논문.

김형익(2008). 군사정권과 문민정권의 한국 학교체육정책에 관한 비교 연구. 한국 체육사학회지. 13(1), 63-73.

김광억 외(1999). 문화의 다학문적 접근. 서울: 서울대학교 출판부.

김숙영(2003). 소비사회에서의 스포츠 소비문화 연구. 한국스포츠사회학회지, 16(2). 431-445.

나영일(2002). 한국체육체계의 변천사를 통해 본 체육단체의 올바른 위상 모색, 체 육시민연대 세미나 발표문.

나영일(1989). 조선조의 무사시취제도에 나타난 무예 및 체력검정에 관한 연구 (Ⅰ). 서울대학교 체육연구소 논집, 10(1):69~87.

나현성(1963). 한국체육사. 서울: 청운출판사.

나현성, 정찬모(1981). 한국고대체육고. 서울대학교 체육연구소 논집, 2(1):23-31.

노영구(2001). 조선기 단병전술의 추이와 무예도보 통지의 성격-병서로서의 의미 를 중심으로. 진단학보, 91:331-354.

대한체육회(1972a). 체육. 10월, 11월(통권 76호), 대한교과서주식사.

대한체육회(1972b). 體育白書. 대한체육회.

대한체육회(1973). 體育白書. 대한체육회.

박영호(2000). 모택동 체육사상의 발전. 한국체육사학회, 14:39-49.

백남운(1989). 조선사회경제사. 박광순 역. 서울: 범우사

박남환(2002). 스포츠와 문화의 연관성에 관한 고찰. 한국사회체육학회지, 17.
    51-59.

박이문(1996). 자비의 윤리학. 서울: 철학과 현실사.

박종률(2003). 경쟁 스포츠 참여시 고등학생의 스포츠맨십 실태. 한국스포츠교육학
    회지, 10(1), 77-93.

박호성(2002). 국제 스포츠활동과 사회통합의 상관성, 가능성과 한계. 국제정치논
    총, 42(2), 93-110.

박기동・김용수(2009). 창던지기 선수 심재칠(沈在七)의 삶. 한국체육사학회지.
    14(2), 39-57.

박기동・김용수(2010a). 강원 투척(投擲)의 변천사, 1962-1992. 한국체육사학회지.
    15(1), 1-9.

박기동・김용수(2010b). 봉주(鳳周) 선생의 삶과 투척(投擲) 선수 이야기. 한국체육
    학회지. 49(1), 1-14.

박기동・김용수(2010c). 체육사에서 구술을 통한 연구 방법에 대한 인식 변화. 한
    국체육학회지. 49(3), 1-10.

박정준(2011). 통합적 스포츠맨십 교육프로그램의 개발과 적용. 미간행. 서울대학
    교 박사학위 논문.

박혜란(2005a). 김영삼 정권의 체육정책에 관한 연구. 미간행, 한양대학교 박사학
    위 논문.

박혜란(2005b). 문민 통치 철학이 체육정책에 미친 영향. 한국체육철학회지. 13(3).
    131-141.

백경미(1998). 현대소비문화와 한국소비문화에 관한 고찰. 소비자학연구, 9(1).
    17-32.

신승환, 우재홍, 박익렬, 박재영, 전태원(2010). 기초군사훈련에 따른 사관생도의
    cpfurgid상과 체력검정제도 개선방안. 운동과학, 19(1):37-48.

신호주(1996). 체육사. 서울: 명지출판사.

심승구(2004). 한국무예의 정체성탐구-고구려무예를 중심으로. 체육사학회지,
    13:61-70.

이윤근, 한재덕(1998). 고려시대 무예활동에 대한 역사적 이해. 한국체육학회지,
    37(1):9-17.

우재홍(1999). 기초군사훈련이 해군사관생도의 체력과 신체구성에 미치는 영향. 서
    울대학교 석사학위논문.

유홍주(1993). 체육환경과 군 전력의 관계. 서울대학교 박사학위논문.

임영무(1985). 한국체육사신강. 서울: 교학연구사

이진수(1993). 신라화랑의 체육사상 연구. 서울: 보경문화사.

오모 그루페/ 박남환 송형석 옮김(2004). 문화로서의 스포츠. 서울: 무지개사.

오현택(2006). 덕론의 스포츠윤리학적 함의. 한국체육철학회지, 14(1), 19-33.

유병화(1998). 열린 교육에서 열림의 의미에 관한 연구 - 해체주의와 맥락주의의 관점에서-, 교육철학, 20, 65-83.

이강우, 김석기(2002). 대중문화적 상황의 한국 스포츠문화의 발생과 전개과정에 관한 연구. 한국체육철학회지, 10(2), 51-77.

이정우(2003). 사건의 철학. 서울: 문학아카데미.

예종석(2012). 노블레스 오블리주. 경기: (주)살림출판사.

이성용(2010). 여론 조사에서 사회조사로. 서울: 책세상.

이응백(1990). 국어대사전. 서울: 교육도서.

안경일·오동섭(2009). 광복이후 대한민국 육군체육의 발전과정. 한국체육사학회지, 14(2), 111-123.

이강우(1994). 한국스포츠의 지배 이데올로기적 기능에 관한 연구. 미간행, 성균관대학교 박사학위 논문.

이근모(2008). 청소년 교육을 위한 학교체육정책의 비전과 과제. 한국체육학회지, 47(3), 113-126.

이달원(2000). 한국 체육교육과정 변천에 따른 요인 분석. 미간행, 계명대학교 박사학위 논문.

이범제(1999). 체육행정의 이론과 실제. 서울대학교 출판부.

이용식(2008). 신정부의 학교체육 활성화 방안. 한국체육정책학회지, 6(1), 83-94.

이용식(2011). 학교스포츠클럽 정책현황 및 개선 방안. 한국체육정책학회지, 제9권 1호, 127-138.

이욱렬(2002). 전두환 정부와 김대중 정부의 체육정책 비교연구. 미간행, 숭실대학교 박사학위 논문.

이종원(2001). 스포츠정책의 역사적 접근에 관한 일 고찰. 한국체육사학회지, 제7호. 169-181.

이종원(2002a) 제5공화국의 스포츠정책 연구. 미간행, 서울대학교 박사학위 논문.

이종원(2002b). 대한체육회의 법적 규정의 변천 과정 연구. 한국체육학회지, 41(4), 15-28.

이학래(2003). 한국체육백년사. 서울: 한국체육학회

이학래(2008). 한국현대체육사. 경기: 단국대학교출판부.

임영택・이만희・진성원・박윤식・홍석범・권승민・정재은(2010). 스포츠교육 모
    형 실행에 대한 체육교사의 내러티브 탐구. 한국체육학회지, 49(1),
    167-182.

임용태(1992). 체육청소년부 예산을 통한 정책 분석에 관한 연구. 미간행. 서울대
    학교 석사학위 논문.

유정애・김선희(2007). 왜 스포츠 문화 교육인가 한국체육학회지, 46(4), 169-181.

전세일(1997). 한국 고대 체육사 기술과 시대구분. 한국체육사학회지, 2:1~11.

정삼현(1996). 한국무도사 연구, 한국체육학회지, 35(3):9~26.

정찬모(2003). 고려시대 무예체육의 발달과정에 관한 연구-궁사를 중심으로. 한국
    체육사학회지, 12:111~128.

장성수(2003). 한국 현대사에 기초한 체육정책이 사회환경에 미친 영향. 한국체육
    정책학회지, 1(1), 43-49.

장성수(2004). 한국의 근, 현대사에 기초한 '체육' 용어에 대한 비평적 고찰. 한
    국체육사학회지, 14권, 53-64.

전세일(1999). 광복이후 체육 및 스포츠 전개에 대한 비판적 검토-한국 자본주의
    전개과정을 중심으로-. 한국체육사학회지, 제4권, 59-70.

정재환・김대광(2003). 한국 체육정책의 변천과 전망. 한국체육학회지, 42(4),
    59-69.

조욱상(2005). 중등학교 특기적성 운동부의 유형과 참여자 인식 분석. 한국체육학
    회지, 44(1). 173-183.

주석범(2008). 엘리트 스포츠 선수지원을 위한 예측과 전망. 한국체육학회지,
    47(3). 303-314.

장성만(2006). 한국 근대성연구의 길을 묻다. 경기: 돌베개.

정응근, 김홍식(2003). 스포츠 윤리 담론의 새로운 방향. 한국체육학회지, 39(2),
    67-76.

정준영(2003). 열광하는 스포츠 은폐된 이데올로기. 서울: 책세상.

정희준, 권미경(2007). 미디어시대, 새로운 몸의 등장: 소비자본주의적 몸에 대한
    사회문화적 고찰. 한국스포츠사회학회지, 20(3), 571-586.

최양수(2004). 한국의 문화변동과 미디어. 서울: 정보통신정책연구원.

천길영, 김경식(2005). 체력육성을 위한 트레이닝 방법. 서울: 대경북스.

최의창(2011). 학교체육수업을 통한 정의적 영역의 교육: 통합적 접근의 가능성 탐
　　　색. 체육과학 연구. 22(2), 2025-2041.

최홍희(2004). 80년대 체육 선진화정책에 대한 역사적 고찰. 한국체육학회지,
　　　43(5), 55-61.

채재성(2008). 스포츠클럽 육성의 변화와 과제에 대한 소고. 한국체육정책학회지,
　　　6(1), 95-108.

체육부(1983). 한국체육. 체육부.

최의창(2012). 즐거운 학교체육활동 활성화: 현황 분석과 정책 제안. 서울: 한국직
　　　업능력개발원.

최홍희(2005). 국민체육진흥정책 전개양상의 단계별 특징에 관한 연구. 미간행, 한
　　　양대학교 박사학위 논문.

한겨레신문. 2007년 1월 22일.

韓國日報. 1961年 7月 8日字 第3819號, 2面.

황수연(2003). 한국 체육행정 변천 연구. 미간행. 단국대학교 박사학위논문

Calish, R. (1972). The sportsmanship myth. Physical Educator, 10, 9-11.

Fairclough, S., Stratton, G., & Baldwin, G.(2002). The contribution of secondary
　　　school physical education to lifetime physical activity. European Physical
　　　education Review, 8(1), 69-84.

Mckenzie, T., Sallis, J., & Rosengard, P.(2009). Beyond the stucc tower: Design,
　　　development, and dissemination of the SPARK physical education
　　　program. Quest, 61, 114-127.

J. M. Converse(1987). *Survey Research in the United Stated : Roots and
　　　Emergence 1890~1960.* Berkeley : Unit. of California Press.

Sanford, R., Duncombe, R., & Armour, K.(2008). The role of physical
　　　activity/sport in tackling youth disaffection and anti-social behavior.
　　　Educational Review, 60(4), 419-435.

[주석]

1) 정준영. 『열광하는 스포츠 은폐된 이데올로기』, 서울: 책세상, 2009.
2) 이정우. 「평화올림픽에 대한 단상」, 『체육시민연대』, 2017년 12월 1일.
3) 생각의 보고(bahagia). 「스포츠와 정치」, 『인문학탐구-인문학적 사고』, 2017.년 8월 27일.
4) 체육학대사전. 「스포츠맨십, Sportsmanship」, 민중서관, 2000년 2월 25일, 『네이버 지식백과, 2018년 6월 4일.
5) 여동은. 「스포츠맨십의 실종」, 『한국일보』, 2013년 2월 12일.
6) 강조규. 「청소년 체력 저하 대책이 시급하다」, 『강원일보』, 2010년 10월 26일, 7면.
7) 신상윤. 「 중고생 10명중 4명, '저질 체력'...인천 경기 서울 순」, 『헤럴드경제』, 2010년 10월 5일.
8) 대전일보. 「덩치만 큰청소년 약골 대책 없나」, 2004년 12월 17일.
9) 박병상. 「신뢰까지 휩쓸 가리왕산」, 『가톨릭뉴스 지금여기』,2018년 5월 21일.
10) 박병상. 「생명평화는 생태정의」, 『가톨릭뉴스 지금여기』 , 2018년 6월 18일.
11) 임용석. 「은인(恩人) 통해 쓰는 편지」, 『체육시민연대』, 2017년 2월 17일.
12) 김기범. 「한국 테니스에 제 2의 정현이 나올 수 없는 이유」, 『KBS NEWS, 멀티미디어 뉴스』, 2017년 2월 15일.
13) 사는이야기/구암동산. 「평창경기장 활용 방안이 없다」, 『구암카페』, 2017년 12월 7일, http://guamcafe.tistory.com/5970.
14) 김여진. 「올림픽경기장 3곳 관리 5년간 202억 적자」, 『강원도민일보』, 2018년 7월 4일.
15) 조정훈. 「체육계 흔드는 정치인 바람」, 『조선일보』, 2013년 2.월 2일.
16) 하남길. 「체육계 흔드는 정치인 바람」, 『체육시민연대』, 2012년 11월 6일.
17) 안영식. 「 "태권도 올림픽서 살아남기, 온국민 즐기는 스포츠로" 」 , 『동아일보』, 2018년 6월 20일, A26.
18) 이찬영, 「이란 여성들, 38년 만에 월드컵축구 관람」, 『한겨레』, 2018년 6월 21일, A20.
19) 전영지. 「노태강 문체부 차관 "심석희같은 선수가...당신들은 맞을 사람이 아니다" 」, 『스포츠조선』, 2018년 5월 24일.
20) 정윤수. 「한국 스포츠계에 여전한 '독버섯' 」, 『경향신문』, 2016년 11월 29일.
21) 김창금. 「새 정부 체육정책 내부서 발목잡나?」, 『한겨레』, 2017년 9월 12일.
22) 경향신문. 「체육특기생 학사관리 이 정도로 엉망이었다니」, 2017년 3월 29일.
23) 김세훈. 「교육부가 내놓은 체육특기자 학업 관리책, 진정 학생 선수를 재고돼야할 부분은 무엇」, 『스포츠경향』, 2017년 4월 9일.
24) 김 민. 「대한민국 스포츠... 이제는 좋은 스포츠거버넌스가 필요하다」, 『체육시민연대』, 2018년 3월 9일.
25) 홍석재. 「열대국가 썰매 선수에 50살 현역까지…편견의 반대말, 평창」, 『한겨레』, 2018년 2월 1일.
26) 임병선, 「43년 전 에베레스트 도전 때 두 다리 잘라낸 중국인 등정 성공」, 『서울신문』, 2018년 5월 15일.
27) 민솔희. 「장애인체육의 또 다른 의미, 재활 그리고 사회참여」, 『체육시민연대』, 2018년 5월 18일.
28) 최수진. 「부천FC U-18감독 즉각 해임하라」, 『부천타임즈』, 2018년 6월 12일.
29) 체육학대사전. 「신체 운동, 身體運動, physical activities, 2000년 2월 25일, 민중서관, 『네이버 지식백과』, 2018년 6월 26일.
30) Barrow, H. M. Principles of his Physical Education. Philadelphia. Lea & Febige, 1977: 99.
31) 정진홍. 『인문의 숲에서 경영을 만나다』, 경기: 21세기북스, 2010: 151.
32) 피터 슈워츠(Peter Schwartz)/박슬라 옮김. 『미래를 읽는 기술, 미래의 기억』, 서울: 비지니북스, 2011: 80.
33) 교육심리학용어사전, 「신체운동적 지능, 身體運動的 知能, bodily kinesthetic intelligence, 2000년 1월 10일, 학지사, 『네이버 지식백과』, 2018년 6월 26일.

34) mon & enfant.「신체운동지능이 높으면 무엇을 해도 스타가 된다」,『맘 & 앙팡 매거진』, 2009년 5월호.
35) 문창석.「볼링 국가대표 1위 탈락시키고 7위 뽑은 협회 임원 무죄」,『뉴스1』, 2018년 6월 14일.
36) 이혜진.「빙상연맹, 대체 무엇을 또 누구를 위해 존재하는가」, 『스포츠월드, 사진=OSEN』, 2018년 1월 24일.
37) 신창윤.「월드컵재단, 누구를 위한 기관인가」,『경인신문』, 2014년 11월 24일, 13면.
38) 장달영.「수원FC, 수원월드컵경기장의 홈팀이 될 수도 있다」,『미디어오늘』, 2015년 12월 16일.
39) 김효경.「난민 복서 이흑산, 주먹이 운다」,『중앙일보』 2017년 11월 25일, A14.
40) 유태원.「이흑산과 함께 탈영한 '또 한 명의 난민복서' 에뚜빌」,『헤럴드경제』, 2017년 12월 31일.
41) 남동윤.「 은퇴한 학생 선수 "저는 이제 무엇을 해야하나요?" 」,『한국대학스포츠총장협의회』, 2018년 5월 18일.
42) 문경란.「스포츠폭력에 레드카드를」,『경향신문』, 2018년 5월 29일.
43) 김아랑.『마이데일리DB』, 2018년 6월 4일.
44) 안병수.「체육계도 용기 있는 '미투' 이어질까」,『세계일보』, 2018년 5월 10일.
45) 김용수.「미투 운동(Me Too movement) 확산으로 바람직한 성문화를 정착시켜야」,『강원도민일보』, 2018년 4월 9일.
46) 대한민국 여자 컬링 대표팀 김은정이 23일 강원도 강릉컬링센터에서 열린 2018평창 동계올림픽 컬링 여자 준결승전 일본과의 경기에서 스톤을 투구하고 있다(News1, 2018 .02. 23, 허정).
47) 윤다정.「평창동계올림픽 지상파 중계방송에 나타난 '성차별' 」, 뉴스1, 2018년 4월 3일.
48) 민솔희.「동계패럴림픽을 떠나보내며」,『체육시민연대』, 2018년 3월 23일.
49) 이정호.「뜨거워던 패럴림픽 열기, 이제는 현실 속 숙제로」, 스포츠경향, 2018년 3월 20일.
50) 안경환.「올림픽 이후에 할 일은」,『한국일보』, 2012년 8월 7일.
51) 김송이·유홍집.「평창올림픽 때문에 풍비박산난 횡계마을」,『CBS노컷뉴스』, 2018년 5월 31일.
52) 안경환.「올림픽과 모병제」,『한국일보』, 2012년 8월 29일.
53) 이영경.「 "정은이가 달라졌어요"…군대·일자리·통일비용 '기대 반 걱정 반' 」,『경향신문』, 2018년 5월 11일, A11.
54) 안호근.「커지는 배신감, 잡아떼던 삼성-넥센도 '최규순 게이트' 연루 확인됐다」,『스포츠큐(Q)』, 2017년 8월 30일.
55) 이찬영.「 '넥센 게이트' …이게 야구냐」,『한겨레』, .2018년 5월 31일, A20.
56) 한국민족문화대백과.「대한수영연맹, 大韓水泳聯盟,『한국학중앙연구원』, 네이버 지식백과, 2018년 6월 24일.
57) 정현숙.「 '제명 위기' 한국 수영 어쩌다 이지경까지…」,『KBS』, 2018년 4월 5일.
58) 이대호.「대한수영연맹, 2년 3개월 만에 정상화 눈앞」,『연합뉴스』, 2018년 6월 12일.
59) 피주영.「 "축구협회 수뇌부, 불량품 만들어놓고 뻔뻔하게 자리 지켜"」,『일간스포츠』, 2018년 3월 16일.
60) 조선일보.「대한민국 64년의 성취와 더 밝은 미래 보여 준 런던올림픽」, 2012년 8월 13일.
61) 김용수.「스포츠 선진국으로 나아가는 길을 찾아서」,『강원도민일보』, 2017년 2월 22일.
62) 문상열.「한국의 지도자와 스포츠」,『미디어 다음』, 2007년 8월 28일.
63) 키무라 코우이치/손윤 번역,「아마추어 스포츠 지도자의 자질이란?」,『야큐 리포트』, 2018년 6월 5일.
64) 전용진.「바람을 보는 것으로 시간이 나에게 다가온다」,『체육시민연대, 2017년 6월 16일.
65) 임용석.「학생선수와의 만남 : 교육과 이해」,『체육시민연대』, 2017년 6월 30일.
66) 김재윤.「영재발굴단, 다산 정약용의 메시지&유도 꿈나무 금메달 도전기 방송」,『SBS funE』, 2018년 7월 3일.
67) 이경렬.「평균을 높이는 생활체육 정책이 필요하다」,『체육시민연대』, 2017년 4월 14일.
68) 류현민.「스포츠를 통해 변화의 계기를 만들자」,『세계일보』, 2014년 10월 2일.
69) 염강수.「스포츠 팬들 마음에 '브랜드' 를 심어라」, 『조선일보』, 2009년 10월 9일.
70) 김경호.「야구, 축구 등 프로스포츠단체, 스포츠 토토 레저세 부과 반대 공동성명」,『경향신문』, 2014년 9월 3일.
71) 이승건.「스포츠를 '물' 로 보면서」,『동아일보』, 2014년 9월 15일.
72) 맹이섭, 권웅.「프로스포츠선수의 국적 이동에 대한 프로스포츠팬의 인식 연구」,『한국체육학회지, 54(4)』, 2015: 112.
73) 박세희.「클로이 김으로 불거진 스포츠 선수의 '국적 정체성' 」,『한겨레』, 2018년 2월 13일.
74) 박태훈.「잉글랜드 전원 국내파, 스웨덴 전원 해외파·한국 국내파 12명으로 전체 6위」,『세계일보』, 2018년 6월 7일.
75) 김동규, 이정식.「메가 스포츠이벤트 개최의 사회철학적 쟁점과 실행 과제」,『한국체육철학회지, 22(4)』, 2014: 1-20.

76) 김윤석. 「국제스포츠대회, 흑자는 불가능한가」, 『경향신문』, 2014년 6월 16일.
77) 김경목. 「평창 올림픽에도 '유커' 공백 컸다…여행수지 14억달러 적자」, 『뉴시스』, 2018년 4월 5일.
78) 정몽준. 「체육 단체장 연임 제한은 비민주적 규제」, 『조선일보』, 2013년 10월 15일, A35.
79) 신상순. 「체육단체 임원 1회 중임만」, 『경상매일신문』, 2013년 10월 07일.
80) 이호. 「머니볼 전략」, 『강원도민일보』, 2013년 11월 25일.
81) 임용석. 「'학생선수'에서 '선수' 빼기 : 외현과 내현」, 『체육시민연대』, 2017년 5월 5일.
82) 고광헌. 「세상을 바꾼 도발적 달리기」, 『체육시민연대』, 2017년 4월 28일.
83) 김수연, 조은아. 「'금녀의 벽' 깬 마라토너, 50년전 번호 달고 완주」, 『동아일보』, 2017년 4월 19일.
84) 고광헌. 「축구장의 안과 밖」, 『체육시민연대』, 2016년 7월 15일.
85) 김일우. 「5시간 원산폭격 시키고 목검으로 때린 대학 선배들」, 『한겨레』, 2017년 8월 24일.
86) 이성훈. 「고교 야구 폭력 사건, 그리고 '침묵의 카르텔'」, 『SBS 뉴스』, 2017년 9월 5일.
87) 김홍식. 『스포츠철학試론』, 서울: 무지개사, 2006: 8-18.
88) 신현군. 『스포츠 체험과 이해』, 서울: 숙명여자대학교 출판국, 2007: 28-31.
89) 신현군. 『스포츠 체험과 이해』, 서울: 숙명여자대학교 출판국, 2007: 33.
90) Maslow, 1962: 104-105/신현군. 『스포츠 체험과 이해』, 서울: 숙명여자대학교 출판국, 2007: 32-33.
91) 유병철. 「실패를 극복하는 운동, 실패를 가르치는 스포츠」, 『헤럴드경제』, 2017년 2월 28일.
92) 임종률. 「태권도 국대 출신 감독, 입시 비리·폭행 '몸통 의혹'」, 『CBS 노컷뉴스』, 2017년 12월 26일.
93) 홍덕기. 「체육을 체육답게!」, 『체육시민연대』, 2017년5월 12일.
94) 홍덕기. 「문재인 정부 1년, 그리고 체육」, 『체육시민연대』, 2018년 6월 29일.
95) 피주영. 「국내 최강 유도팀, 성적지상주의 벽 앞에서 씁쓸한 해체」, 『일간스포츠』, 2017년 3월 9일.
96) 연합뉴스. 「양주시청 유도팀 7년만의 몰락」, 2017년 3월 9일.
97) 배중진. 「FIFA 월드컵」, http://blog.daum.net/baejoongjin/21414, 『TV영화관』, 2018년 7월 2일,
98) 이정우. 「피파(FIFA) 월드컵 그리고 코니파(CONIFA) 월드컵」, 『체육시민연대』, 2018년 7월 7일.
99) 심윤지. 「국가가 되고 싶은 이들의 '대안 월드컵'」, 『경향신문』, 2018년 6월 10일.
100) 나무 위키. 「코니파(CONIFA) 월드컵」, 2018년 6월 27일, 『Daum』, 2018년 7월 6일.
101) 김효진. 「도핑·냉전…올림픽 출전금지의 역사, '문제는 정치야'」, 『한겨레』, 등록 :2017년 12월 6일.
102) 정윤수. 「'몸에서 우러난' 정찬성의 말」, 『경향신문』, 2017년 2월 6일, A29.
103) 정윤수. 「차선의 상황, 최선의 선택」, 『경향신문』, 2018년 5월 14일.
104) 정윤수. 「'3천만 감독'이라도 있을 때 잘해라」, 『경향신문』, 2018년 6월 11일.
105) 이정우. 「리우 올림픽 그리고 영웅의 행진」, 『체육시민연대』, 2016년 10월 28일.
106) 박훈. 「문의 나라 한국, 무의 나라 일본?」, 『경향신문』, 2018년 1월 17일, A29.
107) http://members.tripod.lycos.co.kr/KTK1973/index-2.html
108)   http://members.tripod.co.kr/KTK1973/index.html,   http://my.netian.com/~anehrk/ http://my.netian.com/~calman17/중부대학교 경찰경호학과 화랑도 경호시범단(http://www.musultv.com/(2002년 12월 21일), http://www.worldmartialarts.net/ http://www.muyelove.com/ http://www.musul.net/).
109) 박장근. 「대학 운동선수들의 운동정체감, 진로의식, 자긍심의 관계」, 『한국체육학회지, 53(3)』, 2014: 189-200.
110) 시사상식사전. 「체육요원 병역특례」, 『박문각』, 2016년 8월 2일, 네이버 지식백과, 2018년 6월 11일.
111) 양재식. 「체육요원 병역 특례에 대한 정의론적 고찰」, 미간행 박사학위논문. 충남대학교대학원, 2014.
112) 박성진. 「병역혜택 받는 '예술·체육요원 제도' 유지 놓고 병무청 여론수렴」, 『경향신문』, 2015년 8월 9일.
113) 문상열. 「한국스포츠와 지도자」, 『미디어 다음』, 2007년 8월 28일,
114) 정병철. 「신문선 "학부모가 지도자 급여 지급은 병폐"」, 『일간스포츠』,2008년 11월 11일.
115) 정병철(팀장), 양광삼, 최민규. 「프로구단 지원으로 클럽 전환 절실」, 『일간스포츠』, 2008년 11월 11일.
116) 정윤수. 「금메달 많이 딴다고 스포츠 선진국인가」, 『서울신문』, 2012년 7월 17일, 28면.
117) 김창금. 「올림픽과 나」, 『한겨레신문사』, 2016년 8월 5일.
118) 이승건. 「뒤로 가려 하는 한국 스포츠」, 『동아일보』, 2017년 9월 18일.
119) 김종구. 「체육계만 '출신 대학 제한' 필요한가」, 『한겨레』, 2014년 3월 11일.
120) 박소영, 김지한. 「태극기 → 러 3색기 → 오륜기 … 기구한 빅토르 안」, 『중앙일보』, 2017년 12월 8일.

121) 루롤프 슈타이너 교육예술협회. 「몸」, 『한국 루롤프 슈타이너 교육예술, 2002: 16.
122) 김수아. 「다양한 몸에 대한 상상이 필요한 이유」, 『경향신문』, 2017년 9월 17일.
123) 살림출판사 「스포츠의 몸과 종교적인 몸」, 2004년 7월 30일, 『네이버 지식백과』, 2018년 6월 13일.
124) 윤태석. 「국민을 바보로 아는 체육회에 아들 못 맡겨」, 『한국일보』, 2017년 6월 1일.
125) 임용석. 「국가대표의 의미」, 『한국스포츠인류학회』, 2017년 9월 15일.
126) 김용호. 「인천, '국가대표' 김주성이 최고가 되었던 곳」, 『점프볼』, 2018년 2월 8일.
127) 조남기. 「그들이 말하는 '국가대표의 의미'」, 『베스트 일레븐』, 2017년 3월 23일.
128) 서민. 「박태환과 대한민국」, 『경향신문』, 2016년 8월 9일.
129) 최병규. 「히딩크와 신태용 사이」, 『서울신문』, 2017년 10월 12일, 30면.
130) 이준목. 「젊고 경험 적은 신태호, 월드컵 본선서 잘할 수 있을까」, 『오마이뉴스』, 2018년 6월 15일.
131) 하남직. 「폭력 쓴 고교생 투수 '3년 자격 정지'」, 『연합뉴스』, 2017년 11월 21일.
132) 한이정. 「후배 폭행한 유명 고교 야구선수, 3년 자격정지」, 『매경닷컴 MK스포츠』, 2017년 11월 22일.
133) 김은별. 「평창올림픽, 평화올림픽되려면」, 『아시아경제』, 2017년 11월 16일, 26면.
134) 강미혜. 「평창올림픽, '평화' 뒤 '올림픽'이 안 보인다」, 『The PR(더피알)』, 2018년 1월 23일.
135) 이정우. 「더 선(the Sun), 리버풀 FC 그리고 시민사회운동」, 『체육시민연대』, 2017년 3월 17일.
136) 에릭 리우. You 're more powerful than you think/구세희 옮김, 『시민권력』, 서울: 저스트북스, 2016: 45.
137) 에릭 리우. You 're more powerful than you think/구세희 옮김, 『시민권력』, 서울: 저스트북스(Just books), 2016: 72.
138) A. Guttmann. From Ritual to Record, New York: Columbia University Press, 1978: 57-89.
139) Elias & Dunning, 1988/김홍식. 『스포츠철학試론』, 서울: 도서출판 무지개사, 2006: 210.
140) E. G. Dunning. The Sport Process, Human Kinetics Publishers, 1993: 39-70.
141) A. Guttmann. From Ritual to Record, New York: Columbia University Press, 1978: 15-55.
142) M. L. Adelman. The Sport Process, Human Kinetics Publishers, 1990: 6.
143) 오정석. 「근대스포츠의 수용과 전통스포츠의 근대화 양상에 관한 연구」, 『한국체육사학회지, 2(2)』, 1997: 28-29.
144) 김홍식. 『스포츠철학試론』, 서울: 도서출판 무지개사, 2006: 47.
145) 김홍식. 『스포츠철학試론』, 서울: 도서출판 무지개사, 2006: 51.
146) 신현군. 『스포츠 체험과 이해』, 서울: 숙명여자대학교 출판국, 2007: 13.
147) 유권재. 「선사시대 원시 스포츠의 성립과 양상」, 『한국체육사학회지(3)』, 1998: 43.
148) 김동규. 『體育原理의 諸問題』, 영남대학교출판부, 1996: 131.
149) 신현군. 『스포츠 체험과 이해』, 서울: 숙명여자대학교 출판국, 2007: 15-16.
150) Thomas. C(캐롤린 토마스). philosophic Context of sport, Philadelphia: Lee & Febiger, 1982.
151) Weiss, 1969: 14/신현군. 『스포츠 체험과 이해』, 서울: 숙명여자대학교 출판국, 2007: 28.
152) 신현군. 『스포츠 체험과 이해』, 서울: 숙명여자대학교 출판국, 2007: 28-29.
153) 신현군. 『스포츠 체험과 이해』, 서울: 숙명여자대학교 출판국, 2007: 31.
154) 신현군. 『스포츠 체험과 이해』, 서울: 숙명여자대학교 출판국, 2007: 33.
155) Maslow. Toward a Psychology of Being, Princeton: Van Nostrand, 1962: 104-105.
156) 정윤수. 「'서문이라도 읽자', 알베르트 슈페어의 회고록 <기억-제3제국의 중심에서>-히틀러에게 영혼을 판 독일 지식인의 운명」, 『주간경향』, 2017년 8월 29일.
157) 김동규. 「체육학의 세분화와 통합화」, 『한국체육철학회지, 14(4)』, 2006: 226.
158) 백종현. 「개념」, 『철학과 현실(24)』, 서울: 철학문화연구소, 1995: 303.
159) 김동규. 「체육학으로의 회귀」, 『한국체육학회지, 39(1)』, 2000: 81.
160) 김영환. 「한국체육학 개념의 과거, 현재, 그리고 미래」, 『2006 한국체육철학회 하계학술대회 논문집』, 2006: 4.
161) 박현우. 체육학에서 스포츠학으로, 한국체육학회지 36(4), 1997: 68-70.
162) 김동규. 「체육학의 세분화와 통합화」, 『한국체육철학회지, 14(4)』, 2006: 227.
163) 송형석. 「체육학 분화 및 통합 담론의 비판적 고찰」, 『한국체육학회지, 44(2)』, 51-61.
164) 김동규. 「체육학의 세분화와 통합화」, 『한국체육철학회지, 14(4)』, 2006: 228.
165) 소흥렬. 『누가 철학을 할 것인가?』, 서울: 이화여자대학교출판부, 2004: 26.
166) 이돈희. 『교육철학개론』, 서울: 박영사, 1991: 12.
167) 김동규. 「체육학의 세분화와 통합화」, 『한국체육철학회지, 14(4)』, 2006: 233.
168) 소광희. 『학문의 이념과 분류. 현대의 학문체계』, 서울: 민음사, 1994: 331.
169) 김동규. 「체육학의 세분화와 통합화」, 『한국체육철학회지, 14(4)』, 2006: 233.
170) 김동규. 「체육학의 세분화와 통합화」, 『한국체육철학회지, 14(4)』, 2006: 233-234.
171) 국민체육진흥공단. 「스포츠 통한 인성교육 실천」, 『연합뉴스』, 2013년 9월 10일.

172) 원유아. 「교총-스포츠문화재단 업무협약 등」, 『한국교육신문』, 2013년 11월 21일.
173) 김민아. 「교총-광주하계U대회조직위원회 업무협약(MOU) 체결」, 『천지일보』, 2015년 6월 24일.
174) 윤태기, 김동규. 「東醫寶鑑 養生法의 몸 수행」, 『한국체육철학회지, 22(2)』, 2014: 1-17.
175) 하재규. 「 "동의보감 양생법은 곧 몸 수련", 체육과 일맥상통」, 『한의신문』, 2018년 3월 24일.
176) 이강우. 『체육·스포츠정책의 연구 검토』, 『한국체육학회지』, 43(1), 2003: 25.
177) 동아일보, 1923년 12월 11일자, 1924년 9월 26일자, 1925년 9월 26일자.
178) 동아일보, 1932년 1월 2일자.
179) 미하이 칙센트미하이(Mihaly Csikszentmihalyi), 1997/이희재 옮김, 『몰입의 즐거움』. 서울: 해냄출판사, 2010: 94-95.
180) 이호영. 「교육선진국 바탕은 학교체육… 국가적 지원 뒤따라야"」, 『굿모닝충청-대전시교육청』, 2017년 10월 31일.
181) 이종열. 「운동선수는 머리가 나쁘다?」, 『한국일보』, 2014년 9월 16일.
182) 서완석. 「엘리트 스포츠가 필요한 이유」, 『국민일보』, 2015년 7월 28일.
183) 민중서관. 「엘리트, Elite」『체육학대사전』, 2000년 2월 25일, 네이버 지식백과, 2018년 4월 22일.
184) Making sense of sports, 엘리스 캐시모어(Eliss Cashmore)/정준영 옮김, 『스포츠, 그 열광의 사회학』, 한울아카데미, 2001: 250.
185) Making sense of sports, 엘리스 캐시모어(Eliss Cashmore)/정준영 옮김, 『스포츠, 그 열광의 사회학』, 한울아카데미, 2001: 86.
186) Making sense of sports, 엘리스 캐시모어(Eliss Cashmore)/정준영 옮김, 『스포츠, 그 열광의 사회학』, 한울아카데미, 2001: 130.
187) 민중서관. 「엘리트, Elite」, 『체육학대사전』, 2000년 2월 25일. 네이버 지식백과, 2018년 4월 22일.
188) 정준영. 열광하는 스포츠 은폐된 이데올로기, 서울: 책세상, 2009.
189) 김영일. 「잊을 만하면 되살아나는 스포츠계의 고질병」, 『국제신문』, 2018년 2월 1일, 29면.
190) 장달영. 「문대성 의원 복당, 스포츠계 고질병의 복사판」, 『미디어오늘(장달영의 LAW&S)』, 2014년 02월 21일.
191) 프레시안. 「몽양 여운형, 한국 체육도 이끌었다!」, 2016년 7월 14일.
192) 박도. 「손기정 금메달에 결정적 영향을 끼친 혁명가, 몽양 여운형」, 『오마이뉴스-김지연』, 2017SUS 12월 16일.
192) 위 내용에 대한 저작권 및 법적 책임은 자료제공처 또는 저자에게 있으며, Kakao의 입장과는 다를 수 있습니다.
192) 윤대원 집필자는 서울대 규장각한국학연구원 HK연구교수. 저서 『상해시기 대한민국임시정부 연구』, 『21세기 한·중·일 역사전쟁』, 논문 「임시정부법통론의 역사적 연원과 의미」 등이 있다.
192) 박세회. 「클로이 김으로 불거진 스포츠 선수의 '국적 정체성'-평창올림픽 선수 178명, 모국이 아닌 나라 대표해 출전-」, 『한겨레』, 2018년 2월 13일.
192) 김경윤. 「세계는 왜 흑인 수영챔피언에 열광하나」, 『연합뉴스』), 2019년 7월27일.
192) 강국진. 「 "한국 체육은 모든 선수를 김연아·류현진처럼 훈련시켜"」, 『서울신문』, 2019년 7월 3일, 31면.
192) 권유진. 「 '선수 폭행' 코치 재임용한 지자체…반대하면 향후 재계약 불이익 경고도」, 『중앙일보』, 2019년 7월 4일.
192) 연합뉴스. 「현장 의견 빠진 스포츠 혁신안, 체육인 무시하는 느낌」, 2019년 7월 4일.
192) 이 글은 2019년 5월 28일자 경향신문 오피니언 칼럼 [정윤수의 오프사이드]에 실린 글입니다.
192) 박재홍, 김소라. 「점심시간 외 '놀이 시간 20분' 더…아이들 얼굴에 생기가 돌아왔다」, 『서울신문』, 2019년 6월 5일, 26면.
192) 송수은. 「경기도장애인체육회, 전국 1호 감사팀 만든다」, 『경인일보』, 2019년 5월 28일, 18면.
192) 유설희. 「첫 타자에게 볼넷 주면 500만원" 승부조작 제의 브로커 징역 6월」, 『경향신문』, 2019년 5월 27일.
192) 김세훈. 「국교위, 체육 단독교과 허하라」, 『경향신문』, 2024년 4월 8일.
192) 이용균. 「기계가 야구 심판을 보니, 신기한 일이 벌어졌다!」, 『경향신문』, 2024년 5월 2일.
192) 박병률. 「한국 남자축구만 문제가 아니다」, 『경향신문』, 2024년 2월 18일.

192) 이희경. 「요가하는 마음」, 『경향신문』, 2024년 2월 29일.
192) 윤수봉. 「지역사회의 사회적 책임과 장애인스포츠」, 『전북일보』, 2024년 3월 6일.
192) 전영관. 「체육의 정의」, 『중부일보』, 2024년 3월 6일.
192) 한민택. 「축구는 나의 인생」, 『중부일보』, 2024년 2월 14일.
192) 이승배. 「초등 1·2학년에게 필요한 '체육교과'」, 『경향신문』, 2024년 5월 19일.
192) 김세훈. 「최경주가 보여준 것들」, 『경향신문』, 2024년 5월 20일.
192) 이용균. 「요즘 야구, 4번보다 1번이 강한 이유」, 『경향신문』, 2024년 6월 6일.
192) 심완선. 「나의 '낯선' 달리기 연습」, 『경향신문』, 2024년 2월 12일.
192) 김세훈, 「운동과 학습, 공존법은 많다」, 『경향신문』, 2022년 9월 27일.
192) 김용수. 「비판적 관점에서 스포츠란 우리에게 무엇인가?」, 『강원도민일보』, 2019년 7월 23일.

휠체어(wheelchair) 경기(한국일보, 2012. 10. 17, 서재훈)

http://blog.daum.net/sang7981/71

Oh Captain! My Captain!

Walt Whitman

O Captain! my Captain! our fearful trip is done,

The ship has weather'd every rack, the prize we sought is won,

The port is near, the bells I hear, the people all exulting,

While follow eyes the steady keel, the vessel grim and daring;

But O heart! heart! heart!

O the bleeding drops of red,

Where on the deck my Captain lies,

Fallen cold and dead.

O Captain! my Captain! rise up and hear the bells;

Rise up--for you the flag is flung--for you the bugle trills,

For you bouquets and ribbon'd wreaths--for you the shores a-crowding,

For you they call, the swaying mass, their eager faces turning;

Here Captain! dear father!

This arm beneath your head!

It is some dream that on the deck,

You've fallen cold and dead.

My Captain does not answer, his lips are pale and still,

My father does not feel my arm, he has no pulse nor will,

The ship is anchor'd safe and sound, its voyage closed and done,

From fearful trip the victor ship comes in with object won;

Exult O shores, and ring O bells!

But I with mournful tread,

Walk the deck my Captain lies,

Fallen cold and dead.

· 1924년 평양기독청년회 주최 전조선 축구대회에 참가한 선수들이 숭실전문 정문 앞에서 기념 촬영을 했다.

제3회 대회 참가팀은 중학
성, 중앙, 대구의 계성, 평양9

| 청진축구단(淸津蹴球團)

· 1924년 황성기독청년회 주최 제1회 전국 기독교청년축구대회 중학부 배재와 숭실의 경기 모습.

156 한국축구 100년사

·1926년 8월 도쿄 유학생 축구
팀이 평양 광성고보 운동장에
서 평양고보와 친선경기를 갖
고 있다.

1934년 7월 21일 조선축구협
의 경기에서 도쿄 유학생팀은 (

亡謙), 이혜봉(李惠逢), 방창복(方昌福),

· 1928년 조선축구단이 중국 상
하이 원정에 앞서 기념 촬영.

· 1927년 4월 경성운동장에서
조선축구단이 내한한 일본 히
로시마리죠축구단과 대전하
고 있다.

리나라에 왔다. 리죠축구단은
이어 연희전문에게는 2 : 3으

· 1929년 전조선 축구대회에서
정상을 차지한 경신중학 축
구팀.

장에서 열렸다. 전년도 우승

· 1940년 보성고보 축구팀 모습.

·1939년 3도시 대항전에서
우승한 경성축구단.

4월 6일에 열린 경평전에서

있던 이유형(李裕瀅) 씨를 적임

宇) 호조칙(洪鋪士)(이사 대구)

·1938년 평양에서 열린 3도시
(경성, 평양, 함흥) 대항전에서
우승한 함흥축구단.

를 기록했다.

· 1933년 10월 경.평 축구대회
입장식에서 양팀 선수들이 도
열해 있다.

· 1935년 6월 일본 도쿄에서
열린 제15회 전일본 축구선수
권대회에서 우승한 조선축구
단이 교포들과 기념 촬영.

대표 : 이인규(李仁奎),
민(李榮敏), 이혜봉(李惠逢)

· 1929년 1월 제11회 전일본
중학축구선수권대회에 조
선대표로 출전한 평양고보
축구팀.

· 1936년 1월 연희전문 축구팀
이 중국 상하이를 방문, 상하
이 인터포드팀과 기념 촬영.

기록하고 돌아온 사실

· 1936년 경성운동장에서 열린 전 경성팀과 일본 게이오대학팀에 앞서 거행된 입장식.

대신동 공설운동장에서 열려 영

1936년에는 프랑스 한대 라우

· 경성운동장에서 열린 대항전에 앞서 함께 한 경성축구단과 평양축구단

·1947년 4월, 해방 후 국내 축구
팀으로는 처음으로 중국 상하
이 원정에 나선 서울축구단.

이들 선수단은 서울운동장 앞

인 자격을 획득해놓는 요식

·1948년 런던 올림픽에 참가
한 한국축구 대표팀.

· 1948년 전국축구대회에서 패권을 차지한 고려대축구팀.

· 1949년 국내 최초로 열린 여
자 축구경기에 참가한 무학여
중 축구선수들.

5월 17일부터 19일까지
려, 서울, 동국, 성균관, 정

|지게 되어 있었다. 현지
\월드컵 출전에 많은 관심
것을 보고 깜짝 놀랐다.
어려운 경제사정 때문에

①1954년 스위스 월드컵 본선
에 참가한 한국선수단이 헝
가리전에 앞서 정열해 있다.

②1954년 스위스 월드컵 헝가
리전에서 한국선수들이 헝
가리 공격을 막아내고 있다.

· 1954년 스위스 월드컵 본선
한국 : 헝가리전을 위해 양
팀 선수들이 입장하고 있다.

항우장사처럼 기운이

있었으나 한국 선수단은
에 일찍 출발했다.
는 축구팀인데 홍콩까지
에 교섭해서 타이페이까
    패하면 그대로 그

①1956년 홍콩에서 열린 제1회 아시안컵에서 우승을 차지한 한국선수들이 기뻐하며 운동장을 나오고 있다.

②1956년 제 1회 아시안컵 우승을 차지한 한국선수단이 경무대를 방문, 이승만 대통령과 기념 촬영.

· 1959년 제1회 아시아 청소년 축구대회에서 우승한 한국 청소년대표선수단.

라앉았으나 그 여운이 오리

:- 중요한 역할을 했기 때문에

· 1960년 제2회 아시안컵에서 우
승을 차지한 한국선수단이 우승
컵을 놓고 기념 촬영.

· 1967년 창단된 양지축구단 선수들.

· 1971년 제1회 박대통령배 축구
대회 개막식에서 시축하는 박
정희 대통령.

제2절 국제화를

|1 : 0으로 승리, 킹스
·아지역의 3대 초청대

①1975년 메르데카컵 결승전 말
레이시아전에서 이영무(11번)
선수가 결승골을 넣자 한국선
수들이 좋아하고 있다.

②1975년 태국 방콕에서 열린 킹
스컵축구대회에서 우승을 차지
한 한국선수단.

· 1976년 국가대표 1진 화랑팀.

①1979년 세계 청소년축구대회
  에 참가한 한국선수단.

②1979년 7월 서독의 함부르크
  SV 초청경기에서 한국의 박
  성화가 돌진하고 있다.

10월 27일부터 11월
도 대표 2진인 충무
12회 킹스컵에 출전
충무는 첫 경기어

· 1983년 멕시코 세계 청소년 대회 4강 입상을 축하하는 귀국 환영회.

다. 한국은 첫 경기에서

· 1990년 5월 처음 출범한 여자 대표팀.

이보다 앞서 5월 3일 이화여대, 5월 21일

· 1992년 프로축구는 포항이
  최종일 경기에서 승리함으
  로써 우승이 확정됐다.

팀 창단 역시 프로축구 10년
었다 그러나 관중수의 겨우

· 한국 선수들이 독일과의 준결승
  을 앞두고 대형 태극기를 배경으
  로 서 있다.

양팀은 전반을 득점없이 끝

· 2002 월드컵 3-4위전 후 시상대
에 선 한국 선수들.

까지 쫓아갔다는 것은 세계

· 17세 이하 아시아 청소년대회 우
승컵을 안은 한국선수들.

조별 리그에서 2승 1무, 3

인생예찬

헨리 워즈워스 롱펠로(Henry Wadsworth Longfellow)

세상이라는 넓은 전장(戰場)에서,
인생이라는 야영지에서,
말 못하며 쫓기는 짐승이 되지 말고
싸움에 이기는 영웅이 되어라.

비록 그것이 즐겁다 하여도
미래를 믿지 말라!
죽은 과거는 죽은 채로 묻어두어라!
행동하라, 살아있는 지금 행동하라!
용기는 심중에 있고,
신은 머리 위에 머무느니

위인들의 모든 생은 우리를 일깨워준다.
우리도 숭고한 삶을 이룰 수 있고
이 세상을 떠날 때 시간의 모래 위에
발자취를 남길 수 있음을.

그 발자국은 먼 훗날,
장엄한 삶의 바다를 항해하다
외롭게 난파한 그 어떤 형제가 보고
다시금 용기를 얻게 될 것이다.

그러니 우리 쉬지 말고 행동하자.
어떠한 운명도 이겨나갈 정신으로
끊임없이 성취하고 추구하면서,
일하고 기다리는 법을 배우자.